BILIONÁRIOS NAZISTAS

David de Jong

Bilionários nazistas

A tenebrosa história das dinastias mais ricas da Alemanha

TRADUÇÃO
Otacílio Nunes

3ª reimpressão

Grafia atualizada segundo o Acordo Ortográfico da Língua Portuguesa de 1990, que entrou em vigor no Brasil em 2009.

Título original
Nazi Billionaires: The Dark History of Germany's Wealthiest Dynasties

Capa e imagem
Eduardo Foresti | Foresti Design

Preparação
Lígia Azevedo

Índice remissivo
Maria Claudia Carvalho Mattos

Revisão
Luís Eduardo Gonçalves
Nestor Turano Jr.

Dados Internacionais de Catalogação na Publicação (CIP)
(Câmara Brasileira do Livro, SP, Brasil)

Jong, David de
Bilionários nazistas : A tenebrosa história das dinastias mais ricas da Alemanha / David de Jong ; tradução Otacílio Nunes. – 1ª ed. – Rio de Janeiro : Objetiva, 2023.

Título original : Nazi Billionaires : The Dark History of Germany's Wealthiest Dynasties.
Bibliografia.
ISBN 978-85-390-0748-6

1. Famílias e guerras – Alemanha – Aspectos econômicos 2. Guerra Mundial, 1935-1945 – Alemanha – Aspectos econômicos 3. Nazistas – Aspectos econômicos 4. Riqueza – Alemanha – Aspectos políticos – História – Século 20 I. Título.

22-137671 CDD-940.531

Índice para catálogo sistemático:
1. Nazistas : Riqueza : Guerra Mundial, 1939-1945 : História 940.531

Inajara Pires de Souza – Bibliotecária – CRB PR-001652/O

EDITORA SCHWARCZ S.A.
Praça Floriano, 19, sala 3001 — Cinelândia
20031-050 — Rio de Janeiro — RJ
Telefone: (21) 3993-7510
www.companhiadasletras.com.br
www.blogdacompanhia.com.br
facebook.com/editoraobjetiva
instagram.com/editora_objetiva
twitter.com/edobjetiva

Em memória de meus avós Alice e Hans, Hannie e John,
pois eles resistiram, sobreviveram e prosperaram,
dando a suas famílias a melhor vida possível.

Eles pilharam o mundo, deixando em sua fome nua a terra [...].
Eles são movidos por ganância, se seu inimigo for rico; por ambição,
se for pobre [...]. Eles devastam, apoderam-se por falsos pretextos,
e tudo isso eles saúdam como a construção de um império. E quando em
sua esteira nada permanece senão um deserto, chamam isso de paz.

Tácito, *Agrícola*

Sumário

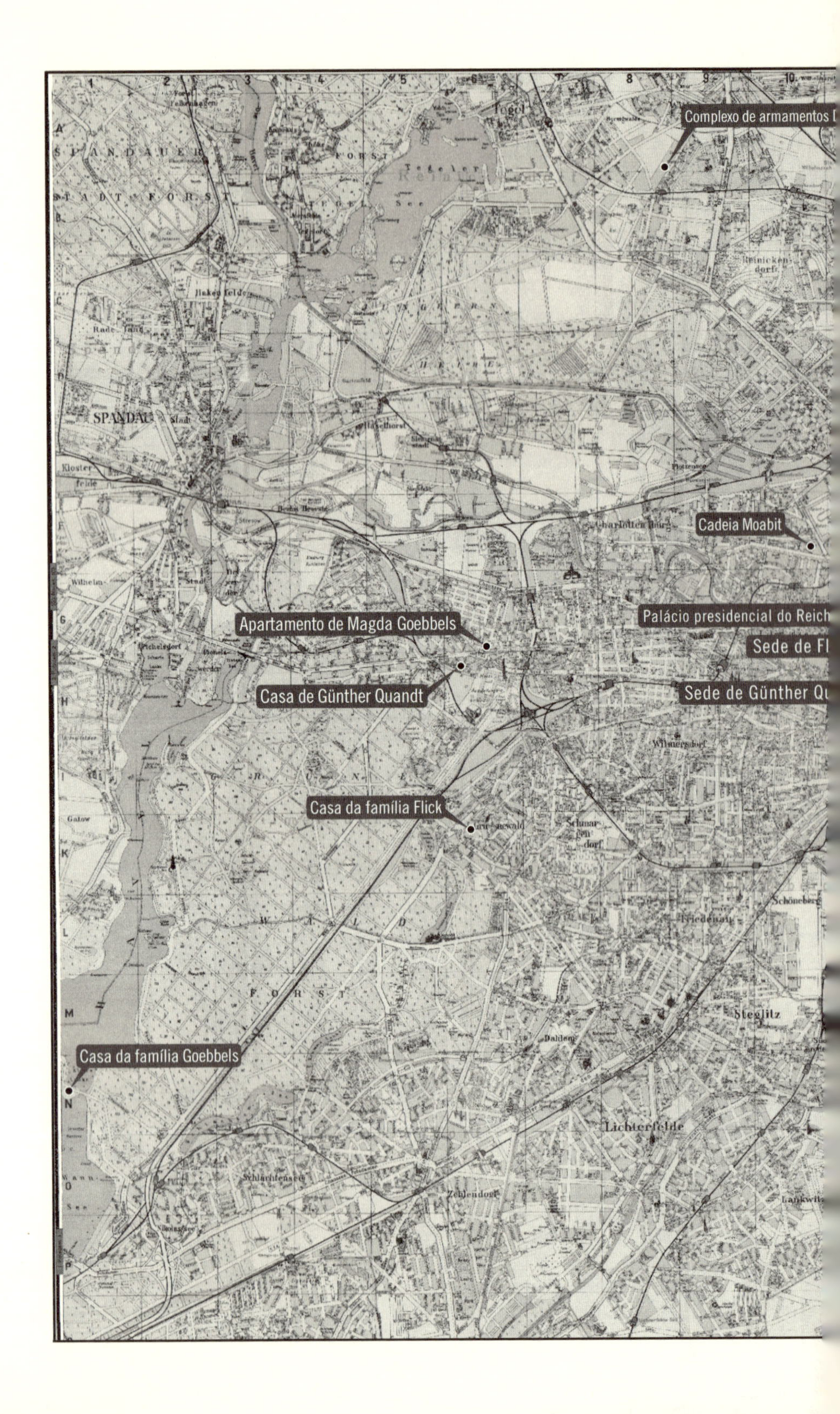

Complexo de armamentos
Cadeia Moabit
Palácio presidencial do Reich
Sede de
Apartamento de Magda Goebbels
Casa de Günther Quandt
Sede de Günther
Casa da família Flick
Casa da família Goebbels
SPANDAU
Tegel
Charlottenburg
Wilmersdorf
Schöneberg
Friedenau
Steglitz
Dahlem
Lichterfelde
Zehlendorf
Schlachtensee
Lankwitz

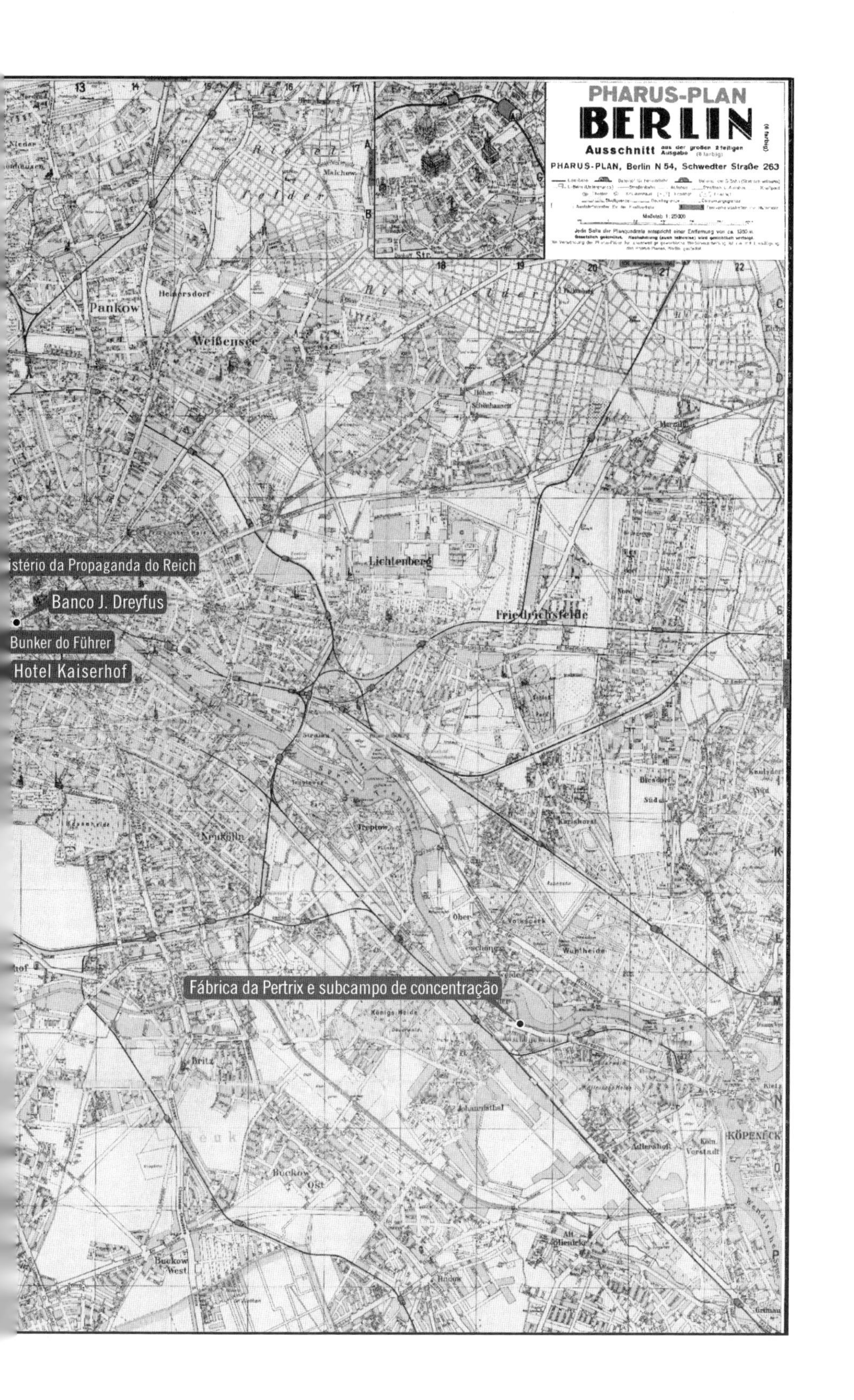

PHARUS-PLAN
BERLIN
Ausschnitt aus der großen 2teiligen Ausgabe (6 farbig)
PHARUS-PLAN, Berlin N 54, Schwedter Straße 263
Maßstab 1:25000
istério da Propaganda do Reich
Banco J. Dreyfus
Bunker do Führer
Hotel Kaiserhof
Fábrica da Pertrix e subcampo de concentração
Pankow
Heinersdorf
Weißensee
Lichtenberg
Friedrichsfelde
Neukölln
Treptow
Karlshorst
Biesdorf
Britz
Johannisthal
Adlershof
KÖPENICK
Buckow Ost
Buckow West
Rudow

Pharus-Reisekarte
von
DEUTSCHLAND

Pharus-Plan Berlin N 54, Schwedter Str. 263

Maßstab 1 : 2300000

1 cm = 23 km

Hauptbahnen — Nebenbahnen — Chausseen

Kleine Ausgabe

Hamburgo
Campo de concentração de Neuengamme

Fallersleben
Complexo fabril Volkswagen e campos

Bielefeld
Sede da Dr. Oetker

H
Fábrica de baterias
e subcampo de conce

Região do Ruhr
Minas de carvão Flick

Lorena
Complexo siderúrgico Rombach

Stuttgart
Empresa de projetos de carro Porsche

Munique
Banco Merck Finck

A B C D E F G

1 2 3 4 5 6 7 8 9 10 11

Helgoland
Texel
Vlieland
Norwich
Gt. Yarmouth
Cambridge
Ipswich
Colchester
ONDON
Ramsgate
Dover
Folkestone
Hastings
Calais
Boulogne
Dunkerque
Ostende
Brügge
Gent
Antwerpen
Lille
Roubaix
Brüssel
Valenciennes
Amsterdam
's Gravenhage
Rotterdam
Utrecht
Arnheim
Dordrecht
Oldenburg
Bremen
Hamburg
Lüneburg
Kassel
Koblenz
Luxemburg
Mannheim
Strassburg
Ulm
Amiens
St. Quentin
Rouen
Reims
Paris
Versailles
Chartres
Nancy
Troyes
Orléans
Dijon
Besançon
Mülhausen
Basel
Zürich
Nevers
Bourges
Montluçon
Lausanne
Genf
Clermont-Ferrand
Lyon
St. Etienne
Annecy
Niederlande
Belgien
Frankreich
Schweiz
Italien
Württemberg

Pharus-Plan. Urheberrechtlich geschützt.

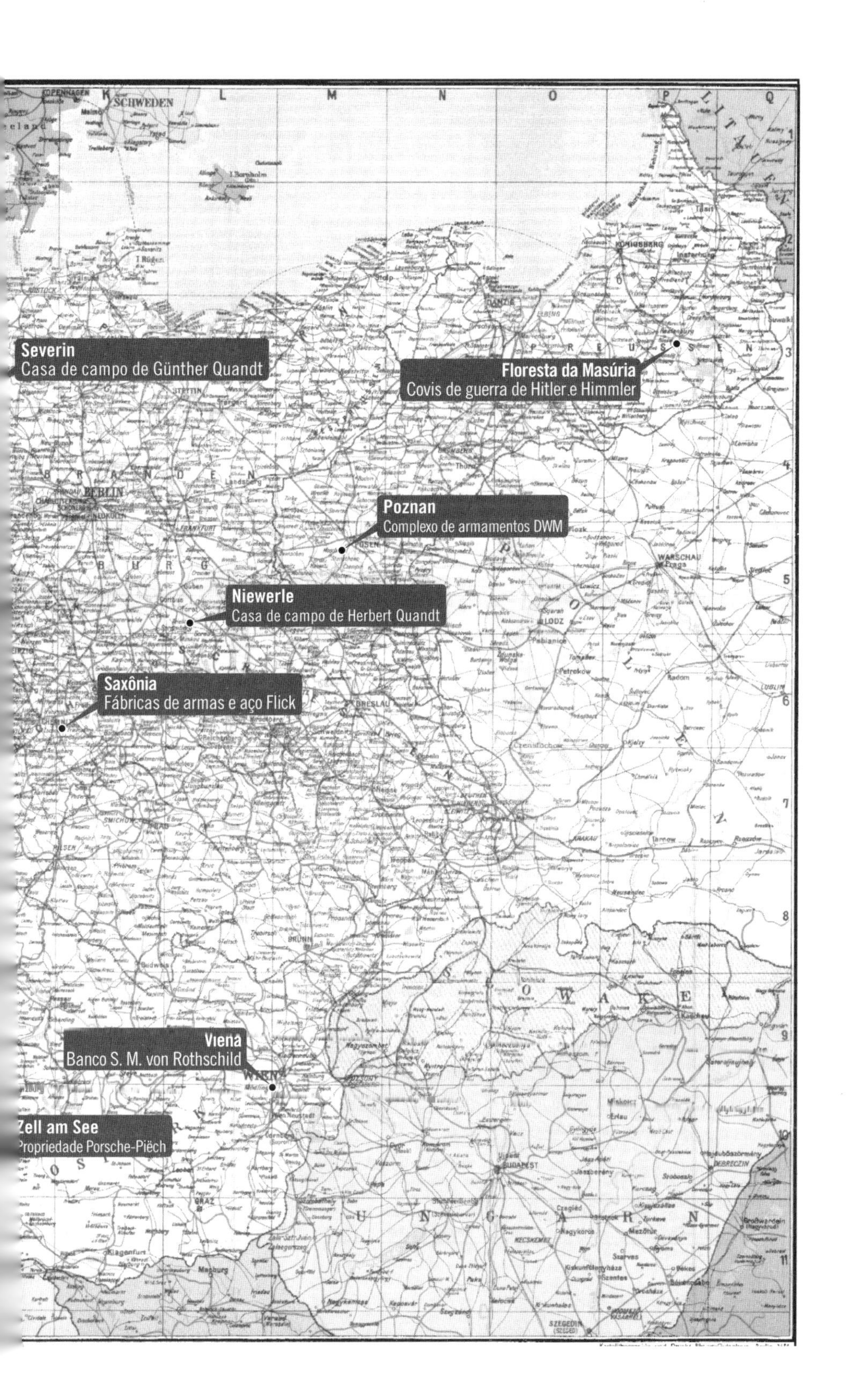
Severin
Casa de campo de Günther Quandt
Floresta da Masúria
Covis de guerra de Hitler e Himmler
Poznan
Complexo de armamentos DWM
Niewerle
Casa de campo de Herbert Quandt
Saxônia
Fábricas de armas e aço Flick
Viena
Banco S. M. von Rothschild
Zell am See
Propriedade Porsche-Piëch

Personagens

OS QUANDT

Günther Quandt: Patriarca. Industrial.
Horst Pavel: Braço direito de Günther.
Toni Quandt: Primeira mulher de Günther. Mãe de Herbert.
Magda Goebbels: Segunda mulher de Günther. Mãe de Harald.
Ello Quandt: Cunhada de Günther. Melhor amiga de Magda. Madrinha de Harald.
Harald Quandt: Único filho do casamento de Magda e Günther.
Gabriele Quandt: Filha de Harald.
Herbert Quandt: Filho do primeiro casamento de Günther. Salvador da BMW.
Susanne Klatten: Filha mais nova de Herbert. Herdeira da BMW.
Stefan Quandt: Filho mais novo de Herbert. Herdeiro da BMW.

OS FLICK

Friedrich Flick: Patriarca. Industrial.
Otto Steinbrinck: Braço direito de Friedrich.
Otto-Ernst Flick: Filho mais velho de Friedrich.
Muck, Mick e Dagmar Flick: Filhos de Otto-Ernst.

Friedrich Karl Flick: Filho mais novo de Friedrich.
Eberhard von Brauchitsch: Melhor amigo de Friedrich Karl.
Ingrid Flick: Viúva de Friedrich Karl.

OS VON FINCK

August von Finck Sr.: Patriarca. Banqueiro privado.
Kurt Schmitt: CEO da Allianz. Ministro da Economia do Reich.
August "Gustl" von Finck Jr.: Investidor.
Ernst Knut Stahl: Braço direito de Gustl.

OS PORSCHE-PIËCH

Ferdinand Porsche: Patriarca. Criador da Volkswagen e da Porsche.
Anton Piëch: Genro de Ferdinand. Casado com Louise.
Ferry Porsche: Filho de Ferdinand. Oficial da SS.
Louise Piëch: Filha de Ferdinand. Casada com Anton.

OS OETKER

Richard Kaselowsky: Patriarca. CEO da Dr. Oetker.
Rudolf-August Oetker: Filho adotivo de Kaselowsky. Oficial da Waffen-SS.
Rudolf von Ribbentrop: Melhor amigo de Rudolf-August. Oficial da Waffen-SS.

OS PRINCIPAIS NAZISTAS

Adolf Hitler: O Führer.
Joseph Goebbels: Ministro da Propaganda do Reich. Marido de Magda. Padrasto de Harald.
Hermann Göring: Reichsmarschall. Principal tomador de decisões na política econômica nazista.

Heinrich Himmler: Reichsführer-SS. Principal organizador do Holocausto.
Hjalmar Schacht: Presidente do Reichsbank e ministro da Economia do Reich.
Walther Funk: Ministro da Economia do Reich e presidente do Reichsbank.
Otto Wagener: Assessor econômico de Hitler.
Wilhelm Keppler: Assessor econômico de Hitler. Tio de Kranefuss.
Fritz Kranefuss: Organizador do Círculo de Amigos de Himmler. Sobrinho de Keppler.

OS PERSEGUIDOS

Adolf Rosenberger: Cofundador da Porsche.
Johanna e Fritz Heine: Proprietários de negócios.
Família Hahn: Proprietários de negócios.
Herdeiros de Julius e Ignaz Petschek: Proprietários de negócios.
Willy Dreyfus: Banqueiro privado.
Louis von Rothschild: Banqueiro privado.

OS AMERICANOS

Telford Taylor: Principal promotor do Tribunal Militar de Nuremberg.
John J. McCloy: Alto-comissário dos Estados Unidos para a Alemanha ocupada.

OS REIMANN

Albert Reimann: Patriarca. CEO da Joh. A. Benckiser (JAB).
Peter Harf: Presidente da JAB. Confidente da família.
Wolfgang Reimann: Filho mais velho de Albert.

Prólogo

A reunião

Eles se mantêm lá impassíveis, como 24 máquinas de calcular nas portas do Inferno.
Éric Vuillard, *A ordem do dia*[1]

Os convites, enviados por telegrama quatro dias antes, não deixavam dúvida. A capital estava chamando. Na segunda-feira, 20 de fevereiro de 1933, às seis da manhã, cerca de doze[2] dos empresários mais ricos e mais influentes da Alemanha nazista chegaram, a pé ou de carro com chofer, para uma reunião na residência oficial do presidente do Reichstag, Hermann Göring, no coração do distrito governamental e empresarial de Berlim. Entre os presentes estavam Günther Quandt, um produtor têxtil convertido em magnata de armas e baterias; Friedrich Flick, um magnata do aço; o barão August von Finck, um magnata das finanças; Kurt Schmitt, CEO do colosso dos seguros Allianz; executivos do conglomerado químico IG Farben e do gigante de potassa Wintershall; e Gustav Krupp von Bohlen und Halbach, que através do casamento se tornara presidente do império do aço Krupp.

Três semanas antes, Adolf Hitler havia tomado o poder na Alemanha depois de um acordo secreto que levou o presidente do Reich, Paul von Hindenburg, a nomeá-lo chanceler. Agora o líder do Partido Nazista queria "explicar suas políticas"[3] ao grupo de industriais, financistas, executivos e herdeiros, ou ao menos foi o que deu a entender. Os empresários estavam esperando ser tranquilizados quanto à direção da economia alemã sob o novo governo. Não foi o que ocorreu. Hitler tinha seus próprios planos para a reunião e para o país.

Eles chegaram pontualmente à imponente residência entre o vermelho e o laranja queimado na margem sul do rio Spree, vizinha ao Reichstag, em Berlim, mas não foram recebidos imediatamente — algo a que não estavam acostumados ou que tenham apreciado. Göring, o anfitrião, só os saudou quinze minutos depois da hora marcada. Atrás dele estava Walther Funk,[4] atarracado e careca, o principal assessor de imprensa do governo de Hitler. O novo chanceler chegou ainda mais tarde, acompanhado de Otto Wagener, seu principal assessor econômico. O mestre de cerimônia era Hjalmar Schacht, ex-presidente do Reichsbank, o banco central da Alemanha. (Como ficaria claro, Funk, Schacht, Göring e Schmitt, CEO da Allianz, quatro dos futuros ministros da Economia de Hitler, estavam todos presentes.) A reunião era a culminação de anos de cuidadosos preparativos feitos por representantes de Hitler — anos de cultivo de relacionamento com os magnatas para entusiasmá-los quanto à causa nazista.

Depois de apertar as mãos dos empresários, Hitler se lançou em um tortuoso discurso de noventa minutos, proferido sem notas nem pausas. Mas, em vez da conversa sobre políticas que havia prometido, ele deu um diagnóstico amplo do momento político corrente. O ano de 1918 tinha sido um ponto de virada catastrófico na história alemã, com a derrota do Império alemão na Primeira Guerra Mundial e a revolução na Rússia, que levara os comunistas ao poder. Aos olhos de Hitler, chegara o momento de resolver a luta entre a direita e a esquerda de uma vez por todas.[5]

Ele argumentou que, ao apoiar sua ascensão como Führer, os magnatas estariam apoiando a si próprios, suas empresas e suas fortunas. "A empresa privada não pode ser mantida na era da democracia", disse o chanceler de 43 anos. "Ela só é concebível se o povo tiver uma ideia sólida de autoridade e personalidade. Tudo de positivo, bom e valioso que foi alcançado no mundo no campo da economia e da cultura é atribuível unicamente à importância da personalidade."[6] Hitler não falou sobre abolir sindicatos, rearmamento, guerra ou a extirpação de judeus da vida alemã. Mas apresentou um vislumbre do que estava por vir: "Primeiro devemos ganhar o poder completo, se quisermos esmagar o outro lado".[7]

Perto do fim de seu discurso, Hitler expôs o que aconteceria. Em apenas duas semanas, em 15 de março de 1933, o povo da Alemanha determinaria o futuro do país na eleição nacional — "a última eleição",[8] de acordo com ele. De um jeito ou de outro, a democracia cairia. O novo chanceler da Alemanha pretendia dissolvê-la inteiramente e substituí-la por uma ditadura. "Independentemente do resultado", Hitler advertiu, "não haveria retirada [...]. Há apenas duas possibilidades: expulsar o oponente em bases constitucionais [...] ou conduzir uma luta com outras armas, o que pode exigir sacrifícios maiores." Se a eleição não levasse seu partido ao poder, ele insinuou, uma guerra entre a esquerda e a direita irromperia. Então Hitler se tornou mais poético: "Espero que o povo alemão reconheça a grandeza do momento. Ele decidirá os próximos dez ou, o que é mais provável, cem anos".

Como presidente da Associação da Indústria Alemã, o magnata de armas e aço Gustav Krupp era o primus inter pares do grupo de empresários e seu porta-voz designado. O industrial de 62 anos havia preparado um extenso memorando sobre política econômica para seu primeiro encontro com Hitler. Mas, dado que o novo chanceler tinha acabado de exigir a dissolução da democracia alemã, Krupp achou melhor não começar um diálogo sobre detalhes políticos entediantes. Em vez disso, ele agradeceu humildemente a Hitler em nome dos homens reunidos "por nos ter dado um quadro tão claro da concepção" de suas ideias.[9] Krupp concluiu com observações anódinas sobre a necessidade de um remédio imediato para os problemas políticos da Alemanha e de um Estado forte que ajudasse "a economia e as empresas a se desenvolver e a florescer".

Depois de ouvir as observações de Krupp, o chanceler, austríaco de nascimento, não recebeu nenhuma pergunta de seu público, tampouco revelou o verdadeiro propósito da reunião. Deixou isso ao anfitrião, Göring, e partiu.

Göring abriu o tópico com uma bem-vinda promessa de estabilidade. Assegurou aos gigantes da indústria e das finanças "que, com a pacificação política, a economia doméstica também se aquietaria".[10] Nenhum "experimento" econômico seria conduzido, ele disse. Mas, para garantir um clima favorável às empresas, a nova coalizão de Hitler tinha de sair vitoriosa da eleição vindoura. O presidente do Reichstag chegou ao ponto principal: o Partido Nazista precisava de dinheiro para a campanha eleitoral. Como o dinheiro dos contribuintes e os recursos estatais não podiam ser usados para fins políticos, "outros círculos que não tomam parte dessa batalha política devem fazer os sacrifícios financeiros tão necessários neste momento".

A conclusão de Göring ecoou a de Hitler: era mais que razoável pedir "sacrifícios financeiros" desses titãs empresariais, dado que "a eleição de 5 de março seria seguramente a última pelos próximos dez anos, talvez até dos próximos cem".[11] Depois dessas observações, Göring saiu da sala, deixando seus convidados atônitos, com muito a ponderar.

Então o economista de bigode Hjalmar Schacht tomou a palavra. Ao contrário dos oradores anteriores, ele foi direto ao ponto e sugeriu levantar um fundo de campanha eleitoral de 3 milhões de marcos (cerca de 20 milhões de dólares em dinheiro de hoje)[12] em benefício do Partido Nazista e de seu parceiro na coalizão nacionalista, o Partido Nacional do Povo Alemão, do qual ele ainda precisava para governar o país — mas não por muito tempo.

No ato, os empresários alocaram as somas entre si. Um milhão de marcos seriam pagos pelas indústrias de carvão preto (antracito) e ferro da região do Ruhr, e 500 mil marcos pela indústria de mineração de potassa e pelas indústrias químicas. O milhão restante seria tirado da indústria de linhito, de fabricantes de carros e de empresas de engenharia elétrica e mecânica. Os homens concordaram que 75% do dinheiro iria para o Partido Nazista. O quarto restante seguiria para seu parceiro de coalizão. Em conclusão, Schacht proferiu a mais curta e mais cara fala da noite: "E agora, cavalheiros, para a caixa registradora".[13]

O convite de Hitler a uma discussão de política econômica tinha sido, na verdade, pouco mais que um pretexto para pedir milhões a fim de construir um fundo ilegal para a campanha eleitoral. Hitler e Göring haviam omitido convenientemente um detalhe importante: o péssimo estado financeiro do Partido Nazista. Eram mais de 12 milhões de marcos em dívida,[14] e o pouco dinheiro disponível estava longe de ser suficiente para realizar uma campanha eleitoral nacional. Mas essa questão seria logo resolvida. Nos dias e nas semanas seguintes à reunião, muitos dos que a ela compareceram, por meio de suas empresas e associações de indústria, transferiram grandes montantes a uma conta fiduciária que Schacht abrira em um banco privado, o Delbrück Schickler, em Berlim. Os magnatas claramente não tinham nenhum receio quanto a financiar a morte de sua democracia. As maiores doações aos nazistas vieram da associação da indústria da mineração (600 mil marcos) e da IG Farben (400 mil marcos).[15]

No dia seguinte ao da reunião, 21 de fevereiro de 1933, Joseph Goebbels, de 35 anos, que liderava a máquina de propaganda nazista de Berlim como o *Gauleiter* (líder regional) da capital, escreveu em seu diário: "Göring traz a alegre notícia de que 3 milhões estão disponíveis para a eleição. Ótimo! Alerto imediatamente todo o departamento de propaganda. E uma hora depois as máquinas matraqueiam. Agora iniciaremos uma campanha eleitoral... Hoje o trabalho é divertido. O dinheiro está lá".[16] Goebbels tinha começado essa entrada do diário no dia anterior, descrevendo o desânimo no quartel-general de Berlim por causa da falta de fundos. Que diferença 24 horas podiam fazer.

Introdução

Em 8 de maio de 2019, Verena Bahlsen, a herdeira de 26 anos da Bahlsen, famosa fabricante de biscoitos da Alemanha, caminhou para o palco em uma conferência de marketing digital em Hamburgo para fazer uma palestra que seria transmitida no streaming sobre produção sustentável de alimentos. Ela estava usando um macacão jeans, uma malha de gola olímpica preta e um blazer preto; as cores discretas faziam um contraste notável com seu cabelo vermelho ondulado e suas sardas brilhantes. Confiante, ela pegou o microfone. Minutos depois de começar sua fala, porém, desviou-se do tema, respondendo a um político socialista que havia falado antes sobre a ideia de propriedade comum das maiores empresas da Alemanha, como a BMW. "Eu sou uma capitalista", declarou Verena. "Possuo um quarto da Bahlsen e estou feliz com isso. A empresa deve continuar a me pertencer. Quero ganhar dinheiro e comprar iates e outras coisas com meus dividendos."[1]

Suas observações de improviso logo despertaram reações furiosas nas redes sociais. Como ela se atrevia a se gabar de sua riqueza, em especial quando a empresa de sua família era conhecida por ter usado trabalho forçado durante a Segunda Guerra Mundial? Alguns dias depois, Verena desconsiderou a crítica em comentários feitos ao *Bild*, o maior tabloide da Alemanha: "Isso foi antes da minha época e nós pagávamos aos trabalhadores forçados o mesmo que aos alemães e os tratávamos bem". E acrescentou: "A Bahlsen não tem por que se sentir culpada".[2]

Irrompeu um escândalo. Verena tinha cometido o que é considerado talvez a maior ofensa moral na Alemanha hoje: demonstrar ignorância quanto à época nazista. Não era segredo que a empresa de sua família, como a maioria das outras empresas alemãs, tinha se beneficiado do sistema de trabalho forçado da Alemanha nazista durante a Segunda Guerra Mundial, que consistia em milhões de estrangeiros sendo tirados de seus países natais e obrigados a trabalhar em fábricas alemãs, muitas vezes por salários irrisórios e em condições abomináveis. No caso da Bahlsen, cerca de setecentos trabalhadores forçados, na maioria mulheres polonesas e ucranianas, foram deportados para a fábrica de biscoitos em Hanôver, onde recebiam salários insuficientes e sofriam abusos.[3] Os comentários de Verena geraram manchetes em todo o mundo, e desagradáveis consequências logo vieram. Historiadores e políticos condenaram as observações dela. Seguiram-se convocações a um boicote à Bahlsen.

Em poucos dias, uma fila de limusines Mercedes pretas seguiu até o prédio onde Verena morava, no bairro Prenzlauer Berg, em Berlim, para levá-la com seus pertences para Hanôver. Por meio da empresa da família, Verena emitiu um pedido de desculpas público. Mas repórteres da revista *Der Spiegel* continuaram trabalhando no caso.[4] Eles revelaram que o avô e os tios-avôs de Verena, os homens que administravam a Bahlsen durante o Terceiro Reich, tinham sido membros do Partido Nazista (Partido Nacional Socialista dos Trabalhadores Alemães, ou NSDAP) e tinham doado dinheiro à SS, a organização paramilitar todo-poderosa da Alemanha nazista. Os repórteres descobriram que muitas das mulheres ucranianas deportadas para Hanôver vinham de uma fábrica de biscoitos expropriada de Kiev que a Bahlsen havia assumido. Depois da guerra, como milhões de alemães, os Bahlsen haviam negado todas as acusações de cumplicidade com os nazistas e saíram completamente livres de penalidades.

Enquanto a indignação pública crescia, a família Bahlsen usou um método de eficiência comprovada para lidar com a fúria: anunciou, por meio da assessoria da própria empresa, que havia contratado um proeminente historiador alemão para investigar de forma independente a história de toda a empresa e da família, inclusive suas ações durante a época nazista. Assim que a pesquisa estivesse finalizada, as conclusões seriam publicadas em um estudo disponível a todos. O anúncio funcionou, e a controvérsia desapareceu. Mas eu sabia para onde a história seguiria.

* * *

Eu havia ingressado na *Bloomberg News* anos antes, no fim de novembro de 2011, como repórter em uma nova equipe que investigava riqueza oculta, bilionários e empresas familiares muitas vezes maiores que a Bahlsen. Comecei no escritório de Nova York na semana seguinte à remoção pela polícia de membros do movimento Occupy Wall Street do Zucotti Park, no coração do distrito financeiro de Manhattan. Na esteira da crise financeira dos anos anteriores, a tensão entre o 1% e os 99% era palpável em todo o globo. Embora eu fosse contratado para cobrir dinastias empresariais americanas como os Koch e os Walton (que controlam o Walmart), logo me pediram para acrescentar países de língua alemã à minha área de cobertura, já que sou neerlandês.

Aceitei de má vontade. A brutal ocupação pela Alemanha de minha terra natal, os Países Baixos, de maio de 1940 a maio de 1945, havia deixado uma cicatriz profunda nas gerações que me antecederam e na consciência nacional. "Eles" ocuparam e pilharam nosso país. Crescendo em Amsterdam na década de 1990, eu via alemães "invadirem" nossas praias durante os feriados da primavera e do verão, e o pior: eles muitas vezes nos venciam no futebol (e ainda vencem).

Meu antagonismo brincalhão em relação aos alemães era amplificado pelas experiências de minha família durante a guerra. Em 1941, meu avô materno, protestante e ainda solteiro, tentou fugir dos Países Baixos velejando para a Inglaterra com seu melhor amigo.[5] O plano deles era ingressar na Royal Air Force, mas seu barco foi mandado de volta à praia. Soldados alemães os prenderam, e eles se tornaram prisioneiros políticos. Meu avô passou quase dois anos em cativeiro, sendo obrigado a trabalhar em uma fábrica de aço em Bochum. Lá ele contraiu tuberculose, e quando foi solto estava à beira da morte.

Os pais de meu pai, que eram judeus, foram separados durante a guerra.[6] Meu avô paterno era dono de fábricas de renda e meias perto da fronteira dos Países Baixos com a Alemanha. Ele conseguiu se esconder no centro de Amsterdam depois que sua empresa foi expropriada. Minha avó, nativa da Suíça, tentou fugir com minha tia de três anos e um acompanhante para seu país natal em 1942. Eles foram presos pela Gestapo (a polícia secreta da Alemanha nazista) na fronteira franco-suíça. Um oficial da Gestapo ficou com pena da minha avó e de sua filha pequena e as liberou. Elas atravessaram a fronteira para a Suíça. O acompanhante delas nessa tentativa de fuga, um conhecido pintor, não teve a mesma sorte. Foi posto em um trem para Sobibor, o campo de extermínio na Polônia ocupada pelos nazistas, onde foi morto.

A despeito de seu sofrimento na guerra, meus avós tiveram muita sorte. Meu avô judeu se reuniu com a mulher e a filha pequena depois da libertação da Europa e recebeu de volta duas fábricas de meias. O pai dele, no entanto, tinha morrido de maneira trágica no campo de concentração de Bergen-Belsen. Meus avós judeus nunca demonstravam amargura em relação à perda de entes queridos assassinados pelos nazistas. Tampouco meu avô materno demonstrava amargura em relação ao tempo em que passou no cativeiro alemão. Antes de lhe roubarem a liberdade, ele se apaixonara pela vizinha. Meu avô se recuperou da tuberculose num sanatório suíço e minha avó permaneceu o tempo inteiro ao lado de seu leito. Os dois se casaram logo depois que ele se recuperou.

Meus pais nasceram alguns anos depois da guerra. Levando tudo em conta, meus avós construíram uma boa vida para si, para seus filhos e para mim.

Mas meu avô materno tinha um jeito gentil de se "vingar" dos alemães: fazia constantemente piadas sobre eles. Ele era meu herói na infância, um orgulhoso patriota neerlandês. Meus avós viviam em uma propriedade agrícola em uma pequena aldeia neerlandesa com trezentos habitantes, perto das praias preferidas pelos alemães. "Mais uma invasão iminente", meu avô gracejava a cada primavera. E me pedia para prometer que nunca levaria os alemães a sério, porque eles se levavam a sério demais. Eu jurava solenemente que não levaria. "O humor é a melhor vingança", meu avô dizia.

Mas, em minha nova área, passei a levar os alemães muito a sério — particularmente os grandes empresários e suas finanças. No verão de 2012, na apuração para uma matéria, deparei com um site nada notável na internet. "Harald Quandt Holding", dizia a home page de uma companhia, que cotava os ativos de suas várias empresas de investimento em 18 bilhões de dólares. Como o escritório de uma obscura família alemã com um site básico de uma página conseguia investir quantias tão acachapantes de dinheiro? Essa pergunta se tornou o fio condutor que me levou a essa história.

Acabei descobrindo que esse ramo da dinastia empresarial Quandt descendia de uma certa Magda Goebbels, a primeira-dama extraoficial do Terceiro Reich e mulher do ministro da Propaganda nazista, Joseph Goebbels.[7] Harald foi o único dos sete filhos de Magda a sobreviver à guerra. Único filho do primeiro casamento de Magda, com o industrial Günther Quandt, ele cresceu na casa de Goebbels, mas nunca ingressou no Partido Nazista. Harald tinha um meio-irmão mais velho, Herbert Quandt, que salvaria a BMW da falência anos depois da guerra. Em 2012, os herdeiros mais jovens de Herbert continuavam a ser a família mais rica da Alemanha, com um controle quase majoritário da BMW, ao passo que os herdeiros de Harald administravam uma holding "menor" em uma cidade balneária muito arborizada nos arredores de Frankfurt.

Em 2007, a dinastia Quandt, em um movimento parecido com o da Bahlsen, encarregou um professor de história alemão de investigar o passado nazista da família. Isso ocorreu após um documentário de TV crítico que jogou luz sobre parte do envolvimento da dinastia no Terceiro Reich, focado na produção em massa de armas, no uso de trabalho forçado e escravo e na tomada do controle de empresas de propriedade de judeus. Günther e Herbert Quandt lideravam as empresas da família envolvidas nessas atividades.

O que me impressionou durante minha reportagem foi a contínua falta de transparência histórica entre membros do ramo mais rico da dinastia Quandt, aquele que é dono da BMW, mesmo depois que o estudo encomendado pela família — com o objetivo professado de "abertura"[8] — foi publicado em 2011. O estudo revelou que os patriarcas da família cometeram muitos outros crimes brutais durante a época nazista. Como logo descobri, os Quandt não estavam sozinhos. Outras dinastias empresariais alemãs floresceram durante o Terceiro Reich e passaram a controlar enormes fortunas globais, apresentando grande dificuldade, ou simplesmente fracassando, em ajustar contas com sua linhagem sombria.

Essas histórias nunca foram contadas a um público fora da Alemanha. E essas famílias ainda controlam bilhões de euros e dólares. Alguns de seus herdeiros não possuem mais empresas: simplesmente administram a riqueza herdada. Mas muitos são donos de marcas famosas, cujos produtos cobrem o globo — dos carros que dirigimos ao café e à cerveja que bebemos, às casas que alugamos, à terra em que vivemos e aos hotéis em que ficamos durante as férias ou em viagens de negócios. Meus artigos enfocavam principalmente as finanças dessas famílias. Afinal, era a *Bloomberg*. Mas esse ângulo deixou sem resposta as questões mais prementes. Como os patriarcas dessas famílias ascenderam a níveis mais altos de poder sob o governo de Hitler? Por que a maioria deles foi autorizada a sair livremente depois que a Alemanha nazista caiu? E por que, depois de tantas décadas, muitos de seus herdeiros ainda estão fazendo tão pouco para reconhecer os crimes de seus antepassados, projetando uma visão da história que mantém essas questões opacas? Por que as fundações de caridade, os prêmios de mídia e as sedes empresariais deles ainda levam o nome de seus patriarcas colaboradores dos nazistas?

A resposta a essas perguntas, ou pelo menos uma parte dela, está nestas páginas — nas histórias das origens de algumas das mais ricas dinastias reinantes da Alemanha, que continuam a controlar fatias da economia global. Mais especificamente, a resposta está nas histórias dos patriarcas dessas dinastias, que acumularam dinheiro e poder incalculáveis apoiando as atrocidades do Terceiro Reich. Nascidos na Alemanha imperial ou próximo a ela, esses homens ingressaram nas fileiras da elite empresarial durante o volátil período que se seguiu à Primeira Guerra Mundial. No começo da era nazista, em 1933, eles eram industriais, financistas, produtores de alimentos ou projetistas de carros bem-sucedidos, embora alguns estivessem apenas começando uma carreira como herdeiro designado de um pai imperioso. Esses homens colaboraram com o regime de Hitler nos anos que antecederam e constituíram a Segunda Guerra Mundial, enriquecendo a si mesmos e a suas empresas por meio da produção de armas, do uso de trabalho forçado e escravo, e da tomada do controle de empresas de propriedade de judeus e não judeus na Alemanha e em territórios ocupados pelos nazistas.

Alguns desses magnatas eram nazistas ardorosos, que abraçaram incondicionalmente a ideologia de Hitler. Mas a maioria eram oportunistas, calculistas e inescrupulosos, que procuravam expandir seu império empresarial a qualquer custo. Todos eles se tornaram membros do Partido Nazista ou da SS, ou de ambos, durante o Terceiro Reich. É essa a história tenebrosa dos Quandt da BMW; dos Flick, ex-proprietários da Daimler-Benz; dos Von Finck, uma família de financistas que foi cofundadora da Allianz e da Munich Re; do clã Porsche-Piëch, que controla a Volkswagen e a Porsche; e dos Oetker, que são donos de impérios globais de ingredientes para panificação, alimentos preparados, cerveja e hotéis de luxo. Seus patriarcas são os bilionários nazistas. Este livro detalha as histórias do Terceiro Reich e o ajuste de contas dessas dinastias empresariais alemãs que continuam a ter influência e relevância mundiais.

Mas este livro não é apenas sobre os pecados dos titãs da indústria e das finanças da Alemanha. Conta também a história de como, depois da guerra, coube aos Aliados vitoriosos decidir o destino desses sanguessugas nazistas. Em nome da conveniência política, e por medo da ameaça iminente do comunismo, os Estados Unidos e o Reino Unido devolveram discretamente a maioria desses magnatas à Alemanha, que, por sua vez, permitiu que a maioria circulasse livremente, com pouco mais que uma repreensão. Nas décadas que se seguiram, a parte ocidental de uma Alemanha dividida desenvolveu uma das economias mais prósperas do mundo, e aqueles mesmos empresários nazistas acumularam bilhões de dólares, ingressando nas fileiras dos magnatas mais ricos do mundo. O tempo todo eles se mantiveram em silêncio, ou mentiram completamente, sobre seus laços com o genocídio.

Hoje, um pequeno número dos herdeiros desses homens ajustou verdadeiramente as contas com o passado da família. Outros ainda se recusam a fazê-lo, com pouco efeito negativo. Verena Bahlsen escapou de qualquer consequência profissional por seus comentários. Na verdade, seu pai logo a promoveu.[9] Em meados de março de 2020, a Bahlsen anunciou que Verena, que tem três irmãos, se tornaria a acionista ativa primária da empresa e representaria a geração seguinte na empresa da família.

A Alemanha que surgiu da derrota na Segunda Guerra Mundial amadureceu em uma sociedade tolerante, que educou seu povo, em recordação e remorso, sobre seus erros passados. Enquanto muitas das potências globais de hoje caíram presas de ditadores, populistas de extrema direita e demagogos, a Alemanha permaneceu a espinha dorsal moral do Ocidente. Muito desse equilíbrio delicado deriva de seu contínuo ajuste de contas com o passado nazista e das atrocidades em massa que ocorreram sob o regime de Hitler. Nos últimos cinquenta anos, os líderes políticos alemães não se esquivaram de assumir responsabilidade moral e de reconhecer os pecados do passado. Mais recentemente, no entanto, o país começou uma transformação numa direção distinta. Enquanto as últimas testemunhas da era nazista morrem e a memória do Terceiro Reich desvanece, uma direita reacionária cada vez mais estabelecida e desavergonhada está brutalizando os ideais progressistas da Alemanha do pós-guerra.

Num momento em que a desinformação é onipresente e a extrema direita está crescendo no mundo todo, a transparência histórica e o subsequente acerto de contas se tornam ainda mais importantes, como podemos ver nos Estados Unidos e no Reino Unido, onde estátuas de generais confederados, traficantes de pessoas escravizadas e de Cristóvão Colombo estão sendo derrubadas e faculdades com nomes de presidentes racistas estão sendo rebatizadas. Mas esse movimento de enfrentamento do passado está de algum modo evitando lidar com muitos dos empresários lendários da Alemanha. O tenebroso passado deles permanece escondido à plena vista. Este livro, de uma maneira modesta, tenta corrigir esse erro.

Parte I

"Perfeitamente mediano"

1.

A família Quandt havia lucrado durante décadas de guerra e de tumulto. Mas, quando Günther Quandt se mudou permanentemente para Berlim no meio da epidemia de gripe, em outubro de 1918, a guerra e a sublevação estavam prestes a tomar o país do magnata têxtil de 61 anos. Günther testemunhou em primeira mão a morte de seu amado Império Alemão quando perdeu a Primeira Guerra Mundial, junto com milhões de seus homens nas trincheiras. A despeito da derrota esmagadora do Estado imperial, os Quandt lucraram milhões com a guerra.[1] As fábricas têxteis que Günther liderava na Brandemburgo rural, a algumas horas ao norte da capital, tinham produzido continuamente milhares de uniformes por semana para seu cliente imperial de longa data. Ondas de jovens soldados alemães foram enviadas para as trincheiras e linhas de frente, e cada um deles precisava de um novo uniforme para substituir as fardas despedaçadas de seus camaradas caídos. E assim foi, semana após semana, por quatro anos que pareceram infindáveis.

Mas a perda da Alemanha foi o ganho de Günther. Quando a guerra terminou, o dinheiro que Quandt tinha embolsado era suficiente para financiar sua mudança permanente para Berlim. Durante a guerra, ele havia conseguido evitar o serviço militar, primeiro porque foi considerado inapto fisicamente, depois porque tinha se tornado uma das principais figuras da economia de guerra do império. De Berlim, ele supervisionava um departamento do governo que fornecia lã ao Exército e à Marinha. Ao mesmo tempo, Günther administrava as fábricas de sua família, dando instruções diárias via carta, enquanto seus dois irmãos mais novos e seu cunhado combatiam no front. Quando eles voltaram vivos da batalha, Günther lhes disse que ia se mudar de vez para Berlim. Continuaria supervisionando as fábricas têxteis da tumultuosa capital alemã, mas também aspirava operar numa esfera maior, explorar novos empreendimentos empresariais e diversificar suas atividades para outras indústrias.

Günther amava Berlim. Nascera em 28 de julho de 1881, na Pritzwalk rural, cerca de 130 quilômetros a noroeste da capital imperial. Como primogênito de uma família têxtil proeminente, e portanto herdeiro legítimo de seu pai, aos quinze anos foi mandado para Berlim para ter uma educação apropriada; e viveu lá com seu professor de inglês. O Império Alemão tinha se tornado uma das principais nações industrializadas na virada do século, e Berlim era seu coração pulsante. Günther usava seu tempo livre para explorar a alvoroçada metrópole em expansão, onde testemunhou a construção da ferrovia elevada e do metrô subterrâneo. Günther recordava seus dias de escola em Berlim como "anos felizes".[2] Teria preferido estudar arquitetura em seguida, mas isso estava fora de questão. Foi chamado para casa para aprender o ofício têxtil de seu pai doente, Emil, homem alto e robusto com um bigode espesso. O protestante prussiano orgulhoso mantinha princípios estritos de frugalidade, piedade e trabalho árduo.

Agora Günther não ia se mudar para Berlim sozinho. Sua esposa, Toni, e seus dois filhos, Hellmut e Herbert, iam junto. Günther estava casado havia doze anos, e Hellmut e Herbert tinham, respectivamente, dez e oito anos. Ele quase fora impedido de se casar com Toni, pois seus pais consideravam a família dela nouveau riche.[3] As tentativas deles de acabar com o relacionamento fizeram Günther contemplar seriamente a emigração para os Estados Unidos. Ele chegou a ponto de encontrar a rota mais barata para lá, via barco até Baltimore, para então procurar trabalho em Chicago. Mas Günther manteve sua posição. No fim, o amor e a persistência prevaleceram, e seus pais lhe deram a bênção.

Em 15 de outubro de 1918, durante as férias de verão, Toni e os dois meninos viajaram para Berlim para visitar Günther e a nova casa da família. Os quatro ficaram no luxuoso hotel Fürstenhof, na praça Potsdam. Günther estava ansioso para mostrar a eles a mansão que tinha comprado, a 27 quilômetros a sudeste do centro da cidade, no arborizado subúrbio de Neubabelsberg, uma colônia de propriedades que abrigavam muitos dos banqueiros, industriais e membros da elite intelectual endinheirada de Berlim. A casa se situava bem em frente a um lago, o Griebnitzsee, e na borda do Parque Palácio Babelsberg, o local da residência de verão do imperador; os terrenos eram tomados de árvores antigas. Toni ainda tinha de se recuperar plenamente da operação que se seguira ao complicado nascimento de Herbert. Ela esperava retomar a saúde na casa, com seu cenário agradável: um lago, um parque e uma rua margeada por plátanos, viscos e bordos luxuriantes. "É aqui que ficarei completamente bem",[4] Toni disse a Günther depois que ele lhe mostrou o lugar.

Mas isso não aconteceria. No dia seguinte ao da visita, Toni e os filhos viajaram de volta a Pritzwalk. Naquela noite, Günther recebeu um telefonema de um funcionário: Toni tinha voltado de Berlim com sintomas de gripe. Os meninos tinham sido levados para ficar com um membro da família, para evitar infecção. Numa pandemia, era preciso tomar todas as precauções — a gripe espanhola se espalhava com muita facilidade. Em dois dias, a gripe de Toni evoluiu para uma pneumonia dupla. Desesperado, Günther foi de carro até um médico que ele conhecia, mas o homem não pôde oferecer ajuda imediata: tinha quase doze pacientes sofrendo da mesma doença. Toni morreu naquela fria noite de outubro. Tinha só 34 anos. A mulher frágil, que tinha ansiado por um recomeço, não fora páreo para a segunda onda global da gripe espanhola, que deixava em sua esteira milhões de mortes.

De repente, Günther era um viúvo sozinho na frenética capital de um império derrotado à beira da extinção. Logo seus dois filhos jovens, que tinham acabado de perder a mãe, passariam a morar com ele, precisando de mais cuidado do que o pai jamais poderia lhes dar. Günther tinha pouco tempo para os meninos: precisava construir um império. Depois do enterro de Toni, em Pritzwalk, em um ensolarado dia de outono, Günther ficou à beira do túmulo dela e sentiu que havia perdido "algo irrecuperável".[5] "Eu acreditava que as pessoas só eram capazes de dar e receber amor verdadeiro uma vez na vida", ele escreveu depois.

Mas, seis meses depois, Günther estava apaixonado. Essa ligação assombra os Quandt até hoje, pois a mulher era Magda Friedländer, que ficaria conhecida como Magda Goebbels, "a primeira-dama do Terceiro Reich".

2.

Na cálida noite de primavera de 21 de abril de 1919, Günther Quandt entrou em um trem noturno lotado em Berlim. Era o dia seguinte à Páscoa, e ele viajaria de primeira classe com dois sócios a Kassel, no centro da Alemanha, para uma reunião de negócios. Pouco antes da partida, uma mãe parou com a filha adolescente cheia de malas e caixas do lado de fora do compartimento privado dos empresários. A mulher havia vasculhado o trem inteiro em busca de um assento livre, sem sucesso. Suas instruções ao partir foram: "Magda, é aqui que você vai ficar".[6] Günther esperou dois, três minutos antes de se levantar e casualmente convidar a jovem para se sentar com eles. Demorou mais alguns minutos, e mais alguns convites de Günther, para que a tímida menina abrisse a porta e se juntasse ao trio de homens muito mais velhos.

Depois que Günther a ajudou a guardar suas coisas, Magda afundou no assento estofado. Os dois começaram a conversar, e Günther se impressionou com a aparência da jovem, como era atraente. "Eu havia convidado para entrar uma aparição excepcionalmente bela: olhos azul-claros, cabelo loiro cheio, rosto regular e bem talhado, uma figura esbelta",[7] ele escreveu depois. Magda tinha só dezessete anos, vinte a menos que Günther e só seis a mais que o filho mais velho dele, Helmut. Ela acabara de passar o feriado de Páscoa com a mãe e o padrasto em Berlim e estava voltando para o internato em Goslar, nas montanhas do centro da Alemanha. Günther e Magda conversaram o trajeto inteiro, discutindo viagens e os teatros de Berlim. Ele ficou louco por ela. Por volta de uma da manhã, o trem parou na estação de Goslar. Günther ajudou Magda a tirar seus pertences do trem; o mais discretamente possível, deu uma olhada numa etiqueta de bagagem e anotou o endereço do internato dela.

Assim que chegou a Kassel, Günther enviou a Magda uma carta perguntando se poderia visitá-la no pensionato na tarde seguinte. Para obter permissão para sair com Magda, ele fingiria ser um amigo do pai dela. Magda respondeu, dando seu consentimento. No dia seguinte, Günther apareceu na escola com um buquê de rosas — não para Magda, mas para seduzir a diretora a permitir que a jovem desse uma volta com ele. Começou um namoro. Já no terceiro encontro deles, durante um passeio cênico pelas montanhas Harz, Günther propôs a Magda em casamento no banco de trás de seu carro com chofer.[8] Atônita, Magda pediu a ele três dias para pensar sobre a proposta.

Os casamentos que testemunhara em seus dezessete anos passavam longe de ser bons.

Magda nasceu fora do casamento, em Berlim, em 11 de novembro de 1901, filha do engenheiro Oskar Ritschel e da criada Auguste Behrend, que acabaram se casando depois. Mas Auguste se divorciou de Ritschel depois de descobrir que ele estava tendo um caso. Depois se casou de novo, com Richard Friedländer, um empresário judeu alemão. Agora eles também estavam prestes a se divorciar. Magda crescera como filha única em um lar da classe média alta cosmopolita, alternando-se com a mãe e o padrasto entre Berlim e Bruxelas, onde frequentara um internato católico rigoroso dirigido por freiras. Seus laços judeus se estendiam além do padrasto.[9] Quando Magda conheceu Günther, acabara de romper com um namorado, Victor Chaim Arlosoroff, um ambicioso judeu emigrado da Rússia. Ele estudava economia na prestigiosa Universidade Humboldt de Berlim. Mas, como *shiksa*, uma mulher não judia, Magda sentia que nunca pertenceria verdadeiramente à comunidade judaica.

Depois de pensar por três dias, ela aceitou a proposta de casamento de Günther. O profundo interesse daquele homem mais velho e corpulento, que usava ternos de abotoamento duplo, colarinhos engomados e abotoaduras de ouro, e exalava dinheiro e poder, a perturbava um pouco. Um homem alto com olhos azuis penetrantes, cabeça redonda a caminho da calvície completa e cabelo mal puxado para cobrir a careca, Günther era imponente, mas não necessariamente atraente. Mas a escolha de se casar com alguém duas décadas mais velho não foi impulsionada por um amor romântico; o fascínio e a ambição cumpriram seu papel. Magda ficou impressionada com Günther, que sempre tinha um sorriso travesso no rosto, como se soubesse algo que os outros não sabiam. Magda ansiava por deixar o internato e se tornar a esposa de alguém com grandes recursos financeiros e estima no mundo empresarial. Ela fantasiava em dirigir uma casa grande e organizar eventos sociais para os amigos e parceiros de negócios dele. Günther, no entanto, fez duas exigências antes que eles se casassem. Magda teria de abrir mão do catolicismo e se converter ao protestantismo e teria de reassumir seu sobrenome original, Ritschel. Friedländer, o sobrenome judeu de seu padrasto, seria um impedimento para Günther e sua família luterana conservadora. Magda cedeu e disse à mãe: "A religião não importa para mim, tenho meu Deus no coração".[10]

Günther Quandt.

No começo de janeiro de 1921, Günther e Magda se casaram em um hotel balneário na margem ocidental do Reno, logo na saída de Bonn. A noiva usou um vestido de renda de Bruxelas. Mas a harmonia entre os dois não durou. As diferenças de idade e de caráter se tornaram dolorosamente claras quando Günther, viciado em trabalho, encerrou abruptamente a lua de mel de dez dias na Itália para comparecer a uma "conferência imperdível".[11] Mesmo antes da partida repentina, a viagem não vinha sendo um sucesso. Enquanto o casal estava viajando pelo campo italiano numa limusine Mercedes com chofer, Magda descobriu que seu marido não ligava muito para a "verdadeira" Itália. Como a mãe dela, Auguste, recordou depois, Magda percebeu que "ele era um homem carente de sensibilidades estéticas, um pragmático consumado para quem a arte e a beleza significavam pouco. Mesmo à natureza era bastante indiferente. Enquanto eles viajavam pela Úmbria, com sua paisagem de beleza clássica e importância histórica [...], Quandt explicava à mulher a estrutura geológica do solo e calculava as possibilidades de exploração industrial".[12]

Magda Friedländer.

Mas a viagem não foi um fiasco total. Em 1º de novembro de 1921, pouco mais de nove meses depois, Magda deu à luz o único filho que os dois teriam juntos, batizado de Harald.

Ela o pariu sozinha no hospital. Günther estava trabalhando, é claro. Agora que os dois estavam de volta à casa em Berlim, para ele só havia negócios; Günther não tinha vida pessoal. Quando viajava com a esposa e os filhos, visitas a empresas ou fábricas eram o foco principal. Sempre trabalhava doze horas por dia, chegando à sua mesa às 7h30 e voltando para casa às 19h30, "cansado e exaurido", recordou depois a mãe de Magda.[13] "Após o jantar, ele se sentava em sua cadeira, abria o jornal financeiro de Berlim e adormecia três minutos depois." Günther era cronicamente exausto. Ele se queixava de não ter tempo para ler livros nem para elaborar novas ideias. A vida social mal o interessava — Günther podia comparecer a um compromisso social se fosse relacionado a negócios, mas ele "só era marcado se fosse inevitável". Isso magoava Magda. Eventos em casa eram os únicos momentos em que ela, dona de casa e anfitriã, podia ser o centro das atenções. Mas quase não havia espaço para a vida de casado no mundo de Günther. Magda não tinha escolha senão se adaptar.

3.

No começo da década de 1920, quando Günther e Magda Quandt já estavam se separando, o Estado alemão do pós-guerra, conhecido como República de Weimar, estava se transformando em caos. Muitos empresários mantinham distância de sua política parlamentar volátil, com uma crise constitucional se seguindo à outra. Preferiam se voltar para outra arena de competição em busca de influência e lucro: o mercado de ações.

A hiperinflação e a fuga de capital da Alemanha se aceleraram no verão de 1922, depois do assassinato do ministro das Relações Exteriores, o industrial judeu Walther Rathenau, e da ameaça de inadimplência nos gigantescos pagamentos de reparação impostos à Alemanha pelo Tratado de Versalhes. Depois do assassinato de Rathenau, em Berlim, qualquer traço de confiança na moeda da Alemanha evaporou. A taxa de inflação do país chegou a 1300%, e o Reichsbank começou a imprimir cédulas de 1 trilhão de marcos. Só os poucos alemães ricos que haviam investido em ativos tangíveis, como imóveis e fábricas, lucravam com essa situação; qualquer dívida que eles tivessem evaporava depressa. Mas a maior parte da classe média alemã tinha posto seu dinheiro na poupança ou em títulos sem valor que haviam sido usados para financiar a Primeira Guerra Mundial. Milhões de alemães estavam arruinados.

As ações, porém, flutuavam em algum lugar entre o tangível e o líquido, em uma terra de ninguém financeira que só os especuladores mais audaciosos ousavam trilhar. Em busca de uma oportunidade de diversificar o dinheiro que havia ganhado durante a guerra, Günther se voltou para o comércio de moeda e a especulação no mercado de ações. Com a queda dos preços, pequenos investidores começaram a vender suas ações, deixando aquelas poucas empresas sustentadas em ativos tangíveis serem comercializadas a preços com desconto. Era o sonho dos especuladores — mas um sonho perigoso. A instável moeda alemã produzia mudanças de preço voláteis, e um investidor novato poderia facilmente se ver em uma situação difícil, apostando contra grandes investidores que tentavam abocanhar grandes pacotes de ações e usavam dívida barata para especular.

Depois que uma negociação arriscada em uma empresa de lã garantiu a Günther um ganho líquido de 45 milhões de marcos no outono de 1922,[14] ele incumbiu doze bancos a comprar todas as ações de doze indústrias. Uma das empresas em que investiu era a enorme fabricante de potassa Wintershall. Embora Günther já tivesse ingressado em sua diretoria de mineração, não tinha controle geral. Isso o incomodava profundamente. "Eu não tinha nada a dizer em nenhum lugar",[15] ele recordou depois. Tratava-se de um papel desagradável e desconhecido para o magnata têxtil, que, enquanto liderava as fábricas de sua família de longe, estava determinado a se tornar um ator importante em uma indústria diferente. Ele acabara de fazer quarenta anos, e o tempo estava passando. A perspectiva de usar sua fortuna unicamente para especular em ações durante "o período maligno da inflação" lhe causava repulsa, escreveu Günther. Mas, para alguém que proclamava ter tanta aversão à especulação, ele conseguia superar sua repugnância professada com grande sucesso. Mesmo depois de sua farra de compra de ações, ainda lhe restaram 35 milhões de marcos. Ele estava pronto para comprar sua própria empresa.

Na primavera de 1922, Günther identificou sua presa: a empresa sediada em Berlim Accumulatoren-Fabrik AG (AFA), que tinha se tornado uma das maiores fabricantes mundiais de baterias. Quando Günther pôs os olhos na AFA, a eletrificação estava em pleno impulso no mundo todo. A empresa também tinha laços profundos com a indústria de armas, tendo fornecido baterias para submarinos alemães durante a Primeira Guerra Mundial. Todavia, o valor intrínseco da AFA não se refletia no preço de suas ações. Sua propriedade estava muito espalhada, e ela carecia de mecanismos apropriados, como ações preferenciais, que a protegessem de uma tomada de controle.

Quando começou a fazer compras diárias de ações da AFA, Günther usou uma teia de empresas inativas, bancos e testas de ferro,[16] inclusive membros da família, para evitar chamar a atenção, permanecer anônimo e levantar mais dinheiro. Mas foi forçado a se revelar em setembro de 1922, quando a diretoria da AFA anunciou um aumento de capital, acompanhado de uma emissão de ações preferenciais. A essa altura, Günther tinha reunido quase um quarto de participação na AFA. Adquirir uma maioria seria quase impossível se o aumento de capital acontecesse.

No dia seguinte, Günther estava lendo o jornal financeiro de Berlim em seu escritório quando viu um anúncio anônimo convocando colegas acionistas da AFA a votar contra as propostas da diretoria.[17] Ele ligou para Walther Funk, editor-chefe do jornal. Funk conhecia todos de qualquer estatura empresarial na Alemanha, e revelou que o anúncio era de um homem chamado Paul Hamel; então Günther providenciou uma reunião com ele na mesma noite. Hamel era sócio do banco privado Sponholz e especializado em tomadas de controle empresariais. Ele e Günther decidiram juntar forças.

Depois de um mês de negociações árduas com a diretoria da AFA, os predadores empresariais saíram vitoriosos.[18] Nenhuma ação preferencial foi lançada, e Günther recebeu quatro lugares na diretoria. Enquanto isso, em segredo, continuou comprando ações da AFA, financiado por suas fábricas têxteis. Em junho de 1923, tornou-se presidente do conselho fiscal, com seu grupo controlando cerca de 75% das ações da empresa.

A tomada de controle hostil da AFA estava completa. Günther havia ganhado o controle de uma empresa de renome mundial em uma nova indústria. Fizera uma rápida transformação, de comerciante de têxteis para especulador astuto e industrial consumado. E mais: graças a Funk, havia ganhado um parceiro de negócios. Depois que um executivo da AFA morreu, em janeiro de 1925, Günther assumiu a sala do homem na sede da empresa, na Askanischer Platz nº 3. O escritório ficava ao lado da principal estação ferroviária de Berlim, no coração do distrito governamental e empresarial, perto do dinheiro e do poder. Dali, sentado atrás de uma mesa dupla e escura em uma grande sala com paredes altas revestidas de madeira, Günther governava o nascente império Quandt.

Três anos depois, ele conquistou uma segunda companhia: a Deutsche Waffen und Munitionsfabriken (DWM). Durante a Primeira Guerra Mundial, a empresa tinha sido uma das mais importantes fabricantes de armas e munição para o Exército imperial alemão. Suas subsidiárias haviam produzido os famosos rifles Mauser e pistolas Luger, mais milhões de balas e partes para aviões de combate. Günther via carinhosamente a DMW como "uma pequena Krupp",[19] referindo-se à infame empresa de aço Krupp, a maior fabricante de armas da Alemanha.

A antes poderosa DWM estava em péssima forma[20] quando Günther e seus parceiros de negócios fizeram um movimento por ela no verão de 1928. A empresa sediada em Berlim tinha sido obrigada a se reequipar como parte da concordância da Alemanha em se desarmar depois de ter perdido a guerra, e agora produzia só utensílios de cozinha e máquinas de costura, entre outros itens inofensivos. As únicas armas que a DWM estava autorizada a fabricar eram rifles para esporte e caça. O preço das ações da empresa havia desabado, assolado por boatos de insolvência e administração antiquada.

O estado deplorável da DWM a tornava um alvo muito mais fácil e mais barato para uma tomada de controle do que a AFA havia sido. Em seu livro de memórias de 1946, publicado na esteira da Segunda Guerra Mundial, Günther tentou desesperadamente criar a impressão de que nunca se envolvera muito com o negócio de armas. Alegou que foi Paul Hamel quem apresentou a oportunidade de entrar na indústria de armas.[21] (Com outro Paul – Paul Rohde, um magnata do aço –, a dupla formou um trio para tomar o controle da DWM.) De acordo com Günther, Hamel teve tanto sucesso em mobilizar investidores que na reunião seguinte dos acionistas da DWM, em julho de 1928, toda a diretoria renunciou. Deixando de lado a história revisionista, foi em última instância Günther quem, mais uma vez, foi nomeado presidente da diretoria, devido à sua reputação de competente reestruturador de empresas, em qualquer indústria que fosse.

4.

Quando a era da hiperinflação, depois de atingir o auge, terminou, no fim de 1923, Friedrich Flick, um magnata do aço de quarenta anos, se mudou com a esposa, Marie, e seus filhos para Berlim. Instalaram-se em uma propriedade escondida no rico bairro de Grunewald, na arborizada parte oeste da capital. Flick também tinha lucrado enormemente com os inebriantes anos de especulação e inflação, o que lhe possibilitou deixar sua Siegerland natal, uma região rural a sudeste da região do Ruhr, e se estabelecer na capital. Agora Flick caminhava pelo bem mantido caminho de cascalho em torno de sua nova casa, fumando charutos baratos e tramando seu próximo movimento audacioso.[22]

Para marcar sua chegada, Flick comprou um imponente edifício de escritórios na Bellevuestrasse nº 12,[23] do qual governaria seu crescente império de interesses industriais. Ficava em uma rua calma, bem entre o Tiergarten e a Potsdamer Platz. O alvoroçado centro de Berlim ficava logo ao lado, e o quartel-general de Günther Quandt na Askanischer Platz ficava ao sul, a um trajeto de carro de apenas três minutos. Com sua determinação pertinaz, sua crueldade e sua queda por números e subterfúgios, Flick estava se tornando rapidamente um dos mais bem-sucedidos e influentes magnatas do aço da Alemanha. Raras vezes parecia desfrutar dessa condição. Nenhum sinal de alegria iluminava seus olhos azuis, tampouco qualquer sorriso tênue alegrava seus traços. Sua constituição atarracada, seu rosto descarnado, seu olhar concentrado e sua cabeça cheia de cabelos ficando grisalhos logo lhe davam uma aparência dura e intimidante que condizia com o homem que se tornaria o mais notório industrial nazista.

Dois anos mais novo que Günther Quandt, Flick nasceu em 10 de julho de 1883, em Ernsdorf, uma aldeia sonolenta no florescente coração industrial da Alemanha imperial. Filho de um comerciante de madeira que tinha interesses em várias minas de minérios metálicos, Flick estudou negócios e economia em Colônia antes de tirar proveito de seu aprendizado, em uma empresa de aço de Siegerland que atravessava dificuldades financeiras, para chegar a um cargo de diretor aos 24 anos. Depois, ele ingressou na diretoria de outra empresa de aço local também com problemas financeiros. A mudança para a sala da diretoria habilitou Flick a se casar com Marie Schuss, filha de um respeitado vereador e produtor têxtil de Siegen, em 1913.[24] Em pouco tempo, o casal teve três filhos: Otto-Ernst, Rudolf e o temporão Friedrich Karl. A dinastia Flick começava a tomar forma.

Friedrich Flick.

Flick tinha um misterioso talento para memorizar números e analisar balanços. Ele reestruturou sucessivamente as duas empresas de aço com dificuldades financeiras antes de agarrar uma oportunidade apresentada pela eclosão da Primeira Guerra Mundial. Em 1915, foi nomeado para a diretoria da Charlottenhütte como diretor comercial. A empresa financeiramente sólida era a maior fabricante de aço em Siegerland, mas ainda era pequena comparada a suas principais concorrentes no Império Alemão. Os colegas de Flick na diretoria o autorizaram a embarcar em uma ambiciosa farra de tomadas de controle de empresas, quadruplicando o balanço total no curso da guerra. A companhia lucrou facilmente com a crescente demanda do Exército por aço de qualidade para uso em armas.

Quando a procura por armas subiu nos dois anos finais da Primeira Guerra Mundial, os preços do aço, do minério metálico e do refugo de metal explodiram com ela. Flick usou os exorbitantes lucros da Charlottenhütte durante a guerra para financiar a estratégia de aquisições da companhia. Ao mesmo tempo, implementou seu próprio esquema. Começou secretamente a comprar ações da Charlottenhütte, que não tinha acionista dominante. Financiou uma aquisição furtiva por meio de uma lucrativa empresa de refugo de metal, do dinheiro de seu pai e do dote de sua esposa.[25] E mais: convenceu duas vezes sua diretoria e o Estado a emitir ações preferenciais para repelir ameaças de compra, tanto as realistas quanto as que ele exagerou, de modo que ninguém mais acabasse tomando o controle da Charlottenhütte.

Depois de evitar uma ameaça real de tomada por parte de August Thyssen, o lendário magnata do aço do Ruhr, e depois de fazer um acordo com ele no começo de 1920, Flick se tornou o acionista controlador da Charlottenhütte. Então transformou a empresa em sua holding pessoal para um conjunto rapidamente mutável de ações em aço, mineração e outras empresas da indústria pesada, muitas vezes comprando ações por meio de testas de ferro e de empresas de fachada para esconder sua identidade e suas intenções, algo muito semelhante ao que Günther Quandt estava fazendo na mesma época.[26] O ritmo ameaçador de aquisições, vendas e permutas de ações o pôs em competição feroz e ocasional colaboração com industriais estabelecidos, como Thyssen, Krupp e outros.

Depois de fazer um pacto com Thyssen, Flick concordou em ficar fora da região do Ruhr, abandonando temporariamente seu objetivo final. Em vez disso, ele começou a fazer acordos de aço na Alta Silésia, uma região fortemente disputada cujo controle passava de um lado para o outro entre a Alemanha e a Polônia. Sua volatilidade era terreno fértil para oportunidades de compra barata. Os acordos de aço de Flick na Alta Silésia lhe trouxeram pela primeira vez atenção nacional. Um jornalista de negócios do *Berliner Tageblatt*, o maior jornal da capital, foi o primeiro a traçar um perfil de Flick. Em 1924, o repórter escreveu que Flick estava "tomado pelo espírito dos tempos e se sentia igualmente convocado. Ele pulou com os dois pés no caldeirão do processo de reorganização, mergulhou algumas vezes e emergiu como o novo rei do conglomerado da indústria pesada [...]. Friedrich Flick — cujo nome é desconhecido do público, mas cujos colegas de mineração e diretores de grandes bancos (que não conseguem suportá-lo, porque ele os exclui) reconhecem como um dos mais poderosos, bem-sucedidos e capacitados".[27] Flick odiava qualquer forma de atenção dos meios de comunicação e começou a subornar jornalistas para desistirem dos artigos que estavam escrevendo sobre ele.[28]

Por meio de sua incursão na Silésia, Flick finalmente ganhou uma posição segura na região que ele mais cobiçava: a área do Ruhr. Ao longo de 1923-4, ele trocou uma grande parte de seus interesses na Alta Silésia por participações em empresas do Ruhr controladas por um concorrente. A troca incluiu ações na Gelsenberg, uma empresa de mineração. O movimento seguinte de Flick foi seu mais ousado até então. Em 1926, um grupo de industriais do Ruhr criou o Vereinigte Stahlwerke (VSt), um conglomerado que regulava a produção e os preços do aço, em Düsseldorf. Financiada basicamente por bônus americanos, ela se tornou a segunda maior empresa de aço do mundo, superada em tamanho apenas pela US Steel. Flick recebeu uma participação ponderável na VSt por causa de sua permuta de ações na Silésia e mudou muitos de seus interesses empresariais para o novo conglomerado do Ruhr. Mas isso não era suficiente. Ele queria controlar toda a VSt.[29] Quando algumas das empresas controladoras da companhia se fundiram, Flick aproveitou a oportunidade. Começou a comprar ações da Gelsenberg na esperança de adquirir uma participação majoritária. Depois de fazer uma série de permutas e negociações de ações, principalmente com um antigo rival, Flick se tornou o acionista majoritário da VSt, ganhando controle de um dos maiores conglomerados industriais do mundo. Em 1929, com apenas 42 anos, ele efetivamente ascendia à condição de industrial mais poderoso da Alemanha.

5.

No fim da década de 1920, o céu também era o limite para Günther Quandt. Embora seus irmãos estivessem assumindo cada vez mais a administração das fábricas têxteis em Brandemburgo, ele continuava estabelecendo a estratégia para os negócios da família. Era acionista majoritário da Wintershall, a maior empresa de potassa da Alemanha. E, mais importante, havia conquistado duas grandes indústrias que vendiam seus bens no mundo todo. Um executivo da DWM escreveu que Günther havia se convertido a uma nova fé: "Ele é um desses homens cuja força reside unicamente em sua crença no poder invencível do dinheiro. Seu sucesso só serve para reforçar isso, repetidas vezes. Essa crença se transformou em uma religião para ele, se bem que uma religião que não necessariamente contém uma fé em Deus".[30]

Com o dinheiro vieram as armadilhas típicas do novo-rico. Durante anos, Günther tinha procurado uma residência adequada para uso eventual no centro de Berlim, de modo que não precisasse viajar para casa depois de sair tarde do escritório ou ir ao teatro com Magda.[31] Um dia, em 1926, seu corretor de imóveis o contatou: um empresário precisava vender sua casa imediatamente para evitar a falência. Günther comprou o lugar com tudo o que havia dentro, depois de pechinchar com o desesperado proprietário para baixar o preço. A casa, localizada no sofisticado extremo oeste de Berlim, veio mobiliada dispendiosamente, com todos os seus bens intactos, até a última garrafa de vinho, obra de arte e peça de cutelaria. Era decorada de forma muito mais elegante que a própria mansão do Günther — a peça central de sua sala de estar era um grande órgão. Depois de comprar a casa, Günther gracejou para Magda: "Veja, querida, como você estava errada quando disse que cultura não pode ser comprada. Eu a comprei!".[32]

Mas, enquanto os pertences dele cresciam regularmente, a vida da família de Günther se despedaçava mais uma vez. O desastre ocorreu no começo de julho de 1927. Seu primogênito e herdeiro legítimo, Hellmut, tinha acabado de começar um programa de trabalho e estudo de um ano no exterior quando morreu em Paris, depois de uma malsucedida operação de apendicite. Ele tinha apenas dezenove anos, e suas últimas palavras foram dirigidas a Günther: "Eu teria ficado muito contente de ajudá-lo em sua grandiosa obra, querido pai".[33]

Günther ficou arrasado. Ele escreveu: "Perdi meu querido e doce filho, de quem sempre tive tanto orgulho, para quem eu tinha construído tudo".[34] Magda, que havia ficado dias ao lado do leito de Hellmut, ficou profundamente abalada com a morte do enteado. Hellmut era só seis anos mais novo que ela, e os dois tinham sido muito próximos — tanto que alguns suspeitavam que eles tinham sentimentos românticos mútuos.[35] Hellmut foi enterrado ao lado da mãe, Toni, no cemitério de Pritzwalk, no mausoléu da família que Günther havia construído. "Tudo o que ele estava destinado a realizar na vida agora tem de ser assumido por seu irmão Herbert, de dezessete anos", escreveu Günther.[36]

O segundo filho de Günther, Herbert, parecia deploravelmente mal equipado para suceder ao irmão. Introvertido, mal-humorado, franzino e tímido, ele era o oposto do irmão mais velho, que era talentoso, bonito e simpático. E mais, Herbert nascera com uma deficiência visual tão grave que tivera de ser educado em casa desde os dez anos.[37] Como mal conseguia ler, ele era obrigado a memorizar todas as aulas, adquirindo informações por meio das explicações orais de uma professora particular.

O médico de Herbert previra que ele só poderia encontrar um futuro profissional na agricultura, trabalhando com as mãos. Günther, portanto, comprara para Herbert a grandiosa propriedade Severin, no norte do estado de Mecklenburg.[38] O centro da propriedade era um solar neorrenascentista, datado da década de 1880 e rodeado por cerca de 2500 acres de terra, abrangendo de terrenos agrícolas a uma floresta. Seus campos, prados e bosques repousavam sobre um espinhaço de inclinação suave. Günther nomeou seu ex-cunhado, Walter Granzow, como zelador de Severin, e logo se desenvolveu uma atividade agrícola lucrativa ali. Em pouco tempo, a propriedade seria utilizada para um propósito muito mais sombrio.

A morte de Hellmut acelerou o desenlace do casamento de Günther e Magda. Eles não combinavam desde o início, e qualquer sentimento romântico que Magda ainda mantivesse por Günther se desfez depois da morte do enteado. Em seu leito de morte, no hospital na rua de Clichy, em Paris, Hellmut implorara que o pai e a madrasta, que sempre brigavam, "fossem sempre gentis um com o outro".[39] As palavras de Hellmut atingiram o coração de Günther "como uma punhalada", ele escreveu. "Eu senti que, se Hellmut morresse, nosso casamento acabaria. Ele era o apoio forte que, talvez inconscientemente, sempre nos levara um ao outro."

Günther estava certo, e o problema fora criado por ele mesmo. Durante seis anos, Günther havia negligenciado Magda emocional, social e financeiramente. Tinha sido mesquinho com ela, dando-lhe de início uma mesada que era um terço do que as empregadas recebiam como pagamento.[40] Ela tinha de manter um registro de todas as despesas da casa, e, sempre que mostrava o livro ao marido, ele o folheava mudo, página por página, e finalmente escrevia, em tinta vermelha: "Lido e aprovado, Günther Quandt".[41] A vida dela consistia em cuidar dos filhos e em administrar uma equipe doméstica de cinco pessoas em um subúrbio de Berlim. Mas Magda era feita para a aventura, não para a domesticidade. Era bem-educada, falava muitas línguas e amava as belas-artes. Queria mais da vida, de preferência ser o centro das atenções públicas, e havia esperado, em vão, que ser casada com um industrial rico lhe daria um lugar socialmente proeminente na animada Berlim da década de 1920.

No outono de 1917, alguns meses depois da morte de Hellmut, o casal fez uma viagem aos Estados Unidos, que Günther esperava que fosse reacender o seu casamento. Ele chegou até a despachar um automóvel de luxo, seu cabriolé Maybach vermelho, para a ocasião. Apesar de seu esforços, a viagem não reavivou o amor deles, mas produziu um tipo diferente de fagulha. No centro de Manhattan, Günther e Magda receberam suas primeiras propostas do Partido Nazista.[42] Kurt Lüdecke, um playboy rico e um dos primeiros membros do NSDAP, estava baseado em Nova York e esperava vender a causa nazista para americanos ricos. Tinha acabado de fracassar ao tentar levantar fundos de Henry Ford, o virulentamente antissemita magnata dos automóveis de Detroit. Talvez, pensou Lüdecke, tivesse mais sorte com um alemão rico como Günther, que por acaso era o irmão mais velho de um amigo.

O casal conheceu Lüdecke no hotel Plaza, onde ficou hospedado durante a visita a Nova York. "Almocei com ele e sua encantadora esposa", escreveu Lüdecke em *Eu conheci Hitler*, seu livro de memórias. "Era agora um dos homens mais ricos da Alemanha, com a mentalidade típica de máquinas empresariais com preocupações internacionais e econômicas que têm pouca ou nenhuma imaginação para outras coisas. É claro que tinha se tornado para mim de imediato mais um objeto de especulação — eu queria atraí-lo, assim como seu dinheiro, a nossa causa. Mas ele era cético."[43]

Günther não mordeu a isca, então Lüdecke mudou seu foco. Magda parecia "muito mais aberta à sugestão", ele escreveu. "Seus olhos brilharam quando lhe contei sobre Hitler e sobre as ações heroicas nazistas. Quando me despedi deles no navio que os levou de volta à Alemanha, Frau Quandt tinha se tornado minha aliada. Ela prometeu ler os livros nazistas que eu lhe dera e prometeu influenciar seu marido, e cordialmente me convidou a visitá-los em Berlim. Nós nos tornamos amigos íntimos durante minha visita à Alemanha no verão de 1930, e eu a transformei numa nazista fervorosa."

Os dois viraram muito mais do que isso. Não foi o primeiro caso amoroso de Magda nem seria o último. Depois que voltaram a Berlim, no começo de 1928, Günther passou a dar a Magda mais liberdade e mais dinheiro.[44] Consumido pela tomada de controle da DMW, o magnata aumentou a mesada dela e parou de criticar suas roupas, seus planos diários e seus gastos. Magda foi finalmente autorizada a contratar designers de moda famosos para melhorar seu guarda-roupa e a frequentar bailes em propriedades finas. Ela repetidamente pedia o divórcio, mas Günther não queria aceitar.

Em um desses bailes, Magda conheceu um jovem estudante de família rica, e os dois começaram a ter um caso. Ela não tinha pudor de viajar com o novo amante. Quando Günther começou a desconfiar, não foi por causa das frequentes ausências de Magda, mas de seu humor, que mudara de amuado para radiante. Ele contratou um detetive particular para segui-la, e logo foi documentado que Magda e o amante se encontravam em um hotel na mesma cidade do rio Reno onde ela e Günther tinham se casado. Quando o marido a confrontou, Magda admitiu tudo.

As consequências foram sérias. Magda teria de deixar a casa imediatamente. Günther iniciou o processo de divórcio. De repente, a jovem se viu em uma posição nada invejável: passaria de esposa de industrial a pobre da noite para o dia. Tendo admitido o caso, estava sujeita a perder tudo no tribunal: o casamento, o filho, Harald, e qualquer perspectiva de pensão. Mas, afinal, ela não estava desamparada: tinha o que contar sobre Günther. Anos antes, descobrira na escrivaninha dele um pacote de cartas de amor de outra mulher. Agora estava disposta a usá-las para fazê-lo recuar na mesa de negociação.

O plano funcionou. O casamento de Günther e Magda foi dissolvido em 6 de julho de 1929, no tribunal regional de Berlim.[45] Os advogados dela, Katz, Goldberg e outros, conseguiram um bom acordo. Magda teve de assumir a culpa pelo divórcio e os custos legais, porque tinha "descumprido seus deveres conjugais" ao se recusar a dormir com o marido por mais de um ano. E o antes frugal Günther teve de prover generosamente sua ex-esposa. Ela receberia uma pensão mensal de quase 4 mil marcos, 20 mil marcos em caso de qualquer doença, mais 50 mil marcos para financiar a compra de uma nova casa. Magda também obteve a custódia de Harald até que ele fizesse catorze anos. Então ele retornaria a Günther, para ser preparado para um dia assumir metade do império empresarial Quandt. O arranjo de guarda se baseava em uma única condição: se Magda se casasse de novo, Harald voltaria imediatamente para o pai. Günther não queria que o filho fosse influenciado por outra figura paterna. Günther concedeu a Magda o direito de usar sua propriedade Severin sem nenhuma restrição. Essa provisão e a cláusula de guarda teriam consequências importantes para os ex-cônjuges e seu filho.

Embora Günther tenha dedicado dezenas de páginas em seu livro de memórias descrevendo sua vida com Magda, gastou só um parágrafo sucinto para documentar o divórcio, que considerou amigável: "No verão de 1929, eu me separei de Magda [...]. Desde então, mantivemos termos amigáveis um com o outro".[46] Günther a princípio assumiu a responsabilidade pelo casamento fracassado, culpando sua carga de trabalho, mas depois passou à autoabsolvição: "Com toda a tensão, não cuidei de Magda como ela precisava e merecia. Muitas vezes me culpei amargamente por isso. Mas quantas vezes nós, humanos, nos culpamos sem na verdade sermos culpados!".[47] Contudo, Günther mantinha uma grande afeição pela ex-esposa: "Mesmo quando nossos caminhos se separaram, sempre pensei nela com admiração".[48]

Depois que os papéis do divórcio foram assinados, Günther enviou a Magda um buquê de flores e a levou para jantar no restaurante Hocher, um dos mais exclusivos de Berlim e o favorito de Göring. Inicialmente, as ocasionais reuniões familiares que se seguiram ao divórcio foram realizadas "na maior harmonia", declarou mais tarde Herbert, filho do primeiro casamento de Günther.[49] Magda era uma mulher livre e bem provida. Ela alugou um apartamento de sete cômodos na Reichskanzlerplatz nº 2, no extremo oeste de Berlim, perto da residência de Günther. E pôde finalmente ser a anfitriã que Günther nunca lhe permitira ser. Precisava cuidar do filho pequeno, mas, como podia se dar ao luxo de contratar uma criada e uma cozinheira, tinha mais tempo livre do que sabia como ocupar. Embora ainda se encontrasse com o jovem estudante, Magda estava procurando um homem mais maduro. Tinha outros pretendentes, entre eles um sobrinho rico do presidente americano, Herbert Hoover, mas, quando ele lhe propôs casamento, ela recusou. Magda era inquieta e buscava um novo significado na vida. Logo o encontrou – no florescente Partido Nazista e em seu mais eloquente proponente além de Hitler: o dr. Joseph Goebbels.

6.

No verão de 1930, o playboy nazista Kurt Lüdecke apresentou Magda, então com 28 anos, aos círculos mais refinados do movimento nacional-socialista. Como disse Lüdecke: "Sem nada a fazer e com uma boa renda para gastar, ela se tornou uma ativa apoiadora nazista".[50] A rica divorciada fez sua entrada no partido através do Círculo Nórdico, um clube de debates raciais de elite em Berlim que contava em suas fileiras com muitos aristocratas alemães, igualmente entediados e ricos. O grupo advogava uma "setentrionização" do povo alemão, já que considerava "a raça nórdica" superior a todas as outras. Uma noite, "depois de consumir consideráveis quantidades de álcool", Magda se queixou ao grupo embriagado de que "sua vida a repelia e ela achava que ia morrer de tédio".[51] O príncipe Auwi, filho do imperador abdicado, Guilherme II, estava sentado à mesa de Magda e se inclinou em sua direção com um sorriso conspirativo: "Entediada, minha querida? Permita-me fazer uma sugestão: junte-se a nós! Venha trabalhar para o partido".

Magda imediatamente seguiu o conselho do príncipe Auwi. Numa noite de verão sufocante do fim de agosto de 1930, ela compareceu a um comício eleitoral do Partido Nazista no Sportpalast de Schöneberg, o maior salão de convenções de Berlim. Foi seu primeiro encontro com o principal orador daquela noite – Joseph Goebbels –, *Herr Doktor*, já que ele tinha obtido um ph.D. em literatura na Universidade de Heidelberg. Goebbels tinha fracassado como escritor de ficção, dramaturgo e jornalista antes de ingressar no nascente Partido Nazista, em 1924. Com seu talento para retórica, sua linguagem bombástica e sua devoção servil a Hitler, ascendeu rapidamente nas fileiras. Hitler tinha promovido seu amigo confiável a Gauleiter de Berlim em 1926. Agora, quatro anos depois, aos 32 anos, Goebbels havia prosperado ainda mais. Era membro do Reichstag, chefe da propaganda nazista e arquiteto da campanha eleitoral nacional do partido. A votação ocorreria em apenas duas semanas, e ele estava só no aquecimento.[52]

Goebbels tinha nariz comprido, rosto pálido, testa alta e cabelo castanho--escuro penteado para trás. Raramente sorria. Sua cabeça grande fazia um estranho contraste com sua altura (1,65 metro) e sua magreza excessiva. Caminhava coxeando por causa de um pé disforme e usava camisas e ternos mal ajustados. Por que uma divorciada rica e atraente que frequentava um clube de debates que pregava as virtudes da superioridade nórdica prestaria atenção nele? No entanto, naquela noite, quando Goebbels começou a falar à multidão de milhares de pessoas, Magda foi fisgada. Ele tinha uma voz grave e estrondosa; podia escarnecer e guinchar; seu tom ia da tristeza ao sarcasmo. Proferia com veemência insultos rápidos contra seus inimigos: os judeus, os comunistas e até os capitalistas. A mãe de Magda mais tarde descreveu a primeira vez que a filha ouviu Goebbels quase como uma experiência erótica: "Magda ficou excitada. Ela se sentia tratada por esse homem como mulher, não como apoiadora do 'partido', o qual mal conhecia. Ela tinha de conhecer esse homem, que, de um segundo ao outro, podia fazer alguém ferver de calor e congelar de frio".[53]

Alguns dias depois, em 1º de setembro de 1930, Magda ingressou no Partido Nazista.[54] Ela comprou *Mein Kampf*, o manifesto autobiográfico de Hitler, e o leu de ponta a ponta; estudou a obra de Alfred Rosenberg, o teórico nazista que era rival de Goebbels. Depois de um período fracassado liderando o comitê de trabalhadoras do NSDAP em seu bairro grã-fino, Magda saiu em busca de outra tarefa. Tinha de se aproximar de Goebbels. Num dia cinzento do fim de outubro, decidiu arriscar. Foi até o centro de Berlim, apareceu sem ser anunciada na sede regional do Partido Nazista, que lembrava uma fortaleza, e ofereceu seus serviços. Quando realçou seu conhecimento de línguas estrangeiras, teve uma recepção cordial. Três dias depois, assumiu o posto de secretária do vice de Goebbels.

Depois de alguns dias no escritório, Magda estava descendo a escada quando um homem pequeno de sobretudo subiu apressado. Era Goebbels. Quando se cruzaram no patamar, trocaram um olhar rápido. Magda, tranquila como sempre, não olhou para trás. Goebbels imediatamente se virou para seu ajudante e perguntou: "Quem era aquela mulher maravilhosa?".[55] No dia seguinte, Magda foi chamada ao escritório de Goebbels. Ele lhe disse que estava procurando uma pessoa confiável para montar um arquivo particular e perguntou se ela podia fazê-lo. O arquivo seria constituído de recortes de notícias domésticas e internacionais sobre o Partido Nazista, Hitler e, acima de tudo, o próprio

Goebbels. Ele conhecia o poder da informação. Selecionava notícias para uso em suas enganosas campanhas de propaganda política. A reunião de notícias também lhe dava uma vantagem ao lidar com as sangrentas intrigas palacianas do NSDAP. Goebbels estava sempre procurando a superioridade competitiva. Não era um celebrado herói de guerra da aviação como Hermann Göring nem um líder da SS como Heinrich Himmler. Só contava com sua astúcia e sua devoção a Hitler.

Magda aceitou a tarefa. Ela aparece pela primeira vez no diário de Goebbels em 7 de novembro de 1930: "Uma bela mulher chamada Quandt está fazendo para mim um novo arquivo privado".[56] À medida que Magda passou a ser influenciada pelo nazismo e por Goebbels, sua relação com Günther mudou. Os ex-cônjuges ainda mantinham contato frequente. Harald morava com ela, portanto Günther e Herbert costumavam visitar os dois no apartamento deles na Reichskanzlerplatz. Ela até se reunia com eles nos feriados. Magda ficara ao lado de Günther em Florença no Natal de 1930, depois que ele machucara o quadril. Eles tinham viajado juntos para St. Moritz, para que Günther se recuperasse no ar da montanha.

Mas alguma coisa afetara Magda. As conversas deles agora só tratavam de política. Magda tinha tentado converter Günther à causa nazista depois de comparecer a seu primeiro comício. "Era, supostamente, absolutamente necessário ingressar nesse movimento; ele seria a única salvação do comunismo, que, não fosse assim, a Alemanha enfrentaria, dada sua situação econômica difícil", Günther mais tarde se lembraria de Magda ter dito.[57] Em visitas subsequentes, ele percebeu "que Magda se tornara uma propagandista da causa ainda mais fanática e ela estava envolvida incondicionalmente". Günther no início pensou que Magda tinha apenas uma "paixão passageira" pelos dons oratórios de Goebbels, mas, quando ela continuou a repetir sua mensagem, ele limitou as visitas.

Durante aquele feriado de Natal, Magda foi mais longe e tentou politizar o pai e o filho, instando-os a aderir à sua nova causa. "Ela se tornou a defensora mais fervorosa das ideias nacional-socialistas e tentou converter meu filho e eu ao partido. Dizia que nós devíamos pelo menos dar dinheiro a essa causa. Os argumentos pareciam muito fantasiosos; não era fácil contrariá-los. Quando vimos, por nossas conversas seguintes, que só se falava sobre o partido, e não mais [...] coisas belas, meu filho Herbert e eu decidimos interromper as visitas a ela", Günther testemunhou mais tarde no tribunal.[58] Ele disse que parou completamente de vê-la depois do período em St. Moritz.

Herbert, sob juramento, confirmou a recordação do pai. A despeito de toda a "admiração e gratidão" que sentia por sua ex-madrasta, ele tinha ficado tão chocado com "esse desenvolvimento de visões e fanatismo" que parecia inútil manter contato com Magda, "já que ela havia se tornado teimosa demais para ser convencida de outra coisa".[59] Mas Günther e Herbert mentiram. As visitas deles não pararam, e pai e filho estavam muito mais interessados no pensamento fascista do que jamais admitiram.

7.

Embora o período da República de Weimar tenha sido lucrativo para Günther Quandt, ele não era nada fã da nova Alemanha, mais liberal. Havia muito distúrbio político e volatilidade econômica. Ele sentia falta dos dias do Império Alemão, mais rigoroso. Günther tinha testemunhado em primeira mão seu fim. Em 15 de outubro de 1918, dez dias antes da morte de Toni, comparecera à sessão do Reichstag na qual o último chanceler da Alemanha imperial aquiescera às demandas de paz do presidente dos Estados Unidos, Woodrow Wilson, ao pedir cessar-fogo imediato e o fim da Primeira Guerra Mundial. Foi a primeira e a última vez que Günther foi ao Reichstag. "Um quadro de infortúnio é tudo de que me lembro", ele escreveu depois. "Nossa pátria estava diante do caos."[60] Com o passar dos anos, Günther desenvolveu um interesse em modos autoritários de governar. Enquanto Magda entrou no Círculo Nórdico, Günther ingressou na Sociedade para o Estudo do Fascismo, em Berlim.[61] O grupo de estudo e debate de cerca de duzentos membros, no qual só se ingressava por convite, explorava o fascismo como praticado pelo ditador italiano Benito Mussolini. Criado em 1931, o grupo objetivava trazer unidade ideológica para as distintas facções de extrema direita alemãs e examinava como o sistema fascista poderia funcionar como uma alternativa à democrática República de Weimar.

O chefe e a força propulsora do grupo era Waldemar Pabst, o ardoroso antibolchevique responsável por ordenar a execução dos líderes comunistas alemães Rosa Luxemburgo e Karl Liebknecht em 1919. A mistura de elites do clube incluía teóricos acadêmicos conservadores que estudavam o fascismo italiano, proprietários de terra aristocráticos, o trio de futuros ministros da Economia nazistas Hjalmar Schacht, Walther Funk e Hermann Göring, sócios empresariais de Günther (os dois Pauls) e Fritz Thyssen, um industrial do aço que foi apoiador inicial do Partido Nazista.

No clube, Günther liderou um grupo de estudo que traçou diretrizes para a redução do desemprego na Alemanha.[62] O clube organizava palestras noturnas, leitura de panfletos sobre fascismo e discussões de modos alternativos de governo. Os abastados membros do grupo eram essencialmente a contraparte fascista de "socialistas de salão". O interesse no grupo, no entanto, se mostrou pouco duradouro. Seus membros encontraram a unificação ideológica mais perto de casa, optando por apoiar uma variedade doméstica do fascismo: o nazismo.

Inicialmente, a maioria dos magnatas empresariais enxergava Hitler e seus nazistas como curiosidades uniformizadas barulhentas, violentas, enfadonhas e selvagens das regiões interioranas incultas e empobrecidas — apenas algumas figuras bizarras para fazer piada. Isso mudou na esteira da pior baixa global no mercado de ações, culminando no colapso da Bolsa de Nova York em 29 de outubro de 1929. A queda vertiginosa dos preços das ações eliminou a maioria dos investidores e empresas, muitos deles alavancados em crédito. A demanda por bens e serviços foi destruída. A Grande Depressão cobrou um preço devastador na Alemanha. No fim de 1930, o mercado de ações havia perdido dois terços do seu valor, a produção industrial caíra à metade e milhões de alemães estavam desempregados.

No meio de setembro de 1930, o Partido Nazista de Hitler cavalgou uma onda de descontentamento econômico e político para se tornar o segundo maior partido no Reichstag, recebendo 6,4 milhões de votos. A campanha eleitoral liderada por Goebbels — que culpava judeus e comunistas pela crise financeira — foi um sucesso retumbante. Naquele inverno, Hitler começou a tentar fazer investidas entre os empresários mais ricos da Alemanha. O mal-estar econômico abriu a porta para ele; muitos magnatas temiam o levante político da esquerda enquanto o sistema financeiro oscilava. Günther e seus colegas magnatas logo receberam um chamado convidando-os à suíte de canto de Hitler no hotel Kaiserhof de Berlim.

8.

Na manhã do domingo de 1º de fevereiro de 1931, Hitler estava em sua base doméstica em Munique e foi encontrar Otto Wagener, seu principal assessor econômico.[63] O líder do Partido Nazista tinha dinheiro na mente. Hitler e Wagener começaram a considerar maneiras de conseguir milhões de marcos para armar a Sturmabteilung (SA), a ala paramilitar do Partido Nazista, para o caso de um Putsch da esquerda se transformar em uma guerra civil. Eles se decidiram pela comunidade empresarial, mas havia um problema: nenhum deles tinha bons contatos ali. Aquilo precisava mudar, e Wagener imediatamente visitou Walther Funk em sua casa em Berlim. O editor de jornal se mostrou ansioso para montar reuniões com industriais e financistas para o líder nazista e recomendou que Hitler e seu entourage iniciassem suas atividades no Kaiserhof, um hotel chique da capital. Funk disse a Wagener que o primeiro grande hotel de Berlim era o único lugar adequado se Hitler quisesse passar uma boa impressão aos magnatas e ter uma chance séria de obter algum dinheiro deles. O edifício estava situado em frente à Chancelaria do Reich, próximo dos escritórios de Günther Quandt e Friedrich Flick. Funk reservaria os aposentos apropriados.

Na manhã seguinte, Hitler, Wagener e seu entourage deixaram Munique de carro. Levou mais de um dia para chegarem a Berlim. Wagener preparou Hitler, insistindo que ele discutisse primeiro questões econômicas com os homens, pondo-os à vontade para conversar, e depois lhes pedisse dinheiro para adquirir armas para a SA. Eles finalmente chegaram ao hotel às duas horas da tarde da terça-feira, 3 de fevereiro. Funk os esperava no saguão e lhes mostrou seus aposentos: uma grande suíte de canto no terceiro andar. Hitler tinha seu próprio quarto, com banheiro privativo. Os outros iam ficar todos juntos. O líder nazista receberia seus convidados na sala de estar ricamente decorada da suíte, de frente para o parque da Chancelaria do Reich. Funk tinha se movimentado rapidamente. Em duas horas, às quatro horas da tarde, a primeira pessoa a quem Hitler seria apresentado deveria chegar: o barão August von Finck.

Aos 32 anos, o financista aristocrata de Munique era o homem mais rico da Baviera. Seu pai lhe deixara um império empresarial, que incluía o controle do Merck Finck, um dos maiores bancos privados da Alemanha, e a maioria das ações em duas instituições de seguro globais, a Allianz e a Munich Re.

August von Finck era alto e tinha uma postura imponente, com uma expressão calma e uma cabeleira castanha imaculadamente penteada para trás. Era um aristocrata nato. O pai de Von Finck, Wilhelm, tinha sido cofundador da Allianz e da Munich Re. E o seguro nem era sua profissão principal: Wilhelm era um financista que construiu seu próprio banco privado, o Merck Finck.[64] Seu espírito empresarial não tinha limites. Ele fundou cervejarias, ajudou a expandir a rede ferroviária, foi cofundador de um empreendimento com o inventor do diesel e ajudou a construir a primeira estação de energia hidrelétrica no Império Alemão. Em reconhecimento a seus muitos esforços, foi nobilitado: em 1911, Wilhelm Finck se tornou o barão Wilhelm *von* Finck. Ele comprou milhares de acres de terra e se transformou em um dos maiores proprietários de terra na Baviera. Em resumo, era um homem tremendamente bem-sucedido, em especial para um protestante devoto vivendo em uma parte católica da Baviera.

Mas o desastre atingiu a família durante a Primeira Guerra Mundial, quando o irmão mais velho de August foi morto no front em 1916. Wilhelm tinha planejado deixar para o filho mais velho seu banco, seus interesses empresariais e posições em diretorias; a terra e suas empresas agrícolas seriam destinadas a August. Aos dezoito anos, August entrou no Exército — no mesmo dia em que seu irmão mais velho foi morto em ação. Ele serviu por dois anos em uma unidade de pilhagem nos Bálcãs, em busca de comida e de outras provisões. Foi ferido, mas não gravemente — machucou o seu joelho direito.

Depois da morte do irmão mais velho, Wilhelm decidiu que seu banco deveria ser liquidado quando ele morresse. Mas em seu leito de morte, em 1924, reconsiderou a questão. Ele mudou seu testamento, apontando August para sucedê-lo como principal sócio do Merck Finck e proprietário de todos os seus outros interesses empresariais, de seguradoras a cervejarias. August também herdou uma enorme quantidade de terras.

Assim, aos 25 anos, August assumiu cerca de doze cargos em diretorias, inclusive dois dos mais importantes nas finanças globais: de presidente do conselho fiscal da Allianz e da Munich Re. Afinal de contas, não se tratava de uma meritocracia. August também herdou o protestantismo devoto e a célebre parcimônia do pai. O jovem herdeiro ficou conhecido em seu círculo como o homem mais rico e mais avarento da Baviera, com uma frugalidade que o fazia parecer cruel e distante. Um conservador obstinado, August se recolheu aos salões aristocráticos reacionários de Munique durante os anos agonizantes da República de Weimar, enquanto uma Magda entediada e indiferente fazia o mesmo em Berlim. Mas agora chegara a hora de emergir daquele grupo de extrema direita insular. August também estava se sentindo mais ambicioso que nunca e pronto para começar a trabalhar em algo novo e radical.

Naquela fria e nublada tarde de terça-feira no começo de fevereiro de 1931, August von Finck, acompanhado por Kurt Schmitt, o oportunista e bem relacionado CEO da Allianz, se encontraria com Hitler pela primeira vez. A sede da Allianz ficava do outro lado da rua, em frente ao hotel Kaiserhof. Às quatro horas da tarde, os dois homens chegaram à suíte. Walter Funk os levou à sala de estar onde Hitler esperava. Na meia hora seguinte, Hitler esboçou um pesadelo de capitalista à dupla de financistas; ele "invocou o espectro de massas desempregadas se levantando em uma revolta esquerdista".[65] Von Finck e Schmitt concordaram com a visão de Hitler. Os dois estavam descontentes com a situação política e a desesperança de prover emprego a milhões. Estavam "absolutamente convencidos [...] da irrupção final de levantes e de uma grande mudança para a esquerda", disseram a Hitler.[66] Depois da reunião, Finck acompanhou os dois até a saída. Ele logo voltou à suíte com grandes novidades: Von Finck e Schmitt tinham prometido disponibilizar 5 milhões de marcos por intermédio da Allianz para armar a SA como um freio contra um Putsch, que poderia evoluir para uma guerra civil.

Hitler perdeu a fala. Depois que Funk foi embora, ele se mostrou a Otto Wagener admirado com "o tipo de poder que as grandes empresas exercem".[67] Era como se a força monetária do capitalismo tivesse se revelado ao líder nazista pela primeira vez. Mas seu assessor econômico o advertiu sobre os empresários: "Eles querem ganhar dinheiro, nada além de dinheiro, dinheiro sujo — e nem se dão conta de que estão caçando um fantasma satânico".

Hitler não se importava. Muitos milhões mais estavam prestes a ser prometidos. Funk tinha convidado Günther Quandt para visitar o Kaiserhof na manhã seguinte.

9.

No dia seguinte, quarta-feira, 4 de fevereiro de 1931, os ex-consortes Günther e Magda Quandt se encontraram separadamente com Hitler pela primeira vez e no mesmo lugar – mas sem que um soubesse do outro. Naquela manhã, Günther e dois executivos da Wintershall conversaram com Hitler em sua suíte no hotel. Quando eles saíram, o montante prometido para armar a SA tinha chegado a 13 milhões de marcos. (O levantamento de fundos terminou na tarde seguinte, em 25 milhões de marcos, depois de Funk ter chamado mais quatro empresários para a suíte.[68] Mas no fim nenhum dos magnatas teve de pagar o prometido, já que o Putsch esquerdista nunca ocorreu.) A impressão que Günther teve de Hitler, oito anos mais novo que ele, foi pouco animadora: "Não posso dizer que Hitler me causou uma impressão importante ou inexpressiva, simpática ou repulsiva. Ele me pareceu perfeitamente mediano", escreveu o magnata depois.[69]

Günther deixou o Kaiserhof ao meio-dia. Às quatro horas da tarde, um dos guarda-costas de Hitler entrou na suíte e anunciou que havia um garoto do lado de fora, esperando para falar com o líder nazista. Hitler disse ao guarda--costas que o fizesse entrar. Um menino de nove anos magro, bonito e com ar confiante entrou na suíte. Usava um uniforme azul, com um punhal do lado e um quepe militar comum sobre o cabelo loiro. Era Harald Quandt, o filho mais novo de Günther. Magda enviara Harald do saguão, sem ser anunciado. Harald fez a saudação nazista aos homens e se apresentou: "O mais jovem membro da Juventude de Hitler se apresenta a seu Führer!".[70]

Achando graça, Hitler perguntou a Harald seu nome e sua idade, e depois: "Quem lhe fez esse belo uniforme?".

"Minha mãe", respondeu Harald.

"E como esse uniforme faz você se sentir?"

"Duas vezes mais forte!"

Hitler disse a Harald que voltasse logo para visitá-lo e que mandasse recomendações à sua mãe, uma mulher misteriosa que estava tomando chá no saguão. Minutos depois da saída de Harald, Goebbels chegou. O romance entre ele e Magda estava evoluindo, mas lentamente. Goebbels primeiro tinha de deixar outro caso malograr. Mas estava prestes a ter uma concorrência romântica por Magda, e do homem que ele reverenciava como ninguém mais: o próprio Hitler.

Goebbels tinha reservado uma mesa de canto para o grupo de Hitler no saguão do hotel para o chá. Hitler, sem saber do início do romance entre Magda e Goebbels, perguntou se podia convidar mãe e filho para a mesa. Goebbels concordou e deixou a suíte. Momentos depois, Hermann Göring chegou. Quando Hitler lhe contou que logo eles encontrariam "uma certa Frau Quandt" para o chá, Göring exclamou: "Oh, a madame Pompadour de Goebbels!".[71] Ele comparava Magda à principal cortesã do rei francês Luís XV.

O relato de testemunha ocular de Otto Wagener sobre o chá das cinco poderia ter saído direto de um romance barato: "Mesmo ao primeiro olhar, Frau Quandt causou uma impressão excelente, que só aumentou no decorrer de nossa conversa [...]. Ela estava bem-vestida, mas não de modo excessivo, fazia movimentos calmos, era segura, confiante, tinha um sorriso atraente — fico tentado a dizer: encantador. Percebi o prazer de Hitler com a empolgação inocente dela. Também percebi como os olhos grandes dela estavam presos aos dele. E quando a conversa se esgotava numa pausa constrangida, o jovem Harald sempre servia de catalisador para retomar o contato".[72] Wagener teve de arrancar seu chefe da presença de Magda para aprontá-lo para a ópera. No entanto, o assessor econômico "não tinha dúvida de que um laço mais íntimo de amizade e de veneração entre Hitler e a sra. Quandt começara a se formar". Hitler ficou arrasado quando, mais tarde naquela noite, soube que Goebbels já tinha a chave do apartamento de Magda. Mas os novos amantes ainda precisavam consumar sua relação.

Isso aconteceu dez dias depois, no Dia dos Namorados de 1931. "Magda Quandt vem à noite. E fica muito tempo. E floresce numa graça loira arrebatadora. Como você é minha rainha! (1) [...] Hoje eu ando quase como se estivesse em um sonho", escreveu Goebbels em seu diário.[73] Ao longo de março, ele indicou entre parênteses quando o casal fez sexo: "Magda [...] vai para casa tarde. (2.3.)".[74] Cinco dias depois: "Magda, a adorável [...]. Um pouco mais de aprendizado sobre mim e sobre ela, e seremos um casal perfeito. (4.5.)".[75] Uma semana depois, em 22 de março: "Magda [...] afasta todas as minhas preocupações. Eu a adoro muito (6.7.)".[76] Os parênteses diários (de sexo) finais coincidiram com a noite da primeira briga deles com sexo de reconciliação. Os dois claramente viraram um casal em 26 de março: "Muito trabalho feito até a noite. Então chegou Magda, houve amor, uma briga, e amor de novo (8.9.).

Ela é uma criança fabulosa. Mas não devo me perder nela. Meu trabalho é importante e momentoso demais para isso".[77]

Harald também começou a aparecer nos diários de Goebbels. "À tarde, Magda veio com seu garoto Harald. Ele tem nove anos e é um rapaz adorável. Todo loiro e um pouco insolente. Mas gosto disso", escreveu o nazista de alto escalão em 12 de março de 1931.[78] Goebbels gostou imediatamente de Harald, uma criança ariana modelo: alto para sua idade, com olhos azuis e cabelo loiro claro e comprido. Ele era bonito, com traços delicados e quase femininos. Em inúmeras entradas de diário, Goebbels se derramava sobre como Harald era "doce". Ele logo começou a levá-lo à escola, escrevendo que faria dele "um garoto útil".[79]

E Goebbels não era o único fã de Harald. Hitler o amava "com idolatria".[80] Naquele outono, pouco depois do aniversário de dez anos do menino, os dois nazistas de alto escalão começaram a usá-lo em suas campanhas de propaganda. Em meados de outubro de 1931, Hitler e Goebbels levaram Harald para uma marcha de dois dias da SA em Braunschweig, no centro da Alemanha. Impressionado com a vestimenta de Harald no hotel Kaiserhof, Hitler tinha ordenado que os membros de toda a organização nazista usassem seus uniformes em público o tempo todo. Mais de 100 mil pessoas, entre elas dezenas de milhares de homens da SA e da SS, participaram da manifestação, a maior marcha paramilitar realizada na República de Weimar. Em seu diário, Goebbels descreveu Harald no evento: "Harald parece tão doce em seu novo uniforme da SA. Suas longas botas amarelas. Ele agora é todo homem. Saímos juntos com o chefe [...]. Procissão de tochas! Harald está no carro com o chefe. Ele é todo homem. Ovação de milhões. Uma torrente de entusiasmo. O chefe está completamente arrebatado. Ele ergue o braço de Harald. O doce garoto ficou valente ao meu lado o dia todo".[81]

Magda, enquanto isso, parecia uma groupie louca, seguindo Goebbels em suas viagens pela Alemanha. A rica divorciada o surpreendia esperando por ele em seu quarto de hotel ou aparecendo em qualquer cidade onde Goebbels estivesse discursando ou participando de atividades do Partido Nazista. Magda mimava Goebbels, que tinha pouco dinheiro, dando-lhe muitas flores e o levando ao zoológico de Berlim.[82] Diferentemente de Günther, o alto líder nazista deixava que ela fosse parte de sua vida. Goebbels era agradecido pelo apoio dela. "Magda foi fiel a mim durante os dias difíceis: não vou esquecer

O jovem Harald Quandt, com a mãe, Magda, e Joseph Goebbels, 1931.

isso", ele escreveu em abril de 1931.[83] Goebbels também podia ser possessivo e ciumento. "Briguinha com Magda, que às oito da noite recebe seu ex-marido em casa. É muito descuido e só alimenta a fofoca. Ela agora cortou todos os laços lá e pertence só a mim", ele escreveu no fim de junho de 1931.[84]

Mas a generosidade de Günther com a ex-esposa foi um elemento decisivo no fortalecimento da relação entre Magda e Goebbels. No acordo de divórcio, Günther concedera a ela o direito de usar sua propriedade Severin sem restrições. Desde o início, Magda não teve problema em levar seu novo amante à casa de campo do ex-marido, que se tornou o refúgio favorito do casal, a apenas três horas de carro ao norte de Berlim. Eles passaram uma semana inteira lá no feriado de Pentecostes em 1931.[85] Hitler também começou a passar fins de semana na propriedade de Günther com seu entourage. A rural Severin e seus arredores eram um baluarte do NSDAP. Walter Granzow, o zelador da propriedade, acolhia todos eles. Nazista ambicioso, estava de olho em um cargo público.

Em Severin durante o Pentecostes, o casal decidiu seu futuro junto. "Agora temos clareza de tudo. Fizemos uma promessa solene: quando conquistarmos o Reich, nos tornaremos marido e mulher", escreveu Goebbels em seu diário em 31 de maio de 1931.[86] Mas eles não esperaram isso acontecer e anunciaram seu noivado naquele verão. Magda deu a notícia a Günther e a Hitler no mesmo dia. Eles não a receberam bem. "Magda [...] teve uma conversa com G. Quandt no sábado. Contou a ele que vamos nos casar. Ele ficou arrasado. Magda se vingou de todo o dano que ele causou a ela. Depois o chefe. Contou a ele a mesma coisa. Ele também ficou arrasado. Ele a ama. Mas é leal a mim. E a Magda [...]. Hitler está triste. Ele é muito solitário. Não tem sorte com mulheres. Porque é muito mole com elas. Mulheres não gostam disso. Elas têm de sentir o senhor sobre elas [...]. Pobre Hitler! Tenho quase vergonha de ser tão feliz. Espero que isso não estrague nossa amizade", escreveu Goebbels em seu diário em 14 de setembro de 1931.[87] Para sua grande insatisfação, Hitler e Magda continuavam flertando sempre que se encontravam, muitas vezes quando Goebbels não estava presente.[88] Não havia nada que o ciumento Goebbels pudesse fazer a respeito. Afinal, tratava-se de Hitler.

Hitler imaginou um papel importante para Magda. Ele disse a Otto Wagener que "ela poderia representar a contraparte feminina a meus instintos obstinadamente masculinos".[89] Wagener apareceu com uma proposta peculiar, que se tornou conhecida como "o arranjo".[90] Hitler tinha renunciado ao casamento: sua "noiva" era o povo alemão. (Na época, ele estava apenas começando a conhecer Eva Braun.) Wagener, portanto, sugeriu uma relação triangular que seria platônica para Hitler. Por meio de seu casamento com Goebbels, Magda serviria como a primeira-dama não oficial do Terceiro Reich. Hitler já era praticamente um membro da família. Ele e seu entourage passaram muitas noites no apartamento de Magda na Reichskanzlerplatz, comendo refeições especiais que a cozinheira dela preparava para o líder nazista vegetariano e conversando até as primeiras horas da manhã. Magda e Goebbels aceitaram o acordo com o homem que eles veneravam e decidiram adiar o casamento para dezembro.

Por pura coincidência, Günther e Hitler se encontraram uma segunda vez, dois dias antes de Magda dar a notícia do noivado. "Náusea: o sr. Günther Quandt foi ao chefe", escreveu Goebbels em seu diário em 12 de setembro de 1931. "É claro que ele fez pose e tentou causar uma boa impressão. O chefe gostou disso. Ele o amou. Quando conto a Magda, ela fica branca de indignação e raiva. Posso entendê-la. Mas talvez isso seja necessário para que ela se cure de vez."[91] Como ficou claro, não havia razão para os noivos suspeitarem do que transpirara entre Günther e Hitler. Os dois tinham simplesmente conversado sobre política econômica tediosa.

De acordo com a descrição do encontro feita por Günther no pós-guerra, ele tinha sido convidado para essa segunda reunião na suíte de Hitler no Kaiserhof por seus sócios empresariais, os dois Pauls.[92] Hitler queria ouvir as ideias dos três magnatas sobre como a crise econômica da Alemanha podia ser remediada. Günther aconselhou uma redução da jornada de trabalho de oito para seis horas ao líder nazista, para lidar com o alto desemprego. Além disso, ele sugeriu cortar os salários em 25%, proibir pagamentos de crédito ao consumidor e eliminar benefícios de desemprego. O dinheiro poupado poderia então ser gasto em infraestrutura estatal, enquanto a indústria da construção era estimulada por redução de impostos. Era senso comum, Günther explicou a Hitler, que a economia melhorava quando a indústria da construção florescia.

Hitler, por sua vez, agradeceu aos três empresários e disse a eles que queria combater o desemprego com grandes contratos estatais. Acima de tudo, ele objetivava impulsionar a economia por meio do rearmamento das Forças Armadas. Era uma notícia muito bem-vinda para o trio de produtores de armas. A conversa entre Hitler e eles, programada para durar quinze minutos, levara o triplo disso, como Günther observou orgulhosamente depois. Mas, embora ele ficasse com a impressão de que Hitler considerava suas propostas "impressionantes" e até pedisse a Otto Wagener que anotasse seu nome para que os dois pudessem conversar de novo, Günther nunca mais teve notícias diretamente do líder nazista. Anos depois, no banco de testemunhas de um tribunal, ele se lembrou de suas reuniões com Hitler de uma forma um pouco diferente: "Nossas visões eram tão diferentes que nunca entendemos um ao outro. Hitler não me deixou falar nada nas duas conversas que tive com ele".[93]

10.

Günther Quandt e Joseph Goebbels por fim se encontraram pessoalmente na festa de trinta anos de Magda, que ocorreu em 11 de novembro de 1931, no apartamento na Reichskanzlerplatz que ela alugava desde o divórcio. Goebbels estava prestes a se mudar para morar com ela. Günther "sentiu instintivamente que não combinávamos", ele recordou depois sobre aquela noite.[94] O sentimento era mútuo. Quando o magnata visitou a própria casa algumas semanas depois para ver Harald, que estava em Severin com Magda e Goebbels, o político nazista extravasou em seu diário sobre a intrusão, chamando o industrial de "um imbecil insensível. O capitalista típico. Um cidadão do pior tipo".[95] Isso enquanto Goebbels vivia da pensão régia de Magda, em seu imenso apartamento, desfrutando a hospitalidade da propriedade Quandt, tudo pago por Günther.

A despeito da aversão imediata dos dois homens um pelo outro, Günther visitava de vez em quando a ex-mulher e seu futuro marido para ouvi-los sobre política e para doar dinheiro ao Partido Nazista — mais tarde ele mentiria a respeito. Em 11 de dezembro de 1931, Goebbels documentou uma dessas visitas: "Günther Quandt veio à noite. Quer dar dinheiro ao partido. Magda o convenceu. Ela é nossa melhor defensora [...]. Eu falo de política. Ele fica completamente seduzido. Um velho. Mas o capitalista inteligente, enérgico, cruel aderiu completamente a nós. Como deveria — e dar dinheiro também. Eu recebo 2 mil [marcos]. Isso é para os prisioneiros e feridos. Por meu povo, eu o pego. Com o coração pesado".[96] Mas Goebbels acrescentou: "A conversa não foi tão fria quanto eu pensava". A atmosfera foi muito melhorada pela doação de Günther, além de seu elogio ao novo livro de Goebbels, *Batalha por Berlim*, que Günther estava lendo, ou foi o que disse ao nazista.

Goebbels não podia recusar o dinheiro de Günther. O Partido Nazista estava constantemente quebrado e precisava de todos os fundos que pudesse conseguir. Goebbels vivia de um salário escasso, suplementado pela enorme pensão de Magda — apoio que ia secar. Com o casamento deles a apenas oito dias, Magda e Goebbels estavam prestes a perder a pensão dela como fonte de renda, como era estipulado no acordo de divórcio. Pior, também perderiam Harald. Ele teria de voltar para Günther. O magnata não queria que seu filho caçula fosse criado e influenciado por outro homem — muito menos pelo senhor da propaganda do Partido Nazista.

A cerimônia do casamento de Magda e Goebbels ocorreu em 19 de dezembro de 1931. Um biógrafo de Magda depois considerou o evento "do começo ao fim inigualável por sua falta de gosto".[97] Magda Quandt se tornou Magda Goebbels na Severin de seu ex-marido, justo lá — e sem a permissão dele. O casamento tinha sido planejado pelo administrador da propriedade e ex-cunhado de Günther, Walter Granzow, que concordou em mantê-lo em segredo do patrão. Granzow estava muito interessado em construir um rápido trampolim para uma carreira no NSDAP. Ele já vinha oferecendo a

Magda e Joseph Goebbels de braço dado em seu casamento, acompanhados de Harald Quandt, 1931. O padrinho, Hitler, aparece ao fundo.

propriedade de Günther para abrigar reuniões secretas entre Hitler, Goebbels e outros líderes nazistas. Severin, que Günther havia comprado para garantir um futuro para seu Herbert, seu filho quase cego, tinha sido transformada na sede nazista de fato em Mecklenburg. Günther suspeitava disso, mas seus repetidos pedidos a Magda para que ela não transformasse Severin no nervo central local do partido caíam em ouvidos moucos. Havia pouco que ele pudesse fazer a esse respeito, já que tinha concedido a ela o uso irrestrito da propriedade, inclusive o direito de receber hóspedes. Assim, o café da manhã do casamento se deu em torno da mesa de jantar de Günther. Brindes à saúde do casal foram feitos com os copos dele na recepção, realizada em sua mansão.[98]

A cerimônia de casamento protestante aconteceu na igrejinha da aldeia de Severin; Hitler foi a segunda testemunha de Goebbels. Para a ocasião, o altar da igreja foi adornado com a bandeira do Partido Nazista, disposta em volta de um crucifixo. Os dezoito convidados caminharam da mansão de Günther até a igreja para a cerimônia, atravessando os bosques de Severin, e de volta para a festa. Magda, que não sabia que estava grávida, e Goebbels caminharam de braços dados pela floresta coberta de neve. Estavam ambos vestidos inteiramente de preto, exceto pelo xale branco de renda de Bruxelas sobre os ombros dela – uma peça do traje que ela tinha usado em seu primeiro casamento, com Günther. Era o último vislumbre da jovem precoce que ela tinha sido.

Harald, de dez anos, usando um traje modelado a partir do uniforme da SA, com botas de cano curto, calção, camisa marrom e cinto com alça de ombro, caminhou ao lado do padrasto. Diretamente atrás do casal ia a mãe de Magda, Auguste. De braço dado com ela, seguia Hitler. O rosto dele ficava quase obscurecido pelo chapéu de aba larga, e seu corpo estava protegido do frio por um casaco de abotoamento duplo. Ao longo do trajeto, havia homens da SA usando camisa e gravata brancas parados entre as árvores, muito empertigados e fazendo a saudação nazista em homenagem aos recém-casados.

Günther depois escreveu que poderia facilmente ter visitado Severin naquele dia de dezembro e inadvertidamente ter deparado com o casamento da ex-mulher.[99] Ele culpou Hitler, que aparentemente fez pressão para que o acontecimento ocorresse numa localidade rural obscura, e Granzow, que pôs seus interesses numa carreira nazista acima dos interesses de seu empregador. Günther demitiu Granzow, mas o planejamento do administrador funcionou. Ele fez uma rápida ascensão no Partido Nazista.

Nas semanas seguintes ao casamento, Günther impôs sua guarda legal de Harald, e uma batalha entre ele e os recém-casados irrompeu. Qualquer détente que existisse entre os três adultos se transformou em uma guerra total. Goebbels ficou possesso quando Magda lhe contou que Günther ia reivindicar a guarda de Harald. Magda também ficou "furiosa como uma leoa por seu filhote", escreveu Goebbels em seu diário em 29 de dezembro de 1931. "Até tarde Magda [...] planejando vingança. Pobre Günther Quandt! Eu não ia querer ter Magda como inimiga."[100] A data da entrada não era coincidência. Três dias depois, no Ano-Novo de 1932, Harald se mudou oficialmente de volta para a casa do pai na cidade, embora Günther muitas vezes permitisse que ele visitasse a mãe na Reichskanzlerplatz, nas proximidades.

Apesar da briga por causa de Harald, Günther compareceu a um discurso de duas horas que Goebbels proferiu em fevereiro. Embora, de acordo com Goebbels, Günther estivesse "extremamente feliz"[101] com o que ouviu e viu, isso não os aproximou em nada no conflito sobre a guarda. Günther depois afirmou que foi a esse comício nazista em Berlim só para ter "uma ideia da fala pública e do sentimento popular" após seus encontros com Hitler; depois de ir ao comício, segundo ele, "nunca mais me preocupei com esse movimento".[102]

À parte o jovem Harald, Goebbels passou a ter uma opinião ruim sobre os homens Quandt. Quando ele encontrou pela primeira vez o filho mais velho de Günther, Herbert, em abril de 1932, achou que o quase cego futuro salvador da BMW era "levemente retardado".[103] Ao saber depois que a melhor amiga de Magda, Ello, tinha deixado o marido, Werner Quandt, irmão mais novo de Günther, Goebbels o chamou de "um verdadeiro proletário".[104] Depois que Magda e Goebbels contaram a Hitler sobre "o capitalista"[105] Werner, o chanceler alemão ficou furioso e prometeu fazer algo a respeito dele. Apesar da ameaça, o irmão mais novo de Günther foi deixado em paz. Ainda assim, Goebbels claramente era hostil à maioria dos homens da família Quandt, e seu poder estava crescendo.

11.

Outro capitalista de Berlim estava em grande dificuldade na primavera de 1932. Friedrich Flick tinha finalizado sua tomada de controle do conglomerado do aço VSt, sediado em Düsseldorf, e justamente entre a desordem global de ações e o começo da Grande Depressão. Ele só tinha conseguido financiar uma participação majoritária no maior conglomerado industrial da Europa assumindo empréstimos e bônus imensos. A dívida era garantida por suas ações na VSt através da Gelsenberg, ambas dadas por Flick como garantia bancária. Porém, dado o colapso do mercado, o valor dessas ações tinha desabado, e Flick possuía outros poucos ativos tangíveis que pudessem servir de garantia adicional. A holding de Flick e a Gelsenberg se encontravam à beira da insolvência, ele estava prestes a ser aniquilado.[106]

No começo de 1932, Flick precisava fazer uma rápida saída financeira da Gelsenberg. Ao mesmo tempo, Hitler também precisava de dinheiro, mais uma vez. Ele queria apoio financeiro para a eleição presidencial iminente.[107] Walther Funk arranjou uma apresentação a Flick, de novo no hotel Kaiserhof, em uma gelada manhã de fevereiro, um ano depois de Günther Quandt e

August von Finck terem visitado a suíte de Hitler a convite do astuto jornalista. No ano que se passara desde aquela primeira reunião, Finck tinha deixado o jornal financeiro de Berlim e começado a editar o boletim econômico do NSDAP. Também tinha conhecido Otto Steinbrinck, o implacável braço direito de Flick.

Steinbrinck era um veterano da Marinha muito condecorado que afundara mais de duzentos navios mercantes como comandante de submarino durante a Primeira Guerra Mundial.[108] Flick tinha notado seu talento empresarial quando Steinbrinck lhe preparara um memorando de investimento. Ele rapidamente ascendera para se tornar o confidente mais confiável de Flick. Este, que cultivava uma imagem pública de abstinência da política, fez de Steinbrinck seu elemento de ligação com os nazistas depois que este provou ser muito capaz em negociações de bastidores nos negócios e na política.

O braço direito de Flick, Otto Steinbrinck, em seu uniforme da SS, 1934.

Finck transmitiu o convite para Flick ir ao Kaiserhof através de Steinbrinck. Flick queria muito conhecer o homem que tinha começado a desempenhar um papel tão importante na política alemã. Mas foi um desastre o encontro deles de uma hora no fim de fevereiro de 1932. Enquanto Steinbrinck esperava do lado de fora da suíte, Hitler confundiu Flick com o herói naval e conversou infindavelmente sobre seus planos para um confronto com a Marinha polonesa. Quando os dois homens caminharam de volta do hotel para seu escritório nas proximidades, Flick contou a seu principal assessor que não tinha conseguido dizer uma palavra a Hitler. O líder nazista também ficou decepcionado com a unilateralidade da conversa. Ofendido, Flick decidiu usar seu poder financeiro para sustentar Paul von Hindenburg, o presidente incumbente e candidato do establishment conservador; ele doou quase 1 milhão de marcos para sua campanha de reeleição.

Flick precisava muito de alguma influência no governo. O Estado era o único comprador líquido para sua participação na Gelsenberg e não tinha nenhuma pista sobre o estado deplorável de suas finanças. Flick havia acabado de negociar um acordo quando encontrou Hitler pela primeira vez.[109] As conversas se arrastaram por meses, mas Flick acabou tendo êxito. Em um surpreendente ato de esperteza, conseguiu vender sua participação na Gelsenberg ao governo por mais de 90 milhões de marcos, cerca do triplo de seu valor de mercado, no fim de maio de 1932.[110] Flick intimidou o Estado na mesa de negociação alegando que Fritz Thyssen, seu colega acionista da VSt, estava disposto a comprar toda a sua participação majoritária com apoio financeiro de credores franceses. Uma tomada de controle do maior conglomerado da Alemanha com dinheiro francês era impensável. Fazia poucos anos que a França tinha ocupado a região do Ruhr em resposta ao fracasso da Alemanha em continuar fazendo os pagamentos de reparação. Quando o governo salvou Flick pagando um prêmio enorme, ele conseguiu quitar suas dívidas. O acordo o deixou cheio de dinheiro.

Quando a notícia do acordo secreto de Flick com o governo surgiu, na metade de junho de 1932, foi um escândalo nacional. No auge da Grande Depressão, com mais de 6 milhões de alemães desempregados, o Estado tinha usado milhões dos contribuintes para salvar inadvertidamente um industrial especulador e sua holding privada. Mas, em questão de semanas, o caso Gelsenberg foi eclipsado por notícias mais importantes: as eleições parlamentares de 31 de julho, que pela primeira vez tornaram o NSDAP o maior partido da Alemanha no Reichstag. No fim do verão de 1932, enquanto o público e os políticos se afastavam do escândalo financeiro, Flick começava a se preparar para o domínio do Partido Nazista.

Embora o caso Gelsenberg tivesse tornado Flick ainda mais rico, o desastre de relações públicas associado a ele tinha manchado seu nome. Flick também tinha rejeitado os avanços iniciais de Hitler, e agora o magnata estava convencido de que precisava de proteção política e ficava feliz de pagar generosamente por ela. No começo do outono, Walther Funk apareceu na sede de Flick na Bellevuestrasse de Berlim com um novo pedido do NSDAP: era preciso dinheiro para mais um ciclo de campanha eleitoral. Funk saiu com cerca de 30 mil marcos. Logo, uma procissão de nazistas solicitando fundos se dirigiu à porta do escritório de Flick. A SA precisava de botas novas para mais um desfile de tochas: 2 mil a 3 mil marcos. Os agentes de Flick queriam cobertura positiva na imprensa: alguns milhares de marcos para editores de jornais e revistas nazistas. Como Flick e Steinbrinck descobriram: "Dar dinheiro a nazistas era muito semelhante a verter sangue enquanto se nadava na presença de tubarões".[111]

Então a SS bateu na porta. Em um melancólico dia cinzento no fim do outono de 1932, o criador de frangos que virara líder da SA, Heinrich Himmler, visitou a sede de Flick. Tinha vindo fazer um acordo. Para pôr fim aos pedidos de dinheiro a Flick que emanavam de todos os cantos do universo nazista, Himmler propunha que as futuras doações do magnata do aço fossem unicamente para a SA. Flick concordou de imediato. Era um pacto com o demônio. A organização paramilitar em ascensão oferecia a máxima proteção política, mas a que preço? Flick logo descobriria.

Steinbrinck e Fritz Kranefuss, assessor de Himmler, ajudaram a organizar o acordo entre seus chefes. O ambicioso Kranefuss era sobrinho de Wilhelm Keppler, um empresário falido que rapidamente se tornava o assessor econômico favorito de Hitler. Mais cedo naquele ano, Hitler tinha dito a Keppler que criasse um conselho composto de industriais e financistas que pudessem assessorá-lo em políticas econômicas e "que estejam à nossa disposição quando chegarmos ao poder".[112] Ele convocou o sobrinho para ajudá-lo a recrutar membros e a criar o Círculo Keppler, como logo ficou conhecido. Um dos primeiros recrutados foi Otto Steinbrinck. Ele ingressou no grupo como representante de Flick no momento que irrompeu o caso Gelsenberg. Seu chefe, assoberbado de problemas, o instruiu a descobrir para onde "o vento estava soprando" na elite nazista.[113] Flick estava ávido para usar essa informação a fim de se preparar para o rearmamento.

12.

Enquanto o verão chuvoso de 1932 terminava em Berlim, as tensões entre as famílias Goebbels e Quandt continuavam crescendo. No fim de setembro, Magda e Goebbels esconderam Harald na casa de um amigo depois que o casal brigou com Günther por telefone. Foi preciso uma ameaça de Günther de tomar uma medida legal para convencer o casal a devolver Harald. Günther disse depois que Goebbels nunca o perdoou por sua luta obstinada pelo garoto: "Goebbels [...] pôs na cabeça que cabia a ele a guarda de Harald [...] que ele arrastava para todos os tipos de evento do partido e que era, portanto, aos olhos do público, considerado seu filho. O garoto era alto e loiro, e assim um bom exemplo para ser exibido por um líder nazista que não tinha ele próprio a aparência de um alemão nazista".[114]

No começo de novembro de 1932, por volta do aniversário de onze anos de Harald, as tensões entre os dois homens diminuíram um pouco. Goebbels escreveu em seu diário: "conversei com G. Quandt. Ele não é inteiramente irrazoável. Nem mesmo em assuntos sociais".[115] Günther concordou em deixar Harald passar o feriado de Natal com os Goebbels.[116] Mas, quando Harald chegou ao apartamento deles na véspera do Natal, sua mãe não estava lá. Só Goebbels. Magda tinha acabado de ser hospitalizada com graves dores de estômago, ele disse a Harald; o garoto irrompeu em lágrimas. Goebbels o consolou durante o Natal levando-o ao cinema e à ópera. Eles visitaram Magda no hospital e lhe levaram uma árvore de Natal iluminada adornada com presentes. No dia seguinte ao Natal, Hitler convidou Goebbels e Harald para passarem a véspera do Ano Novo no pequeno chalé que ele alugava em Obersalzberg, na Baviera, perto da fronteira com a Áustria. Goebbels e Harald foram para lá de carro. No último dia do ano, Hitler, Goebbels e Harald escreveram uma carta a Magda, com votos de melhoras. Magda permanecia no hospital, com muita febre. Estava se recuperando de um aborto. Eles ainda não sabiam, mas 1933 mudaria o curso da vida deles e transformaria a Alemanha e o mundo.

Em 29 de dezembro de 1932, Hitler recebeu uma mensagem no chalé: o ex-chanceler Franz von Papen queria se reunir com ele. Uma semana depois, os dois se encontraram ao anoitecer em Colônia, na mansão do barão Kurt von Schröder, um banqueiro privado virulentamente antissemita. Naquela noite, na casa de campo do financista, Hitler e Von Papen fecharam um acordo secreto. Von Papen estava tramando uma volta ao poder e acreditava que poderia usar Hitler, mais popular que ele, como um instrumento para esse fim. Achando que poderia controlar Hitler, ele convenceu o presidente do Reich, Von Hindenburg, a nomear o líder nazista como chanceler e ele próprio como vice-chanceler. Esse acabaria sendo um dos mais catastróficos erros de cálculo na história humana. Em vez de reduzir o líder nazista a um testa de ferro, Von Papen capacitou Hitler a tomar o poder.

Na noite de 30 de janeiro de 1933, membros da SA celebraram a ascensão de seu Führer à posição de chanceler com um desfile de tochas pelo centro de Berlim, marchando pela Unter den Linden, sob o Portão de Brandemburgo, passando pelo Reichstag e pelo Tiergarten para ouvir Hitler falar da sacada da Chancelaria do Reich, seu novo lar. Eleições parlamentares estavam marcadas para dali a cinco semanas, em 5 de março. Parecia que o governo democrático estava de novo no horizonte. Poucos entenderam que Hitler na verdade havia tomado o poder naquela noite — que o Terceiro Reich tinha começado, que a República de Weimar tinha sido transformada na Alemanha nazista, e que permaneceria assim por mais de doze longos, sombrios e sanguinários anos.

Com Hitler no controle, o equilíbrio de poder entre Günther e Goebbels se alterou decisivamente. Seis dias depois, Günther visitou o apartamento de Goebbels e Magda para parabenizá-lo. Depois que ele saiu, Goebbels escreveu triunfantemente: "O sr. Quandt veio visitar. Transbordando devoção. É isso que faz a vitória".[117]

13.

No dia em que Adolf Hitler tomou o cargo mais poderoso no país, um Adolf inteiramente diferente se demitiu de seu emprego. Em 30 de janeiro de 1933, Adolf Rosenberger, de 32 anos, reuniu as dezenove pessoas de sua equipe no escritório da empresa de projetos automobilísticos Porsche, na Kronenstrasse, no centro de Stuttgart, e disse a elas que ia renunciar ao cargo de diretor comercial. Rosenberger tinha ajudado a fundar a empresa dois anos antes com dois sócios: o muito instável mas brilhante projetista de carros Ferdinand Porsche e seu genro, Anton Piëch, um combativo advogado vienense. Rosenberger era o sustentador financeiro e levantador de fundos da empresa, mas estava cansado de gastar o próprio dinheiro e de levantar recursos da família e de amigos para a Porsche, que desperdiçava dinheiro e se aproximava da insolvência. Rosenberger havia arranjado um sucessor: o barão Hans von Veyder-Malberg, um piloto de corridas de carro aposentado conhecido tanto de Rosenberger quanto de Porsche. A empresa enfrentava tantas dificuldades que o aristocrata austríaco teve de trazer consigo um empréstimo-ponte de 40 mil marcos.[118] A despeito da situação financeira, Rosenberger deixou seu emprego em termos amistosos. Permaneceria como acionista e se concentraria em tentar vender patentes da Porsche para mercados estrangeiros numa função mais autônoma.

Adolf Rosenberger não poderia ser mais diferente do novo chanceler, apesar do primeiro nome em comum. O bonito judeu alemão, expert em tecnologia, tinha sido piloto de corridas para a Mercedes. Sua carreira de piloto terminara abruptamente em 1926, depois que um sério acidente no Grand Prix em Berlim deixara três pessoas mortas; ele mesmo ficara gravemente ferido. Rosenberger começara a investir em imóveis em sua cidade natal, depois se associara a Porsche para ajudar a financiar seus projetos de carros de corrida e a transformá-los em protótipos dirigíveis.

A primeira vez que Ferdinand Porsche, velho autodidata de bigode de 55 anos, se lançou por conta própria como empreendedor foi quando abriu sua empresa homônima em Stuttgart, no auge da Grande Depressão. Antes, ele havia sido demitido duas vezes como projetista técnico principal, mais recentemente na Steyr Automobiles, da Austria, de onde fora dispensado depois de poucos meses por causa da crise econômica.[119] Antes disso, seu contrato executivo na Daimler-Benz não havia sido renovado porque seus projetos eram excessivamente custosos e a dívida pessoal que ele tinha com a fabricante de carros estava aumentando; ele tinha contraído empréstimos da Daimler para financiar a construção de uma vasta propriedade para a família em uma colina em Stuttgart.

O cofundador judeu da Porsche,
Adolf Rosenberger.

Porsche se mudou da Áustria de volta a Stuttgart com a família em 1930. Encontrar um emprego durante a pior crise econômica dos tempos modernos foi duro, sobretudo para um homem com mais de cinquenta anos que atuava em uma indústria de nicho e esperava um bom salário. Além disso, Porsche tinha fama de ser difícil. Na indústria automotiva, ele era visto como um "perfeccionista não empregável" por causa de sua falta de disciplina financeira e de seu temperamento volátil.[120] Assim, Porsche iniciou sua própria empresa. Ele contratou engenheiros veteranos e se associou a cofundadores que poderiam trazer o equilíbrio que lhe faltava. Mas Porsche não conseguia superar seus piores impulsos. Ainda tinha chiliques, muitas vezes agarrando o chapéu de aba larga que sempre usava, jogando-o no chão e pisando nele como uma criança petulante. E mais: seus projetos continuavam sendo muito dispendiosos. Nunca seriam aprovados para produção durante uma depressão. Ele se viu diante da falência.

Quando Hitler tomou o poder, Porsche tinha acabado de recusar um emprego dirigindo a produção de veículos do regime soviético de Stálin em Moscou.[121] Depois de cuidadosa consideração, ele recusara esse salva-vidas.

Considerava-se velho demais, além disso não falava russo. A política não importava para Porsche; ele só se preocupava com seus projetos de carro. Quando o ditador em sua pátria jogou mais um salva-vidas, ele o agarrou com as duas mãos.

Às dez horas da manhã de 11 de fevereiro de 1933, doze dias depois de Adolf Rosenberger se demitir do emprego, Hitler fez seu primeiro discurso de abertura no Salão Internacional do Automóvel de Berlim. Em sua fala otimista, o chanceler anunciou uma redução de impostos para motoristas e um plano de construção de estradas modernas para reanimar a débil indústria automobilística, que ainda estava atordoada com a crise econômica. Hitler, que era louco por carros mas nunca tirara carteira de motorista, louvou os projetistas e engenheiros de carros da Alemanha, "cujo gênio cria essas maravilhas da engenhosidade humana. É triste que nosso povo quase nunca chegue a conhecer esses homens anônimos".[122] Mas o Führer estava prestes a conhecer excepcionalmente bem um projetista de carros específico.

A mensagem de Hitler foi recebida com vivas no escritório de Porsche em Stuttgart, onde a equipe inteira estava ouvindo o discurso no rádio. Depois que Hitler terminou de falar, Ferdinand Porsche enviou a ele um telegrama, fornecendo um breve currículo e oferecendo seus serviços: "Como o criador de muitas construções renomadas no campo dos automóveis e da aviação alemãs e austríacas e como colega combatente por mais de trinta anos pelo sucesso de hoje, parabenizo Sua Excelência pelo profundo discurso de abertura".[123] Porsche e sua equipe estavam prontos a pôr sua "vontade e capacidade à disposição do povo alemão", ele telegrafou para Berlim. Em um telegrama adicional, escreveu: "Expressamos a esperança de que em nossos esforços recebamos a atenção e o encorajamento de Sua Excelência".[124] Seus telegramas não foram apenas reconhecidos pelo secretário de Estado de Hitler. Foram muito bem recebidos, e Porsche recebeu imediatamente palavras de encorajamento.

O primeiro contato de Porsche com Hitler tinha sido indireto e uma pura coincidência. Em 1925, uma limusine Mercedes usada para transportar Hitler fora levada à oficina da Daimler em Berlim para ser reparada.[125] Porsche, então diretor técnico da Daimler, por acaso estava visitando a garagem e diagnosticara o problema: óleo fortemente contaminado. Ele não tinha ideia de quem era o dono da limusine preta brilhante. Um ano depois, os dois foram devidamente apresentados na área externa de uma corrida em Stuttgart. Agora, sete anos depois, Ferdinand Porsche estava prestes a se tornar o engenheiro favorito de Hitler.

Em 10 de maio de 1933, Hitler e Porsche se encontraram de novo, dessa vez na Chancelaria do Reich, em Berlim.[126] Durante a reunião de 35 minutos, Porsche convenceu Hitler a alocar subsídios estatais para o desenvolvimento de um carro de corrida que ele e Rosenberger haviam projetado, deleitando o Führer, fanático por carros, com histórias de inovação técnica. A decisão de Hitler ajudou Porsche a se recuperar financeiramente. E quando chegou a hora de Hitler procurar um homem capaz de realizar seu projeto de carro de prestígio — o Volkswagen —, ele sabia exatamente onde encontrá-lo: na mesa de desenho em Stuttgart.

14.

Na noite fria e completamente escura de 20 de fevereiro de 1933, Günther Quandt, Friedrich Flick e o barão August von Finck se reuniram mais uma vez com o Führer e seus assessores econômicos em Berlim. Só que agora em um local melhor — em vez de numa discreta suíte no hotel Kaiserhof, eles entraram no suntuoso domicílio do presidente do Parlamento, e mais de vinte outros magnatas e executivos se juntaram a eles lá. Von Finck estava de novo acompanhado pelo CEO da Allianz, Kurt Schmitt, um dos quatro futuros ministros da Economia nazistas ali presentes. Os outros três — Walther Funk, Hjalmar Schacht e Hermann Göring — estavam disponíveis para convencer aqueles doze titãs da indústria e das finanças alemãs, uma última vez, a fazer doações para uma campanha eleitoral nazista.

Depois das falas de Hitler e Göring e da convocação de Schacht para o desembolso, o delicado movimento seguinte coube aos magnatas. Fazendo jus à sua lendária avareza, August von Finck se encaminhou diretamente para a saída "no primeiro momento possível"[127] depois de se dar conta de que Schacht ia extrair dele uma promessa pessoal no ato. Friedrich Flick doou regiamente.[128] Como era seu costume, ele protegia suas apostas e doava a todos os partidos envolvidos — 120 mil marcos ao Partido Nazista e a mesma quantia a seu parceiro de coalizão nacionalista. A menor contribuição naquela noite veio de Günther Quandt.[129] Ele transferiu 25 mil marcos para a caixinha nazista por meio de sua empresa de baterias AFA, semanas depois. O presente esmaecia em comparação com as doações de seis dígitos feitas por IG Farben e Flick. Mas Günther reconhecia uma oportunidade barata quando via uma. Era essa capacidade, afinal, que o tornara rico.

É claro que Günther tinha um motivo pessoal mais premente para favorecer os nazistas. Goebbels estava prestes a ser promovido. Dias antes da doação de Günther, Hitler nomeara Goebbels ministro do Esclarecimento Público e da Propaganda do Reich. Agora ele era um dos homens mais poderosos da Alemanha nazista, controlando cada aspecto da imprensa, da vida cultural e da promoção política. No fim, o resultado das eleições de 5 de março de 1933 não tinha importado. Seis dias antes, o Reichstag fora destruído num incêndio, em circunstâncias misteriosas, exatamente uma semana depois da reunião secreta na residência de Göring. O estado de direito foi suspenso e a democracia na Alemanha foi morta. Hitler assumiu o controle.

15.

Em 1º de maio de 1933, o regime nazista celebrou o Dia do Trabalhador, um feriado nacional na Alemanha pela primeira vez. Um milhão e meio de pessoas se reuniram ao anoitecer no aeródromo de Tempelhof, em Berlim, para ouvir Hitler discursar sobre a ética do trabalho alemã. O chanceler estava posicionado muito acima da multidão, flanqueado por enormes bandeiras com suásticas; de uma imensa tribuna, ele trovejou sobre os direitos dos trabalhadores. No dia seguinte, invadiria e baniria todos os sindicatos.

Günther Quandt ingressou no Partido Nazista naquele Dia do Trabalhador, recebendo a inscrição número 2 636 406.[130] Ele e centenas de milhares de outros alemães, inclusive August von Finck, tinham ingressado bem a tempo, já que Hitler impôs uma proibição de filiação no dia seguinte. Cerca de 1,6 milhão de alemães haviam ingressado no NSDAP desde que ele tomara o poder, em janeiro, levando o total a 2,5 milhões em apenas alguns meses.[131] Hitler se preocupava pelo fato de esses números ascendentes cada vez mais depressa estarem diluindo o valor da filiação ao partido. Ele manteve a proibição por quatro anos; Friedrich Flick e Ferdinand Porsche tiveram de esperar até maio de 1937 para se filiar.

Depois que a guerra terminou, Günther escondia sua filiação ao Partido Nazista e se orgulhava de sua "atitude de desaprovação ao partido".[132] Mas ele logo foi obrigado a se explicar, quando veio à tona documentação sobre seu ingresso no partido. Ele afirmou que Goebbels o havia coagido. Num dia quente de primavera no fim de abril de 1933, segundo Günther, ele foi chamado para uma reunião no escritório do ministro da Propaganda, no Ordenpalais, bem ao lado da Wilhelmsplatz, a dez minutos a pé de sua própria sede. Quando ele se sentou, Goebbels avaliou friamente Günther e lhe perguntou se já havia se filiado ao partido. Günther respondeu que não; como empresário ele "nunca pertencera a um partido político".[133] Ele descreveu vivamente como Goebbels começou a chantageá-lo no ato: "O rosto dele mudou de cor. De forma brutal e exorbitante, ele disse numa voz ameaçadora que eu tinha de me tornar membro do partido imediatamente. Senão, o partido assumiria a educação do meu filho". No relato de Günther, Goebbels o ameaçou com "desvantagens insanas" se ele não ingressasse no NSDAP e doasse mais dinheiro: "Goebbels esmagou minha alma, lembrando-me da morte de meu filho mais velho em Paris, e disse que eu tinha a escolha de manter ou não meu segundo filho. Eu disse que não me preocupava com a contribuição em dinheiro ao partido e me filiei".[134]

Em seu diário, Goebbels anotou que tinha recebido Günther em seu escritório na sexta-feira, 28 de abril de 1933, mas sugeriu um cenário que era o completo oposto da história de Günther; Quandt estava ávido para ingressar no NSDAP e queria contar isso ao alto nazista em pessoa antes de assinar a filiação. "Recebi o dr. Quandt", escreveu Goebbels no dia seguinte. "Ele é tão insignificante agora. Quer entrar no partido."[135]

A filiação de Günther ao NSDAP não serviu em nada para protegê-lo. Em 3 de maio de 1933, dois dias depois de seu ingresso no partido, ele estava em uma reunião do conselho fiscal do Deutsche Bank em Berlim quando a polícia invadiu o local. Günther foi algemado, levado de carro para a sede da polícia na Alexanderplatz e posto em uma cela no porão.[136] No dia seguinte, foi transferido para uma cadeia no bairro de classe trabalhadora de Moabit, na capital, onde foi mantido em confinamento solitário com base em acusações não reveladas. Suas casas foram revistadas e sua sede empresarial na Askanischer Platz e uma de suas fábricas AFA foram ocupadas.

Uma semana depois de sua prisão, oficiais do Partido Nazista anunciaram publicamente que Günther havia sido detido porque tinha trocado dinheiro no exterior e queria transferir fábricas para países estrangeiros. Sua detenção supostamente "evitava" as duas coisas.[137] Günther, enquanto isso, ainda não tinha nenhuma ideia da razão de ter sido detido. Uma noite ele foi levado de sua célula de isolamento apertada e mofada para uma sala de interrogatório fria e cinzenta, onde dois membros de alto escalão do Departamento de Justiça o esperavam. De acordo com Günther, seus inquisidores começaram a fazer o jogo "policial bonzinho, policial malvado" e finalmente revelaram o motivo de sua detenção: supostamente havia chegado uma queixa anônima, acusando-o vagamente de violar a lei comercial alemã. A dupla, que tinha montado uma unidade anticorrupção, disse a Günther "de maneira cortês" que ele seria libertado se transferisse a AFA a um de seus executivos, um dos primeiros membros do NSDAP. Günther riu, recusou-se e foi imediatamente levado de volta à sua cela, onde o esperava uma acusação por escrito de desfalque.[138]

Em 13 de junho de 1933, depois de quase seis semanas em confinamento solitário e incontáveis interrogatórios noturnos, Günther pagou 4 milhões de marcos de fiança, uma quantia enorme, e foi libertado da cadeia. "Fiança de $ 1144 000 fornecida por um industrial alemão", relatou o *New York Times* no dia seguinte. Sob as condições de sua libertação, Günther não era autorizado a visitar sua sede na Askanischer Platz nem nenhuma de suas residências em Berlim. Ele se instalou em uma suíte no hotel Kaiserhof.

Nas semanas seguintes à sua libertação, ele doou cerca de 43 mil marcos a um novo fundo nazista: Doações Voluntárias para a Promoção da Mão de Obra Nacional. Ao passo que a iniciativa se destinava a ajudar a reduzir o desemprego fornecendo dinheiro a empresas alemãs, os fundos eram às vezes usados para "comprar impunidade de acusação" em certos procedimentos legais.[139] O embargo residencial de Günther foi suspenso no começo de setembro de 1933, logo depois de ele ter começado a doar o dinheiro. A acusação de desfalque, porém, só foi arquivada dois anos depois.

16.

Günther Quandt mais tarde lamentou que "o ano de 1933 formou uma repentina e abrupta barreira para mim em todos os lugares".[140] Mas, depois de sua libertação do confinamento solitário, ele capitalizou vigorosamente o recentemente codificado antissemitismo da Alemanha nazista. No mês seguinte ao levantamento do embargo de suas residências, ele exigiu a eliminação da filiação e dos direitos de voto dos membros judeus da Associação de Comerciantes e Industriais de Berlim. E isso depois de já ter, "alegre e vergonhosamente cedo",[141] expulsado quatro executivos judeus que serviam em diretorias de suas empresas, como um historiador descobriu depois.

Günther afirmou de maneira oportunista que a arbitrariedade de sua prisão e do tempo que passou na cadeia permaneceu um trauma definidor para ele. "Ficou claro para mim que um estado até então desconhecido de insegurança legal havia começado", ele escreveu em suas memórias. "Foi uma experiência chocante para mim, que fui criado para ser incondicionalmente leal ao Estado. As razões para minha prisão nunca me foram reveladas."[142] Mas elas haviam sido. Os dois interrogadores de Günther na cadeia tinham lhe revelado que um de seus executivos na AFA, membro inicial do Partido Nazista, havia orquestrado o golpe empresarial contra ele. Depois da guerra, contudo, Günther usou habilmente o tempo que passou na cadeia para se retratar como uma vítima do vingativo Goebbels, afirmando que ele havia tramado sua detenção e seu aprisionamento. O que não era verdade.

Em 5 de maio de 1933, dois dias depois da detenção de Günther, Goebbels escreveu em seu diário: "Günther Quandt detido. Por quê? Problema com imposto. Com Hitler. Ele está indignado que não se permita que a economia se ajuste. Göring deve investigar o caso Quandt. Não sinto pena dele, só do querido Harald".[143] Um dia depois, Goebbels discutiu de novo o "caso G. Quandt"[144] com Hitler, sozinho. Industriais e suas companhias eram essenciais para a política de rearmamento do chanceler, que logo seria iniciada. Portanto, ele estava incomodado com facções rebeldes no Partido Nazista que atacavam empresários e tentavam tomar suas empresas. Os novatos arrogantes ameaçavam destruir a boa vontade que Hitler tinha cultivado com tanto cuidado com os magnatas.

Goebbels foi informado imediatamente quando Günther saiu da cadeia. "Mandado de prisão contra Günther Quandt", escreveu ele em 14 de junho de 1933. "Libertado por cerca de 4 milhões. É assim que funciona. Não vou interferir de jeito algum. Se ele errou, deve pagar."[145] A ex-cunhada de Günther, Ello, acompanhou o caso ao lado de sua melhor amiga, Magda. "Goebbels disse que não sabia nada sobre ele, mas que isso era bom", Ello declarou depois.

"Ele recebeu com agrado a detenção. Quando ele foi solto, Goebbels disse que, infelizmente, ninguém mais podia tocar no homem."[146]

Não se pode dizer o mesmo de Victor Chaim Arlosoroff, amigo de infância de Magda.[147] Três dias depois da soltura de Günther, Arlosoroff foi assassinado por dois pistoleiros enquanto fazia uma caminhada noturna com sua esposa em uma praia em Tel Aviv. O líder sionista tinha voltado dois dias antes da Alemanha, onde havia fechado um acordo com o regime de Hitler que permitia que 60 mil judeus alemães emigrassem, com suas posses, para o Mandato Britânico da Palestina. O assassinato de Arlosoroff permanece até hoje sem solução.

17.

Em maio de 1933, o filho mais velho de Günther, Herbert, voltou a uma Alemanha que lhe era irreconhecível. Sua cidade natal, Berlim, era agora a capital de um novo Estado. Sua ex-madrasta era agora considerada a primeira-dama do Terceiro Reich, e o novo marido dela era o ministro da Propaganda nazista. Enquanto isso, seu pai estava em uma cela na cadeia Moabit, sob acusações desconhecidas, enquanto um golpe empresarial estava sendo montado contra ele na AFA.

Herbert, com 22 anos, tinha passado a maior parte dos últimos quatro anos fora da Alemanha, depois de mal terminar de vez seu trabalho escolar "completamente torturante".[148] Para o bem ou para o mal, depois da morte de Hellmut, ele era o herdeiro legítimo de seu pai. Herbert aproveitou a oportunidade, apesar de sua deficiência visual. (Sua visão tinha melhorado notavelmente ao longo dos anos devido a tratamentos médicos.) A Grande Depressão não teve nenhum efeito negativo sobre ele. Herbert aprendera inglês e francês em Londres e Paris, viajando pelo mundo com o pai, e recebera treinamento vocacional em uma fábrica de baterias AFA na Alemanha e em empresas na Bélgica, na Inglaterra e nos Estados Unidos.

Ele gostou sobretudo do tempo que passou na América e disse repetidas vezes à família no Natal de 1932 que planejava se mudar se o comunismo forçasse os Quandt a sair da Europa. "Esse perigo não era pequeno", disse ele mais tarde, no outono de 1979. "Por que Hitler chegou ao poder na época?

Porque, e não tenho medo de dizer isto aqui, ele tinha declarado guerra ao comunismo na Alemanha repetidas vezes de modo muito impressionante e incisivo."[149] Embora Herbert dissesse que era "uma página em branco politicamente",[150] em janeiro de 1933 ele via o comunismo, não o nazismo, como o grande perigo alemão. "O iminente perigo comunista vermelho, que já tinha sido trazido à minha atenção pela imprensa nos Estados Unidos, era agora observado por mim em primeira mão como um monstro sempre crescente e ameaçador", ele recordou depois.

Contudo, Herbert manteve a discrição até que seu pai fosse libertado da cadeia e voltasse ao escritório. Então se casou com a noiva, Ursula; mudou-se para a casa que o pai comprou para ele perto da mansão da família em Babelsberg e começou um período de quatro anos como estagiário de administração na AFA em Berlim.[151] Só dois anos depois de Hitler tomar o poder Herbert se registrou como membro de apoio da SS.[152]

18.

Em 30 de junho de 1933, duas semanas depois da soltura de Günther Quandt, Hitler nomeou Kurt Schmitt, CEO da Allianz, ministro da Economia do Reich. Schmitt superou Otto Wagener, assessor econômico de Hitler, que manobrou excessivamente pelo cargo e perdeu a simpatia do líder nazista. O barão August von Finck tinha defendido Schmitt com ardor como o melhor candidato ao cargo. Von Finck "estava ansioso para que as empresas tivessem uma voz forte no novo regime e sentia que [a nomeação de Schmitt] seria útil à Allianz e a seu banco", de acordo com um executivo da Allianz seu colega.[153] Hitler e Göring, que buscava se tornar o líder de fato da economia nazista, concordaram com Von Finck, mas por um motivo diferente. Aos olhos dos dois líderes nazistas, a comunidade empresarial tinha de ser apaziguada enquanto os nazistas consolidavam o poder e começavam depressa o rearmamento.

Schmitt, um insider empresarial consumado, parecia ser o homem de frente perfeito para essa tarefa, mas logo renunciou ao cargo depois de sofrer um colapso devido ao estresse durante um discurso.[154] Outra figura do establishment, Hjalmar Schacht, o sucedeu. Enquanto isso, a devoção de Von

Finck a Hitler se aprofundou. Schmitt, muito mais um oportunista do que um crente, achava a "perspectiva de mundo [de Von Finck] [...] muito provinciana. Ele tinha pouco conhecimento de primeira mão dos países fora da Alemanha e nunca havia [...] viajado para países estrangeiros. Portanto [...] sua fé interior no nazismo e particularmente em Hitler nunca vacilou", Schmitt disse a um interrogador americano depois da guerra.[155]

A devoção de Von Finck ao Führer sobressaía a todos os seus colegas e amigos. Hitler "exercia sobre ele grande fascínio" e "uma influência hipnótica", de acordo com Hans Schmidt-Polex, um amigo de longa data do aristocrata.[156] Hans Hess, que sucedeu a Schmitt como CEO da Allianz, mas sempre se recusou a ingressar no Partido Nazista, revelou depois da guerra que Von Finck lhe dissera em várias ocasiões "que acreditava que Hitler tinha sido enviado por Deus para se tornar Führer do povo alemão".[157]

Ainda assim, o fanatismo de Von Finck parava em sua carteira. A parcimônia do banqueiro não o fazia benquisto pelos representantes do NSDAP. Eles "sentiam que as contribuições dele ao partido não estavam à altura de sua riqueza", declarou depois da guerra o chefe de imprensa da Allianz, o barão Edgar von Uexküll.[158] Os nazistas precisavam encontrar uma maneira de capitalizar a devoção, a influência e as ligações do homem mais rico da Baviera, mas sem fazê-lo gastar um tostão de sua própria fortuna. Por volta do momento da nomeação de Schmitt, Hitler apareceu com uma ideia: ele daria a Von Finck a oportunidade de gastar o dinheiro de outras pessoas. Depois da cerimônia na Chancelaria do Reich, Hitler o chamou de lado, olhou em seus olhos e disse: "Você é o homem de que preciso. Você deve construir para mim uma casa de arte alemã".[159]

Em julho de 1933, Hitler, que antes fora um pintor diletante, nomeou Finck presidente do conselho de curadores da Haus der Deutschen Kunst, um museu de arte a ser construído em Munique. Era o projeto favorito de Hitler. O Führer o imaginava como um exemplo primordial da arquitetura nazista, onde obras de arte que ele considerava essencialmente alemãs seriam exibidas. O museu seria construído na Prinzregentenstrasse, na borda sul do Englischer Garten, perto do suntuoso apartamento de Hitler.

Em 15 de outubro de 1933, Hitler lançaria a pedra fundamental do edifício em uma cerimônia esmerada.[160] Ao final, ele bateu na pedra fundamental três vezes com um martelo de prata especialmente projetado. Mas a ferramenta se quebrou, e suas partes se espalharam pelo chão. Von Finck olhava sombriamente de trás. Enraivecido, Hitler proibiu qualquer menção ao infortúnio na imprensa alemã. A despeito do começo acidentado, logo se desenvolveu uma sinergia entre Von Finck e o Führer. Para iniciar um evento relacionado ao museu, os dois ficavam lado a lado diante do público, com postura rígida, o braço direito suspenso no ar e a mão esticada. Von Finck falava durante três minutos para apresentar Hitler, e o Führer então fazia digressões por uma hora. Adiantando-se, Von Finck era o guia de museu de Hitler, desfrutando a honra ilustre de se sentar à direita do chanceler durante cerimônias e jantares. Ele tinha assegurado a proximidade de seu amado Führer.

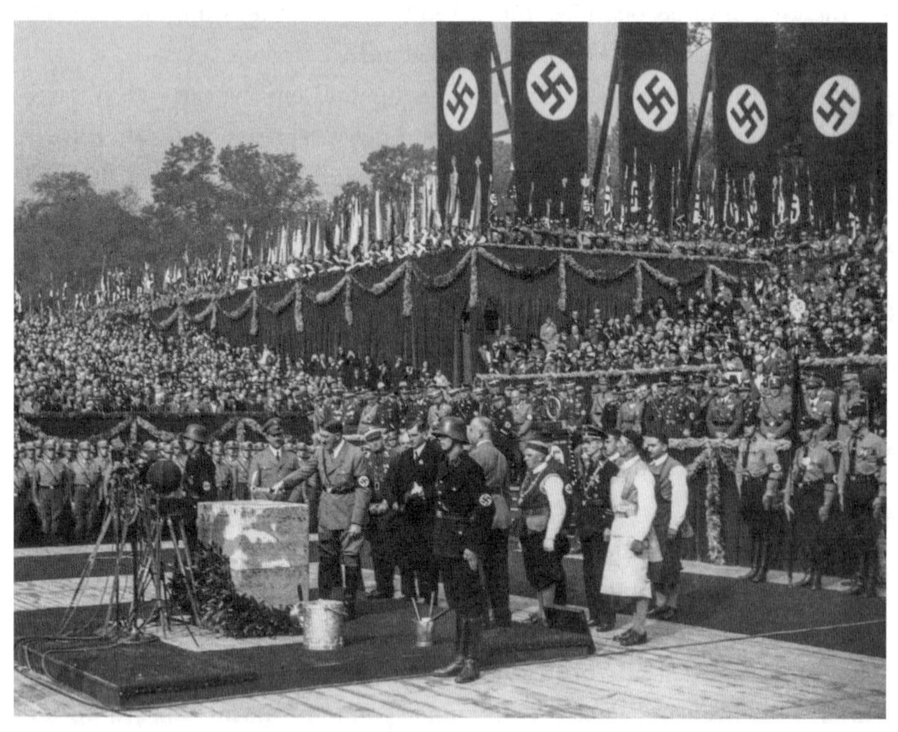

Hitler batendo na pedra fundamental do museu com August von Finck, de terno, parado bem atrás dele. Momentos depois, o martelo de prata se quebrou.

19.

Em 7 de março de 1934, Hitler voltou ao Salão Internacional do Automóvel de Berlim para mais um discurso de abertura. Daquela vez ele não estava feliz. O chanceler repreendeu os fabricantes de carros por se concentrarem só em veículos de luxo e os acusou de promover a ideia de que o automóvel era só para os ricos. Hitler estava irritado com os "milhões de concidadãos decentes, industriosos e esforçados em seu trabalho" que não podiam sequer pensar na possibilidade de comprar um carro. Já havia passado da hora, esbravejou o Führer, de o veículo perder seu "caráter baseado em classe e, como uma triste consequência, divisor de classes".[161] Sua voz retumbou pelo maior salão de exposições de Berlim enquanto executivos da Daimler-Benz assistiam desolados, envergonhados e aterrorizados. Ferdinand Porsche, por outro lado, descobriu que ele e o Führer tinham a mesma visão. Ele recentemente acrescentara algo a seu repertório: projetar carros pequenos com preço acessível. Em 17 de janeiro daquele mesmo ano, o escritório de projeto de Porsche tinha enviado um memorando de doze páginas de Stuttgart para o Ministério de Transportes do Reich, na Wilhelmplatz, em Berlim; ele expunha planos para a construção de um Volkswagen, um "carro do povo".[162]

Mas o memorando não solicitado de Porsche não tinha chegado à mesa de Hitler. O Führer aparentemente se inspirara nos projetos de Josef Ganz, um engenheiro automobilístico judeu.[163] Claro, um judeu nunca projetaria o carro para o povo da Alemanha nazista. Um vendedor de carros da Daimler que se tornara confidente de Hitler, no entanto, leu o memorando de Porsche depois do discurso e chamou a atenção do chanceler para ele. Uma semana depois, no começo de um dia de primavera, Hitler convocou Porsche ao hotel Kaiserhof.[164] Ele mantivera a suíte para conversas privadas. Na Chancelaria do Reich, em frente ao hotel, cada palavra que ele pronunciava era registrada por escrito. E, depois de um ano no poder, Hitler conhecia o valor da privacidade. Ele se acostumara a ignorar a burocracia e a conceder contratos a pessoas em quem confiava — e Porsche estava prestes a se tornar uma delas.

Ferdinand Porsche não sabia exatamente por que fora chamado ao Kaiserhof, mas recordou afetuosamente a conversa com Hitler no mês de maio anterior, quando ele salvara sua empresa impressionando o Führer com histórias de corridas de carro. Porsche esperava mais do mesmo. Estava errado.

Assim que Porsche entrou na suíte, o chanceler nazista começou a lançar ordens para ele: o Volkswagen tinha de ser um carro de quatro lugares com um motor a diesel, refrigerado a ar, que pudesse ser convertido para propósitos militares. Hitler não tinha em mente apenas "o povo". A verdadeira prioridade era o rearmamento.

Porsche absorveu em silêncio as demandas do autodidata fanático por carros. Então veio a surpresa. Hitler tinha lido em algum lugar que Henry Ford, um homem que ele reverenciava, estava construindo um carro em Detroit que custava mil dólares.[165] O Volkswagen, portanto, não poderia custar mais que mil marcos, declarou Hitler. Porsche olhou para ele incrédulo, mas não ousou retrucar. Finalmente, surgiu a questão da cidadania de Porsche.[166] O projetista de 58 anos tinha nascido na Boêmia do Norte, então parte do Império Austro-Húngaro; agora, em 1934, era uma região da Tchecoslováquia. Porsche tinha escolhido a cidadania tcheca depois do colapso do império. Para Hitler, um cidadão do menosprezado país eslavo nunca poderia projetar o carro do povo alemão. Duas semanas depois, Porsche e sua família descobriram que de repente eram cidadãos da Alemanha nazista, embora pouco tivessem feito para efetuar essa mudança. Em casa em Stuttgart, em sua vasta propriedade na colina, Porsche deu de ombros e disse a um parente: "Eu realmente não vejo o que podemos fazer a esse respeito".[167] De qualquer forma, ele tinha problemas maiores para resolver.

20.

Depois que foi solto da prisão, Günther Quandt logo descobriu que sua recém-conquistada intocabilidade não se estendia à guarda de seu filho de doze anos, Harald. Goebbels continuava obstinado em conseguir o primogênito de Magda para eles. Na primavera de 1934, finalmente teve êxito. Na sexta-feira, 13 de abril — o dia em que Magda deu à luz sua segunda filha, Hilde —, Goebbels se queixou em seu diário de que dias antes Günther tinha se recusado a entregar Harald para ficar com a crescente família durante a Páscoa.[168] Além de Hilde, Harald agora tinha uma meia-irmã de um ano, Helga. A próxima criança, o único filho homem biológico de Goebbels, foi batizado Helmut, como o filho morto de Günther, a quem Magda tinha sido tão ligada. Mais três irmãos com nome iniciado por H — como Harald e os irmãos, e como o sobrenome Hitler — se seguiriam.

Goebbels tinha chegado ao limite com Günther. "Agora vamos usar os poderosos. Não vou mais ceder a isso", escreveu.[169] Três dias depois, ele contou a Hitler sobre a "briga por Harald".[170] De acordo com Goebbels, o chanceler ficou "completamente do nosso lado. Magda vai conseguir seu Harald". O ministro da Propaganda então discutiu "a questão Harald" com Göring e o líder da SA, Ernst Röhm, em 18 de abril de 1934. "Eles dois me apoiaram muito", escreveu Goebbels.[171] (Dez semanas depois, Röhm e a maioria de seus aliados na SA foram executados por ordem de Hitler, instigado por Göring e Himmler, durante o massacre da Noite dos Longos Punhais.)

Goebbels também falou com Günther em 18 de abril. O ministro da Propaganda escreveu em seu diário que foi "duro com o sentimentalismo [de Günther]". Aparentemente a estratégia funcionou. "Ele cede", escreveu Goebbels. "Magda tem de volta seu Harald. Ela está radiante!" Günther esperava que o casal devolvesse Harald depois do feriado de Páscoa, mas isso não aconteceu. No começo de maio, Günther contratou um proeminente litigante de Berlim para forçar a entrega de Harald. Ele era um dos poucos advogados remanescentes na Alemanha ainda ousado o bastante para entrar com uma queixa de sequestro contra Goebbels e a mulher, agora o casal mais poderoso no país. Não fez diferença nenhuma. Uma semana depois, o advogado voltou a Günther de mãos vazias. Nenhum tribunal berlinense se atreveu a aceitar a ação judicial.

Goebbels ficou furioso quando Magda lhe disse que Günther tinha contratado um advogado para processá-los. "Não vou mais tolerar esse tratamento rude", escreveu o ministro da Propaganda. "Não vamos devolver Harald [...], digo a Quandt. Ele fica furioso."[172] Em 8 de maio de 1934, o casal visitou o advogado de Magda para assinar um novo acordo de guarda com um plano de visitas revisado. "Ela está feliz. Agora Günther Qu. deve concordar", escreveu Goebbels.[173] Günther não teve escolha senão aceitar o novo arranjo. Agora Harald pertencia a Magda e Goebbels. O garoto foi autorizado a visitar Günther duas vezes por mês.

A última entrada do diário de Goebbels em que Günther aparece seria escrita anos depois, no começo de junho de 1938. Naquele ameno dia de primavera em Berlim, Harald disse ao padrasto que seu pai biológico ia se casar de novo. "Velho bobo!", escreveu Goebbels depois que ouviu a novidade.[174] O boato acabou se revelando falso. Günther nunca mais se casou. Com a morte de Toni e os problemas de Magda, Günther tinha vivido tensões conjugais suficientes para uma vida inteira. Ele escolheu os confins mais seguros dos negócios e da vida de solteiro.

Com o fim da batalha pela guarda, Günther deixou de pesar na mente de Goebbels. Mas os dois, com suas histórias pessoais entrelaçadas, ainda tinham de coexistir. Pelo menos agora havia espaço para as coisas que os motivavam. Goebbels estava começando a exercer o poder. Havia um país a ser liderado para a batalha, e uma parte de sua população a ser hostilizada e destituída dos direitos de cidadania – e exterminada. Além disso, havia um continente, depois um mundo, a ser conquistado.

Günther, enquanto isso, tinha um império diferente para expandir, e se dedicou plenamente à tarefa. Apesar do começo tempestuoso, ele se estabeleceu como um participante destacado na nova Alemanha de Hitler. O país estava saindo da Grande Depressão e o rearmamento decolava. Com todas as oportunidades financeiras que o Terceiro Reich fornecia, as coisas enfim melhoravam para ele. Havia negócios a fazer e dinheiro a ser recebido. O mundo continuava girando.

Parte II

“A perseguição nacional-socialista logo vai passar”

1.

Em 28 de julho de 1941, Günther Quandt celebrou seu aniversário de sessenta anos com um grande jantar para 130 homens no hotel Esplanade, um dos famosos hotéis de luxo de Berlim.[1] Com sua fachada de arenito belle époque e seu interior neorrococó e neobarroco, o hotel dominava a Potsdamer Platz, no alvoroçado coração da capital. O jantar de Günther provavelmente ocorreu no Kaisersaal, onde o imperador romano Guilherme II costumava ser o anfitrião de pródigos banquetes. Festas condizentes com um kaiser geralmente se seguiam no salão vizinho, em que, durante os hedonísticos Dourados Anos 20 de Berlim, as estrelas de cinema Greta Garbo e Charlie Chaplin bebiam e dançavam a noite toda.

Mas aqueles dias despreocupados e impetuosos tinham acabado havia muito tempo. Uma nova guerra furiosa devastava a Europa e ameaçava engolfar o resto do mundo. Naquele verão, Hitler estava no auge de seu poder. Ele e seus aliados controlavam grande parte do continente. Naquela noite, as Forças Armadas de Hitler, a Wehrmacht, estavam se aproximando de Leningrado e Kiev como parte da Operação Barbarossa, a invasão da União Soviética.

Um tipo diferente de impetuosidade permeava o salão onde ocorria o jantar de Günther naquela sufocante noite de verão. Eles e seus convidados riam e perspiravam. Todos os homens tinham engordado financeiramente com a guerra e a conquista. Haviam se fartado de trabalho forçado e de empresas judias que tinham tomado impunemente; muitos, como Hermann Göring, haviam ficado literalmente obesos. Atender à infindável demanda por munição para artilharia e tanques mantinha a entrada de dinheiro. Mas poucos tinham tido tanto sucesso quanto Günther.

O presidente do Reichsbank e ministro da Economia Walther Funk começou a noite com um "discurso brilhante".[2] Funk estava um tanto quanto sentimental; ele e Günther tinham percorrido um longo caminho juntos. Vinte anos antes, Funk era apenas um editor bem relacionado de um jornal de finanças, e Günther, um rico especulador com ações das províncias. Agora Günther tinha "realizado algo que está escrito com letras douradas na história da economia de guerra alemã", disse Funk.[3] Ele não estava errado. Por meio de suas empresas de armas, baterias e produtos têxteis, Günther havia se estabelecido como um dos principais industriais do Terceiro Reich. Göring o premiara com um título falso, *Wehrwirtschaftsführer*, "líder econômico militar", e Günther retribuía a gratidão. Ele estava se beneficiando enormemente das políticas de rearmamento e dos decretos de expropriação do regime.

A empresa de armas de Günther, DWM, fabricava milhões de balas, rifles e pistolas Luger para a Wehrmacht. O preço das ações da empresa logo subiria 300% por causa da guerra e da insaciável demanda por armas.[4] Em geral, os negócios estavam indo tão bem que ele podia se dar ao luxo de comprar mais ações e finalmente se tornaria acionista majoritário da DWM. Sua empresa AFA estava produzindo milhares de baterias para submarinos, torpedos e foguetes nazistas. Suas empresas têxteis faziam tantos milhões de uniformes para a Wehrmacht, o NSDAP, a SS e a SA, que, se enfileirado, o tecido seria suficiente para cobrir mais da metade do país, de leste a oeste.[5] Günther também mantinha seus velhos procedimentos, comprando secretamente ações da maior empresa de construção alemã para uma tomada de controle hostil.[6] Seu maior golpe ocorrera apenas dois meses antes, quando ele entrara em duas das maiores indústrias da Alemanha ao comprar uma participação de 60% na Byk Gulden, uma companhia de produtos farmacêuticos e químicos antes propriedade de judeus.[7] A nova participação majoritária de 60% de Günther correspondia agradavelmente a outro marco, seu aniversário de sessenta anos.

Até o *Das Reich*, jornal semanal fundado por Goebbels, publicou um tributo de aniversário a Günther: "Tecido militar, acumuladores, baterias secas, armas de fogo, munição, metal leve — quem produz tudo isso é com razão chamado

Wehrwirtschaftsführer".[8] Günther, na verdade, tinha ficado agoniado sobre se devia convidar Goebbels para as festividades da noite. Fazia anos que a briga deles terminara, mas seu relacionamento permanecera, na melhor das hipóteses, frio. Três semanas antes do jantar, em uma carta enviada de seu endereço de férias nas montanhas, Günther mostrou a um assistente preocupação quanto ao que fazer: "É quase certo que ele não irá, mas, se souber que Funk e Milch estavam lá e ele não foi convidado, pode se ofender".[9] Günther não podia se arriscar a incorrer de novo na ira de Goebbels. Ele estava convencido de que suas fábricas de armas haviam chamado a atenção de Goebbels por um motivo pessoal: Harald, com dezenove anos, tinha desenvolvido um interesse em engenharia mecânica.[10]

Günther acabou convidando Goebbels. Como era esperado, o outro recusou o convite. Em seu lugar, enviou seu novo vice, Leopold Gutterer, que ganhou um assento à mesa de Günther, a maior, no meio do salão do hotel Esplanade. Dois meses antes, Gutterer tinha substituído Karl Hanke, o mais confiável auxiliar de Goebbels na década anterior, como secretário de Estado do ministro da Propaganda. A demissão de Hanke envolveu Magda, e intimamente. Agora Gutterer estava a apenas algumas semanas de apresentar uma nova política que afetaria todo o Reich alemão: a marcação obrigatória de judeus com uma estrela de davi amarela.

Günther havia planejado seu aniversário como um evento de estabelecimento de contatos, e a festa começara cedo. Naquela manhã do fim de julho, ele fez uma recepção em sua recém-adquirida e amplamente renovada casa de quatro andares vizinha ao Tiergarten e de frente para o canal Landwehr, em Berlim.[11] Na antiga delegação húngara, enfileiraram-se para apertar a mão dele executivos e sócios empresariais de Günther, junto com representantes do regime, do Partido Nazista e da Wehrmacht. Acima desses homens de meia-idade, em seus ternos de abotoamento duplo e uniformes, pendiam pinturas dos mestres renascentistas italianos Tintoretto e Bonifazio Veronese. Günther tinha começado a colecionar obras de arte. Pinturas impressionistas de Claude Monet, Alfred Sisley e Camille Pissarro ornavam a sala de jantar de sua propriedade em Babelsberg. Ele ainda achava que a cultura podia ser comprada. Mais tarde se disse que Günther tinha obtido cerca de dez pinturas da coleção do negociante de arte judeu holandês Jacques Goudstikker, que os nazistas haviam pilhado nos Países Baixos.[12]

No jantar no Esplanade, Günther dispôs seus executivos em catorze mesas, cada um deles sentado ao lado de um burocrata ou general nazista para discutir contratos de armas e arianização. Naturalmente, os homens que financiavam essas transações — os principais executivos do Commerzbank, do Dresdner Bank e do Deutsche Bank — estavam presentes. Esses financistas do Terceiro Reich competiam rudemente para servir o abastado regime nazista e saciar o voraz apetite por crédito de seus clientes privados. O infindável impulso da Alemanha nazista para expandir empresas de armas, estabelecer campos de concentração e de morte e disseminar conglomerados no país e em territórios ocupados estava rendendo milhões aos bancos.

Günther mantinha um relacionamento íntimo com seu maior credor, o Deutsche Bank: ele ainda servia em sua diretoria. Como presente de aniversário, um executivo do Deutsche Bank lhe deu um lugar na diretoria da Daimler--Benz.[13] Foi o início oficial da lucrativa relação de Quandt com o maior fabricante de carros da Alemanha. O indiferente e bigodudo Hermann Josef Abs, outro executivo do Deutsche Bank à mesa de Günther, representava o banco nas diretorias da DWM, da AFA e de 44 outras empresas. O católico devoto era uma figura empresarial elevada na Alemanha nazista e "o elemento vital da pilhagem continental".[14] No fim do jantar, o futuro presidente do Deutsche Bank bateu em seu copo, levantou-se e brindou à saúde de Günther. "Você conseguiu fazer a transição exitosa para a nova era em 1933 em consequência de sua tática habilidosa e suas competências especiais", disse Abs. "Mas sua característica mais destacada é sua fé na Alemanha e no Führer."[15] Quando Abs voltou a se sentar, Günther permaneceu de pé. Enquanto ele examinava a multidão de homens poderosos e glutões, seus olhos brilhavam e seus pensamentos vagavam para o passado.

2.

Quase oito anos antes, em 8 de junho de 1933, a cerca de três quilômetros a sudeste de onde Günther Quandt estava em confinamento solitário na cadeia Moabit de Berlim, o presidente do Reichsbank, Hjalmar Schacht, aprovava um colossal pacote de estímulo financeiro para iniciar a primeira fase do rearmamento da Alemanha nazista.[16] A decisão provavelmente foi tomada em uma reunião discreta com o novo ministro da Aviação, Hermann Göring; seu vice, Erhard Milch; e o ministro da Defesa, Werner von Blomberg. Eles decidiram que, nos oito anos seguintes, quase 4,4 bilhões de marcos seriam gastos anualmente para rearmar as Forças Armadas, totalizando 35 bilhões de marcos, entre 5% e 10% do PIB anual da Alemanha.

Isso precisava ser feito em segredo. Salvo algumas exceções notáveis, a Alemanha estava rigorosamente proibida de produzir armas sob as condições do Tratado de Versalhes, uma questão contra a qual Hitler constantemente proferia insultos. Assim, Schacht apareceu com um sistema de financiamento para as Forças Armadas fora do orçamento, criando uma empresa de fachada com a finalidade de pagar produtores de armas em promissórias. Alguns meses depois da reunião dos ministros, Hitler se retirou da Liga das Nações e das conversações internacionais sobre desarmamento. Logo, bilhões estavam fluindo para industriais alemães e suas empresas de armas.

Depois de sua libertação da cadeia, Günther estava excepcionalmente bem posicionado para o boom do rearmamento. Ele não apenas dirigia na DWM um dos maiores produtores potenciais de armas da Alemanha, como também controlava a AFA, o gigante das baterias, com seus laços históricos com as indústrias de defesa e automobilística. Günther começou a adotar uma estratégia dual, servindo a clientes militares e civis e tomando o cuidado de não depender demais de nenhum deles.[17]

Günther reativou as instalações da DWM em Berlim logo depois que Hitler tomou o poder. Nos anos anteriores a 1933, por detrás de sua mesa dupla escura de frente para a Askanischer Platz, ele havia se planejado meticulosamente para o rearmamento. "Foi preciso um grande esforço para evitar a redução das capacidades intelectuais, econômicas e financeiras da companhia durante os anos de declínio", escreveu Günther na publicação de aniversário da DWM, em 8 de maio de 1939, quatro meses antes do começo da Segunda Guerra Mundial.[18] "Mas foi possível no momento da tomada de poder colocar à disposição do Führer fábricas em que a produção de equipamentos militares podia ser retomada de imediato em grande escala." Pelo que se seguiu, Günther creditou Hitler, "que, com vontade indomável, executou a reabilitação e o rearmamento do povo alemão".

O complexo de armamentos da DWM, localizado no bairro operário de Wittenau, em Berlim, tinha permanecido basicamente vazio desde o início da

Grande Depressão.[19] Suas instalações foram alugadas à General Motors. Mas partes do maquinário de fabricação de armas, que haviam sido desmontadas e secretamente guardadas por negociantes de refugos de metal, foram logo trazidas de volta, melhoradas e reinstaladas. Todo o complexo foi expandido, tudo pago pelo regime depois de uma ordem da Agência de Armas do Exército (HWA). Ele depressa se tornou um dos maiores complexos de fabricação de armas de Berlim, dividido em três lotes de terra. A DWM manteve um lote, concentrando-se na produção de partes de pistolas e carrocerias de tanques.

Naquele mesmo ano, a HWA encomendou à DWM a construção de uma instalação de produção para munição de infantaria em Lübeck. O local, com extensão de mil acres, camuflado por árvores, tornou-se o mais importante complexo de armamentos na cidade portuária hanseática. O instituto de pesquisa da DWM servia como centro nervoso da Alemanha para inovação em munição e incluía um estande de tiro de 1900 metros para experimentos balísticos. A empresa de Günther contratou um grupo de matemáticos para auxiliar em experimentos balísticos, melhorar a qualidade da produção de cartuchos e balística e fabricar granadas e explosivos. As cidades em que Günther construiu suas fábricas de armamentos começaram a nomear ruas em homenagem ao magnata.

Os outros dois lotes de terra no complexo de armamentos de Günther em Berlim foram arrendados à Mauser e à Dürener, as maiores subsidiárias da DWM. À beira da falência durante a Grande Depressão, a Mauser, renomada por seus rifles e pistolas, foi "libertada" dos "grilhões de Versalhes" depois da tomada de poder por Hitler.[20] A Mauser também recebeu subsídios vultosos do Exército e logo começou a produzir milhões de Karabiner 98k, o rifle de serviço da Wehrmacht. Ela ainda retomou a produção da Luger P08, uma das pistolas mais usadas pelo Exército alemão durante a Primeira Guerra Mundial. Até hoje, a icônica pistola é facilmente reconhecível como a arma preferida de vilões nazistas em filmes. Oficiais aliados passaram a chamar as instalações de pesquisa de armas da Mauser de um "sonho tornado realidade".[21]

Todavia, foi a Dürener, a outra subsidiária da DWM a arrendar um lote no complexo de armamentos de Günther em Berlim, que tornou verdadeiramente o magnata um nome comum nos círculos militares e do governo. A Dürener era renomada no mundo da aviação por fazer o Duralumínio, um alumínio leve com qualidades semelhantes às do aço.[22] A aviação de defesa depressa se tornava a indústria da Alemanha nazista que crescia mais rapidamente e era a mais inovadora, com Göring e Milch gastando bilhões no setor tecnológico. Como consequência desse enorme gasto de dinheiro, a Dürener de Günther virou um fornecedor fundamental para a Luftwaffe, a Força Aérea nazista. O Duralumínio era uma parte indispensável não só dos jatos de combate da Luftwaffe, mas também de aeronaves de transporte e civis feitas por empresas de aviação alemãs famosas como Junkers, Messerschmitt, Hinkel, Dornier e Arado. Uma nova empresa de aviação que também passou a depender da louvada inovação da Dürener foi a ATG, controlada por Friedrich Flick, que não estivera tão bem preparado para o rearmamento quanto Günther Quandt. Mas o austero industrial procurava compensar o tempo perdido.

3.

Quando o caso Gelsenberg explodiu, Friedrich Flick estava ávido por começar a capitalizar sua renovada influência e seu excesso de dinheiro. Sua capacidade de deixar de lado os sentimentos e se adaptar aos tempos, tornando sua empresa indispensável a qualquer que fosse o regime político no poder, o definia. Um tático impiedoso, Flick superava mesmo um articulador infatigável como Günther Quandt quando se tratava de tramar e fazer acordos tenazmente. Ajudado por lugares-tenentes como Otto Steinbrinck, Flick pagava lobistas, burocratas e jornalistas para receber ou suprimir informações. A Alemanha nazista era particularmente suscetível ao tipo de politicagem agressiva e por baixo do pano que era característico dele. Mas, apesar de seus imensos interesses industriais, Flick tinha uma fraqueza — ainda era um relativo recém-chegado na produção de armas, ao contrário de seus concorrentes Krupp e Thyssen. Ele desenvolveu uma estratégia para tornar seu conglomerado siderúrgico essencial ao rearmamento e para romper a dominância tradicional dos magnatas do Ruhr no negócio de armamentos. E tinha amplos recursos à disposição para fazer exatamente isso.

Suprido de um acréscimo de 90 milhões de marcos do acordo Gelsenberg, Flick estava ocupado construindo seu próprio conglomerado de aço, carvão e máquinas, na Bellevuestrasse de Berlim, em 1933. O núcleo do novo império industrial de Flick era constituído de duas grandes empresas de aço no centro e no sul da Alemanha: a Mittelstahl, atuante em Brandemburgo e na Saxônia, e a Maxhütte, que operava na Baviera e na Turíngia.[23] Ao comprar uma maioria na mineração de Harpen e de Essen, Flick acrescentou a seu conglomerado o antracito da área do Ruhr. Em janeiro de 1933, ele acrescentou a ATG, baseada em Leipzig, às empresas de fabricação de trens, tratores e caminhões que já possuía. Com essas novas ligações industriais e políticas, estava perfeitamente posicionado para a era do rearmamento. Só lhe restava fazer uma coisa: convencer o regime de Hitler a incluí-lo.

Depois que o presidente do Reichsbank, Hjalmar Schacht, aprovou o orçamento de armas secreto, em junho de 1933, Flick e seus assessores foram trabalhar preparando uma agressiva blitz de marketing para promover o conglomerado como um produtor de armas para o governo alemão. Em setembro, seu escritório enviou um memorando aos ministros nazistas relevantes em toda a Berlim; partes dele soavam como um catálogo de armamentos.[24] Ele expunha o que a empresa de Flick podia oferecer ao regime: uma enorme capacidade de produção de aço que poderia logo ser recalibrada para produzir pistolas, munição, mísseis, bombas, tanques ou partes de aeronaves; uma abundância de matérias-primas; e fábricas situadas em todo o centro da Alemanha.

Para ganhar uma vantagem na concorrência, no final de novembro de 1933, Flick caminhou de seu escritório na Bellevuestrasse de Berlim até o vizinho Reichsbank para persuadir e fazer lobby com Schacht, que ele conhecia havia mais de uma década. O presidente do Reichsbank apresentou Flick diretamente ao ministro da Defesa Von Blomberg. Flick, em geral reservado, convidou Von Blomberg a visitar pessoalmente três de suas siderúrgicas perto de Dresden.[25] Durante a visita, em 5 de dezembro, Flick explicou ao ministro da Defesa e a seu grupo de oficiais por que suas fábricas eram a melhor escolha para produzir armas para a Alemanha: elas eram independentes da região do Ruhr e de países estrangeiros para fontes de energia e estavam mais bem protegidas de ataques aéreos devido a sua localização relativamente obscura e distante das fronteiras do país. Flick havia escrito a Schacht para lhe agradecer: o ministro da Defesa tinha sido "extraordinariamente gentil" e mostrara "interesse muito grande" em sua apresentação e suas fábricas, que, Von Blomberg admitiu, não lhe eram familiares.[26]

Agora, Flick pensou, os pedidos de armas começariam a chegar. Mas nada aconteceu.

Alguns meses antes, Flick instruíra Otto Steinbrinck a usar suas credenciais e ligações navais como alavanca para assegurar contratos de armas. O lugar-tenente de Flick já tinha sinalizado um interesse renovado em tudo que fosse letal ao ingressar na SS naquele ano. No verão de 1933, os contatos de Steinbrinck produziram retornos imediatos; ele convenceu a Marinha a financiar a aquisição por Flick de novas máquinas que faziam invólucros de artilharia. Mas não veio nenhum outro pedido. Ao contrário da Marinha, a HWA não estava convencida de que abandonar os magnatas da região do Ruhr seria uma boa ideia. Além disso, a HWA via Steinbrinck como excessivamente alinhado com a Marinha e se recusava a fazer qualquer pedido de armas às fábricas de Flick. Este, preso entre duas partes, queixou-se de forma veemente a Von Blomberg, que interveio diretamente na HWA em benefício do magnata. O ministro da Defesa declarou que estava "muito perturbado" pela falta de pedidos para Flick.[27]

Logo depois da intervenção, o Exército fez a primeira série de pedidos às fábricas de Flick de milhões de granadas e projéteis de artilharia. Ademais, em agosto de 1934, Kurt Liese, o general que chefiava a HWA, disse a Steinbrinck que os gerentes das siderúrgicas de Flick "não devem hesitar em se preparar para um fluxo contínuo de grandes pedidos durante alguns anos".[28] Flick estava dentro, mas não antes de um pequeno quiproquó.

4.

Na primavera e no verão de 1934, Friedrich Flick fez à HWA, e a si próprio, um enorme favor ao facilitar a expropriação da Donauwörth, uma empresa de armas bávara no rio Danúbio que produzia munição para artilharia.[29] Infelizmente para o dono da empresa, Emil Loeffellad, de Stuttgart, a HWA rotulou sua fábrica de indispensável para o esforço de rearmamento. Mas, como os Aliados ainda proibiam rigorosamente a produção de armas militares na Alemanha, o Exército tinha de encontrar uma maneira de tomar a Donauwörth em segredo e operá-la sob o disfarce de uma empresa normal. Flick entrou no quadro por meio de um ex-empregado. Uma das siderúrgicas dele forneceu à HWA uma empresa de fachada chamada Montan (em alemão, "mineração"), por meio da qual uma transação legítima podia ocorrer. Em maio de 1934, Loeffellad foi preso pela Gestapo, acusado de espionagem empresarial (classificada como uma "praga do Estado"), e forçado a vender sua empresa à Montan.[30] A HWA manteve a maior parte do preço de compra com uma "soma de indenização" pelo suposto uso impróprio por Loeffellad de fundos do governo.

Em julho de 1934, a Montan, controlada pela HWA, arrendou a Donauwörth à siderúrgica de Flick, onde continuou a produzir munição para artilharia. O chamado esquema Montan foi benéfico a ambas as partes. Capacitou a HWA a comprar empresas de armas em segredo, investir nelas e assegurar uma liderança empresarial competente. Ao mesmo tempo, permitiu a Flick garantir um cliente importante sem custos envolvidos. A solução foi tão conveniente que a Montan se tornou uma holding secreta para todas as empresas de armamentos do Exército que colaboravam com a indústria alemã. Quando a guerra começou, a Montan controlava mais de cem empresas de armas e empregava cerca de 35 mil pessoas. Flick logo ingressou em sua diretoria.[31]

O esquema Montan foi um ponto de virada na tensa relação de Flick com a HWA. Ele agora se tornava um dos parceiros preferidos do Exército. Como Günther Quandt, que financiara uma de suas instalações de armas através da Montan, Flick agora podia construir novas usinas, expandir velhas, transferir custos ao Exército e tornar suas fábricas de armas tão modernas quanto as de seus concorrentes do Ruhr, Krupp e Thyssen. Para o industrial, era um sonho tornado realidade.

Mas Flick ainda não agarrara todas as oportunidades de expandir seu império empresarial à custa de outros. Em outubro de 1934, o general da HWA Kurt Liese perguntou a Otto Steinbrinck se seu patrão estaria interessado em comprar a Simson, uma fábrica de metralhadoras em Suhl, uma cidade na Turíngia.[32] A família Simson tinha um monopólio notável. Na época, eles possuíam a única empresa na Alemanha que os Aliados autorizavam a produzir metralhadoras leves. Mas os Simsons eram judeus. O monopólio de armas deles podia ser vantajoso para o Partido Nazista. A família tinha se tornado um alvo de cáustica propaganda antissemita, particularmente de Fritz Sauckel, o ambicioso *Gauleiter* da Turíngia, um homem baixo e calvo com bigode à la Hitler e forte sotaque rural. Ele queria expropriar os Simsons, colocar a empresa deles sob seu controle e transformá-la em uma companhia de armamentos administrada pelo NSDAP.

Os generais do NSDAP não tinham nenhum problema em tomar uma empresa de proprietários judeus. Mas queriam líderes empresariais competentes, não um nazista picareta sem nenhuma experiência empresarial, administrando uma companhia na qual a HWA tinha investido 21 milhões de marcos. E estavam particularmente preocupados com a "cooperação amigável" do proprietário da fábrica, Arthur Simson.[33] Steinbrinck eufemisticamente retransmitiu o interesse de Flick na ideia "se por razões de política nacional a tomada da Simson por nosso grupo fosse requerida".[34] Mas as negociações iniciais logo se encerraram.

Sete meses depois, no começo de maio de 1935, Wilhelm Keppler, o assessor econômico de Hitler apoiado pelo líder da SS Heinrich Himmler, ofereceu de novo a empresa de Simson a Flick. Alguns dias a seguir, Arthur Simson foi preso por instruções de Sauckel. Ele foi acusado de "lucros excessivos", uma prática de extorsão.[35] Tais acusações logo se tornaram lugar-comum para forçar empresários judeus a vender suas empresas. Encurralado, Simson sinalizou sua "disposição" de vender a empresa da família. Steinbrinck reiterou o interesse de Flick, mas ofereceu um preço menor. "Nós, como grupo privado, só podemos comprar se Simson puder nos encontrar sem coerção e em completa liberdade. Teríamos de recusar uma expropriação em favor do grupo Flick/Mittelstahl", escreveu ele em um memorando no fim de maio, protegendo manhosamente a pele de seu patrão.[36] Foi um estratagema exemplar do braço direito de Flick. Steinbrinck compartilhava a disposição de Flick de comprar a Simson, mas sob uma condição: primeiro, a HWA tinha de tomar a empresa de armas e depois vendê-la ao magnata. Uma expropriação era ótima, desde que Flick e seu conglomerado não sujassem as mãos diretamente. Eles queriam um intermediário para fazer o trabalho por eles. Além disso, Flick não estava planejando tomar empresas indiscriminadamente. Um alvo de tomada tinha de acrescentar um valor significativo a seu conglomerado.

Sauckel logo convenceu a HWA. O *Gauleiter* expropriou a Simson e a tornou parte de um conglomerado administrado pelos nazistas constituído de empresas roubadas de judeus. A família Simson fugiu para os Estados Unidos via Suíça. Flick não se importou com o resultado. A negociação final pela fábrica ocorreu meses antes das Leis Raciais de Nuremberg serem aprovadas, em setembro de 1935, fornecendo uma base legal para a expulsão de judeus alemães de sua própria sociedade, junto com a expropriação de suas propriedades; as leis os despojavam de cidadania e posição profissional e proibiam a eles o sexo e o casamento com aqueles considerados "de sangue alemão". Mas nesse momento as expropriações de empresas judias ainda eram raras. Por ora, Flick permanecia preocupado com a ótica negativa associada à compra de uma fábrica como aquela, o que poderia ter consequências para suas obrigações financeiras no exterior. Ele também não queria fazer um inimigo poderoso como Sauckel, que viria a lhe fornecer dezenas de milhares de trabalhadores forçados. Enquanto isso, Flick e Steinbrinck estavam se aproximando do homem que se tornaria o arquiteto do Holocausto. Os dois literalmente entraram no Círculo de Amigos de Himmler.

5.

No começo de setembro de 1934, a convite de Himmler, Friedrich Flick e Otto Steinbrinck compareceram à convenção anual do Partido Nazista em Nuremberg. Como muitos outros convidados de honra, foram instalados no único hotel de luxo local, na entrada da cidade velha de Nuremberg, a uma pequena distância de carro das festividades partidárias. Numa manhã sombria, os hóspedes desceram para o café da manhã só para encontrar uma placa pendurada do lado de fora da pequena sala de jantar, dizendo: RESERVADO PARA OS CONVIDADOS DO REICHSFÜHRER-SS.[37] Era o título oficial de Himmler. Seu ajudante de 33 anos, Fritz Kranefuss, tinha colocado a placa ali.

Naquela manhã melancólica, Kranefuss tomou as rédeas do grupo de seu tio, o Círculo Keppler, e o transformou no Círculo de Amigos de Himmler. Como assessor econômico de Hitler, Wilhelm Keppler estava ocupado demais fazendo negociações entre o regime e as empresas alemãs — arranjando um contrato de armas aqui ou uma expropriação ali — para dedicar tempo a seu círculo. Além disso, o grupo não causara nenhum impacto às políticas econômicas de Hitler, o que era seu propósito original.[38] Kranefuss tinha ajudado o tio a estabelecer o círculo e a recrutar seus membros. Agora podia fazer com ele o que quisesse. Era como qualquer bom nazista — o que agradava a seu chefe lhe agradava ainda mais. Então decidiu transformar o círculo em um grupo de articulação de contatos no qual só se ingressava por convite, para grandes empresas e a SS.

A reformulação do grupo sugeria que ele tinha uma ligação amigável com Himmler. Mas Himmler não tinha amigos. E não ligava para aqueles homens ricos. Só estava interessado no que representavam e no que poderia ganhar deles — e eles tinham a mesma atitude em relação a Himmler. Ele sabia que os magnatas estavam interessados no seguro supremo: um relacionamento com o líder da SS, o chefe de polícia do Terceiro Reich. Mas mesmo Himmler estava sempre competindo por influência. Agora que Göring emergia como o homem mais poderoso na economia nazista, Himmler queria seus próprios laços com as grandes empresas para beneficiar a SS. Primeiro, atrairia os magnatas. Depois tomaria o dinheiro deles.

Quando Flick e Steinbrinck entraram na sala reservada naquela manhã, viram muitos rostos conhecidos entre aqueles que Kranefuss convidara:[39] Keppler, que estava presente para a transferência da chefia e foi nomeado membro honorário; executivos do Commerzbank e do Dresdner Bank, apelidado "SS-Bank",[40] de cuja diretoria Flick fazia parte; Herbert, o corrupto meio-irmão de Göring; e o CEO e presidente da Wintershall. Por algum motivo, o principal acionista da Wintershall, Günther Quandt, não fora convidado. Kurt Schmitt também estava lá, mas sem August von Finck, que não fora incluído porque era conhecido por ser excessivamente frugal. Himmler tinha acabado de promover Schmitt a general honorário da SS, apenas meses depois de Schmitt ter renunciado ao posto de ministro da Economia devido a burnout. O "fisicamente impressionante"[41] Schmitt adorava desfilar em seu uniforme preto da SS. Himmler não viera saudar seus "amigos". Ele os veria mais tarde no jantar.

6.

Friedrich Flick passou a elogiar o Círculo de Amigos de Himmler como uma "imagem espelhada" do empresariado alemão.[42] Mas, na convenção seguinte do Partido Nazista, ingressou um novo membro que não correspondia exatamente a essa descrição. Richard Kaselowsky era um executivo obeso das províncias, muito distanciado de Berlim e da região do Ruhr e dos poderosos magnatas que exerciam o poder ali. Ele vinha de Bielefeld, uma cidade sonolenta na região do leste da Vestfália, próximo da fronteira holandesa. Kaselowsky, um homem corpulento com cabelo castanho acinzentado oleoso e rosto carnudo, estava determinado a pôr Bielefeld no mapa. Aos 47 anos, era o CEO da Dr. August Oetker, uma empresa de alimentos cujo fundador homônimo fora o pioneiro na produção de preparos para bolos e pudins e ingredientes como

Kaselowsky com seu emblema do Partido Nazista.

fermento em pó na Alemanha. Kaselowsky ingressara nos negócios da família ao se casar com Ida Oetker, viúva de seu melhor amigo. Sua principal tarefa, além de servir como CEO, era preparar Rudolf-August Oetker, seu enteado de quinze anos e herdeiro designado da empresa, para um dia sucedê-lo.

O que não tinha em estatura empresarial Kaselowsky compensava em fanatismo por Hitler.[43] Ele entregava cópias autografadas de *Mein Kampf* a novos empregados e mantinha um retrato do Führer pendurado em seu escritório. Além disso, Kaselowsky e Himmler partilhavam um passado de criadores de aves domésticas. Ele e o líder da SS se intrigavam com os aspectos agrários do nazismo, especificamente sua (re)alocação de pessoas no campo. A ideia andava de mãos dadas com o desejo de Hitler de ganhar mais *Lebensraum* (espaço vital) para o povo alemão; Himmler e seus acólitos propagavam o conceito de *Blut und Boden* (sangue e solo) – um povo "nórdico racialmente puro" deixaria as cidades decadentes e depravadas para se instalar e trabalhar como camponeses em comunidades rurais sensatas, realistas e despretensiosas.[44]

A dedicação de Kaselowsky ao nazismo muitas vezes ocorria à custa da empresa que ele liderava. Entre 1933 e 1935, ele gastou centenas de milhares de marcos em dinheiro da empresa em projetos de assentamento no leste da Alemanha, que fracassaram.[45] E ele claramente não aprendeu nada com essas experiências. No verão de 1935, fundiu um lucrativo jornal regional, de propriedade de uma editora controlada pela Oetker, com uma publicação local do Partido Nazista que estava perdendo dinheiro.[46]

Mas, afora decisões empresariais ruins, a devoção financeira de Kaselowsky a causas nazistas impossíveis o punha numa posição excelente com o *Gauleiter* da Vestfália, que o convidou para a convenção do Partido Nazista naquele setembro.[47] Como convidados de honra do segundo nível, Kaselowsky e sua esposa foram instalados no hotel Bamberger de Nuremberg, onde também estavam a namorada secreta de Hitler, Eva Braun, e a diretora de cinema Leni Riefenstahl. Notícias sobre os gastos de Kaselowsky tinham de algum modo chegado ao hotel de luxo, e Fritz Kranefuss logo convidou o corpulento chefe provinciano a se juntar ao círculo íntimo de Himmler.

Kaselowsky aceitou prontamente. Foi fisgado desde o início. Presente a todas as reuniões, ele adorava as vantagens e o acesso à elite que acompanhavam a filiação. Toda segunda quarta-feira do mês, viajava de Bielefeld para se encontrar com o Círculo de Amigos de Himmler no Aero Club.[48] No coração da capital, Göring tinha dado um novo propósito ao majestoso Parlamento da Prússia, agora um clube suntuoso com um bar que funcionava 24 horas por dia, uma cervejaria e um restaurante famoso, todos vizinhos ao Ministério da Aviação e de frente para o quartel-general do aparato de segurança de Himmler. Depois de um drinque de boas-vindas, os quarenta homens jantavam prodigamente, em uma ordem de lugares que rodava de uma reunião a outra. Depois, retiravam-se para salas do clube onde falavam de suas atividades, mas nunca de política.

Himmler veio coletar suas taxas pouco antes do ingresso de Kaselowsky. Em uma manhã clara e fria de janeiro de 1936, Flick, Steinbrinck e o resto do círculo encontraram o líder da SS no hotel Regina Palace, na Maximillianstrasse, do qual eles embarcaram para um bate e volta. Um ônibus esperava na porta do luxuoso hotel para levá-los a um destino a noroeste da cidade: o campo de concentração de Dachau.[49] Quando eles chegaram, Himmler guiou-os para dentro do campo, passando por um grupo de internos em uniforme de prisão. A excursão de Dachau com o líder da SS como guia foi "cuidadosamente preparada e enfatizada", declarou depois um dos membros.[50] Ele primeiro mostrou aos homens os alojamentos e as oficinas do campo, onde alfaiates, carpinteiros e sapateiros exerciam seus ofícios. Os magnatas almoçaram no refeitório, visitando depois a cozinha para provar a comida que estava sendo preparada. Himmler até os levou a um trecho de celas, destrancando uma para verificar pessoalmente um prisioneiro. Depois o grupo visitou uma fábrica de porcelana vizinha, administrada pela SS, antes de voltar a Munique, onde todos jantaram juntos.

Após o jantar, Himmler se levantou para fazer um pequeno discurso. Agora que tinha mostrado aos homens que campos de concentração não eram tão ruins quanto os boatos diziam, tinha algo a pedir a seus amigos ricos. Em tom humilde, disse: "Para a SS e minhas outras tarefas, não preciso de dinheiro e não quero dinheiro, mas para algumas tarefas culturais e para pôr fim a certos estados de emergência para os quais não tenho nenhum fundo, se quiserem colocar fundos à minha disposição para esse propósito, eu ficaria muito grato".[51] Entre seus projetos favoritos estava a *Lebensborn*, uma associação de procriação humana em cujas casas faziam partos de crianças da "raça superior".

É claro que nenhum dos empresários ousou dizer não. Kranefuss sugeriu uma contribuição anual de filiação de pelo menos 10 mil marcos. Ele já tinha providenciado para que o barão Kurt von Schröder, o financista em cuja propriedade Hitler e Papen haviam selado o destino da Alemanha, servisse como tesoureiro do grupo. Para coletar as taxas, Von Schröder abriu a "conta especial S" em seu banco privado em Colônia.[52] Steinbrinck se encarregaria de levantar os recursos. Logo milhões entraram.[53] Flick começou dando 100 mil marcos por ano ao círculo. Kaselowsky deu 40 mil marcos. Embora tivesse perdido a excursão a Dachau, estava presente para a visita guiada especialmente por Himmler a outro campo de concentração, Sachsenhausen, ao norte de Berlim.[54] Outro campo, a mesma conversa de vendedor.

7.

No fim de junho de 1934, Ferdinand Porsche assinou um contrato com a cética e relutante Associação da Indústria Automotiva Alemã do Reich para desenvolver o Volkswagen. A organização de fabricantes de carros tinha aceitado a responsabilidade financeira do projeto, e seus membros ficaram desalentados por Hitler ter escolhido o volátil projetista em vez de nomes mais estabelecidos para criar o primeiro carro para as massas. É claro que os executivos não se atreveram a contestar a vontade do Führer, mas tampouco acreditavam que Porsche pudesse de fato realizar a tarefa de desenvolver um carro pequeno que custasse só mil marcos em questão de meses. Na cerimônia de assinatura do contrato, em Berlim, um executivo riu para Porsche, dizendo: "Se [...] você não conseguir entregar um carro como esse ao preço previsto, não se preocupe. Apenas diga a Hitler que ele não pode ser feito e que o homem na rua deve andar de ônibus!".[55] Para garantir que o pródigo Porsche não gastasse demais o dinheiro da associação, ele foi autorizado a cobrar dela só 20 mil marcos por mês para desenvolver o carro; além disso, o primeiro protótipo tinha de estar terminado em dez meses. Era uma tarefa hercúlea. No fim, Porsche gastaria 1,75 milhão de marcos, dois anos, três versões do projeto e muitos agrados políticos a Hitler para completar um protótipo adequado do Volkswagen.[56]

Nesse meio-tempo, Porsche e seu genro, Anton Piëch, apertaram o controle da família sobre o escritório de projeto de carros em Stuttgart. Em 5 de setembro de 1935, dez dias antes que as Leis Raciais de Nuremberg fossem aprovadas, o cofundador da Porsche, Adolf Rosenberger, foi preso pela Gestapo em sua cidade natal, perto de Stuttgart, acusado de "corrupção racial", e posto em prisão preventiva em Karlsruhe.[57] Seu "crime" era namorar uma gentia. Dada sua proeminência como empresário judeu e como ex-piloto de corrida de carros, Rosenberger tinha sido avisado de que era um alvo para a Gestapo. Ele ignorou o aviso.

Os sinais tinham sido claros. Cinco semanas antes, em 30 de julho de 1935, Rosenberger tinha transferido sua participação de 10% na empresa de projeto de carros para o filho de 25 anos de Porsche, Ferry. O jovem trabalhava para a empresa do pai havia mais de cinco anos, sob a tutela de Porsche e de engenheiros veteranos. A empresa, que antes enfrentara dificuldades, tinha finalmente se tornado lucrativa por meio do contrato do Volkswagen e de um projeto de carro de corrida que Porsche e Rosenberger haviam desenvolvido. Os lucros da empresa naquele ano chegaram perto de 170 mil marcos.[58] Então Porsche e Piëch começaram a comprar a participação dos dois acionistas que não faziam parte da família: Adolf Rosenberger e o barão Von Veyder-Malberg.

Eles compraram a parte de seu cofundador judeu por uma fração do valor das ações. De fato, os dois o fizeram exatamente pelo mesmo montante

Porsche pai e Porsche filho na década de 1930.

nominal que ele havia pagado na fundação da empresa em 1930: apenas 3 mil marcos. A despeito de tudo o que Rosenberger tinha feito pela empresa, o preço subvalorizava fortemente suas ações na Porsche. "Sustentou-se contra mim que uma flâmula ou algo semelhante como empresa livre de judeus não seria dada enquanto eu fosse acionista [...]. Não acuso de forma alguma o sr. Porsche e o sr. Piëch de antissemitismo pessoal", afirmou mais tarde Rosenberger. "Mas [...] eles usaram minha filiação como judeu para se livrar de mim gastando pouco."[59]

Porsche e Piëch negaram a alegação. Contudo, independentemente do motivo, a aquisição por eles da participação de Rosenberger na Porsche foi uma "arianização" clara como o dia. Um ativo era considerado arianizado no

Terceiro Reich quando o "elemento" judeu de propriedade tinha sido removido. Arianizações podiam envolver pagar menos que o valor real por empresas, casas, terra, joias, ouro, obras de arte ou ações de judeus, como tinha sido o caso com Rosenberger; e podiam chegar ao roubo direto de pertences. Por causa da predileção nazista por procedimentos legais formais, as arianizações normalmente tinham a aparência de uma transação comercial normal. Mas com o tempo essa sutileza foi eliminada.

Em 23 de setembro de 1935, depois de quase três semanas na prisão da Gestapo, Rosenberger foi transferido para Kislau, um campo de concentração ao sul de Heidelberg. Após quatro dias de surra, ele de repente foi solto. O barão Von Veyder-Malberg, sucessor de Rosenberger na Porsche, intercedera com a Gestapo em Karlsruhe, tendo êxito em seu lobby para libertá-lo. Mas Rosenberger ainda teve de pagar à Gestapo 53 marcos e quarenta fênigues pelo tempo que passara em "custódia protetiva", como dizia o eufemismo.[60] A despeito de afirmações posteriores em contrário, Ferdinand Porsche e Anton Piëch nada fizeram para garantir a liberdade de seu cofundador.[61] Por intermédio de seu advogado, Rosenberger implorou a Porsche que o ajudasse a salvar sua vida, mas Porsche estava muito ocupado com os ricos e famosos no Grand Prix espanhol, nos arredores de Bilbao.

Rosenberger deixou a Alemanha um mês depois e se mudou para Paris em novembro de 1935. Após deixar o cargo de diretor comercial da Porsche, no começo de 1933, ele tinha trabalhado por contrato para uma empresa de projeto. Mesmo depois de sua prisão, aos 35 anos, permaneceu como representante estrangeiro da empresa, licenciando patentes da Porsche na França, na Inglaterra e nos Estados Unidos.[62] Rosenberger conseguiu manter 30% de provisões de vendas com um contrato vigente até 1940, ou assim ele pensava. Porsche e Piëch não tinham acabado de aviltar seu cofundador perseguido, mas tiveram de conter sua crueldade pelo momento. Primeiro, Porsche precisava apresentar ao Führer sua obra-prima há muito esperada: o Volkswagen.

Em uma tarde de calor intenso no começo de julho de 1936, Porsche apresentou dois carros de teste a Hitler, Göring e o entourage deles no retiro de montanha bávaro do chanceler, no Obersalzberg.[63] Os nazistas de alto escalão suavam em suas botas e uniformes militares, adornados com fileiras de medalhas e fitas – prêmios por bajulação. Hitler usava apenas uma dessas condecorações: sua Cruz de Ferro de Primeira Classe, dada a ele como lança corporal no Exército bávaro na Primeira Guerra Mundial. Ele não precisava ostentar nenhuma outra distinção. Afinal, era o Führer. Porsche convenceu Hitler a aceitar o projeto. Anos depois, no meio da guerra, com seu fim se aproximando, Hitler recordaria a um jornalista aquele ensolarado dia de julho: "O modo como os Volkswagens zuniam por Obersalzberg, para lá e para cá, ultrapassando [...] grandes Mercedes como zangões, era suficiente para impressionar qualquer pessoa".[64] Depois da apresentação de Porsche, Hitler liderou um passeio pelo Ninho da Águia, a casa de chá que estava sendo construída para ele, de frente para a calma cidade montanhosa de Berchtesgaden. Hitler já decidira que construiria a maior fábrica de automóveis da Europa no centro da Alemanha só para fazer o Volkswagen. Agora tinham de encontrar o local certo para ela.

8.

Rudolf-August Oetker, o "príncipe do pudim",[65] sabia que tinha uma posição especial na vida. Batizado com o mesmo nome de um pai e um avô que nunca conhecera, ele cresceu com um senso de propósito e privilégio na propriedade da família no Johannisberg, em Bielefeld. Como único herdeiro masculino, destinado a levar adiante a empresa de alimentos e o sobrenome da família, Rudolf-August percebeu cedo que "a coisa mais valiosa que herdei é o sobrenome Oetker".[66] Seu padrasto, Richard Kaselowsky, que ele considerava seu verdadeiro pai e sempre o tratava como tal, o preparou diligentemente para a tarefa de assumir a Dr. Oetker. Mas Rudolf-August era um estudante ruim. Preferia cavalgar, muito parecido com Kaselowsky, que era um cavaleiro ávido e um criador de cavalos. Enquanto sua mãe frugal desgostava dos passatempos caros do marido, a avó não tinha tais reservas. Ela mimava muito o garoto, e deu a ele de presente um BMW conversível no Natal de 1933.[67] Quando, mais tarde, Rudolf-August teve de vender sua motocicleta BMW, ela lhe deu um cavalo de consolação.

Rudolf-August começou a cavalgar aos doze anos. Quando sua escola de montaria local foi incorporada à Reiter-SA, em 1933, o jovem de dezesseis anos foi automaticamente matriculado como membro da divisão de cavalaria da organização paramilitar. Isso com certeza não foi uma declaração política

Rudolf-August Oetker entre sua avó (à direita) e o chofer dela (à esquerda), 1933.

da parte dele. Mas outra filiação foi. O padrasto de Rudolf-August ingressou no Partido Nazista em maio de 1933. A mãe dele o seguiu, depois a irmã mais velha. Rudolf-August foi o último a fazê-lo. Eles eram uma família nazista, em todos os aspectos.[68]

Quando Rudolf-August concluiu o colegial, em setembro de 1936, realizou os seis meses de trabalho obrigatórios para os nazistas. Na cerimônia de encerramento do trabalho obrigatório, ele transportou de ônibus duzentas trabalhadoras da Dr. Oetker em Bielefeld como parceiras de dança para seus camaradas. Ele se lembraria da ocasião como "uma festa divertida".[69] Depois de deixar o serviço militar por problemas de saúde, mudou-se para Hamburgo em 1937 para completar um aprendizado bancário. Em nada semelhante a um aprendiz médio, Rudolf-August viveu primeiro no hotel Four Seasons, no Inner Alster Lake, no centro de Hamburgo, mas logo começou a procurar uma residência adequada nas margens do Outer Alster, o lugar mais caro da cidade.

Ele logo encontrou uma propriedade na Bellevue nº 15. Lá, comprou uma propriedade arianizada no lago com um grande lote de terra cujo proprietário anterior era Kurt Heldern, um executivo de tabaco judeu que tinha fugido da Alemanha nazista para Sydney, Austrália. Rudolf-August sabia da proveniência duvidosa da aquisição; mesmo seu padrasto nazista fora inicialmente contra a compra. "Está fora de questão", dissera Kaselowsky. "Essa casa está cheia de lágrimas."[70] Resoluto, Rudolf-August comprou a propriedade e o terreno por meio da Dr. Oetker, muito abaixo do valor de mercado.[71] Um de seus novos vizinhos era o prefeito de Hamburgo, que seu padrasto conhecia do Círculo de Amigos de Himmler. Rudolf-August então arianizou um lote de terra, atrás de sua nova propriedade, de outros vizinhos: os Lipmann, um casal judeu.[72] Eles foram obrigados a vender o terreno, entre outros pertences, para financiar seus "desesperados esforços de emigração".[73] O terreno valia pelo menos 119 mil marcos. Depois de negociações demoradas, Rudolf-August declarou que estava disposto a pagar metade disso.[74] As autoridades nazistas locais, que tinham de aprovar a venda de qualquer ativo de propriedade de judeus, baixou o preço final para 45 500 marcos. Os Lipmann acabaram conseguindo fugir para o Uruguai.

Enquanto isso, Rudolf-August estava extraindo o máximo de sua mudança para Hamburgo. Ele costumava passar os fins de semana com amigos no mar Báltico, em cidades praianas elegantes como Heiligendamm. Lá, deparou com Joseph Goebbels, que estava em férias com a família. Rudolf-August abordou o ministro da Propaganda e se apresentou, e eles trocaram algumas "palavras amistosas".[75] Na pista de corrida da cidade, Hermann Göring concedeu a Rudolf-August o prêmio quando um garanhão do estábulo de seu padrasto venceu. O grupo de amigos do herdeiro da Oetker em Hamburgo incluía judeus, que "devem ter sofrido com as represálias",[76] mas, como tantos outros alemães, Rudolf-August era indiferente a seus apuros. Ele sabia sobre os campos de concentração, mas aceitava a fala do regime de que só continham inimigos do Estado. "Não pensávamos nada mais disso. Afinal, aqueles que saíam do campo de concentração não diziam nada", lembrou mais tarde Rudolf-August.[77] Mas ele tinha conhecido campos de concentração muito melhor do que revelava. Afinal, a SS o havia tornado um deles.

9.

No verão de 1936, Günther Quandt estava ajudando um executivo de armas judeu para benefício de ambos.[78] Em novembro anterior, a Universidade Goethe de Frankfurt tinha dado férias a Georg Sachs, um professor de metalurgia, logo depois que as Leis Raciais de Nuremberg entraram em vigência. Apenas alguns meses antes, Günther tinha instalado Sachs na diretoria executiva da Dürener como chefe do departamento de pesquisa. Na Alemanha nazista, quem a pessoa conhecia e quão útil ela era significava a diferença entre a vida e a morte. Poucos entendiam isso melhor que Erhard Milch, o vice de Hermann Göring e filho de um farmacêutico judeu. Embora Milch tivesse um relacionamento combativo com seu chefe, Göring o protegeu da perseguição, interrompendo uma investigação da Gestapo enquanto boatos sobre a herança de Milch circulavam pelo Ministério da Aviação em Berlim. "Eu decido quem é judeu!", teria dito Göring.[79] O valor de Milch para o regime e para os negócios residia em sua autoridade sobre a Luftwaffe e seus bilhões; Hitler logo forneceria à Luftwaffe pelo menos 40% de todo o orçamento de guerra.[80] Portanto, Günther deu a Milch uma recepção particularmente calorosa na vistosa festa de aniversário da Dürener em 1935.

Esse mesmo oportunismo tornava Sachs, com toda a sua expertise em metalurgia, quase tão importante quanto Günther. Em abril de 1936, circulou o boato no distrito de Goebbels em Berlim de que Günther tinha indicado um judeu para a diretoria de uma de suas empresas de armas. Günther foi forçado a suspender Sachs, mas Milch decidiu que Sachs podia continuar a ser empregado em uma função menos visível, a despeito de sua "mancha".[81] Afinal, Milch os conhecia muito bem. No entanto, em meados de julho de 1936, Sachs escreveu uma carta a Günther pedindo para ser liberado "no interesse de ambas as partes".[82] Günther inicialmente recusou o pedido, interessado em manter o homem por causa de sua expertise, mas aquiesceu de má vontade semanas depois. Sachs ia deixar a Alemanha nazista enquanto ainda podia. Günther deu a ele cerca de 36 mil marcos para ajudá-lo com os gastos da emigração — Sachs tinha de pagar ao Reich uma "taxa de fuga" de 23 mil marcos. Dias antes de Sachs partir para os Estados Unidos, no começo do outono de 1936, Günther o visitou em sua casa para se despedir. Sachs logo encontrou um posto como professor de metalurgia física na universidade Case Western Reserve, em Cleveland, Ohio, onde sua família se juntou a ele logo depois. Sua esposa disse mais tarde que o "velho Quandt" provou ser um "ajudante honesto".[83] E Sachs devolveu o favor depois da guerra.

Um problema tinha sido resolvido para ambas as partes. A Dürener logo relatou orgulhosamente que nenhum "capital estrangeiro ou judeu" tinha participação na empresa.[84] No fim de 1937, Göring recompensou Günther por sua produção de armas em massa com o título de *Wehrwirtschaftsführer* (líder econômico militar), conferido a donos e executivos de empresas cujas companhias eram julgadas decisivas para o rearmamento. Friedrich Flick e Ferdinand Porsche receberam o título logo depois.[85] Os benefícios que ele concedia eram limitados a um emblema de ouro ornado e uma boa posição com o regime, desde que a pessoa permanecesse útil. Günther mais tarde disse que o Ministério da Aviação lhe dera o título por causa de seu trabalho com a Dürener.[86] Ele imaginava que a pródiga comemoração de aniversário da empresa tinha firmado a decisão. Os benefícios de organizar uma boa festa eram certamente claros para Günther. Mas, quando ele convidou Milch para seu jantar de aniversário de sessenta anos, planejando pôr o nazista meio judeu sentado a seu lado, o secretário de Estado decidiu não comparecer no último momento.[87]

10.

Enquanto Berlim estava aquecida com a febre das Olimpíadas no fim do verão de 1936, Magda Goebbels tinha algo a confessar. Em 1º de agosto, durante a cerimônia de abertura no Estádio Olímpico de Berlim, o teórico nazista Alfred Rosenberg contou a Joseph Goebbels sobre "algo desagradável" que havia transpirado anos antes entre Magda e Kurt Lüdecke, que a tinha apresentado ao NSDAP.[88] Na propriedade deles aquela noite, Goebbels confrontou Magda com a história. Ela começou a chorar e a princípio negou tudo, mas no fim foi honesta com o marido: tivera um caso com Lüdecke nos primeiros anos do casamento deles. Goebbels escreveu em seu diário no dia seguinte: "Isso me deixa muito deprimido. Ela mentiu para mim constantemente. Enorme perda de confiança. É tudo tão terrível [...]. Vou precisar de muito tempo para me recuperar".[89] Como Lüdecke tinha fugido muito antes para os Estados Unidos, depois de ter rompido com nazistas importantes, Goebbels teve de encontrar um jeito diferente de se vingar. Logo uma oportunidade se apresentou.

Dois meses antes, no quente e úmido anoitecer de 2 de junho de 1936, Goebbels e sua filha de três anos, Helga, estavam caminhando na ilha Schwanenwerder.[90] Goebbels, Magda, seus três filhos e Harald tinham acabado de se mudar para um exclusivo enclave residencial no sudoeste de Berlim. Pai e filha estavam quase em casa quando depararam com um ator famoso que era seu vizinho. O artista estava acompanhado de sua namorada de 21 anos, Lida Baarová, estrela de cinema tcheca. A bela morena tinha começado a atuar em filmes alemães. Baarová havia sido escalada para papéis de femme fatale pela proeminente empresa cinematográfica de Berlim, a UFA, cujos estúdios ficavam em Babelsberg, bairro vizinho. A pedido de Goebbels, Baarová e o namorado mostraram a ele e a Helga sua casa naquela noite. Baarová ainda não sabia, mas Goebbels acabaria por consumir a UFA e a vida pessoal dela.

Depois que Magda confessou seu caso com Lüdecke, Goebbels decidiu conhecer melhor Baarová. Ele tomou providências para que o último filme dela na UFA, apropriadamente intitulado *Traição*, tivesse sua grande estreia na convenção do Partido Nazista em Nuremberg, no começo de setembro de 1936. Em Berlim, Goebbels convidou Baarová e o namorado para seu camarote na Ópera e organizou uma exibição do último filme do namorado na propriedade de Schwanenwerder. Logo Goebbels e Baarová começaram a se encontrar com mais frequência, e sozinhos, muitas vezes no chalé de madeira à beira do lago do ministro, ao norte de Berlim. Na passagem do outono para o inverno, os dois começaram a ter um caso. Seu relacionamento logo se tornou público, e Goebbels passou a levar Baarová como sua acompanhante a estreias de filmes. O namorado dela a dispensou. Magda, preocupada com questões de saúde e com dar à luz mais filhos para o Reich, no início pareceu não dar muita importância àquilo. Hitler, por outro lado, ainda estava profundamente investido no casamento mais famoso do Terceiro Reich.

11.

A proeminência tinha seus pré-requisitos, Richard Kaselowsky logo descobriu. Em 1º de maio de 1937, a Dr. Oetker foi uma das trinta empresas alemãs a receber o título honorário de "empresa nacional-socialista modelo".[91] Durante a cerimônia de premiação, no Aero Club de Berlim, Hitler deu a Kaselowsky uma bandeira dourada. A companhia de alimentos obteve o prêmio por cuidar muito bem de seus empregados e, decisivamente, por sua dedicação aos ideais nazistas ligados aos trabalhadores. Quanto a Kaselowsky, ele usava a capa de CEO nazista com orgulho e agarrou a oportunidade para a Dr. Oetker, suas subsidiárias, a família Oetker e as outras empresas que eles controlavam arianizarem ativos.[92]

Depois que Kaselowsky obrigou a editora Gundlach, controlada pela Oetker, a fundir seu lucrativo jornal com a deficitária publicação do Partido Nazista em 1935, a empresa tentou compensar a considerável perda olhando para o mercado de revistas. Como as editoras "não arianas" e aquelas que se opunham ao regime eram censuradas e depois proibidas de possuir e distribuir publicações impressas pela Câmara de Imprensa do Reich de Goebbels, os direitos de suas revistas e publicações podiam ser comprados a preço baixo. No decorrer de 1935, uma editora de revistas de Berlim e seu escritório na Potsdamer Strasse foram arianizadas pela Gundlach, assim como os direitos de uma revista que pertencera a um distribuidor judeu. Na Áustria, a Gundlach arianizou a Oskar Fischer, uma editora vienense que possuía seis revistas. Em janeiro de 1936, Kaselowsky aprovou uma arianização por uma subsidiária da Dr. Oetker na "Cidade Livre de Danzigue" (Gdansk) governada pelos nazistas. Na cidade portuária do mar Báltico, uma participação majoritária em uma empresa de embalagem foi arianizada pela empresa a um preço "extremamente favorável", cerca de 60% abaixo do valor de mercado real, depois que seus acionistas majoritários judeus anunciaram sua retirada da empresa.[93]

A família Kaselowsky/Oetker também comprou participações em três empresas que antes tinham sido arianizadas por outros.[94] A mais proeminente delas era uma companhia cujo proprietário era Ignatz Nacher, cervejeiro de Berlim cujas empresas tinham sido brutalmente arianizadas pelo Dresdner Bank e, separadamente, por um consórcio liderado por banqueiros privados de Munique. Por volta da mesma época em que Friedrich Flick adquiriu a propriedade bávara de Nacher, em 1937,[95] a família Oetker obteve uma participação de um terço na empresa de cerveja com malte Groterjan, uma das cervejarias de Nacher arianizadas pelo consórcio de banqueiros. A cervejaria marcou a entrada da dinastia Oetker na indústria de bebidas alcoólicas, que hoje representa uma grande parte do império da família. Mas as arianizações de Kaselowsky, Oetker e Porsche-Piël perdiam importância em comparação com o tamanho e o escopo daquelas levadas a cabo por Günther Quandt, Friedrich Flick e August von Finck.

12.

No fim da primavera de 1937, embora profundamente enredado com Lida Baarová, Joseph Goebbels estava ocupado planejando exposições de arte. Ele devia agradecer por isso ao barão August von Finck. O que lhe faltava em generosidade, o financista frugal compensava inspirando-a em outros. Num período de quatro anos, Von Finck tinha levantado 12 milhões de marcos para o novo museu de Hitler em Munique, dinheiro suficiente para cobrir os contínuos excessos da construção. Os bávaros chamavam zombeteiramente o enorme edifício de "o templo da linguiça branca".[96] O Partido Nazista teve de contribuir só com 100 mil marcos para sua construção; Von Finck obteve o resto. O banqueiro combinava viagens de negócios com sua missão de levantamento de fundos, visitando outros magnatas em suas propriedades. Enquanto milhões do rearmamento fluíam do regime para os bolsos dos industriais, Von Finck convencia alguns dos maiores nomes do empresariado alemão a retribuir e se tornar membros fundadores do museu — e tudo isso por apenas 100 mil marcos. Friedrich Flick, Gustav Krupp, Carl Friedrich von Siemens e Robert Bosch foram alguns dos generosos magnatas que sacaram o talão de cheques.[97]

No começo de junho de 1937, Hitler e Goebbels voaram a Munique para inspecionar o museu e sua mostra inaugural escolhida por um júri, chamada A Grande Exposição de Arte Alemã. Von Finck liderou pessoalmente a visita. Os dois, contudo, ficaram estarrecidos: "Penduraram obras aqui que fazem a carne da gente se arrepiar", escreveu Goebbels em seu diário.[98] "O Führer está fervendo de raiva." A maior parte das paredes estava forrada de cenas históricas horríveis retratando conquistas alemãs. Aparentemente, quem planejou a exposição tinha se concentrado no tema nazista do "sangue e solo", interpretando o conceito muito literalmente. A mostra resultante não correspondia exatamente à visão artística que o chanceler tinha do nacional-socialismo. Hitler pensou em adiar a exposição por um ano em vez de "exibir esse lixo",[99] e nomeou seu fotógrafo pessoal como curador da mostra seguinte. Mas a exposição, muito divulgada, não poderia ser desmontada de imediato sem causar ao chanceler algum constrangimento. O show tinha de continuar.

Quando Hitler e Goebbels voltaram, um mês depois, para a abertura, o chanceler ficou mais feliz.[100] Nada tinha sido mudado no tema; o número de pinturas ensanguentadas simplesmente havia sido reduzido. Em 18 de julho de 1937, o Führer inaugurou a Haus der Deutschen Kunst e sua primeira exposição, com Von Finck a seu lado. No vernissage, Magda e Goebbels gastaram 50 mil marcos em arte nazista para suas casas. Goebbels tinha montado outra mostra, a apenas alguns quarteirões, nas Hofgarden Arcades, que devia acontecer ao mesmo tempo. Ele havia tido a ideia de expor obras confiscadas sobretudo de artistas modernos alemães, e alguns estrangeiros também; juntos, eles representariam a arte que não tinha lugar no Terceiro Reich, pelo menos na opinião de Goebbels. A exposição de "arte degenerada" exibia seiscentas obras de artistas como Max Beckmann, Marc Chagall, Max Ernst, Otto Dix, Paul Klee, George Grosz e Wassily Kandinsky. A mostra rapidamente atraiu mais de 2 milhões de visitantes, o dobro dos que compareceram à exposição na Haus der Deutschen Kunst.

No geral, o regime ficou contente com Von Finck e seus esforços para levantar fundos para o museu de Hitler. O banqueiro logo seria recompensado pelo serviço.

Meses depois, Goebbels deu seu retorno sobre outra inovação nazista valorizada. No começo de setembro de 1937, ele visitou Stuttgart para se juntar a Ferdinand Porsche no teste no Volkswagen. "O carro tem uma força de arranque fabulosa, sobe bem e tem suspensão excelente. Mas precisa ser tão simples no exterior? Dou a Porsche alguns conselhos sobre isso. Ele prontamente os aceita", escreveu Goebbels em seu diário.[101] Ele preferia trafegar em limusines elegantes. O ministro da Propaganda inspecionou de novo o Volkswagen três meses depois e ficou feliz com os melhoramentos. "O dr. Porsche entrega uma obra-prima aqui", escreveu ele, contente como sempre ficava quando alguém lhe obedecia.[102] Goebbels logo concedeu a Porsche o Prêmio Nacional de Arte e Ciência. Recompensas ainda maiores esperavam por ele no futuro.

13.

Meses depois de ajudar uma família judia a fugir da Alemanha, Günther Quandt roubou outra.[103] Em 9 de junho de 1937, sua empresa de armas DWM publicou uma declaração de uma única sentença no jornal financeiro de Berlim, comunicando que tinha assumido o controle de uma nova empresa: a Henry Pels, uma fabricante de ferramentas das mais avançadas que produzia perfuratrizes e cortadores de aço em sua fábrica em Erfurt, a maior cidade da Turíngia. O que não era explicado no conciso anúncio era como Günther tinha arianizado violentamente a empresa onze dias antes. Na manhã de 29 de maio de 1937, Fritz Heine, cirurgião de Berlim, havia sido obrigado a vender a participação majoritária de sua esposa na empresa da família dela muito abaixo do valor de mercado e a renunciar a seu lugar na diretoria da empresa. Tudo ocorreu durante uma tensa reunião de acionistas no escritório de Günther na Askanischer Platz. Heine, representando sua esposa Johanna, era o único membro da diretoria "não ariano". Ela herdara a participação depois da morte do pai, o fundador da empresa Henry Pels, e da mãe em 1931. O único irmão dela havia tido "uma morte heroica por sua pátria" como oficial alemão na Primeira Guerra Mundial.[104] Os Heine e seus dois filhos haviam sido batizados protestantes, mas isso não os salvaria das Leis Raciais de Nuremberg, já que seus pais eram judeus.

Günther comprou a participação dos Heine com notas do Tesouro difíceis de vender no valor de cerca de 500 mil marcos, surrupiando deles pelo menos 1,5 milhão de marcos. O valor nominal da participação de Johanna era de cerca de 2 milhões de marcos, mas o valor real era provavelmente muito maior. Logo depois da arianização, Günther avaliou apenas o maquinário da empresa em 3 milhões de marcos. Ele se tornou presidente da diretoria da Henry Pels, encheu a diretoria de sócios e executivos de suas empresas e reequipou a companhia para transformá-la em um negócio de armamentos produtivo. Em 1938, a empresa já tinha gerado um lucro bruto de 6 milhões de marcos, produzindo suportes para armas, canhões e artilharia antiaérea para submarinos. Günther também arianizou a marca, retirando o nome do pai de Johanna (Henry Pels) e rebatizando a empresa de Berlin-Efurter Maschinenwerken. Mas a correspondência empresarial era frequentemente feita usando material de escritório estampado com o antigo nome "não ariano".

As coisas não terminaram bem para os Heine. O filho deles já se mudara para os Estados Unidos depois de concluir seus estudos de engenharia, e a filha logo fugiu para a Inglaterra, ajudada por um pastor em Berlim. Mas o casal ficou na Alemanha. Os dois confiavam que "a perseguição nacional-socialista logo vai passar".[105] Não passou. Johanna e Fritz Heine foram obrigados a deixar sua propriedade no extremo oeste de Berlim e correram para sublocar dois quartos. Em 24 de outubro de 1941, foram deportados por trem para Lodz, na Warthegau, uma região batizada pelos nazistas na Polônia ocupada onde um conhecido de Günther, o cruel *Gauleiter* Arthur Greiser, dominava milhões de pessoas — inclusive aquelas no gueto judeu de Lodz, que era o principal ponto de coleta para Chelmno, o campo de extermínio. Os Heine provavelmente foram assassinados em Chelmno na metade de novembro de 1941, embora suas certidões de óbito dissessem Litzmannstadt, o nome dado pelos nazistas a Lodz. Na Alemanha, os pertences restantes do casal foram confiscados como imposto por "fugir" do território do Reich. Para Günther, os Heine foram meramente o começo de sua terrível força de pilhagem, que se estenderia por toda a Alemanha e outras partes da Europa.

E ele não trabalharia sozinho. Günther tinha descoberto um jovem talento para ajudá-lo a expandir seu império.[106] Numa manhã chuvosa de setembro de 1937, ele estava sentado atrás de sua escrivaninha dupla em seu escritório na Askanischer Platz nº 3, entrevistando um elegante e atraente advogado sentado à sua frente. Günther anotava cuidadosamente as respostas do homem a suas perguntas. Tinha conhecido Horts Pavel, de 28 anos, em uma recepção empresarial e sentira o talento dele como negociador. Ao meio-dia, Günther lhe ofereceu o posto de chefe do departamento jurídico da AFA. Pavel tinha três horas para considerar a oferta, e a aceitou às três da tarde. Günther achava que seu filho mais velho e herdeiro legítimo, Herbert, poderia aguentar um pouco de concorrência. Herbert tinha acabado seu treinamento em administração de quatro anos na AFA em maio de 1937 e começara a trabalhar como diretor na Pertrix, uma subsidiária em Berlim que produzia lanternas e baterias. Pavel era dois anos mais velho que Herbert e igualmente ambicioso. Faria o máximo para superar o filho do patrão.

Günther, pensando em termos darwinianos, encorajou a competição. Ele escreveu sobre a "luta pela vida" do filho.[107] Günther deu a Pavel a sala vizinha à sua e, logo depois de contratá-lo, levou seu novo protegido em um cruzeiro, com duração de quase quatro meses, à América do Sul. Escrevendo do navio *Cap*

Arcona, Günther fez algumas observações pessoais sobre os latino-americanos em uma carta a seus executivos na Alemanha: "O princípio da raça pura é impossível [no Brasil] já que todo o país é constituído de italianos, espanhóis, alemães cruzados com índios", ele escreveu. "Além de negros, com quem também as pessoas se misturam indiscriminadamente. Isso deu origem a uma raça que é resistente ao clima assassino com bastante impacto intelectual dos brancos e dos peles-vermelhas. Hostil a isso se coloca o país branco da Argentina. Ele tem a inteligência mais elevada."[108] Durante o cruzeiro, Günther fez a Pavel uma oferta arrebatadora: toda a administração comercial da AFA e um posto na diretoria, desde que ele ficasse com o grupo Quandt. Assim, Günther tornava Pavel seu braço direito, e Herbert teria mais uma vez de brigar pela atenção do pai.

14.

No outono de 1937, Friedrich Flick estava se preparando para a pilhagem. Em 4 de novembro, o lugar-tenente de Flick, Otto Steinbrinck, havia escrito em um memorando a seu chefe que Wilhelm Keppler, o ubíquo intermediário de Hitler entre o regime e as empresas, o tinha informado que "por algum tempo os ativos judeus na Alemanha foram tomados por uma nova onda de vendas". Mesmo proprietários judeus "de quem não se esperaria isso antes" estavam empenhados em "se livrar de suas posses na Alemanha", escreveu Steinbrinck.[109] Flick prontamente agarrou a oportunidade. Alguns dos primeiros ativos de donos judeus que ele comprou eram para seu uso privado. Ele adorava comprar propriedades grandiosas. Dessa vez, comprou três delas: uma na Bavária, uma perto de Berlim e uma, de caça, na Áustria.[110] Todas vinham de famílias empresariais judias que precisavam vender enquanto ainda tinham a opção de fazê-lo. (A propriedade bávara[111] e a de caça austríaca[112] ainda são dos netos de Flick.)

Em novembro de 1937 a primeira arianização de Flick estava em curso havia meses. No fim daquele verão, ele começara a perseguir os altos-fornos da Lübeck, uma grande fábrica de ferro-gusa na cidade portuária hanseática e uma das poucas grandes empresas da indústria pesada alemã cujos proprietários eram judeus.[113] Os acionistas da Lübeck eram sobretudo famílias de empresários judeus alemães, bem como empresas e bancos filiados a elas. Flick estava de olho na empresa havia quase uma década. Agora era hora de atacar.

Mais cedo naquele ano, ele tinha passado a ver a aquisição dos altos-fornos da Lübeck como muito importante. Podiam suprir suas empresas de aço com ferro-gusa, do qual havia grande escassez. E mais: a Lübeck tinha um CEO nazista, que estava ávido por ajudar a arianizar a empresa que ele liderava. Ele via seus acionistas judeus como o principal motivo para a empresa ser ignorada para contratos de armamentos da HWA. Flick agiu depressa. Primeiro, organizou com êxito uma tomada de controle da segunda maior acionista da Lübeck, uma empresa que comercializava minério de ferro classificada como empresa judia. Quando alguns dos acionistas tentaram agrupar suas participações e transferir suas ações para o exterior, Flick invocou a ameaça de sanções do regime para obrigar os acionistas judeus a vender. Mas ele não compareceu à reunião de tomada final em seu quartel-general na Bellevuestrasse de Berlim, no começo de dezembro de 1937. Seu objetivo era convencer os que ainda resistiam, um grupo de acionistas estrangeiros e o banco Warburg, a vender suas ações. Flick explicou sua ausência a Walther Oldewage, o responsável do regime por impor o acordo: "A discussão com esse comitê é um truque judeu renovado, no qual não estou disposto a cair depois de minhas experiências ruins até agora".[114] No fim, os acionistas venderam.

Nos dias seguintes ao fechamento do acordo, Flick abordou os maiores acionistas: os Hahn, uma família judia. Quase imediatamente, eles concordaram em vender sua participação em duas partes, e por milhões abaixo do preço de mercado, mas com uma condição. Para proteger a empresa da família deles, uma usina siderúrgica na região do Ruhr, os Hahn insistiram em receber uma declaração escrita de que a venda de suas ações na Lübeck seria interpretada pelas autoridades como um sinal da boa vontade deles, e que sua usina siderúrgica seria poupada de qualquer medida coercitiva. Mas Oldewage recusou e fez só uma declaração oral nesse sentido. Os Hahn ainda seguiram com o acordo, vendendo a primeira parte de suas ações na Lübeck a Flick em dezembro de 1937. Semanas depois, Flick roubou Oldewage do governo. Como recompensa por sua ajuda, Flick o colocou em uma função de administração média com um salário generoso em uma de suas empresas de aço. Quando Oldewage estava prestes a assumir sua nova função, Steinbrinck deu a ele um retorno em despedida: "[Oldewage] parece ser um pouco suave demais em termos humanos; eu pessoalmente o aconselho a ceder menos aos judeus".[115]

Nas semanas seguintes à primeira venda de ações dos Hahn a Flick, os nazistas pressionaram ainda mais a família judia, que foi ameaçada com prisão e internação em um campo de concentração. Quando os Hahn foram para o departamento de arianização do Ministério da Economia em Berlim para se certificar da garantia de que sua empresa seria deixada em paz, um oficial nazista disse a eles que não podia acreditar que tinham sido tolos o suficiente para "aceitar uma nota promissória para a qual não havia nenhuma cobertura".[116] Os Hahn só viram uma opção naquele momento: vender sua usina siderúrgica a um grande concorrente e emigrar para a Inglaterra. A família vendeu a última parte de suas ações na Lübeck a Flick, mais uma vez por milhões abaixo do valor de mercado; eles precisavam do dinheiro para partir. Flick agora tinha sua maioria na Lübeck e já estava ocupado com seu próximo projeto de arianização.

Em seu voo só de ida para Londres, os Hahn depararam com Otto Steinbrinck. O lugar-tenente de Flick estava em uma viagem de negócios. Ele escarneceu da família judia: "Vocês têm sorte de conseguir sair".[117]

15.

A próxima e muito maior arianização de Friedrich Flick já estava tomando forma durante seu ataque à Lübeck. No começo de novembro de 1937, Wilhelm Keppler contou a Otto Steinbrinck que algumas outras empresas também estavam arroladas para arianização. Isso incluía ativos alemães de propriedade dos conglomerados de Julius e Ignaz Petschek, originalmente criados pelos irmãos Petschek, que eram judeus tchecos. No momento em que os dois conglomerados atraíram a atenção de Flick, eram havia muito tempo possuídos e administrados separadamente pelos filhos dos irmãos, que não se davam bem. O regime nazista tinha um enorme interesse nos herdeiros Petschek. Juntos, os primos controlavam cerca de 65% das reservas de linhito no leste e no centro da Alemanha, o que os tornava responsáveis por 18% da produção de carvão bruto de todo o Reich alemão.[118] E isso era apenas uma pequena parte das operações dos Petschek. A parte maior era uma gama de minas de carvão na Boêmia e na Morávia, regiões tchecas pelas quais Hitler se interessava.

Quando Keppler contou a Steinbrinck que os interesses alemães dos Petschek estavam arrolados para ser arianizados, ele confirmou algo que Flick e Steinbrinck já tinham ouvido de outras fontes: o grupo Julius Petschek, sediado em Praga e o menor dos dois conglomerados, já estava conversando com duas empresas para vender suas participações majoritárias em duas grandes empresas alemãs de linhito. E não eram apenas duas empresas disputando o controle dos ativos alemães dos Petschek: eram a Wintershall, o gigante da potassa e do petróleo do qual Günther Quandt possuía um quarto, e a IG Farben, a maior empresa química do mundo. Se Flick pusesse as mãos nos ativos de linhito na Alemanha, poderia assegurar uma base de combustível para sua principal siderúrgica nas décadas seguintes. Era uma "questão vital", Steinbrinck disse a Keppler em 3 de novembro de 1937.[119] Duas semanas depois, Steinbrinck reiterou a Keppler que o conglomerado Flick, "em todas as circunstâncias", queria participar da "liquidação da propriedade dos P.". Os dois concordaram em "criar problema para o elemento judeu", como Keppler dizia.[120]

O "problema Petschek ou P.", como Flick e seus auxiliares chamavam eufemisticamente seu esforço de arianização, tornou-se uma alta prioridade. Flick e Steinbrinck começaram a fazer lobby junto ao regime nazista e a contatos dos Petschek para entrar nas negociações em posição mais vantajosa. Muitos desses contatos eram colegas membros do Círculo de Amigos de Himmler. O mais notável entre eles era Herbert Göring, o meio-irmão do *Reichsmarschall* Hermann. Por causa dessa relação familiar, Herbert tinha ganhado o cargo de secretário-geral do Ministério da Economia e depois fora nomeado para vários postos executivos em importantes empresas alemãs. Como disse um historiador, Herbert Göring "criou uma posição totalmente parasitária no Terceiro Reich, transformando o acesso direto a seu poderoso meio-irmão em dinheiro".[121] Flick e Steinbrinck aderiram à trama, prometendo a Herbert um grande pagamento "no caso de uma solução para o problema P.".

Em uma reunião com Steinbrinck, Herbert Göring disse que os Petschek tinham toda a atenção de seu meio-irmão. Hermann Göring estava no meio da execução de seu "Plano Quadrienal" para a economia da Alemanha nazista.[122] Seu projeto grandioso visava o rearmamento adicional do país e, mais importante, tornar a Alemanha uma autarquia: um Estado autossuficiente em todos os aspectos, independente de importações de outros países. As reservas de linhito dos Petschek, não mais de propriedade de judeus estrangeiros, eram uma parte natural disso. Em outra reunião com Flick, Herbert Göring confirmou que, ao passo que os herdeiros de Julius Petschek queriam vender, o grupo Ignaz Petschek rejeitava todas as ofertas.[123] Eles teriam de tratar daquilo depois.

Com apoio de ambos os Göring, Flick estabeleceu uma posição de liderança na mesa de negociação. No meio de dezembro de 1937, Flick informou ao

CEO da Wintershall, que também era sócio de Günther Quandt e mais um membro do Círculo de Amigos de Himmler, que ia reivindicar as empresas de linhito alemãs de Julius Petschek. O CEO reagiu com um "silêncio irritado".[124] Simultaneamente, Herbert Göring disse a um membro da diretoria da Julius Petschek que as negociações seriam transferidas a um consórcio sob a liderança de Flick. A informação foi passada a um dos filhos de Julius Petschek, que prontamente rompeu as negociações com a Wintershall e a IG Farben, sinalizando sua disposição de conversar com Flick. Mas o processo empacou. Os filhos de Julius Petschek, cidadãos tchecos, tinham criado uma complicada estrutura de propriedade.[125] Muito tempo antes, tinham transferido a principal holding para suas participações alemãs em segurança para o exterior. As ações agora pertenciam à United Continental Corporation (UCC), em Nova York; seu ex-presidente era John Foster Dulles, futuro secretário de Estado dos Estados Unidos. Além disso, os herdeiros de Julius Petschek queriam ser pagos em dólares americanos, mas Hermann Göring e as autoridades nazistas não permitiam que a moeda fosse usada para a compra de empresas alemãs.

Na metade de janeiro de 1938, Steinbrinck escreveu um extenso memorando que Flick usaria uma semana depois em uma apresentação sobre como resolver o "problema Petschek".[126] Em 21 de janeiro, Flick falou a uma plateia de uma pessoa em Berlim: Hermann Göring. Flick sugeriu ao *Reichsmarschall* que fosse realizada uma arianização em duas partes. O magnata negociaria sozinho um acordo com os filhos de Julius Petschek, mas seria necessária uma concessão na questão da moeda estrangeira, disse. Flick argumentou que deveria ser dado a ele o único mandato para negociar essa questão; múltiplos proponentes fariam o preço subir e possibilitariam que os Petschek escolhessem a melhor oferta. Por sua vez, uma venda voluntária enfraqueceria a posição de recusa dos herdeiros de Ignaz Petschek. A apresentação de Flick foi um grande sucesso. Hermann Göring assinou um documento preparado dando a ele o mandato exclusivo para negociar com ambos os grupos Petschek, mas sem nenhum compromisso com a questão da moeda estrangeira.

Os representantes dos herdeiros de Julius Petschek chegaram a Berlim no dia seguinte. O principal negociador deles era George Murnane, um bem relacionado banqueiro de investimentos de Nova York que havia sucedido seu amigo Dulles como presidente da UCC. Murnane queria criar uma "atmosfera tranquilizadora",[127] mas na primeira reunião deles Flick assumiu uma posição intransigente, dizendo que só ele tinha sido autorizado a negociar por "ordem de altos escalões".[128] Pagamentos em dólar por recursos alemães estavam fora de questão. Sem rápidas concessões da parte dos Petschek, Flick ameaçou com a probabilidade de uma tomada de controle hostil involuntária. Mas Murnane se recusou a ceder na questão da moeda estrangeira e no preço proposto de 15 milhões de dólares, embora antes tenha expressado sua simpatia pelo que chamou o "problema alemão, isto é, a questão do rearmamento e a questão judaica".[129]

Depois de mais duas reuniões infrutíferas, Flick rompeu abruptamente as negociações no começo de uma nova rodada, em 31 de janeiro de 1938. Ele mentiu, dizendo que seu mandato para negociar expirava naquele dia. Na passagem final de uma declaração enigmática que leu em voz alta na sala de reunião, Flick deixou claro que haveria expropriação sem um acordo. O impassível Murnane, que Flick tinha posto sob vigilância constante,[130] desafiou sua declaração e disse que já recebera uma oferta de 11 milhões de dólares da Wintershall de Quandt. Murnane então aumentou a aposta: empresas alemãs nos Estados Unidos não podiam ser "ameaçadas [...] pelos mesmos problemas como os que agora o preocupavam na Alemanha".[131]

A resposta de Murnane disparou alarmes nos níveis mais altos da liderança econômica alemã. Confrontado com essa ameaça aos ativos alemães no exterior, particularmente as subsidiárias americanas da IG Farben, Hermann Göring e seus lacaios abriram mão de sua oposição a um pagamento em dólares. Flick, porém, não se apressou a retomar as negociações. A anexação da Áustria por Hitler era iminente, e Flick queria esperar para ver como afetaria a negociação. Como ficou claro depois, ela teve grande efeito a seu favor.

Depois que Hitler anexou seu país natal, a Áustria, no meio de março de 1938, e ameaçou que a próxima seria a Tchecoslováquia, os herdeiros de Julius Petschek se dispuseram a baixar o preço que pediam significativamente. Logo houve mais pressão política.[132] No fim de abril de 1938, Hermann Göring emitiu vários decretos intensificando a perseguição de judeus. Todos os arrendamentos ou vendas de ativos estavam agora sujeitos à autorização do Estado caso houvesse um judeu, alemão ou estrangeiro envolvido, e judeus estrangeiros precisavam declarar toda as suas propriedades na Alemanha às autoridades. Göring também sublinhou a possibilidade de expropriação pelo Estado se fosse do interesse da economia alemã.

Em 10 de maio de 1938, Flick e a UCC, agora representada pelo visconde Strathallan, sócio britânico de Murnane, retomaram as negociações em Baden-Baden, uma cidade balneária chique perto da fronteira francesa. Em reuniões seguintes em Berlim, uma semana depois, eles chegaram a um acordo por 6,3 milhões de dólares, menos da metade do valor de mercado das ações, quase 5 milhões de dólares a menos que a oferta da Wintershall e 9 milhões de dólares a menos que o preço pedido inicialmente por Murnane três meses antes. O humor e o equilíbrio de forças tinham mudado a favor de Flick. Strathallan agradeceu a Flick e elogiou "o ânimo de todas as nossas conversas".[133] Murnane telegrafou a Flick de Nova York: "Quero expressar minha admiração à sua capacidade e justiça em levar a cabo nossa transação e sua habilidade em negociar". Flick respondeu atribuindo o sucesso a "trabalhar juntos em mútua lealdade e encontrar de seu lado um amplo entendimento das condições alemãs". (Investigadores dos Estados Unidos acusaram Murnane mais tarde de representar muito mal "os interesses de seus clientes".[134] Os americanos acharam que "ele jogou a propriedade dos Petschek nas mãos dos nazistas cedendo [...] em todos os pontos e mostrando fraqueza".) Os herdeiros de Julius Petschek conseguiram vender seus ativos remanescentes nos Sudetos a um consórcio tcheco apenas semanas antes de Hitler ocupar a região.[135] Depois emigraram para os Estados Unidos e o Canadá.

Mas Flick ainda não tinha terminado. Ele passou a vender algumas das minas de linhito da Julius Petschek à Wintershall e à IG Farben. Flick acabou lucrando quase 600 mil dólares com toda a arianização,[136] além de garantir de graça uma base de combustível para suas siderúrgicas. Como taxa de corretagem, transferiu temporariamente 1 milhão de ações da Lübeck para Herbert Göring. O corrupto meio-irmão do *Reichsmarschall* podia mantê-las até que rendessem dividendos. Flick também deu a ele um empréstimo para comprar uma participação em um conglomerado de navegação. De acordo com Flick, Herbert Göring pagou o empréstimo depois de fazer "um acordo muito bom" vendendo a participação majoritária ao concorrente de Flick em armas e aço, a dinastia Krupp.[137] A Wintershall acabou perdendo na arianização da Julius Petschek, mas Günther Quandt não se intimidou. Ele teria muitas oportunidades em futuros acordos secretos e duvidosos. E, de qualquer forma, ganha-se algumas vezes, perde-se outras. Flick estava prestes a aprender essa lição.

16.

A Haus der Deutschen Kunst foi inaugurada em julho de 1937, ao mesmo tempo que a arianização começava a decolar, e o barão August von Finck estava pronto a capitalizar todo o seu intenso trabalho por Hitler. Luminares do partido nazista, como o advogado pessoal do Führer, Hans Frank, e o corrupto chefe de Munique, Christian Weber, já mantinham contas pessoais e do NSDAP no banco privado do aristocrata, o Merck Finck.[138] Agora era a hora de Von Finck expandir sua instituição financeira e se livrar de seus rivais judeus. Ele atacou primeiro um concorrente em Munique: Martin Aufhäuser, sócio sênior do H. Aufhäuser, um dos maiores bancos privados da Alemanha.[139] O financista tinha protestado contra a Leis Raciais de Nuremberg, sob as quais ele era classificado como judeu. Aufhäuser solicitou uma isenção para ter seus direitos pessoais restaurados e para salvar o banco da família, um procedimento que exigia a permissão pessoal de Hitler. Como era previsível, o Führer rejeitou a solicitação.

August von Finck e Hitler fazendo a saudação nazista na Haus der Deutschen Kunst.

Von Finck agarrou a chance de intensificar a questão. Em uma carta à Câmara de Comércio de Munique em 11 de novembro de 1937, ele expôs uma proposta para eliminar o banco H. Aufhäuser, concluindo: "Hoje, o setor bancário privado alemão ainda é constituído de forma ampla por empresas não arianas. A limpeza gradual dessa atividade, que é tão fortemente influenciada pelo elemento judeu, não deve ser impedida pela concessão de solicitações de isenção, mas deve [...] ser promovida por todos os meios".[140] O banco H. Aufhäuser foi tomado durante a Kristallnacht, o famoso pogrom contra judeus que ocorreu em toda a Alemanha nazista em 9 e 10 de novembro de 1938, e rapidamente arianizado.[141] Depois de passar semanas em "custódia protetiva" no campo de concentração de Dachau, Martin Aufhäuser e seu irmão fugiram da Alemanha e acabaram nos Estados Unidos. O outro sócio deles no banco e sua esposa cometeram suicídio depois da Kristallnacht. Von Finck, como representante do Estado para os bancos privados da Baviera, foi responsável pela liquidação do portfólio de participações privadas de Martin Aufhäuser.[142] O produto da liquidação foi usado para pagar a "taxa de fuga" de Aufhäuser depois que ele conseguiu escapar do país.

A primeira arianização de Von Finck se apresentou enquanto ele estava aumentando os ataques contra seus colegas judeus no Aufhäuser. Otto Christian Fischer, um proeminente banqueiro nazista que participava do conselho de curadores do museu com Von Finck, foi uma figura-chave nas arianizações do setor financeiro como presidente da autoridade bancária do Reich. No outono de 1937, Fischer pôs Von Finck em contato com Willy Dreyfus, o dono do proeminente banco privado J. Dreyfus, e Paul Wallich, sócio da filial de Berlim do Dreyfus.[143]

Willy Dreyfus tinha decidido vender o banco de sua família por causa da pressão para uma arianização. Ele já havia fechado sua filial em Frankfurt depois que um de seus sócios fora ameaçado com deportação para um campo de concentração. Ao mesmo tempo, Dreyfus começou a procurar um comprador para a maior filial de Berlim. Acrescentar um escritório na capital era uma rara oportunidade para Von Finck. Seu banco privado ainda tinha uma filial em Munique, mas toda a atividade era em Berlim. Naturalmente, ele se interessou.

As negociações entre Willy Dreyfus e o vice de Von Finck começaram em dezembro de 1937. Julius Kaufmann, um diretor do Dreyfus meio judeu, testemunhou as conversas de três meses em Berlim. Mais tarde ele detalhou como Von Finck coagiu Dreyfus a baixar o preço de venda de sua filial bancária. Para começar, Von Finck se recusou a assumir as obrigações de pensões do banco com seus empregados e pensionistas judeus, no valor de 450 mil marcos. Depois que Willy Dreyfus apresentou um balanço que já incluía provisões e depreciações que reduziam o valor da filial em mais 450 mil marcos, Von Finck o pressionou a fazer mais reduções, inclusive subvalorizando os imóveis de Dreyfus. O ajuste tirou mais 700 mil marcos do preço de venda, que resultou em 2 milhões de marcos. Em resumo, Julius Kaufmann estimou que Von Finck forçou Willy Dreyfus a vender sua filial bancária de Berlim por pelo menos 1,65 milhão de marcos (cerca de 1,5 milhão de dólares na época) abaixo de seu valor real.[144] Mas o Merck Finck depois afirmaria que "negociações amigáveis" tinham levado à "tomada de controle" do Dreyfus.[145]

Paul Wallich, ex-sócio da filial de Berlim, assinou um contrato para permanecer por uma década como consultor. Isso a despeito de o Merck Finck ter baixado uma regra empresarial declarando que o banco só poderia empregar indivíduos de "sangue alemão puro";[146] também era exigida "prova de origem ariana" para o cônjuge de um empregado. Wallich e Julius Kaufmann eram ambos classificados como judeus pelas Leis Raciais de Nuremberg, mas tinham se casado com gentias. Os dois foram autorizados a transitar do Dreyfus para o Merck Finck, mas o arranjo só durou enquanto os dois judeus em "casamentos mistos privilegiados" anteriores à tomada de poder por Hitler foram considerados úteis para o Merck Finck.

O barão Egon von Ritter, amigo íntimo de Von Finck, tornou-se o principal sócio na filial de Berlim do Merck Finck. Von Ritter logo demitiu Kaufmann por ser "não ariano", mas o obrigou a permanecer pelos seis meses restantes de seu contrato de trabalho para ajudar na reorganização. Kaufmann pelo menos sobreviveu. Paul Wallich se saiu muito pior. Seu contrato foi encerrado uma vez que o Merck Finck não precisava mais de seus serviços, mas só depois de tirar proveito de sua ajuda na realocação de contas de clientes. Wallich cometeu suicídio em uma viagem de negócios a Colônia, alguns dias depois da Kristallnacht.

A arianização do Dreyfus deu ao banco de Von Finck notoriedade instantânea em Berlim, onde ele ficou conhecido como o "banco do Führer".[147] Era o maior elogio que se podia fazer a um fanático obcecado por Hitler como Von Finck. A arianização também foi louvada em círculos financeiros alemães como um modelo para a "desjudaização" ulterior do setor bancário privado,[148] iniciando uma corrida a bancos menores de propriedade de judeus em todo o país. Depois que a arianização foi finalizada e publicada, em 5 de março de 1938, Willy Dreyfus emigrou para Basileia, na Suíça. Mas ainda não vira tudo de Von Finck.

17.

A mais espetacular arianização de um banco privado pousou no colo de August von Finck uma semana depois da conclusão da tomada de controle do Dreyfus. Em 12 de março de 1938, o Exército alemão entrou na Áustria e incorporou o país ao Reich. Milhares de austríacos margearam estradas e ruas para dar boas-vindas aos soldados. A perseguição da população judia do país, tanto por alemães quanto por austríacos, começou enquanto a Anschluss, como a tomada foi chamada, ainda estava em progresso. Logo ofereceram a Von Finck a chance de arianizar o S. M. von Rothschild, o maior banco privado do país, que pertencia ao ramo austríaco da famosa dinastia Rothschild.[149] O barão Louis von Rothschild liderava o banco sediado em Viena fundado por seu bisavô. Louis foi detido durante a anexação e preso no que antes era o luxuoso hotel Metropole, o novo quartel-general da Gestapo na cidade velha de Viena.[150] O banco da família Rothschild foi tomado. Todos os outros pertences pessoais deles, inclusive suas obras de arte e palácios, foram pilhados. O notório Escritório Central para a Emigração Judaica de Eichmann logo foi estabelecido em um dos palácios dos Rothschild.

Emil Puhl, vice-presidente do Reichsbank sob Walther Funk, mais tarde recordou que o Ministério da Economia de Funk preferia que um banco privado arianizasse o S. M. von Rothschild. Funk queria evitar que os maiores bancos comerciais, como o Deutscher e o Dresdner, aumentassem sua influência na Áustria. Puhl disse que muitos bancos privados alemães queriam arianizar o S. M. von Rothschild, mas que a escolha do Merck Finck "sem dúvida remonta à influência que o sr. Fink [sic] tinha no partido e no Estado".[151] Von Finck, entre suas muitas posições sob o regime nazista, fazia parte do conselho consultivo do Reichsbank.

O pai de Von Finck e o pai de Louis von Rothschild tinham sido bons amigos. O Von Finck mais novo foi, portanto, convidado a ir a Zurique por um representante dos Rothschild no começo de maio de 1938 "para discutir possíveis soluções" para o banco tomado.[152] Depois, Von Finck viajou a Viena, onde se encontrou com Josef Bürckel, o corrupto *Gauleiter* da capital e comissário do Reich na Áustria depois da Anschluss. Von Finck disse a Bürckel que queria expandir seu banco para o sudeste da Europa e pediu a ele ajuda "na obtenção, para esse propósito, de um banco em Viena de propriedade de judeus".

Em uma reunião maior no dia seguinte, Von Finck soube que o banco S. M. von Rothschild seria o mais adequado a suas necessidades, e o Merck Finck foi nomeado seu custodiante. Mas a SS se recusou a transferir a custódia de um ativo tão valioso. Von Finck então viajou a Berlim para pedir a Hermann Göring que interviesse. Só depois de Göring assinar e enviar um telegrama para o mais importante chefe da SS na Áustria, com a garantia de que Von Finck era "capaz de enfrentar tarefas difíceis" e tinha "excelentes ligações partidárias", a SS reconheceu sua custódia do banco.[153] A administração do S. M. von Rothschild foi transferida para o Merck Finck em julho de 1938 — a tempo da comemoração dos quarenta anos do barão, que ocorreria duas semanas depois.

Semanas antes de concluir sua segunda arianização, Von Finck recusou outra. Em 3 de junho de 1938, ele recebeu uma carta do prefeito nazista de Nuremberg em que perguntava se Von Finck ainda estava interessado em arianizar o banco privado Anton Kohn, citando conversas preliminares que haviam tido sobre o assunto.[154] A instituição financeira, de propriedade dos irmãos Kohn, judeus, tinha sido o principal banco privado da Baviera ao lado do Merck Finck, mas enfrentava dificuldades sob Hitler. Em 11 de junho de 1938, Von Finck respondeu à carta do prefeito declarando que não estava mais interessado em arianizar o Anton Kohn por causa do mau estado financeiro do banco e de sua limitada "clientela judia".[155] A seu ver, a falta de clientes judeus significava que havia menos ativos disponíveis. Com menos para roubar, não era uma proposta de negócio atraente para o aristocrata antissemita.

Mais tarde naquele verão, Von Finck e Friedrich Flick se agruparam para uma arianização bancária. Em setembro de 1938, eles forneceram capital na arianização do Simon Hirschland, um proeminente banco privado de propriedade de judeus na região do Ruhr.[156] Na transação, liderada pelo Deutsche Bank, eles receberam assistência do especialista em arianização Hugo Ratzmann, o banqueiro que Günther Quandt usara em sua tomada de controle da Henry Pels um verão antes. Agora todos os magnatas se conheciam bem. Von

Finck fazia parte das diretorias de uma empresa de aço e de uma empresa de carvão de Flick. Os dois também eram membros das diretorias da Allianz e, com Günther, da AEG, uma fabricante de equipamento elétrico.

Como Flick, Von Finck tinha desenvolvido um laço mutuamente benéfico com Hermann Göring. O Merck Finck logo comprou o S. M. von Rothschild por cerca de 6,3 milhões de marcos,[157] quase 42 milhões abaixo do valor estimado do banco.[158] A aquisição foi financiada em parte com títulos roubados das contas do banco privado dos Rothschild. Depois da venda, Göring interveio de novo a pedido de Von Finck.[159] Dessa vez, era o Ministério da Economia de Funk que se recusava a liberar os ativos do S. M. von Rothschild para o Merck Finck. Depois de Göring intervir mais uma vez, o Ministério transferiu diretamente os ativos para o banco privado de Von Finck.

As arianizações deixaram Von Finck e Flick ainda mais próximos de Göring.[160] Todos caçadores ávidos, Von Finck e Flick compareceram várias vezes a festas de aniversário de Göring em Carinhall, sua casa de campo ao norte de Berlim. Von Finck deu a Göring presentes no valor de até 10 mil marcos como agradecimento por sua ajuda em conseguir o banco Rothschild. Flick foi ainda além, presenteando Göring com algumas pinturas de mestres antigos que comprara em leilão. Subornos eram um gênero de primeira necessidade na família Göring.

E eram igualmente demandados pelo regime nazista. Depois de treze meses de prisão, Louis von Rothschild foi libertado da custódia da Gestapo após ter sido obrigado a transferir a propriedade do banco e dos bens pessoais da família. Von Finck mais tarde afirmou que usou seu contato com Göring para garantir a libertação de Rothschild,[161] quando na verdade foram os dois irmãos de Rothschild que pagaram cerca de 21 milhões de dólares pela libertação do executivo.[162] Esse permanece o maior resgate pago na história moderna, totalizando aproximadamente 385 milhões de dólares em valores atuais. Rothschild emigrou para os Estados Unidos.

O arianizado S. M. von Rothschild foi restabelecido como banco Eduard von Nicolai, batizado com o nome do novo sócio principal em Viena. Von Finck proveu a maior parte do capital e reteve uma participação majoritária no banco.[163] O outro sócio em Viena era o barão Edmund von Ritter. Ele foi recomendado a Von Finck por seu irmão Egon, o principal sócio na filial arianizada do Merck Finck em Berlim.[164] Dois irmãos de barão, duas arianizações diferentes. Eduard von Nicolai não era nada benquisto pela comunidade empresarial vienense. Suas "táticas agressivas e intimidadoras na aquisição de novos negócios para sua casa bancária eram de natureza tal que renderam má fama no exterior aos empresários alemães", de acordo com o diretor da Allianz na Áustria.[165] Conseguir se destacar por mau comportamento nos negócios era um grande feito; no Terceiro Reich, esse era um campo particularmente lotado e competitivo.

Os esforços de Von Finck para levantar fundos para o projeto preferido de Hitler tinham sido enormemente recompensados. Um ano depois da inauguração do museu, ele havia arianizado dois importantes bancos privados. Os ativos do Merck Finck quadruplicaram depressa, passando de 22,5 milhões para 99,2 milhões de marcos.[166] A despeito de sua famosa mesquinhez, Von Finck dividiu o espólio com seus amigos. O barão tinha começado tornando seus colegas aristocratas, os irmãos Ritter, sócios em seus bancos arianizados. Depois recompensou Otto Christian Fischer, seu companheiro na curadoria do museu, por sua alusão à arianização tornando o alto banqueiro nazista um sócio e acionista no Merck Finck. Com esses movimentos astuciosos, concluiu um historiador, o Merck Finck "estabeleceu-se como o mais bem-sucedido banco privado na era nacional-socialista".[167] Foi uma expansão construída com base em esperteza empresarial, um pouco de relacionamentos à moda antiga e, é claro, o espólio de um violento antissemitismo.

18.

Em 26 de maio de 1938, Hitler subiu a uma tribuna em uma clareira de floresta, com a aba do quepe protegendo-o do sol sufocante, e vociferou para uma plateia de mais 50 mil pessoas: "Odeio a palavra impossível!".[168] Ele estava prestes a lançar a pedra fundamental da fábrica Volkswagen. O local da construção ficava no centro geográfico da Alemanha nazista, no município de Fallersleben, perto de uma propriedade chamada Wolfsburg. Estava perfeitamente posicionado ao lado da estrada de Berlim a Hanôver, da ferrovia que ia de Berlim à região do Ruhr e de um canal de navegação. Um ano antes, Hitler havia transferido a responsabilidade pela construção da maior fábrica da Europa da indústria automobilística para a Frente de Trabalhadores Alemães

(DAF), a organização nazista que tinha substituído os sindicatos. Ele considerava a DAF mais bem equipada para controlar um projeto de tanta importância nacional e de gasto tão imenso; apesar do custo estimado em 90 milhões de marcos, já estavam quase chegando a 200 milhões.[169] Robert Ley, o corrupto e alcoólatra líder da DAF, tinha emitido para Ferdinand Porsche um cheque em branco para o projeto, financiado por taxas de filiação e ativos tomados dos sindicatos. Para o local da fábrica, a DAF tinha comprado 3700 acres de prado de um conde. Para o empobrecido aristocrata, a perda dos carvalhos centenários de sua propriedade não era nada em comparação a uma potencial expropriação. Assim, ele sucumbiu à sedução dos milhões nazistas.

Lançando a pedra fundamental na fábrica Volkswagen, 26 de maio de 1938.

Na manhã da cerimônia, milhares de pessoas foram transportadas para o campo em trens especialmente reservados. Elas margeavam a estrada pela qual Hitler chegou em um carro aberto em meio ao soar de trombetas e gritos de "*Sieg Heil!*". A SS tinha dificuldade de controlar a multidão. Todos se empurravam para ter um vislumbre do Führer e do brilhante conversível novo no qual ele era transportado.[170] "Na área isolada por cordões reservada para Hitler e seu entourage, três modelos do 'carro do povo' [...] cintilavam à luz do sol, colocados estrategicamente na frente da tribuna principal drapejada de verde-floresta", escreveu um cronista.[171] De lá, o chanceler alemão fez seu discurso. Perto do fim do evento de uma hora, transmitido ao vivo na rádio nacional, Hitler fez um anúncio surpresa: o novo carro não seria chamado Volkswagen, mas sim Kraft durch Freude-Wagen (carro força por meio da alegria), como a organização de turismo da DAF. Ferdinand Porsche, horrorizado, observava. Afora sua impraticabilidade, o nome estava muito distante daquele que Porsche desejava: o dele próprio.

No verão anterior, Porsche tinha encontrado seu herói de longa data Henry Ford no complexo fabril River Roudge, da Ford, em Detroit. Ferdinand Porsche queria ser para a Alemanha o que Ford era para os Estados Unidos. A fábrica da Volkswagen teria a da Ford como modelo. E, como Ford, com sua criação epônima, Porsche esperava que o Volkswagen recebesse seu nome. Mas isso não ia acontecer. Ferry, o filho de 28 anos de Porsche que dirigia o conversível, levou Hitler de volta ao seu trem privado. O pai dele, decepcionado, estava sentado no banco de trás.

No entanto, a cerimônia foi uma boa publicidade para o Volkswagen. Um correspondente do *New York Times* escreveu animado sobre a perspectiva de estradas europeias cheias de "milhares e milhares de besourinhos cintilantes",[172] assim cunhando, involuntariamente, o apelido do carro, Beetle, que persistiu quando o veículo se tornou um fenômeno global, anos depois. Fotografias de Ferry levando o Führer de carro para seu trem circularam pelo mundo todo. O escritório de projeto Porsche em Stuttgart foi inundado de cartas de amor, fotos atrevidas e propostas de casamento endereçadas ao belo chofer improvisado de Hitler.[173]

Agora que seu pai se tornara diretor da fábrica Volkswagen, Ferry assumiria o controle do escritório de projetos em Stuttgart. A Porsche estava no meio de uma expansão, a ser financiada pelos milhões da DAF.[174] Um mês depois da cerimônia, a empresa de projeto de carros se mudou de seu escritório da Kronenstrasse, no centro de Stuttgart, para um grande terreno no distrito de Zuffenhausen. No local havia sido construída uma fábrica onde poderiam ser fabricados os carros. O terreno, parte do local onde fica hoje a sede da Porsche, havia sido arianizado de uma família judia, os Wolf, na primavera anterior, a um preço abaixo do valor de mercado.[175] Era o costumeiro para a Porsche. Havia outro assunto, envolvendo o cofundador da empresa, cujas ações Ferry recebera, com o qual era preciso lidar imediatamente.

No começo de junho de 1938, Adolf Rosenberger recebeu uma carta em seu apartamento em Paris, na avenida Marceau, perto do Arco do Triunfo. A mensagem de Stuttgart continha más notícias. O barão Hans von Veyder--Malberg informava a seu antecessor que a Porsche não podia mais manter seu contrato de licenciamento de patente com ele "por causa de uma autoridade superior".[176] O homem que tinha libertado Rosenberger de um campo de concentração agora cortava todo contato profissional e pessoal por causa de "certos agravos na situação interna". A carta era de 2 de junho, uma semana depois de Hitler ter lançado a pedra fundamental da fábrica Volkswagen. Ferdinand Porsche e Anton Piëch estavam rompendo seus últimos laços com o cofundador judeu da empresa.

Em 23 de julho de 1938, Rosenberger escreveu a Piëch, que era também o duro advogado da empresa, sugerindo duas maneiras de separação amigável: 12 mil dólares para recomeçar nos Estados Unidos ou uma transferência a Rosenberger da licença da patente americana da Porsche.[177] Mas Piëch não se dava bem com os nazistas apenas por necessidade de fazer negócios: partilhava da ideologia deles e tinha acabado de se tornar membro do partido pela segunda vez.[178] Como nativo da Áustria, primeiro ingressou no partido irmão do NSDAP lá, em maio de 1933, e depois pediu filiação ao Partido Nazista alemão, em junho de 1938. Mais tarde Piëch solicitou ingresso na SS e foi aceito.

Em uma carta separada, Rosenberger fez um apelo pessoal à empresa que ele cofundara: "O dr. Porsche me disse em várias ocasiões que, em vista de nossos muitos anos de cooperação e do risco que assumi pela empresa em todos os momentos, eu podia contar com ele a qualquer momento, e creio que as modestas reivindicações de compensação que estou fazendo serão atendidas com sua plena aprovação e que ele também usará toda a sua influência para levar nosso relacionamento de oito anos a um fim amigável".[179] Rosenberger reconhecia que "pode ser difícil para vocês continuar a trabalhar comigo do jeito antigo como um não ariano".

Mas, como se não bastasse a arianização, Anton Piëch rejeitou a proposta. "Minha empresa não reconhece suas reivindicações em nenhuma circunstância e as rejeita por falta de base legal", respondeu Piëch em 24 de agosto de 1938, com a justificativa de que Rosenberger não tinha conseguido vender nenhuma licença de patente no exterior nos últimos anos.[180] Naquele mesmo mês, a Gestapo começou o processo de revogação da cidadania alemã de Rosenberger. Era hora de ele deixar a Europa.

19.

As coisas entre Joseph e Magda Goebbels implodiram em um dia sufocante na metade de agosto de 1938. Nos dois anos anteriores, houvera três pessoas no casamento deles. Agora o casal achava ter encontrado a solução. Goebbels convidou sua amante, Lida Baarová, para se reunir a ele, Magda e alguns amigos em seu iate, o *Baldur*. Eles sairiam em viagem pelo rio Havel, que corria à margem de sua propriedade na ilha Schwanenwerder, em Berlim. O casal tinha algo importante a pedir à atriz tcheca. No almoço, Goebbels e Magda propuseram um ménage à trois: Magda permaneceria a esposa que cuidaria da casa, dos filhos e dos deveres do Reich, e Baarová seria a amante oficial de Goebbels.[181] Perplexa, Baarová pediu tempo para pensar naquilo. Magda imediatamente reconsiderou a proposta, e na noite seguinte abriu o coração para Hitler. O Führer mantinha uma afeição profunda por ela. Além disso, tinha um arranjo platônico particular com o casal desde 1931: Magda e Goebbels deviam ser o modelo de matrimônio para ele.

Hitler mandou chamar Goebbels à Chancelaria do Reich e exigiu que ele terminasse o caso. No dia seguinte, Goebbels escreveu em seu diário: "Cheguei a decisões muito difíceis. Mas são finais. Dirigi de carro por uma hora. Uma longa distância, mas sem ir a nenhum lugar em particular. Estou vivendo quase como num sonho. A vida é tão difícil e cruel [...]. Mas o dever vem antes de tudo o mais". Ele então teve "uma conversa por telefone muito longa e muito triste" com Baarová. "Mas permaneço firme, embora meu coração ameace se quebrar. E agora uma nova vida começa. Uma vida difícil e dura dedicada a nada além do dever. Minha juventude acabou", escreveu em 16 de agosto de 1938.[182] Mas seu caso com Baarová continuou. E Magda começou a pensar em divórcio.

Goebbels e Magda concordaram com uma trégua, adiando qualquer decisão sobre seu casamento até o fim de setembro. Tinham coisas maiores com que lidar. A guerra se aproximava; Hitler havia ameaçado invadir e ocupar os Sudetos, na Tchecoslováquia, região cuja população era amplamente constituída de alemães étnicos. Quando a trégua do casal terminou, no auge da crise dos Sudetos, Goebbels pediu a seu vice de longa data, Karl Hanke, que mediasse a bagunça marital, feliz de ter alguém em quem confiar. Depois que Hanke falou com todas as partes envolvidas, Goebbels lhe pediu que apresentasse de novo a questão a Hitler. "Tudo depende da decisão dele", Goebbels escreveu em seu diário em 11 de outubro de 1938, um dia depois de Hitler ter completado a anexação dos Sudetos.[183]

Hitler não mudara de posição. Estava cansado da "mania de divórcio" nas fileiras dos líderes nazistas.[184] Goebbels finalmente aquiesceu. Teve "terríveis dores no peito" e foi ver o filme mais recente de Baarová, convenientemente intitulado *História de amor prussiana*, para ter um último vislumbre dela.[185] Como lhe faltava a coragem de romper com a amante uma segunda vez, ele fez o conde Helldorf, chefe de polícia de Berlim e seu amigo íntimo, "executar minha difícil tarefa".[186] Como se não bastasse, Helldorf disse a Baarová que ela não mais estava autorizada a trabalhar como atriz na Alemanha.[187] Ela partiu imediatamente de Berlim para Praga, que foi ocupada pela Alemanha alguns meses depois.

Goebbels, porém, não ficou feliz com o desempenho de Hanke como mediador. "Não vou mais falar com Hanke. Ele é minha decepção mais cruel", escreveu em seu diário pouco antes de Hitler reafirmar sua decisão.[188] Como disse delicadamente um biógrafo de Goebbels: "Parece que ele tinha aproveitado sua posição de mediador para oferecer mais que palavras gentis de conforto" a Magda.[189] Ela confessou seu caso com Hanke ao marido no verão seguinte. "Hanke provou ser um escroque de primeira classe. Minha desconfiança dele era plenamente justificada", escreveu Goebbels em 23 de julho de 1939.[190]

Dessa vez, foi Magda que levou seu caso a Hitler.[191] Mais uma vez, o Führer decidiria o destino do casamento mais exposto do Terceiro Reich. Sua sentença foi a mesma: eles deviam ficar juntos. Afinal, era uma questão de Estado. Goebbels pôs Hanke em licença permanente do Ministério da Propaganda. Hanke se apaixonara loucamente por Magda e queria se casar com ela. Em vez disso, foi lutar no front. Os Goebbels se reconciliaram, e Magda logo deu à luz a Heidrum, a menina que seria o sexto e último filho deles.

20.

Depois que as empresas alemãs de linhito de Julius Petschek foram arianizadas, no começo de junho de 1938, os herdeiros de Ignaz Petschek continuaram no controle do conglomerado de sua família, que era maior. Mas Friedrich Flick estava pronto para fazer o que fosse necessário para mudar isso. No entanto, a mensagem da sede da empresa em Aussig, nos Sudetos, à margem do Elba, a vinte minutos de carro da fronteira alemã, permanecia a mesma: um retumbante não. A família Petschek se recusava a negociar os ativos que Flick mirava, uma vasta gama de empresas de mineração, produção e operações comerciais de linhito no centro da Alemanha avaliadas em um quarto de bilhão de marcos.[192] Karl Petschek, um dos filhos de Ignaz, supervisionava os ativos de linhito alemães da família. "Essas pessoas querem me assassinar [...], bem, elas não vão conseguir", ele refletiu, combativamente.[193] Karl argumentava que não conseguiria vender os ativos da família porque seu pai já os havia "vendido" ao manter participações em holdings nos paraísos fiscais de Mônaco, Suíça e Luxemburgo.[194]

No entanto, mesmo a residência ou a propriedade de empresas no exterior já não garantia segurança contra a ganância nazista. Com a crise dos Sudetos começando a se desenvolver, Flick decidiu aumentar a pressão sobre os herdeiros de Ignaz Petschek. No decorrer de junho de 1938, o advogado de Flick, Hugo Dietrich, desenterrou pilhas de informações sobre os interesses de propriedade de Ignaz Petschek em registros empresariais, que Otto Steinbrinck forneceu às autoridades nazistas relevantes. Steinbrinck se queixou a um burocrata nazista de que "a atitude [de Petschek] é completamente indiferente".[195] Mas ele considerava o boato de que "J. P. Morgan [Jr.] está por trás do grupo Ignaz Petschek improvável. Morgan sempre foi um antissemita, e, mesmo tentado por um excelente negócio, dificilmente estará disposto a camuflar judeus". Steinbrinck fez Dietrich escrever uma opinião jurídica argumentando que os herdeiros Petschek na verdade dirigiam seus negócios de Berlim; portanto as empresas poderiam ser tomadas por meio de procedimentos de arianização "regulares". Dietrich também redigiu a minuta de um decreto que estipulava que o Estado nomeasse um custodiante em qualquer empresa que fosse classificada como de propriedade judia.[196] De acordo com a minuta, esse custodiante poderia então vender a empresa contra a vontade de seus proprietários. Essas ideias foram em seguida passadas ao Ministério da Economia de Funk e ao escritório do Plano Quadrienal de Göring, com a esperança de que fossem adotadas como política oficial do partido. Foi tudo o que Flick conseguiu fazer. Os herdeiros de Ignaz Petschek ainda se recusavam a negociar com qualquer pessoa, e todas as esperanças de adquirir seus ativos alemães por meio do setor privado tinham sido destruídas. Agora era a vez do regime de intervir.

No fim de julho de 1938, foi formado em Berlim um grupo de trabalho interministerial dedicado exclusivamente a resolver o "problema" Ignaz Petschek. Os burocratas nazistas logo alcançaram o que se tornara um método confiável de arianização: impuseram ao conglomerado um enorme imposto retroativo fictício, permitindo ao regime tomar os ativos de carvão dos Petschek como pagamento. Começando em 30 milhões de marcos em setembro, a cobrança acabou chegando a 670 milhões, cerca do triplo do valor real dos ativos de linhito alemães dos Petschek.[197] Os herdeiros perderam sua vantagem.

O mesmo aconteceu com Flick. Com os preparativos para a arianização agora firmemente nas mãos do Ministério das Finanças do Reich, o magnata de repente enfrentou uma dura concorrência pelas empresas de carvão. Empresas industriais da Alemanha estavam se enfileirando para tirar o que pudessem do conglomerado. O mais conspícuo entre esses novos agentes era o próprio regime nazista, via Reichswerke Hermann Göring, um conglomerado estatal ao qual o megalomaníaco ministro havia dado o próprio nome. Flick também tinha um novo adversário poderoso em Paul Pleiger, o CEO do complexo estatal e um dos mais importantes funcionários econômicos do Terceiro Reich.

Pleiger tinha um problema para resolver. O Reichswerke carecia de uma fonte importante de energia. No fim de junho de 1938, ele disse a Flick que estava "muito descontente"[198] por ter sido excluído dos despojos da arianização dos ativos alemães de Julius Petschek, que Flick havia capturado do ramo de Julius da conflituosa família apenas semanas antes. O conselho de Flick ao diretor do Reichswerke foi entrar no ringue dessa vez. Pleiger respondeu timidamente que podia imaginar uma permuta de linhito por antracito. Pleiger precisava desesperadamente de uma base de antracito no centro da Alemanha para o Reichswerke, o qual, diferentemente de empresas na região do Ruhr, não tinha minas próprias para fabricar coque. Enormes quantidades de coque eram necessárias para extrair metal do minério e produzir ferro de forma competitiva. Ter um suprimento próprio baixaria os custos do Reichswerke e o livraria de sua dependência dos magnatas do Ruhr para essa fonte de energia.

Como ficou claro, Flick tinha muito mais antracito do que conseguia processar em suas minas de carvão de Harpen e Essen, na região do Ruhr, e queria mais linhito. Pleiger sabia bem disso. Ao passo que o antracito tinha um valor muito maior para aquecimento, o linhito era mais lucrativo. Pleiger precisava de energia; Flick queria açambarcar um mercado lucrativo.[199]

Hitler ocupou os Sudetos no começo de outubro de 1938, e em dez dias o território foi cedido à Alemanha. No primeiro dia da tomada, os nazistas invadiram os escritórios do conglomerado Ignaz Petschek. Os documentos que permaneciam lá foram confiscados. Ao mesmo tempo, Pleiger voltou a Flick com sua ideia de permuta de carvão, logo depois de Göring ter lhe prometido que o Reichswerke teria uma participação na arianização do conglomerado Petschek. Mas Flick não tinha pressa de fechar um acordo. Ele sabia que logo seria indicado um custodiante no Ignaz Petschek.

Em 3 de dezembro de 1938, apenas três semanas depois da Kristallnacht, Hermann Göring editou o Decreto Relativo à Utilização de Ativos Judeus.[200] Ele tinha uma premissa semelhante à da minuta de lei redigida por Hugo Dietrich. Doravante, o Estado nomearia um custodiante para qualquer empresa classificada como judia, e esse custodiante poderia vender a empresa contra a vontade de seus proprietários. Mas o decreto acabaria tendo seu alcance expandido. O regime nazista viria a usá-lo para privar judeus que viviam no território do Reich de todas as propriedades de valor relativo: empresas, casas, terra, ações, obras de arte, joias e ouro. Eles tiveram tudo o que possuíam tomado, exceto pertences que atendiam a suas necessidades mais básicas. O roubo desses itens aconteceria depois.

Um custodiante foi nomeado no conglomerado Ignaz Petschek em janeiro de 1939. Embora o mandato de Flick para atuar como o único negociador de todos os ativos Petschek permanecesse válido, estava perdendo seu valor. Com a competição aumentando e o regime mudando para uma expropriação total dos ativos, Flick viu que sua melhor chance de obter uma parte da pilhagem era fazer um acordo com Pleiger. Então ele concordou com a proposta de Pleiger. O Reichswerke receberia sua parte dos ativos de linhito de Ignaz Petschek e depois os permutaria por algumas das minas de antracito de Flick. O regime logo deu seu aval ao plano.

Mas as negociações entre Flick e Pleiger em Berlim foram litigiosas e prolongadas, durando um ano. A principal questão era quantificar as avaliações e os volumes de minério. Além disso, Pleiger queria muito mais do que Flick estava disposto a conceder. Inicialmente, nenhum dos lados se dispunha a ceder. Pleiger, que estava apostando sua posição no Reich nesse acordo, acabou se revelando um negociador instável. Quando Flick achou que eles tinham chegado a um acordo, no começo de junho de 1939, Pleiger mudou os termos. Então Flick, irritado, abandonou as negociações. Foi só no começo de dezembro que chegaram a um acordo, cuja execução ia se arrastar até o fim da guerra.

Flick assumiu a parte difícil na negociação com o conglomerado estatal. Ele obrigou suas valiosas minas de Harpen, na região do Ruhr, a abrir mão de mais de um terço de seus empregados e da produção de carvão coque.[201] Pleiger garantiu 1,8 bilhão de toneladas de antracito, mais algumas minas potencialmente produtivas. Flick conseguiu administrar as perdas, mas teve de fazer alguns reinvestimentos custosos. Em troca, ganhou 890 milhões de toneladas de linhito, o que o tornou o ator mais poderoso na indústria de linhito da Alemanha nazista.

É claro que as únicas pessoas que de fato perderam foram os herdeiros de Ignaz Petschek. Enquanto os primos deles tinham conseguido vender suas empresas no momento exato, Karl Petschek e seus irmãos não receberam nada pelas propriedades de sua família. As imensas cobranças de impostos contra eles foram compensadas por seus ativos, e a família foi impiedosamente expropriada pelo regime nazista, ajudado e instigado por Friedrich Flick.

21.

Em 20 de abril de 1939, Ferdinand Porsche presenteou o primeiro Volkswagen terminado, um fusca conversível preto, a um deliciado Hitler por ocasião de seu aniversário de cinquenta anos, em Berlim. Göring recebeu o segundo e Goebbels, o quarto. O "carro do povo" não foi, de fato, entregue ao povo. Só 630 deles foram construídos durante o Terceiro Reich, todos para a elite nazista. Os 340 mil alemães que se inscreveram no programa da DAF a fim de poupar para a compra do carro foram caloteados em cerca de 280 milhões de marcos.[202] Enquanto isso, o complexo fabril da Volkswagen em Fallersleben estava longe de ser concluído; logo se iniciou o trabalho para utilizá-lo na produção de armas. Ajudado pelo filho, Ferry, e pelo genro, Anton Piëch, o chefe da fábrica da Volkswagen, Ferdinand Porsche, teve de mudar de atividade abruptamente. O projetista de automóveis civis e carros de corrida se tornou um fabricante de armas, tanques e carros do Exército.

Mas, para que se produzisse qualquer coisa, tinha de haver primeiro uma fábrica que fosse plenamente funcional. Quando Hitler a visitou no começo de junho de 1939, Porsche só ousou mostrar a ele a oficina de prensagem, porque era a parte mais desenvolvida do complexo.[203] A imensa fachada de tijolos vermelhos, com cerca de 1400 metros de comprimento, obscurecia os salões internos, quase vazios.[204] O que deveria ser a maior fábrica automobilística do mundo, capaz de produzir 1,5 milhão de carros por ano, ainda não dispunha de muito maquinário básico. Fallersleben era pouco mais que um acampamento poeirento, lotado na maior parte pelos 3 mil trabalhadores de construção italianos que Mussolini, aliado de Hitler, tinha enviado para ajudar a terminar a construção.[205] Quase não havia alemães disponíveis, já que a maioria deles tinha sido convocada para o serviço militar. Quando chegou o brutalmente frio inverno de 1939, as dependências da principal fábrica Volkswagen permaneciam sem aquecimento, e os poços das escadas não tinham vidro nas janelas. Seriam necessários muitos trabalhadores mais para concluir a tarefa e manter o lugar funcionando. Ferdinand Porsche não se importava se eles viriam de modo voluntário ou à força.

22.

Na noite de sexta-feira de 29 de dezembro de 1939, Otto Steinbrinck se sentou à sua mesa de casa, no luxuoso bairro de Dahlen, em Berlim, e escreveu uma carta a Friedrich Flick, seu patrão havia quinze anos, que ia passar o feriado de Natal em sua propriedade na Baviera. Steinbrinck estava se demitindo, porque encontrara um novo emprego. O regime ia nomeá-lo para supervisionar o império do aço expropriado de Fritz Thyssen. Primeiro magnata a apoiar Hitler abertamente, Thyssen se voltara contra ele. Como membro do Reichstag, havia se recusado a consentir com a declaração de guerra e fugido da Alemanha.

Steinbrinck também estava numa situação incômoda; ia deixar o conglomerado Flick em termos terríveis. Fazia anos que o relacionamento entre os dois homens vinha se deteriorando.[206] A carga de trabalho era sufocante, as esposas de ambos não se davam bem e Steinbrinck tinha brigado com o filho mais velho de Flick, Otto-Ernst, que estava sendo preparado para suceder ao pai. As ambições profissionais de Steinbrinck não se realizavam, e ele queria uma posição de maior destaque. O conglomerado da família Flick nunca lhe daria isso — ele nunca faria parte da dinastia. "O esforço de uma cooperação forçada nos destruiu mais que o valor do lucro superficial obtido. Várias vezes você expressou a opinião de que eu fazia meu trabalho com ambição e zelo pessoal excessivos. Hoje sei que sua crítica a meu trabalho, dentro de sua esfera de interesses, está correta", escreveu amargamente o fanático oficial da SS a seu patrão. "Permaneci antes de mais nada um soldado e, portanto, nem sempre consegui partilhar a opinião de um comerciante que simplesmente calcula e arrisca muito."[207] Flick ditou à sua secretária uma resposta irritada, censurando Steinbrinck pelo que via como duplicidade.[208] Mas não a enviou. Aceitou a demissão e promoveu dois parentes para ocupar o lugar de Steinbrinck.

A essa altura, a Segunda Guerra Mundial tinha começado. Os anos pacíficos de rearmamento e arianizações tinham sido excepcionalmente bons para Flick. Agora ele era o terceiro maior produtor de aço da Alemanha nazista, comandando cerca de 100 mil empregados, cinco vezes mais que em 1933. A renda tributável de Flick só de 1937 a 1939 tinha sido de 65 milhões de marcos, cerca de 320 milhões de dólares hoje.[209] E as conquistas territoriais realizadas pelo exército de Hitler na Europa estavam prestes a dar a Flick muito mais oportunidades para expandir seu império industrial. Agora ele tinha de treinar seu sucessor e embarcar em uma nova missão de pilhagem — embora sem a ajuda de seu confiável lugar-tenente. Mas isso não continha nem um pouco o magnata empreendedor.

23.

Embora tivesse se tornado um dos maiores produtores de armas da Alemanha nazista, Günther Quandt não queria a guerra. "Notícia muito perturbadora", ele escreveu no momento da crise dos Sudetos. E ficou contente quando pareceu que o conflito tinha sido evitado: "As coisas estão melhorando de novo!".[210] Günther sempre havia considerado o rearmamento alemão uma medida defensiva. "Eu não acreditava que permitiriam que ele levasse à guerra", escreveu depois da queda do Terceiro Reich.[211] Mas, quando a Alemanha invadiu a Polônia, em 1º de setembro de 1939, Günther logo se adaptou à nova realidade. "O povo alemão está lutando por seus direitos vitais. Cheios de confiança, olhamos para nosso Führer e sua Wermacht, que já alcançou um sucesso sem precedentes em curto período e nos enche de orgulho e admiração", escreveu aos empregados de sua empresa de baterias AFA duas semanas depois da invasão.[212]

A guerra era boa para as empresas dele. Günther projetava que as vendas anuais da AFA triplicariam e chegariam a 150 milhões de marcos, uma receita recorde.[213] Sua empresa de armamentos DWM logo ultrapassou essa marca — e até a dobrou. Alguns dias antes do início da guerra, Günther disse a um de seus executivos: "Se há guerra, há guerra, então devemos agir como se ela nunca fosse terminar. Sejamos alegremente surpreendidos pela paz".[214] O filho mais velho dele, Herbert, considerou a posição do pai uma "estratégia empresarial sóbria".[215] Ao passo que seu meio-irmão, Harald, estava prestes a atuar como voluntário no front, Herbert teve de se provar para seu imperioso pai no igualmente impiedoso campo de batalha da sucessão empresarial. Nenhum dos campos de conflito premiava o caráter moral.

Parte III

"As crianças agora já se tornaram homens"

1.

No fim de outubro de 1939, Harald Quandt voltou para casa em Berlim, tirando uma pequena licença de seu trabalho obrigatório de seis meses como motociclista mensageiro na Polônia ocupada. O país havia sido conquistado e dividido entre a Alemanha de Hitler e a União Soviética de Stálin no começo daquele mês, segundo os termos de um pacto de não agressão firmado pelos dois ditadores. O filho mais novo de Günther beirava a idade adulta, a apenas alguns dias de completar dezoito anos. Ele concluíra o ensino médio pouco antes que a guerra irrompesse. Na cerimônia de graduação, Günther e Magda se sentaram juntos na primeira fileira, aparentemente em harmonia.[1]

Nos últimos cinco anos e meio, o lar de Harald tinha sido com a mãe e o padrasto, um domicílio complicado pelo sempre crescente número de meios-irmãos e infidelidades conjugais. Desde o fim de seu caso com Lida Baarová, Goebbels vivia basicamente sozinho durante a semana, em uma residência suntuosa no centro de Berlim, financiada generosamente por seu ministério, que ficava nas proximidades.[2] Mas, em geral, a turbulenta família Goebbels permanecia centrada na propriedade da família na elegante ilha Schwanenwerder e na casa de campo do ministro ao norte de Berlim. E Harald, como milhões de outros jovens, logo teria um novo lar — os devastadores campos de batalha da Segunda Guerra Mundial, espalhados pelo continente europeu.

Ele já tinha testemunhado as atrocidades da guerra e da ocupação em seu trabalho como mensageiro na fronteira polonesa e nas áreas agora governadas brutalmente pelos nazistas. Falava extensamente a Magda e Goebbels do que tinha visto lá — o início dos crimes de guerra alemães. Em 28 de outubro de 1939, Goebbels escreveu em seu diário que Harald "tinha experimentado todo tipo de coisa na Polônia. As crianças já se tornaram homens".[3] No dia seguinte, Goebbels comemorou seu aniversário de 42 anos, e Harald falou de novo ao padrasto de suas experiências na Polônia. Depois da conversa deles, Goebbels escreveu no diário que o filho adotivo "já é um verdadeiro homem e um soldado" que "melhorou muito". Para Goebbels, o que Harald tinha testemunhado parecia resultar em uma boa construção de caráter. Mas o adolescente estava profundamente afetado pelo que via. Em 2 de novembro de 1939, um dia depois do aniversário de dezoito anos de Harald, Goebbels escreveu: "Conversei com Magda sobre Harald à noite. Ele nos preocupa um pouco".[4]

Nos dias intermediários, Goebbels viu com os próprios olhos a situação nas partes da Polônia ocupadas pelos nazistas. Em 31 de outubro de 1939, ele voou para Lodz, onde foi recebido pelo *Gauleiter* Hans Frank, que era cliente bancário do Merck Finck, e por seu vice, Arthur Seyss-Inquart, ex-chanceler da Áustria. Goebbels então visitou de carro o gueto judeu em Lodz. (Umas 230 mil pessoas — um terço da população de Lodz — eram judias.) Ele saiu do carro para inspecionar tudo em detalhes.

Goebbels não gostou do que viu. Na entrada do diário — que ele concluiu confidenciando sua preocupação com Harald —, descreveu o que testemunhara no gueto: "É indescritível. Eles não são mais seres humanos, são animais. Essa não é, portanto, uma tarefa de humanização, mas uma tarefa cirúrgica. Devem-se fazer incisões aqui, e aliás muito radicais. Senão a Europa perecerá da doença judaica". O gueto tinha cerca de 160 mil judeus quando os nazistas fecharam seus portões, seis meses depois, aprisionando os residentes. No total, 210 mil judeus passaram pelo gueto de Lodz, que serviu como um ponto de coleta para campos de extermínio em toda a Polônia ocupada, mas sobretudo nas proximidades, em Chelmno.

Na manhã seguinte, Goebbels viajou de carro para Varsóvia. Ele chegou à capital polonesa depois de uma jornada "por campos de batalha e aldeias e cidades completamente destruídas. Um retrato de devastação. Varsóvia é o inferno. Uma cidade demolida. Nossas bombas e granadas fizeram seu trabalho. Nem uma única casa está intacta. A população está chocada e sombria. Pessoas rastejam como insetos pelas ruas. É repulsivo", escreveu Goebbels.[5] Ele voou de volta a Berlim às duas da tarde, contente de deixar "esse lugar de horror", e pousou ao anoitecer em Tempelhof, bem a tempo de comemorar o aniversário de Harald. No dia seguinte, Goebbels relatou a Hitler sua rápida viagem à Polônia. "Sobretudo minha apresentação do problema judeu recebe plena aprovação dele. Os judeus são um produto sem valor", ele escreveu no diário. "Mais uma questão clínica que social."[6]

Em 1º de novembro de 1939, enquanto Goebbels supervisionava os destroços de Varsóvia, o verdadeiro pai de Harald fechou um acordo importante na vizinha Poznan. Nesse dia, a DWM de Günther Quandt recebeu a custódia do complexo de armamentos expropriado Cegielski, a maior fábrica de Poznan.[7] As plantas do Cegielski eram famosas por sua produção de locomotivas, artilharia e metralhadoras; as autoridades de armas nazistas as haviam classificado como as mais importantes fabricantes de armas da cidade. Por sorte para Günther, o ministro da Economia do Reich, Walther Funk, tinha favorecido seu velho amigo em detrimento de outros candidatos ávidos para pôr as mãos no complexo.

As fábricas Cegielski seriam também o próximo destino de Harald. Depois de voltar à Polônia, ele começou um estágio na fundição do departamento de construção de locomotivas da DWM.[8] Na metade de janeiro de 1940, Magda visitou o filho em Poznan. Ela relatou a Goebbels que Harald estava "se comportando fabulosamente bem lá. Ele se tornou um verdadeiro homem com uma sensibilidade social pronunciada. Agora só deve ingressar na Wehrmacht para se firmar lá".[9] O destino seguinte de Harald seria de fato o campo de batalha, mas em um papel muito mais arrojado do que sua mãe e seu padrasto haviam imaginado.

2.

Harald Quandt vivera com a mãe, o padrasto e seus meios-irmãos desde os doze anos e meio de idade, quando o casal decidira não devolvê-lo a Günther depois do feriado de Páscoa de 1934. A despeito da amarga batalha pela guarda que se seguiu, Magda e Goebbels permitiram que Harald visitasse Günther a cada duas semanas. Embora Harald estivesse crescendo na que pode ser considerada a família mais radical do Terceiro Reich, ele não era nazista. De fato, não dava a menor importância ao nazismo. E podia se dar ao luxo de fazer isso. Como enteado de Goebbels, podia fazer o que quisesse. E, como adolescente, tinha na cabeça coisas mais importantes do que abraçar uma ideologia fascista: sobretudo garotas, motocicletas e carros.[10]

Em consequência, o histórico de Harald em organizações de juventude nazistas era um desastre.[11] Aos catorze anos, ele foi excluído de uma filiação experimental na Hitlerjugend da Marinha, uma força auxiliar do movimento da juventude nazista, onde ele recebia treinamento pré-militar. O pubescente Harald não gostava de exercícios e arranjou brigas com o líder de seu pelotão. Ele fugia de seus deveres e convencia Magda a escrever desculpas para suas ausências "por causa de dificuldades escolares".[12] Sua presença era tão irregular que disseram a ele que não retornasse no outono de 1936. Quando chegou o momento de Harald se registrar como membro do NSDAP, em 1938, ele não preencheu os formulários, então nunca ingressou no Partido Nazista.

Harald mais tarde disse que o objetivo de Goebbels era afastá-lo "o máximo possível das ideias de meu pai. Eu deveria me tornar um oficial naval, não um empresário nem um engenheiro".[13] Mas Harald não entrou na Marinha, mas sim na Luftwaffe. Em junho de 1940, durante seu estágio em Poznan, ele se voluntariou para a divisão de paraquedistas de elite depois que seu melhor amigo de escola, que servira como comandante de tanque durante a invasão alemã da França, foi morto. "Nada mais vai me manter aqui. Não sou diferente de todos os outros", Harald escreveu de Poznan a outro amigo de escola.[14] Goebbels ficou feliz de seu enteado estar prestes a integrar as Forças Armadas, para ser "devidamente aprimorado";[15] Magda tinha começado a se queixar da falta de disciplina do filho mais velho. "Ele é adolescente e se comporta de maneira escandalosa", escreveu Goebbels em seu diário no fim de julho de 1940. Durante o estágio na fábrica de seu pai, Harald arranjou uma namorada, uma atriz do Teatro Metropolitano de Poznan.[16] Magda a desprezava. Na visita seguinte que fez a Poznan, Magda invadiu a sala do diretor artístico e exigiu que ele demitisse a atriz. O diretor se recusou. Logo foi preso e forçado a trabalhar na fábrica de Günther em Poznan.

Felizmente para sua mãe, o treinamento de paraquedista de Harald na Primeira Divisão de Paraquedas começou apenas algumas semanas depois.[17]

Ele ficou estacionado em Dassau, a duas horas de carro a sudoeste de Berlim. Quando Harald foi passar dois dias em casa na metade de outubro de 1940, Goebbels escreveu sobre ele com aprovação: "Os militares o endireitaram".[18]

No começo de novembro de 1940, alguns dias após seu aniversário de dezenove anos, Harald voltou a Berlim para férias de uma semana.[19] Levou com ele Ursula e Silvia Quandt. Ursula acabara de se divorciar de Herbert, o meio-irmão mais velho de Harald. Silvia era a filha de três anos daquele casamento desfeito. Depois que Harald retornou a Dassau, Ursula e Silvia ficaram com os Goebbels em Berlim – por quase três meses. Em uma reviravolta bizarra, as mulheres com quem Goebbels passou o dia de Natal de 1940 – Ursula, Magda e a melhor amiga dela, Ello – tinham todas sido casadas com um membro da dinastia Quandt, que Goebbels tanto desprezava.

O Natal foi passado na propriedade de Goebbels em Bogensee, um pouco ao norte de Berlim.[20] Goebbels tinha transformado o aconchegante chalé de madeira, onde ele tinha passado tantas noites com Lida Baarová, em uma enorme casa de campo com cerca de trinta aposentos, um edifício de serviço com uns quarenta aposentos e um complexo de garagens.[21] À tarde, Goebbels e as mulheres saíram em uma cavalgada de duas horas nos novos cavalos da família pela paisagem coberta de neve de Brandemburgo. À noite, eles leram, ouviram música e contaram histórias, provavelmente fofocas sobre Günther, Herbert e os outros Quandt. A opinião de Goebbels sobre Herbert não tinha melhorado desde o primeiro encontro deles, anos antes, quando considerou o herdeiro Quandt "levemente retardado". Goebbels escreveu em seu diário que Ursula "agora parece bastante adorável" desde que se divorciara "de seu horrível marido".[22] Herbert estava de fato no meio de "um capítulo particularmente sombrio"[23] no fim de 1940, o qual Goebbels aprovava.

3.

Em outubro de 1940, Günther Quandt, seu braço direito, Horst Pavel, e Herbert exploraram por quase dez dias a França ocupada pelos nazistas. Günther tinha elaborado uma "lista de desejos", anotando uma dúzia de alvos de tomada de controle na França, inclusive empresas de propriedade de judeus, para sua empresa de baterias, a AFA.[24] E 1940 foi um grande ano para Herbert. Ele fez trinta anos; ingressou na diretoria executiva da AFA, encarregado de recrutamento de pessoal e publicidade, e da Pertrix, subsidiária da AFA; divorciou-se de Ursula; e, condizente com seu novo status de executivo, tornou-se membro do Partido Nazista.[25] O começo da Segunda Guerra Mundial tinha reconciliado Herbert com seu concorrente Pavel. Herbert mais tarde se recordou de como terminou a rivalidade deles: "Quando a guerra veio, o trabalho se tornou mais difícil [...] eu tinha de resolver algumas tarefas junto com meu colega dr. Pavel [...]. Em resumo, a guerra nos [...] aproximou".[26] Uma dessas tarefas era a aquisição de empresas arianizadas que antes eram propriedade de judeus franceses. Ou, como Herbert disse mais tarde de forma enigmática, "empresas industriais ou fábricas haviam sido oferecidas ou sugeridas a empresas individuais para aquisição".[27]

Agora que a guerra começara, Günther estava determinado a fazer o que fazia em qualquer circunstância: lucrar com ela. Em agosto de 1940, dois meses antes da viagem de busca, Günther enviou à França um de seus empregados mais confiáveis, Corbin Hackinger. A bem da aparência, Hackinger se demitiu de seu emprego na AFA em Berlim antes de se mudar para Paris, onde ele, aos cinquenta e poucos anos e bigodudo, se estabeleceu no quarto andar da rua La Boétie nº 44, perto do Palácio do Eliseu. O Bureau Hackinger, uma filial parcamente camuflada da AFA, cobria a França ocupada pelos nazistas e Vichy.[28] Uma das muitas tarefas de Hackinger lá era a identificação de empresas de propriedade de judeus e o auxílio à arianização delas. Hackinger ajudou a apropriar essas empresas para a AFA por meio do uso de empresas de fachada, custodiantes, testas de ferro, homens e mulheres, inclusive sua própria amante.

Günther, Herbert e seus amigos consideravam as empresas de bateria francesas alvos fáceis para tomada de controle. Mas estavam errados.[29] Ao passo que as autoridades francesas de fato colaboravam avidamente com os nazistas, elas não queriam que suas empresas caíssem nas mãos da indústria alemã, e obstruíam a maioria das arianizações que os estrangeiros tentavam executar. As autoridades francesas preferiam elas mesmas expropriar os cidadãos judeus. Hackinger lamentava o controle exercido pelos burocratas franceses, mas só ousava fazer pouco mais que se queixar.

Das sete tentativas conhecidas de arianização empreendidas pela AFA, cinco fracassaram.[30] As duas fábricas francesas arianizadas que Günther conseguiu comprar vieram para suas mãos graças aos esforços de seu filho mais velho.

Em nome da Pertrix, Herbert e Pavel negociaram a tomada de controle da fábrica de laminados de metal arianizada Hirschfield, em Estrasburgo, a capital da Alsácia ocupada pelos nazistas.[31] Era muito mais fácil para empresas alemãs operarem naquela região porque as autoridades nazistas a governavam. Ainda desesperado para provar suas qualidades ao pai, Herbert às vezes negociava durante todo o fim de semana em Estrasburgo, para poder estar de volta a Berlim no começo da semana seguinte. Isso lhe granjeava elogios de seus colegas executivos.

Depois de seu sucesso com a Hirschfield, Herbert ajudou a AFA a adquirir uma participação majoritária na Dreyfus, outra empresa de laminados de metal arianizada, esta localizada nos subúrbios de Paris.[32] Hackinger a considerava "o melhor [...] objeto" com que havia deparado.[33] As fábricas de laminados de metal podiam ser usadas para produzir lanternas, um dos principais produtos da Pertrix. Herbert havia desenvolvido seu próprio território na Pertrix, onde começou sua carreira e agora era um dos principais executivos. Mas foi só quando assumiu essas novas responsabilidades durante a guerra na AFA que ele por fim ganhou o respeito do pai. "Desde aquela época [...] eu raramente tomei uma decisão ou considerei uma possibilidade de alguma importância sem consultá-lo", escreveu Günther mais tarde sobre o filho mais velho.[34] Não importava ao pai e ao filho que eles tomassem o controle do meio de sustento e do trabalho da vida inteira de judeus. Para eles, a única coisa que importava era a expansão do império Quandt. E eles iam expandi-lo.[35] Empresas belgas, polonesas, croatas e gregas logo seriam presa da gangue de predadores financeiros dos Quandt.

4.

Harald Quandt adorava ser paraquedista. Ele se sentia em casa entre seus camaradas na base em Dassau. Além de aprender a saltar de paraquedas, ele foi treinado para disparar rifles e pistolas, provavelmente aquelas feitas pela empresa de armas de seu pai, e aprendeu a canção de batalha dos paraquedistas: "Verde é nosso paraquedas, forte é o jovem coração, de aço são nossas armas, feitas de minério alemão".[36] Todos eram jovens e aventurosos irmãos de armas. Havia festas e travessuras, que quase fizeram Harald ser expulso da Luftwaffe antes de entrar em combate. "Harald estragou sua carreira militar futura por causa de uma coisa muito idiota", escreveu Goebbels em seu diário em 2 de fevereiro de 1941. "Uma verdadeira travessura de criança com um fundo mais sério. Agora ele tem de pagar por ela. Com sorte não pregará mais peças, senão estará acabado de vez."[37] É impossível saber ao certo, mas Harald provavelmente tinha realizado alguma proeza ousada depois de uma noite de muita bebida.[38] O fato de Harald ter "de fato saído da linha"[39] manteve Goebbels preocupado por vários dias. Ele estava determinado a ajudar o enteado. E até enviou um auxiliar a Dassau para ver Harald, que, é claro, não era um soldado comum. Como enteado de Goebbels, era protegido como ninguém mais na Wehrmacht. Quando o auxiliar voltou a Berlim, Goebbels anotou de forma concisa: "A questão está resolvida".[40]

No começo da manhã de 20 de maio de 1941, Harald finalmente foi à guerra. Sua primeira missão foi a espetacular invasão de Creta. As forças aliadas queriam construir uma base de bombardeiros em seu bastião remanescente na Grécia, o que os alemães queriam evitar a qualquer custo. Apelidada de Operação Mercúrio, essa foi a primeira operação amplamente aerotransportada na história militar. Em suas memórias da guerra, o primeiro-ministro Winston Churchill escreveu: "Nunca um ataque mais temerário e implacável foi lançado pelos alemães".[41]

Harald e seus camaradas decolaram de sua base na Grécia continental antes do amanhecer, "com o coração inflamado e orgulhosamente confiantes em nossa boa sorte na guerra".[42] Voando sobre a costa do continente, caças alemães apareceram de todos os lados para escoltar os paraquedistas até o lugar em que saltariam sobre a ilha. Canhões antiaéreos ingleses começaram a disparar contra o avião que carregava Harald assim que ele sobrevoou o litoral de Creta. Então Harald recebeu o comando "Prontos para saltar", seguido pelo sinal verde. O jovem de dezenove anos saltou do avião e desceu em queda livre para o combate.

O salto foi magnífico. Harald tinha tempo claro e altitude perfeita, e os paraquedistas alemães caíram sobre os locais designados com "precisão exata". Eles sofreram fogo pesado de metralhadoras britânicas, mas Harald e a maioria de seus camaradas conseguiram pousar em Creta sem ferimentos. Mais de quarenta projéteis perfuraram o paraquedas de Harald, o que o fez cair muito mais depressa e atingir o solo com grande velocidade. Depois de se desprender do paraquedas, ele recuperou sua arma, que tinha pousado a cinquenta metros de distância.

O combate começou depressa. Harald e seus camaradas temiam em especial os muitos atiradores escondidos em árvores e cercas. Também estavam preocupados com o calor. No primeiro dia de combate, fazia cinquenta graus na sombra, e aquele certamente não foi o dia mais quente que viveram. Depois de uma longa e difícil batalha, os soldados alemães enfim conquistaram a ilha em 1º de junho de 1941. Mas a carnificina não terminou. Civis locais ofereceram resistência generalizada; foi a primeira vez durante a guerra que os alemães enfrentaram uma oposição do tipo.[43] Lideradas pelo general da Luftwaffe Kurt Student, as forças nazistas executaram milhares de cretenses em represália. Para dominar a resistência, os soldados alemães queimaram várias aldeias por completo. O segundo de Student fez valer uma ordem que ele havia emitido durante a batalha: dez cretenses deviam ser mortos para cada soldado alemão morto ou ferido.

A invasão acabou sendo um sucesso para os paraquedistas, embora quase 6 mil alemães tenham sido mortos ou feridos em ação. Até Winston Churchill ficou impressionado. "O Corpo Aéreo alemão representou a chama do Movimento da Juventude Hitlerista e foi uma encarnação ardente do espírito teutônico de vingança pela derrota de 1918", ele escreveu. "A flor da virilidade alemã foi expressa nesses paraquedistas alemães destemidos, altamente treinados e devotados completamente. Sacrificar suas vidas no altar da glória e do poder mundial alemães foi sua resolução apaixonada."[44]

Harald floresceu em sua primeira missão. Foi condecorado com a Cruz de Ferro de Primeira Classe.[45] Magda se preocupara com o filho. Ficara sabendo de mutilações sofridas por prisioneiros de guerra alemães na Grécia.[46] Goebbels, que não foi informado de antemão da missão nem da participação de Harald nela, ficou imensamente orgulhoso do enteado, assim como Hitler. Na metade de junho de 1941, Goebbels contou ao Führer sobre "a bravura de Harald, o que o deixa excepcionalmente feliz. Ele ainda é muito ligado ao garoto".[47]

Harald voltou à Alemanha seis semanas depois, bem a tempo da festa de aniversário de sessenta anos do pai, em Berlim. Ele logo foi promovido a suboficial[48] e escreveu um artigo para a revista corporativa da AFA detalhando sua experiência na Grécia. "A Operação Creta nos mostrou mais uma vez que não existe 'impossível' para os paraquedistas alemães", escreveu Harald de

Harald Quandt, uniformizado, com Magda e Joseph Goebbels e seus seis meios-irmãos, 1942.

modo desafiador. "Todos temos o único desejo de desferir o golpe mortal nos ingleses, de preferência em sua própria ilha."[49] O pai dele ecoou esse sentimento. Durante a Blitz e a Batalha da Grã-Bretanha, Günther escreveu aos empregados da AFA que a Luftwaffe já tinha "feito um ataque letal e decisivo contra nosso primeiro e último inimigo", os britânicos. Em casa também "todos cumprem seu dever e fazem o máximo para contribuir para o fim vitorioso da luta alemã pela existência".[50] Mas a invasão da Grã-Bretanha foi cancelada. Era a frente oriental quem esperava Harald.

5.

Em 26 de junho de 1941, a Operação Barbarossa, a fatídica invasão nazista da União Soviética, estava em curso havia quatro dias quando, na Bellevuestrasse de Berlim, Friedrich Flick fez seu auditor escrever uma importante carta ao Ministério das Finanças do Reich.[51] Flick tinha grandes planos para sua sucessão. Pretendia tornar seus dois filhos mais novos, Rudolf, de 21 anos, e Friedrich Karl, de catorze, acionistas da holding que controlava seu enorme conglomerado de aço, carvão e armamentos. Quase exatamente quatro anos antes, fizera o mesmo pelo filho mais velho, Otto-Ernst, apenas um dia depois de este completar 21 anos.[52] O movimento coincidiu com a conversão legal por Flick de seu grupo de empresas industriais em um conglomerado homônimo de propriedade da família. Mas Flick não estava mais tão seguro quanto a designar seu "príncipe coroado" Otto-Ernst como sucessor.[53]

Ser o primogênito do imperioso magnata era um fardo especial, e Otto--Ernst sentia a pressão. Ele tinha de provar suas qualidades à sombra do pai, frio e intelectual. Os dois não podiam ser mais diferentes. Crescendo na propriedade da família no arborizado bairro Grunewald, em Berlim, cercado de empregados domésticos, Otto-Ernst gostava de exercícios físicos, música, cinema e teatro. Flick preferia que os filhos competissem em corridas de remo. "Um garoto de um meio burguês normal nunca poderia ter sobrevivido a uma criação como essa", observou certa vez Otto-Ernst.[54] Ambicioso e inteligente, ele era também socialmente inepto e reagia com exagero em situações estressantes. Sua falta de desembaraço era aumentada pelo corpo avantajado. Com 1,95 metro de altura e magro, ele se destacava de maneira desconfortável do resto da família.

Parecia visível que Otto-Ernst não era talhado para um dia suceder ao pai, mas tentativas não faltaram. No começo de 1939, depois de Otto-Ernst ter passado um semestre estudando administração de empresas em Berlim, o pai o obrigou a desistir do curso.[55] Ele ordenou que o filho assumisse a gestão de uma nova fábrica de prensagem de granadas no complexo siderúrgico da família na Turíngia. Mas Otto-Ernst não se saiu bem em seu primeiro emprego executivo. Determinado a deixar sua marca, ele entrou em uma disputa feroz com um dos gerentes da fábrica.[56]

O filho do meio de Flick, Rudolf, tinha a firmeza determinada que faltava ao irmão mais velho. O "audacioso"[57] da família se alistou em 1939 e se tornou tenente na divisão de elite General Göring, da Luftwaffe, que costumava fornecer guarda-costas para o *Reichsmarschall*. Em 28 de junho de 1941, uma tragédia se abateu sobre a família. No sexto dia da Operação Barbarossa,

Friedrich Flick e os filhos, Otto-Ernst (no fundo), Rudolf (na frente, à direita) e Friedrich Karl (à esquerda), na propriedade da família, em Grunewald, Berlim, começo da década de 1930.

Rudolf avançava com seu regimento pela cidade ucraniana de Dubno quando foi atingido por um projétil de artilharia e morreu.[58]

A morte de Rudolf foi um duro golpe para Flick,[59] que desenvolveu uma terrível urticária. Ele pediu a Hermann Göring que o corpo do filho fosse repatriado, sem sucesso. Em vez disso, o *Reichsmarschall* providenciou para que Flick fosse levado de avião ao túmulo de Rudolf, perto de Lviv. A participação do filho do meio nas empresas foi dividida entre Otto-Ernst e o adolescente Friedrich Karl, que o pai chamava de "camaradinha".[60] Flick não fazia ideia de quantos problemas os filhos remanescentes causariam a ele e ao resto da Alemanha.

Na metade de setembro de 1941, Flick enviou Otto-Ernst à Lorena para sua próxima tarefa: trabalhar na Rombach, siderúrgica expropriada.[61] Depois de um lobby por parte de Flick, Göring tinha entregado a fábrica francesa aos cuidados dele. Otto-Ernst, com 24 anos, trabalharia lá subordinado a seu futuro sogro, que dirigia o complexo. Agora que Rudolf estava morto, Otto-Ernst sentia uma pressão ainda maior para provar sua capacidade ao pai – para grande prejuízo das pessoas forçadas a trabalhar na Rombach.

6.

Num dia quente e úmido de agosto de 1941, Ferry Porsche chegou à floresta da Masúria, no leste da Prússia, para mostrar um protótipo a Hitler e a Himmler na Toca do Lobo, o quartel-general militar do Führer para a frente oriental.[62] O pai de Ferry estivera ocupado convertendo o Volkswagen para propósitos militares. Em colaboração com a Wehrmacht, Ferdinand Porsche havia projetado o Kübelwagen (carro-caçamba): um veículo leve para qualquer terreno que estava sendo usado pelas tropas do general Rommel na campanha no norte da África.[63] Ferry, de 31 anos, tinha sido chamado à Toca do Lobo para apresentar o último projeto do pai, o Schwimmwagen (carro flutuante), um veículo off-road anfíbio que ele estava desenvolvendo em colaboração com o Waffen-SS, o ramo militar da máquina de terror de Himmler. O pai de Ferry não o acompanhou na viagem, pois ele já tinha passado ao plano seguinte. O sucesso do Kübelwagen rendera a Porsche, então com 65 anos, mais um projeto nazista. No dia anterior ao início da Operação Barbarossa, Hitler nomeou Porsche chefe da comissão de tanques, para projetar novos veículos de combate blindados para a frente oriental. Enquanto Ferry continuava supervisionando a empresa de projetos em Stuttgart, Porsche fez seu genro, Anton Piëch, assumir como diretor da fábrica Volkswagen em Fallersleben.

A produção de armamentos e veículos militares havia decolado desde a primavera de 1940, quando o imenso complexo foi finalmente completado.[64] Os Kübelwagen, o bombardeiro V-1 e as minas antitanque, bazucas, partes para tanques, o bombardeiro bimotor Ju 88 e o primeiro caça a jato, o Me 262, estavam todos sendo fabricados na fábrica para construir a máquina de guerra nazista. Cada vez mais, o que fazia isso acontecer era o trabalho forçado.[65] Desde junho de 1940, centenas de mulheres polonesas e soldados alemães presos (na maioria insubordinados ou desertores) foram postos para trabalhar no complexo Volkswagen, embora não fossem suficientes para atender às demandas de produção. Eles recebiam um pagamento baixo,

Ferry Porsche (de terno) aguardando enquanto Hitler inspeciona o carro flutuante, com Himmler atrás dele, 1941.

suportavam condições de vida terríveis e não tinham nenhuma liberdade para sair do complexo fabril nem para gastar fora dele seu irrisório salário. Esses trabalhadores eram mantidos em uma parte do campo da fábrica cercada por arame farpado, e os guardas abusavam fortemente deles. Agora, se tudo saísse como planejado e Hitler aprovasse o protótipo, suas mãos calosas logo estariam montando parte do carro flutuante do Terceiro Reich.

Depois da apresentação de Ferry, Hitler inspecionou o carro anfíbio demoradamente. Fez perguntas detalhadas a Ferry, que considerou o Führer "mais simpático se a gente o conhece pessoalmente".[66] Hitler estava preocupado com os soldados que teriam de dirigir o veículo. Além de combater os russos, eles estavam se defendendo de enxames de mosquitos na frente oriental. "Você não poderia imaginar algum tipo de mosquiteiro para este carro que daria proteção a eles quando em trânsito?", perguntou o Führer a Ferry. Naquele exato momento, um general ao lado de Hitler foi picado na bochecha por um mosquito. O Führer deu um tapa no general, matando o inseto. Sangue começou a correr pelo rosto do homem. "Olhe!", gargalhou Hitler. "O primeiro general alemão a verter sangue durante esta guerra!"

Ferry depois afirmou que Hitler o convidou para uma caminhada pela floresta naquela noite e no ato o tornou oficial honorário da SS.[67] Mas, na verdade, ele tinha voluntariamente pedido ingresso na SS em dezembro de 1938 e já havia sido admitido em 1º de agosto de 1941, antes de sua apresentação a Hitler e Himmler.[68]

Milhares de carros flutuantes logo entraram em produção no complexo Volkswagen em Fallersleben. No começo de outubro de 1941, semanas depois da apresentação de Ferry, a fábrica se tornou uma das primeiras no Terceiro Reich a receber prisioneiros de guerra soviéticos como mão de obra escrava — 650 homens no total.[69] Muitos desmaiaram nas máquinas. Em poucas semanas, 27 deles morreram. Milhões de seus camaradas estavam prestes a segui-los na escravização, na tortura e na morte.

7.

Em 19 de novembro de 1941, Friedrich Flick, três de seus auxiliares mais próximos e alguns magnatas do aço receberam "alguns relatórios interessantes" da Ucrânia ocupada.[70] Flick estava prestes a fazer negócios mais uma vez com seu rival, Paul Pleiger. O império do CEO do Reichswerke tinha continuado a se expandir desde o início da guerra. Göring primeiro pôs Pleiger para supervisionar a indústria de carvão da Alemanha nazista. Agora o *Reichsmarschall* estava a ponto de encarregá-lo de pilhar certas indústrias nas partes da União Soviética ocupadas pelos nazistas. Como o novo "ditador econômico" da região,[71] Pleiger logo propôs uma joint venture entre uma das empresas de aço de Flick e o Reichswerke.[72] O objetivo da empreitada era explorar fábricas de aço expropriadas no rio Dnieper, que corria de norte a sul através do coração industrial da Ucrânia. Flick aceitou prontamente.

O que foi lido na sede de Flick na Bellevuestrasse de Berlim naquele dia frio não era um relatório-padrão da indústria do aço.[73] O relatório testemunhal, escrito por um especialista da indústria, Ulrich Faulhaber, detalhava friamente os horrores da frente oriental. Fora de Kiev, Faulhaber passara por colunas intermináveis de prisioneiros de guerra soviéticos guardados por soldados alemães. Quando os prisioneiros tropeçavam e não conseguiam mais andar, eram executados. Durante a noite, Faulhaber testemunhara canibalismo entre os soldados soviéticos esfomeados; eles "mataram a tiros e comeram os próprios camaradas" em um campo alemão de trânsito para prisioneiros. Patrulhas alemãs mataram os soldados canibais "por sua falta de disciplina".

Em seu relatório, Faulhaber também escreveu sobre o assassinato em massa de judeus ucranianos. Os chamados Einsatzgruppen ("grupos operacionais") vagavam pela Europa Oriental e já tinham massacrado cerca de 1,3 milhão de judeus. Sob ordens de Himmler e supervisionados pelo vice dele, Reinhard Heydrich, esses esquadrões da morte eram selecionados das fileiras do Waffen-SS, da Gestapo, da polícia e de outras forças de segurança nazistas. À medida que os alemães avançavam pela Europa Oriental, os Einsatzgruppen perambulavam atrás das linhas de frente, assassinando pelo caminho. Algumas das maiores cidades da Ucrânia, entre elas Kiev e Dnipro, estavam agora "livres de judeus [...]. Aqueles que não escapavam eram 'liquidados'", escreveu Faulhaber. Ele descreveu o centro de Kiev "em ruínas", embora não pudesse deixar de refletir que a vista para as planícies orientais da margem ocidental do Dnieper era "inesquecivelmente bela". Pelo menos havia isso.

A morte estava em todo lugar. Na véspera do Natal de 1941, Rudolf-August Oetker chegou a Varėna, uma cidade de pouco mais de 2 mil habitantes no sul da Lituânia, perto da fronteira bielorrussa. Como o pai dele havia sido morto na Batalha de Verdun na Primeira Guerra Mundial, membros de sua família não queriam seu único herdeiro homem nas linhas de frente e usaram suas ligações para conseguir outra atribuição para ele. Quando Rudolf-August foi convocado, ingressou no serviço de aprovisionamento da Wehrmacht em Berlim.[74] Em Varėna, o príncipe do pudim de Bielefeld, de 25 anos, forneceria comida a soldados alemães de passagem a caminho da frente oriental. Ele ficou abrigado na casa de uma costureira polonesa que falava alemão. Bebia vodca para se manter quente durante as noites congelantes e para afastar os fantasmas da cidade.

Varėna era de fato assombrada. Três meses e meio antes da chegada de Rudolf-August, um terço dos habitantes da cidade tinha sido assassinado. Em 9 de setembro de 1941, 831 judeus foram cercados na sinagoga da cidade pelo Einsatzkommando 3, liderado pelo coronel da SS Karl Jäger. No dia seguinte, eles foram levados a um bosque ao longo da estrada principal a 1,5 quilômetro da cidade. Lá, dois grandes fossos tinham sido cavados, a 25 metros um do outro: um para homens e meninos, outro para mulheres e meninas. O coronel Jäger registrou a morte a tiros de 541 homens, 141 mulheres e 149 crianças nos

Rudolf-August Oetker (atrás, ao centro) com seu uniforme da Wehrmacht, atrás de sua mãe, Ida, e Alfred Meyer Gauleiter de Vestfália, 1941.

fossos naquele dia. Então o Einsatzkommando partiu para a próxima cidade. E a próxima. E a próxima. Em 1º de dezembro, Jäger fez um cálculo do número de pessoas massacradas por seu grupo desde o começo de julho de 1941: 137 346.

Rudolf-August depois fingiu surpresa com o fato de "ainda estar vivo" porque Varėna estava situada "no meio de uma área partisan".[75] Mas os verdadeiros partisans bálticos estavam combatendo os soviéticos, não os alemães. Os nazistas usavam o termo "partisan" como um eufemismo para o extermínio de judeus e a repressão brutal aos moradores locais em territórios ocupados na frente oriental. As atrocidades em Varėna certamente não fizeram Rudolf-August reconsiderar seu ingresso na SS. Já em 1º de julho de 1941, ele tinha sido aceito como voluntário na Waffen-SS,[76] cujos membros constituíam cerca de um terço dos Einsatzgruppen perambulantes.

Um novo amigo proeminente em Berlim chamado Rudolf von Ribbentrop tinha dado a Rudolf-August Oetker um vislumbre de como era a vida na Waffen-SS. Rudolf era o filho mais velho de Joachim von Ribbentrop, o servil ministro do Exterior da Alemanha nazista e um adorador do Führer. Ninguém gostava dele; Goebbels brincava que o alpinista social Von Ribbentrop tinha "casado com seu dinheiro e comprado seu nome".[77] Von Ribbentrop era casado com uma herdeira da Henkell, uma das maiores produtoras de vinho espumante da Alemanha, e se fez adotar por um parente muito distante de modo a poder incluir a partícula "von", usada pela nobreza, em seu sobrenome, a despeito de seu pai biológico não aristocrático ainda estar vivo.

No fim de 1940, Rudolf-August Oetker encontrou o filho de dezenove anos de Ribbentrop em Berlim. Eles logo se tornaram amigos.[78] Ferido enquanto servia como comandante de uma companhia da Waffen-SS, Rudolf estava se recuperando perto da capital. Suas histórias da guerra claramente impressionaram Oetker; em janeiro de 1941, o príncipe do pudim tinha apresentado sua candidatura à Waffen-SS.[79] Em Bielefeld, o secretário de seu padrasto, Richard Kaselowsky, estava ocupado arrebanhando os documentos para provar a "ascendência ariana" de Oetker até seus bisavôs, uma das muitas exigências para admissão na "racialmente pura" Waffen-SS. Em Viena, Oetker esperou para ser desligado da Wehrmacht e assim poder deixar as "terras de sangue" e se apresentar ao treinamento para se tornar um oficial da Waffen-SS.

8.

No fim de dezembro de 1941, Harald Quandt voltou à base de paraquedistas depois de seu primeiro período na frente oriental. Ele não estava feliz. Perto da linha de frente de Leningrado, seu batalhão tinha sido empregado como infantaria no solo em vez de cair atrás das linhas inimigas, como de costume.[80] A carnificina que ele tinha testemunhado no campo de batalha o deixara abalado e desiludido. Harald passou a véspera de Ano-Novo com os Goebbels e seus convidados astros de cinema na propriedade de campo do ministro, ao norte de Berlim. Sentados todos em torno da grande mesa de jantar, eles refletiram sobre os acontecimentos do ano anterior. Goebbels falou a seus convidados sobre a perspectiva de vitória iminente. De repente, Harald interrompeu o padrasto: "Isso tudo é bobagem. A guerra [...] vai durar pelo menos mais dois anos".[81] Goebbels se levantou de supetão e começou a gritar com Harald. O paraquedista de 21 anos sustentou sua posição. O choque se intensificou, tanto que Magda teve de reunir toda a sua força para afastar Goebbels do filho. Por muito menos, pessoas haviam sido executadas.

Não Harald, é claro. No ano seguinte, ele foi continuamente alocado pela Europa dilacerada pela guerra. Contraiu icterícia na França ocupada, para onde foi mandado em missões de instalação de minas. No fim de julho de 1942, voltou para casa em Berlim em licença de convalescença. Contou ao padrasto "coisas interessantes" sobre os preparativos da Wehrmacht em antecipação a uma possível tentativa britânica de estabelecer uma segunda frente.[82] Harald e seus camaradas ainda estavam ansiosos para combater os britânicos. "Eles têm uma raiva especial deles, porque a espera constante os impede de ter férias ou tempo de lazer. Seria desejável que os ingleses, se quiserem mesmo vir, que venham o mais rápido possível. Nossos soldados estão prontos para dar a eles uma recepção calorosa e cordial", escreveu Goebbels em seu diário.

Mas os britânicos não foram, ainda não. Em meados de outubro de 1942, Harald voltou para a frente oriental. Ele estava muito ansioso por sua próxima ação e tinha resistido "vigorosamente" a ser designado para a reserva.[83] Magda e Goebbels estavam preocupados com seu retorno ao combate. Rezaram para que ele "passasse são e salvo pela difícil missão vindoura".[84] Harald foi colocado perto de Rzhev, a oeste de Moscou, no meio de uma batalha de catorze meses pela cidade, que já havia tirado a vida de milhões de soldados alemães e soviéticos. A contagem de corpos era tão alta que a frente ficou conhecida como o "moedor de carne Rzhev". E Harald estava "vivendo mais perigosamente que qualquer outro", de acordo com um camarada de guerra.[85] Goebbels disse a Hitler que ele saía sozinho à noite em missões de reconhecimento para localizar posições inimigas e tinha "problemas com os partisans soviéticos".[86]

Em 23 de fevereiro de 1943, Goebbels recebeu uma carta de Harald agradecendo ao padrasto por um pacote que ele tinha enviado para a frente de Rzhev, que estava recheado de propaganda. Harald bajulava Goebbels elogiando seus últimos discursos.[87] Goebbels tinha feito seu discurso mais fatídico até então apenas cinco dias antes. Em 2 de fevereiro, a Wehrmacht e seus aliados haviam se rendido em Stalingrado, e o Exército Vermelho aproveitara o momento para avançar mais para oeste. Sua longa aproximação a Berlim começara. Agora que a batalha tinha se voltado contra Hitler e suas tropas, foi declarada a "guerra total".[88] Na noite de 18 de fevereiro, Goebbels subiu ao palco do Sportpalast de Berlim diante de milhares de pessoas, como já havia feito tantas vezes. Acima dele, estava pendurado um enorme estandarte vermelho e branco com o novo lema de propaganda do regime em maiúsculas: GUERRA TOTAL — GUERRA MAIS CURTA. Para as dezenas de milhões de alemães que ouviam, Goebbels conjurou um cenário fantasmagórico: hordas de soldados soviéticos se aproximando, seguidos por "comandos de liquidação formados por judeus", todos eles reduzindo a Alemanha à fome em massa, ao terror e à anarquia. No final de seu discurso, o ministro perguntou ao público: "Vocês querem guerra total? Se necessário, vocês querem que seja mais total e mais radical do que sequer podemos imaginar hoje?". A multidão enlouqueceu. Era ódio puro e bruto, atiçado em chamas.

No meio do discurso, quando falava dos judeus, Goebbels deixou escapar a palavra "erradicação"; ele logo a substituiu por "supressão". Não queria chamar atenção para o que já estava ocorrendo: o sistemático assassinato de milhões de judeus em campos de extermínio que haviam sido construídos secretamente em toda a Polônia ocupada pelos nazistas. Um ano antes, durante uma conferência liderada por Reinhard Heydrich em uma propriedade no lago Wannsee, em Berlim, a Solução Final para a Questão Judaica tinha sido discutida para garantir que todos os departamentos do regime responsáveis cooperassem em sua implementação. "Um procedimento bastante bárbaro, que não deve ser descrito em nenhum detalhe, está sendo usado aqui, e não resta muito dos judeus", confidenciou Goebbels a seu diário.[89]

Joseph Goebbels fazendo seu discurso de "guerra total" no Sportpalast de Berlim, 18 de fevereiro de 1943.

9.

Enquanto seu filho mais novo, Harald, lutava por toda a Europa, da França à frente oriental, Günther Quandt estava em Berlim, muito ocupado com a escassez de mão de obra e barganhando com bancos. Durante o ano de 1942, Günther tinha ficado preso em duras negociações com três grandes bancos da Alemanha: Deutsche Bank, Commerzbank e Dresdner Bank. Ele queria financiar uma nova expansão da DWM.[90] A empresa de armamentos teve vendas de 182 milhões de marcos naquele ano, que dobrariam para 370 milhões de marcos em 1943. Ao mesmo tempo, no entanto, estava seriamente endividada. O crescimento não é barato, em especial em tempos de guerra. Os bancos já haviam fornecido à DWM quase 80 milhões de marcos em empréstimos, uma quantidade excessiva de crédito, e hesitavam em fornecer mais. Aos olhos deles, parecia "não mais justificável".[91] Mesmo assim, Günther queria mais, e queria a qualquer custo.

Em suas negociações de outubro de 1942 com a diretoria executiva do Deutsche Bank, Günther não hesitou em citar o "uso de trabalhadores não qualificados (prisioneiros de guerra, estrangeiros recrutados etc.)"[92] pela DWM como motivo pelo qual o banco devia lhe conceder uma taxa de juro mais baixa em seu próximo empréstimo. Trabalhadores não qualificados (sobretudo aqueles que eram escravizados, presos, subjugados pela fome e abusados) custavam dinheiro. Os bancos haviam cedido durante o verão e emitido um novo bônus de 50 milhões de marcos para a DWM.[93] A empresa precisava desesperadamente dos ganhos inesperados que o bônus proporcionava. A demanda era tão alta que a carteira de pedidos dos bancos para o novo bônus da DWM foi superada várias vezes e fechada em poucos dias. Os mercados de capitais tinham mais uma vez excedido o capital humano. Mas, depois que o título foi emitido, os grandes bancos isolaram Günther. A máquina de guerra nazista estava empacando, e o dinheiro deles estava agora em risco.

Como milhões de alemães estavam sendo recrutados ou tinham se apresentado como voluntários para a Wehrmacht, a mão de obra logo se tornou escassa em toda a Alemanha. Isso se tornou ainda mais premente com a constante matança na frente oriental, que estava custando à Wehrmacht cerca de 60 mil soldados por mês, a partir de junho de 1941.[94] Para suprir a escassez, no início de 1942, Hitler permitiu "um dos maiores programas de trabalho coercitivo que o mundo já viu".[95] Os funcionários nazistas encarregados da expansão do uso de trabalho forçado foram o *Gauleiter* turíngio Fritz Sauckel e o arquiteto Albert Speer, que Hitler havia nomeado respectivamente general plenipotenciário para a distribuição de mão de obra e ministro de Armamento do Reich, tudo em março de 1942.

Ao longo de 1942, Sauckel aumentou rapidamente o número de pessoas recrutadas à força ou simplesmente deportadas para trabalhar em fábricas alemãs. Milhões de pessoas foram trazidas de toda a Europa, mas a vasta maioria, apelidada pelos nazistas de *Ostarbeiter*, era da União Soviética e da Polônia. Enquanto isso, em uma conferência de vários dias no fim de setembro de 1942, Hitler aceitou a sugestão de Speer de que os prisioneiros em campos de concentração fossem usados na produção de guerra fora desses campos.[96] A decisão aumentou de forma massiva o uso pelas empresas alemãs de cativos de campos de concentração, gerando um acelerado crescimento dos subcampos de concentração, construídos em fábricas ou perto delas em todo o país. Pelo menos 12 milhões de estrangeiros foram forçados a trabalhar na Alemanha durante a guerra: homens e mulheres, meninos e meninas.[97] Dois milhões e meio deles morreram lá, muitos depois de terem sido submetidos a condições horríveis de trabalho e de vida.

IG Farben, Siemens, Daimler-Benz, BMW, Krupp e várias empresas controladas por Günther Quandt e Friedrich Flick eram algumas das maiores usuárias da indústria privada de trabalho forçado e escravo. Qualquer empresa alemã podia solicitar trabalhadores coagidos e prisioneiros de guerra no escritório de trabalho local. A partir do início de 1942, os cativos dos campos de concentração podiam também ser fornecidos a uma empresa pela Organização Econômica e Administrativa da SS (SS-WHVA), liderada pelo general da SS Oswald Pohl, membro do Círculo de Amigos de Himmler. Depois que uma empresa fazia o pedido, a SS-WHVA então analisava a empresa. Se era aprovada, construía-se um subcampo perto da fábrica, que era suprido com cativos. A empresa pagava por esse subcampo enquanto "alugava" cada prisioneiro escravizado da SS por uma taxa diária de quatro ou seis marcos, dependendo das capacidades da pessoa. Colaborações de trabalho escravo entre campos de concentração administrados pela SS e empresas alemãs incluíam Auschwitz e a IG Farben, Dachau e a BWM, Sachsenhausen e a Daimler-Benz, Ravensbrück e a Siemens e Neuengamme e a AFA, de Günther, a Volkswagen, de Porsche, e a Dr. Oetker.[98]

10.

Antes do início da guerra, Günther Quandt insistira em construir um novo complexo fabril de última geração em algum lugar na Alemanha para a AFA, sua empresa de baterias. Por sorte, a cidade de Hanôver estava vendendo um grande lote de terra em seus arredores industriais, com tamanho de cerca de quinhentos metros de comprimento, e ofereceu o terreno à AFA. Günther escreveu com orgulho que "trabalhava longa e intensivamente nos planos" para a nova fábrica, com resultados notáveis.[99] Após a guerra, os inspetores britânicos consideraram a nova fábrica da AFA possivelmente a "maior fábrica de baterias do mundo",[100] um título que faria Elon Musk, da Tesla, fervilhar de ciúme hoje. No outono de 1940, a fábrica da AFA em Hanôver começou a produzir baterias para os infames submarinos U-boat da Marinha alemã e para os torpedos elétricos G7e que eles usavam para afundar navios.[101]

No início de 1943, a mão de obra forçada representava mais da metade da força de trabalho total (3400 pessoas) na fábrica da AFA em Hanôver, mas até então nenhum prisioneiro de campo de concentração trabalhava lá.[102] Os gerentes da fábrica de Günther vinham negociando sem sucesso com a SS o uso de prisioneiros do campo de concentração de Neuengamme, perto de Hamburgo. Mas a AFA não podia garantir a separação de cativos e trabalhadores livres no chão da fábrica, uma condição que a SS insistia.

Em março de 1943, a SS decidiu abrir mão dessa condição e chegou a um acordo com a AFA. Um subcampo fora construído no terreno da fábrica de Hanôver, um dos 85 campos satélites de Neuengamme na área. O custo de sua construção e suprimentos, de prédios a leitos e arame farpado, e, inicialmente, alimentos, coube à AFA. A SS era responsável pelo comando dos campos e pelos guardas; pelos prisioneiros e por suas roupas, sua alimentação e sua "assistência médica" (se é que se pode chamar assim); e pelo transporte de e para Neuengamme. A AFA pagava à SS os habituais seis marcos por dia de trabalho de um cativo qualificado e quatro marcos por um não qualificado.

Esse preço-padrão não significava que os cativos escravizados da AFA seriam pagos; na verdade, eles eram considerados "menos que escravos".[103] A SS e a AFA concordaram cinicamente em "fornecer aos detentos incentivos para motivá-los a melhorar sua produção para o bem da planta de produção".[104] Em vez de dinheiro, os prisioneiros receberiam vales que poderiam ser usados na cantina do campo, mas apenas se atingissem certas metas semanais através do sistema de bônus desenvolvido pela SS.[105] É claro que esse sistema era repleto de abuso e favorecia os cativos que estavam em boas condições de saúde. Os chamados *Kapos* – prisioneiros a quem o comando do campo atribuía tarefas de supervisão – batiam em outros cativos para "motivá-los" a alcançar suas metas, mas depois roubavam os bônus para si. Um *Kapo* no subcampo da AFA era um criminoso mentalmente doente e supervisionava cativos na cozinha que eram fracos demais para trabalhar na fábrica. Batia neles com a ponta de um cabo e jogava água neles com uma mangueira durante o inverno; uma vez, usando botas de ferro, um *Kapo* chutou um prisioneiro francês na barriga com tanta força que o homem morreu algumas horas depois.

No principal departamento da fábrica da AFA, os cativos não tinham permissão para usar máscaras ou roupas especiais para protegê-los de gases venenosos. Aqueles intoxicados por chumbo, com sintomas como cólicas intensas, eram forçados a continuar trabalhando, apesar da dor lancinante. Prisioneiros sofreram acidentes com chumbo fervente. Seus membros, marcados por queimaduras de terceiro grau, tiveram de ser amputados. As mãos e os braços dos cativos muitas vezes ficavam presos nas máquinas de Günther, e "enquanto plenamente conscientes – a carne era em grande parte arrancada de seus ossos até a parte superior dos braços", disse depois uma testemunha ocular.[106]

A construção do subcampo da AFA começou em meados de julho de 1943. Cerca de cinquenta prisioneiros alemães, poloneses e sérvios de Neuengamme estrearam construindo o quartel, que ficava a apenas 120 metros da fábrica. Cerca de vinte homens da SS foram fornecidos para guardar o canteiro de obras, e eles não perderam tempo para começar a abusar dos cativos. O primeiro líder desse subcampo era o sargento da SS Johannes Pump, que supervisionava a construção. Ele "batia com seu porrete de madeira nos prisioneiros que não estavam trabalhando rápido o suficiente", testemunhou mais tarde uma testemunha ocular. "Quando as mulheres que trabalhavam na fábrica de baterias assistiam, ele batia nos prisioneiros de forma particularmente brutal, para se exibir."[107]

Cerca de 1500 prisioneiros de Neuengamme logo foram levados para o subcampo para trabalhar na fábrica de Günther. Eles enfrentaram abuso semelhante, e muito pior. Em frente ao quartel, os prisioneiros tiveram de construir uma área de chamada equipada com uma forca, que podia ser vista de fora do subcampo. Aqueles que escapavam e eram presos mais uma vez eram enforcados diante dos outros para servir de exemplo. Outros fugitivos foram executados com um tiro de pistola no pescoço. Pelo menos 403 pessoas perderam a vida no celebrado complexo da AFA de Günther. Ele, no entanto, tinha outras coisas em mente.

Na noite de 27 de julho de 1943, véspera de seu aniversário de 62 anos, Günther estava em casa, em Berlim, discutindo desenvolvimentos políticos com seus filhos, Herbert e Harald.[108] As coisas pareciam sombrias para a Alemanha. Mussolini, aliado de Hitler, havia sido deposto em Roma apenas dois dias antes, o que pusera fim a 21 anos de regime fascista na Itália. As forças aliadas tinham invadido a Sicília. A Wehrmacht perdera o norte da África e o Mediterrâneo.

Harald voltara para casa em Berlim duas semanas antes, de licença. O paraquedista de 21 anos havia sobrevivido à extenuante frente oriental, onde tivera um "desempenho excelente" em combate e fora promovido a oficial.[109] Seu próximo destino era a Itália, que estava prestes a deixar a aliança do Eixo e mudar de lado. Günther defendeu a deserção da Itália enquanto falava com os filhos. Era "a única coisa sensata para uma nação fazer quando vê que a guerra está perdida", disse ele.[110] Na verdade, argumentou Günther, a Alemanha deveria seguir o exemplo dos italianos e buscar a paz a qualquer custo.

Harald ficou furioso. Como seu pai podia assumir uma postura tão derrotista? Na verdade, o recém-nomeado oficial da Luftwaffe ficou tão chateado que contou à mãe no dia seguinte os comentários do pai, mas implorou a ela que não contasse a Goebbels. Magda cumpriu sua promessa — mas apenas até que seu filho estivesse a caminho da frente meridional.

Algumas semanas depois, Günther recebeu um telefonema em sua propriedade. Estava sendo convocado para a residência particular de Goebbels, na Hermann-Göring-Strasse, no centro de Berlim. Goebbels mandou um carro buscá-lo, mas, quando Günther chegou à majestosa residência com vista para o Tiergarten, o propagandista já havia partido para seu ministério. Em vez dele, quem esperava Günther era sua ex-esposa. Magda tinha um aviso do marido. Günther sabia bem qual era o custo de fazer comentários derrotistas: a própria cabeça. Mais uma observação naquele sentido, disse Magda, e ele estaria "acabado".[111]

11.

Em 10 de julho de 1943, Friedrich Flick completou sessenta anos. Diferentemente de Günther Quandt, que ao completar a mesma idade, apenas dois anos antes, comemorara em grande estilo, Flick passou o dia longe dos holofotes da capital alemã. Não haveria jantar em um hotel de luxo com convidados do regime, dos militares e do meio empresarial, embora Flick recebesse "um telegrama pessoal sincero do próprio Führer".[112] Em vez de organizar uma festa chique, os assessores mais próximos do magnata, avesso à imprensa, montaram uma campanha de relações públicas rigidamente controlada em jornais alemães, com a ajuda do chefe de imprensa de Göring, para celebrar seu chefe "na perspectiva correta".[113] De maneira irônica, os artigos elogiavam sobretudo a capacidade de Flick de operar em silêncio. Seu conglomerado até divulgou uma rara declaração celebrando os "antepassados camponeses"[114] de Flick e criticando aqueles que o chamavam de mero "colecionador de participações industriais. Isso é tão justificado quanto seria se alguém olhasse para um construtor como nada além de um colecionador de materiais de construção", dizia um comunicado. Que o público soubesse tão pouco sobre ele era "devido à sua modéstia diplomática", acrescentava. "Ele evita as pessoas."

A atitude sigilosa levara Flick muito longe na vida. Enquanto o império nazista começava a se desfazer no verão de 1943, o seu conglomerado estava no ápice. Devido à sua expansão de uma década, era agora um dos maiores produtores de aço, carvão e armas da Alemanha nazista. Flick tinha superado até seu rival Krupp; seu conglomerado se tornara o segundo maior produtor de aço do país. O valor dos ativos das sete maiores empresas de Flick — três das quais ele não possuía diretamente — era de cerca de 950 milhões de marcos no início de 1943.[115] A avaliação fiscal daquele ano estimou que a participação de Flick em seu conglomerado valia quase 600 milhões de marcos.[116] Com o império industrial que possuía, Flick era um dos homens mais ricos da Alemanha nazista, se não o mais rico. Variando de minas de carvão a siderúrgicas e fábricas de armas, estendendo-se da Ucrânia à França ocupadas e à Alemanha nazista, o império de Flick era imenso em tamanho e escopo. Quando o Terceiro Reich queria mais armas, ele as providenciava. Quando precisava de mais recursos naturais, ele estava lá para ajudar. Hulha e linhito, ferro e aço, canhões e granadas — Flick tinha todo o combustível de que a máquina de guerra nazista precisava. No entanto, carecia de um recurso-chave, que estava em falta nas empresas alemãs: trabalhadores qualificados. Em 1943, aqueles que realizavam trabalho forçado nas minas de carvão de Flick eram cada vez mais mulheres e crianças consideradas aptas para trabalhar nas minas a céu aberto. Muitas eram adolescentes russas de treze a quinze anos de idade. Quando o aniversário de 61 anos de Flick chegou, seu conglomerado tinha de 120 mil a 140 mil trabalhadores. Cerca de metade deles eram forçados ou escravizados.[117]

Flick começara a usar prisioneiros de campos de concentração em setembro de 1940, tornando seu conglomerado uma das primeiras empresas privadas na Alemanha a fazê-lo. O diretor de sua fábrica de aço em Hennigsdorf, perto de Berlim, havia fechado um acordo com a SS meses antes e começado a usar cerca de cinquenta prisioneiros do campo de concentração de Sachsenhausen. Mas, ao contrário de Günther, Flick ainda não tinha conseguido construir um subcampo em uma de suas muitas fábricas e minas. E não por falta de tentativa. Planos para um subcampo na usina siderúrgica de Döhlen – uma joint venture cuja propriedade era dividida meio a meio entre Flick e o estado da Saxônia – haviam fracassado. No final do verão de 1942, o subcampo para "judeus estrangeiros"[118] sugerido nunca se materializou, porque o Führer tinha de fato decidido a favor do assassinato imediato de judeus em vez de capitalizar o valor deles como trabalhadores não remunerados.[119]

Ao lado da importação de mão de obra escravizada, Flick estava ocupado controlando seu filho mais velho, Otto-Ernst, na França durante o verão de 1943. O herdeiro de 26 anos causava estragos na siderúrgica Rombach, que Flick havia recebido de Göring na forma de uma custódia depois que o complexo fora expropriado na Lorena controlada pelos nazistas.[120] Em fevereiro de 1943, Flick tinha promovido seu sucessor designado a diretor do enorme complexo, que já produzia mais de 20% do aço bruto de suas empresas. Otto-Ernst sucedeu a seu sogro como diretor da Rombach, tendo trabalhado zelosamente para obter a posição. Ainda desesperado para provar seu valor ao pai, ele embarcou em uma ambiciosa e cara estratégia de produção de armas na Rombach, que apelidou eufemisticamente de "programa de qualidade".[121]

No mês da promoção de Otto-Ernst, a Agência de Armas do Exército da Alemanha (HWA) fez da Rombach a fornecedora geral para quinze fábricas de munição na França ocupada pelos nazistas. A Rombach deveria fornecer às fábricas aço de alta qualidade, além de produzir granadas e projéteis para a Wehrmacht. A decisão de Otto-Ernst de priorizar o fornecimento ao programa de armas nazistas de aço de qualidade exigiu uma imensa renovação da infraestrutura na Rombach. Isso teve um custo enorme em dinheiro e em vidas humanas.

O movimento de Otto-Ernst para se concentrar na produção de armas caras alarmou imediatamente o pai. Já no início de março de 1943, Flick havia se envolvido com a gestão da Rombach e apontara os perigosos aumentos de custo, que, para ele, eram prova suficiente "de que a empresa não podia estar em ordem".[122] Ainda assim, em junho nada havia mudado. Em uma carta a Otto-Ernst e a seus colegas gerentes, Flick reiterou que, na Rombach, "devemos dar a maior contribuição possível a armamentos, e é imperativo que mantenhamos nossa reputação e posição [...]. Não devemos nos desonrar".

Quando, em agosto de 1943, as perdas financeiras da Rombach foram agravadas por uma queda acentuada na produção, a paciência de Flick com Otto-Ernst acabou. Ele ameaçou enviar um de seus assessores mais próximos de Berlim à Rombach para recuperar o controle da empresa de seu filho se os ganhos e a produção não melhorassem. Otto-Ernst, que não era exatamente conhecido por suas habilidades interpessoais, tentou minimizar seu papel no desastre desacreditando um colega gerente, tática que não convenceu seu pai. Estava claro para Flick que o filho tinha deixado os negócios saírem do controle. Otto-Ernst mostrava mais uma vez que não estava apto a liderar o império da família.

Enquanto isso, as condições de trabalho na Rombach eram desastrosas,[123] "entre as piores nas fábricas da Flick", concluiu mais tarde um historiador.[124] Como a escassez de mão de obra piorou depressa ao longo de 1942, o sogro de Otto-Ernst já havia começado a depender fortemente de trabalhadores coagidos e prisioneiros de guerra soviéticos. Centenas de russos foram arrebanhados como gado humano entre as siderúrgicas expropriadas na Lorena.

Quando Otto-Ernst assumiu a Rombach, a quantidade de mão de obra forçada destinada à siderurgia estava crescendo. Isso lhe permitiu compensar parte do custo de seu dispendioso programa de armas. No verão de 1943, mais da metade dos 6500 trabalhadores da Rombach eram coagidos, mantidos em quatro acampamentos no local. Cerca de um quarto deles era mulher, um número surpreendentemente alto para uma siderúrgica. E as mulheres eram na maioria *Ostarbeiter*, trabalhadoras forçadas da Europa Oriental. Elas faziam trabalho pesado em turnos de doze horas, reparando trilhos ferroviários, carregando e descarregando carvão e vagões, e até mesmo trabalhando nos fornos de fundição de aço. Grávidas tinham de continuar trabalhando até o momento em que davam à luz. Essas trabalhadoras recebiam como almoço meio litro de sopa, "uma mistura normalmente dada a porcos", disse mais tarde uma delas.[125] Até trinta tinham de dormir em um único quarto minúsculo, enquanto a chuva caía através do teto dos alojamentos ventosos. As que realizavam trabalho forçado recebiam um pagamento desprezível. O abrigo antibomba no local era reservado aos alemães.

Os chefes de fábrica e de segurança da Rombach, uma sucessão de homens sádicos da SS e da Gestapo, eram auxiliados por vários capangas. A maioria deles intimidava e maltratava as trabalhadoras simplesmente porque podia. Uma jovem *Ostarbeiter* foi espancada até a morte.[126] Uma intérprete se jogou na frente de um trem depois de ser ameaçada de espancamento e ser transferida para um campo de concentração porque havia comprado ilegalmente um par de sapatos. Intérpretes russos que esfaquearam dois guardas foram enforcados no terreno da fábrica. Um historiador que mais tarde detalhou o trabalho forçado e escravo no conglomerado Flick escreveu que os homens da SS "cometiam os crimes bem na frente de Otto-Ernst Flick, que poderia tê-los contido a qualquer momento [...]. O filho de Flick protegia o regime de terror do capataz da fábrica, e sua disposição de fazê-lo aumentou à medida que suas atividades empresariais na Rombach se tornaram um desastre".[127]

12.

Em 27 de maio de 1943, um homem chamado Josef Herrmann escreveu uma carta sóbria para Ferdinand Porsche em Stuttgart. O judeu alemão tinha trabalhado com o projetista de carros na Austro-Daimler e precisava da ajuda de seu antigo colega. Herrmann havia fugido para Amsterdam com sua irmã, que já tinha sido deportada e, sem que ele soubesse, assassinada em Auschwitz. Agora ele também corria perigo. Herrmann perguntou se Porsche poderia enviar uma carta para o oficial bávaro encarregado das forças de segurança da SS nos Países Baixos, elogiando suas contribuições para a "economia e a indústria nacionais austríacas".[128] Judeus eram ocasionalmente postos em uma lista de isenção, o que os poupava de deportações diretas para os campos de extermínio por "méritos em tempo de paz". A carta pedida foi datilografada, mas nunca enviada. Em meados de junho de 1943, a secretária de Porsche escreveu a Herrmann. Sem esclarecer as razões para a decisão, a carta dizia que Porsche "não se sentia capaz de enviar uma confirmação de seus serviços civis passados ao comandante da polícia de segurança". Hermann foi logo deportado de Amsterdam. Ele morreu em Bergen-Belsen em 30 de março de 1945, uma semana depois de seu aniversário de setenta anos e duas semanas antes de o campo de concentração ser libertado. Quando foi de fato necessário, o bem relacionado e supostamente independente Porsche não ousou ajudar um antigo colega que enfrentava a morte.

Durante o verão de 1943, Porsche estava ocupado sobretudo em se salvar. Tinha sido um fracasso em seu novo trabalho como chefe da comissão de tanques.[129] Os protótipos que projetou, inclusive um desajeitado supertanque chamado Mouse, não eram adequados para participar da Operação Cidadela, a última grande ofensiva alemã na União Soviética. O ministro de Armamentos e projetista rival Albert Speer estava prestes a demitir Porsche, agora com quase setenta anos, como chefe da comissão. Sua década como engenheiro favorito de Hitler estava chegando a um fim sem cerimônias.

Enquanto isso, o genro de Porsche, Anton Piëch, estabelecia um regime de terror na fábrica Volkswagen em Fallersleben. O primeiro subcampo de concentração no complexo foi cinicamente chamado de "Vila de Trabalho".[130] Depois de um acordo entre Porsche e Himmler, os prisioneiros foram incumbidos de terminar a construção de uma fundição de metais leves. Em troca, Porsche forneceu à Waffen-SS 4 mil Kübelwagen. Os prisioneiros foram trazidos de Neuengamme e depois de Sachsenhausen e Buchenwald. Prisioneiros de Auschwitz e Bergen-Belsen logo foram deportados para a fábrica também, para diferentes projetos.

Em meados de julho de 1943, a Gestapo e os guardas da fábrica, armados com cassetetes de borracha e armas de fogo, dissolveram uma "procissão musical espontânea" envolvendo trabalhadores neerlandeses e franceses que cantavam e tocavam violões e flautas.[131] Quarenta deles foram enviados a um brutal campo penal nas proximidades; aqueles que retornaram vivos três semanas depois haviam se tornado "seres humanos diferentes". No mesmo

Ferdinand Porsche em cima de um tanque projetado por ele, 1943.

verão, Piëch "declarou sem rodeios [...] que tinha de usar *Ostarbeiter* baratos para satisfazer o desejo do Führer de que o Volkswagen seja produzido por 990 marcos".[132] O número de *Ostarbeiter* logo cresceu para mais de 4800, aí incluídos adolescentes. Todos eram mantidos em uma parte superlotada do campo da fábrica cercado por arame farpado. Um cozinheiro sádico da cantina "adicionava cacos de vidro às sobras da cozinha, de modo que os detentos subnutridos se feriam quando as remexiam em busca de comida", descobriu mais tarde um historiador.[133]

Cerca de metade dos *Ostarbeiter* no complexo Volkswagen eram mulheres. Algumas das polonesas e russas chegavam grávidas ou engravidavam nos campos. As mães eram forçadas a abrir mão de seus bebês imediatamente após o nascimento, e os recém-nascidos eram transferidos para o Berçário para Crianças Estrangeiras em Rühen, uma vila próxima.[134] As condições no berçário "desafiavam a crença", explicou mais tarde um promotor britânico.[135] "À noite, insetos saíam das paredes daqueles alojamentos e literalmente cobriam o rosto e o corpo das crianças [...]. Algumas tinham de trinta a quarenta furúnculos ou pústulas." Pelo menos 365 bebês poloneses e russos morreram no berçário em Rühen, por negligência, infecções e cuidados insuficientes.

13.

Por volta das nove horas da manhã do dia 12 de dezembro de 1943, um trem pertencente ao líder da SS Heinrich Himmler parou na estação de Hochwald, na floresta da Masúria, na Prússia Oriental. A bordo estavam Richard Kaselowsky, Friedrich Flick e outros 36 membros do Círculo de Amigos de Himmler. O grupo deixara Berlim na noite anterior. Depois de uma viagem de treze horas no trem-leito, os homens tinham finalmente chegado a seu destino. Himmler os convidara a visitar seu posto de comando, de codinome Toca Negra, 26 quilômetros a leste da Toca do Lobo de Hitler.[136] Da estação de trem, os homens pegaram um ônibus para o quartel-general de guerra de Himmler, onde, após comer linguiça branca de café da manhã, os convidados fizeram uma visita guiada ao bunker. Himmler se juntou a eles por uma hora ao meio-dia e fez um breve discurso. Após o almoço, houve exibição de um filme e um concerto apresentado por um coro da SS. A visita terminou com uma refeição leve: Himmler mais uma vez se juntou a seus "amigos" por uma hora para tomar uma xícara de chá. Depois, os participantes retornaram a Berlim de trem.

Alguns membros mais tarde chamaram a visita de "imensa decepção"[137] e "maçante [...] apesar das salsichas brancas, que estavam boas".[138] Como se viu, Himmler não divulgou nenhuma informação privilegiada sobre como Hitler ia virar a maré da guerra. Flick se perguntou se havia visitado a sede de Himmler ou um hospício.[139] Mas, para o CEO da Dr. Oetker, Richard Kaselowsky, o passeio cumprira seu propósito. Ele extraiu força interior do discurso de Himmler. "De acordo com o *Reichsführer-SS*, ainda temos um tempo de duras batalhas e provações pela frente, em que todos devemos manter o queixo erguido. Mas o *Reichsführer* tem a firme crença de que no fim da luta haverá também uma vitória alemã, que garantirá nosso futuro. Queremos plantar essa fé em nossos corações e não deixar que ela seja destruída pelas muitas dificuldades da vida cotidiana", escreveu Kaselowsky a um parente após a visita.[140]

O chefe do pudim de Bielefeld tinha motivo para estar otimista. Os negócios na Dr. Oetker estavam crescendo depressa por causa da guerra.

Mais de meio bilhão de embalagens do famoso fermento em pó e dos pudins de caixinha da empresa eram vendidas na Alemanha nazista em 1942, mais de duas vezes a quantidade de antes do início da guerra.[141] A Dr. Oetker tinha o monopólio oficial do fermento em pó no Reich alemão e era um dos principais fornecedores de Hitler. Os produtos de panificação da empresa eram enviados a soldados alemães em combate por toda a Europa. A Dr. Oetker também participava de uma joint venture nutricional com a Wehrmacht para enviar frutas e legumes secos nutritivos para as tropas alemãs.

A participação de Kaselowsky no Círculo de Amigos de Himmler lhe dava ainda mais oportunidades de negócios. Através do grupo, ele conhecera o general da SS Oswald Pohl, chefe do Principal Escritório Econômico e Administrativo da SS (SS-WVHA).[142] Pohl supervisionava todos os campos de concentração e de trabalho forçado administrados pela SS, a miríade de empreendimentos comerciais da organização e o fornecimento de mão de obra escravizada a empresas alemãs.

Cartaz mostrando caixas de pudim em pó da Dr. Oetker para a Wehrmacht.

A ligação de Kaselowsky com Pohl veio a calhar no início de março de 1943. Em uma joint venture entre a Dr. Oetker e a Phrix, uma empresa de fibras químicas, estavam sendo construídas fábricas para a produção de fermento.[143] As duas empresas precisavam de mais mão de obra escravizada para o trabalho de construção estressante e difícil. A administração estava insatisfeita com o trabalho realizado por prisioneiros enfraquecidos. Após uma visita ao canteiro de obras em Wittenberge, Pohl enviou prontamente mais centenas de cativos de Neuengamme para um subcampo lá. Kaselowsky achou "bastante gratificante" que Pohl tivesse influenciado Himmler para garantir que a fábrica de fermento fosse concluída.[144] Ironicamente, o fermento Phrix seria mais tarde enviado para o campo principal de Neuengamme, perto de Hamburgo. Ele chegou à enfermaria de lá, onde os prisioneiros famintos que tinham construído as fábricas de fermento convalesciam, se tivessem sorte.

Claro, nenhum favor da SS vinha sem um porém. Era um toma lá dá cá. Em troca de mais pessoas escravizadas para construir as fábricas, Kaselowsky concordou com o pedido de Pohl de que a SS participasse do próximo empreendimento de levedura da Dr. Oetker e da Phrix. Em abril de 1943, o enteado de Kaselowsky, Rudolf-August Oetker, ingressou no conselho consultivo desse novo empreendimento. Alguns meses antes, Rudolf-August havia começado a treinar como oficial da Waffen-SS com um curso de liderança administrativa na SS-Führerschule no campo de concentração de Dachau, perto de Munique. Mais tarde, ele afirmou falsamente que a escola havia sido "blindada" do campo de prisioneiros vizinho, como se fossem entidades separadas, e que ele não tinha "notado nada [...] das provações" em Dachau.[145] Na verdade, a escola fazia parte do complexo maior. Durante seu treinamento em Dachau, os prisioneiros limpavam os alojamentos dos estudantes, Rudolf-August escreveu depois. O jovem de 26 anos falava com cativos que eram forçados a atender seu quarto e notou que eles "não pareciam mal alimentados". E concluiu: "Suspeito que isso era feito de forma intencional, para que as pessoas que entrassem em contato com eles dissessem que os campos de concentração não eram tão ruins".

Além do treinamento militar e de combate, Rudolf-August recebeu instrução ideológica nas escolas da SS, que incluíam cursos com títulos como "Estudos Raciais", "Tarefas de Política Racial" e "Política Populacional".[146] Por desejo de sua avó, Rudolf-August deveria ingressar no conselho de administração da Dr. Oetker quando completasse 27 anos, a idade de seu pai biológico quando fora morto em Verdun. Mas, na época do aniversário de Rudolf-August, em setembro de 1943, ele ainda estava ocupado com seu treinamento de oficial da Waffen-SS. Um ano depois, porém, uma reviravolta do destino o forçaria a abandonar suas ambições paramilitares e a assumir a chefia da empresa da família.

14.

Em meados de janeiro de 1944, Harald Quandt voltou da frente sul para sua casa em Berlim. Como ajudante de estado-maior da Primeira Divisão de Paraquedistas, Harald lutara no sul da Itália contra as forças aliadas desde o fim do verão, tentando manter as regiões de Puglia e Abruzzo. O oficial de 22 anos estava com a saúde debilitada e tinha "apenas palavras de desprezo" pelos italianos, que tinham mudado de lado e se juntado aos Aliados.[147] Goebbels, no entanto, estava satisfeito com a forma como a guerra havia construído o caráter de seu enteado. "A experiência no front teve o melhor efeito sobre ele", escreveu o ministro da Propaganda em seu diário em 17 de janeiro de 1944. "Pode-se ver que a guerra não só destrói, mas também constrói, especialmente em jovens, para quem ela tem sido a grande professora."[148]

Goebbels estava errado. Harald estava farto da guerra.[149] No início de fevereiro de 1944, o oficial foi internado em um hospital militar em Munique com um resfriado forte. Quando Goebbels visitou a cidade dias depois, foi ver o enteado. Ele insistiu com Harald para que se recuperasse o mais rápido possível e retornasse à sua unidade. Mas o jovem não voltaria à batalha tão cedo. "Harald nos causa alguma preocupação. Ele [...] ainda não pode partir para o front", escreveu Goebbels em 13 de fevereiro de 1944. "Isso é ainda mais embaraçoso para mim porque sua divisão está atualmente envolvida na luta mais pesada da frente sul [...]. Magda vai visitá-lo em Munique na segunda-feira e repreendê-lo."[150]

O ministro da Propaganda estava com medo de perder o respeito dos outros por causa doença do enteado. Harald importava para Goebbels apenas enquanto seu heroísmo alimentasse suas campanhas de propaganda. Quando Magda visitou o filho no hospital, eles tiveram uma grande discussão. Harald estava cansado da guerra, da mãe e do padrasto nazistas radicais. Uma fenda se abriu entre eles. Harald "se comportou de forma nada decente", escreveu Goebbels após Magda se lamentar com ele pelo telefone.[151] A situação o importunou durante semanas, mesmo depois que Harald se recuperou e voltou para o front italiano, em meados de março de 1944. Magda ainda estava "muito infeliz" com o filho,[152] então Goebbels escreveu "uma carta muito enérgica" a Harald no front.[153] "Acredito que esta seja a única maneira de fazê-lo retomar a razão", afirmou Goebbels em seu diário em 16 de março de 1944. "Não devemos dar atenção ao fato de que ele está diante do inimigo. É melhor que ele saiba o que pensamos dele do que ele ser empurrado ainda mais para baixo na ladeira escorregadia por nossa indulgência."

Um mês depois, Goebbels recebeu uma resposta à sua "carta muito severa". Harald havia escrito do front na implacável Batalha de Monte Cassino, ao sul de Roma. Suas antigas apreensões aparentemente tinham desaparecido. Ele prometeu a Goebbels que "finalmente eliminaria a marca sombria em sua vida" que o padrasto havia criticado e escreveu que "havia voltado a pensar de forma sensata". Goebbels ficou encantado com o aparente sucesso da carta que tinha enviado, sentimento que registrou em seu diário em 19 de abril de 1944, um dia antes do aniversário de 55 anos de Hitler. Mais ou menos na mesma época, Harald escreveu uma carta da Itália a um colega de escola na frente oriental. "Anime-se, meu velho, isso tem a ver conosco", dizia ele.[154] Harald sabia que a Alemanha estava perdendo. Mas, embora estivesse cansado da guerra, a guerra estava longe de se cansar dele.

15.

Na primavera de 1944, Günther Quandt viajou de Berlim para participar de uma chamada em sua homenagem no complexo de armamentos Cegielski, em Poznan.[155] Ele tinha comprado as fábricas de armas expropriadas para a DWM depois de recebê-las sob custódia. Günther expandira as plantas originais e construíra uma nova fábrica lá, tornando-a um dos maiores complexos de armas e munição do Terceiro Reich. Suas fábricas aprimoradas faziam lança-chamas, torpedos aéreos, canhões de artilharia, metralhadoras e armas de bordo para os bombardeiros Ju 88, que estavam entre as aeronaves de combate mais importantes da Luftwaffe. Quase não havia limite para a imensa proeza de fabricação da DWM na cidade polonesa. Mesmo em abril de 1944, a fábrica ainda produzia cerca de 400 milhões de balas de infantaria.

Para isso, Günther contava com cerca de 24 mil trabalhadores forçados em Poznan, um historiador estimou mais tarde.[156] A tuberculose era uma aflição comum entre eles. Aqueles que trabalhavam na fundição tinham de suportar fumaça, fogo e temperaturas de até oitenta graus. A verdadeira assistência médica estava disponível apenas para os alemães. Trabalhadores poloneses recebiam tratamento básico, mas não eram atendidos se fosse considerado muito caro. Crianças de apenas doze anos tinham de trabalhar em turnos noturnos e realizar trabalhos manuais extenuantes; os guardas de segurança da fábrica e o oficial da SS que os comandava muitas vezes as espancavam. Cerca de 75 pessoas que realizavam trabalho forçado foram executadas na fábrica.

Falando perante a força de trabalho basicamente escravizada de Cegielski, o *Gauleiter* Arthur Greiser encheu de elogios Günther e sua empresa, comparando-os a outro lendário produtor de armas. "A Wartheland [região nomeada pelos nazistas da Polônia ocupada] se orgulha da presença da DWM! Onde estaríamos sem a Krupp, sem a DWM? Sim, com todas as suas filiais aqui no leste e no oeste [...] e em todo o Grande Reich Alemão, a DWM hoje representa o mesmo poder que a Krupp, e o nome Quandt, portanto, tem um som tão bom quanto o nome Krupp e é com razão temido por todos os nossos inimigos no mundo inteiro."[157] A seguir, Günther fez seu discurso e brincou: "Enquanto as pessoas pensavam que estávamos fazendo panelas, já estávamos nos preparando para a guerra do Führer em 1934".

Um alemão forçado a trabalhar na fábrica que testemunhou essa cena foi Reinhardt Nebuschka. Ele havia trabalhado como diretor artístico de um teatro em Poznan, mas no verão de 1940 cruzou com a pessoa errada. Ao visitar Harald em Poznan, Magda invadiu o escritório de Nebuschka para exigir que ele demitisse a atriz com quem seu filho estava se encontrando. Nebuschka recusou e foi preso pela Gestapo alguns meses depois. Ele foi forçado a trabalhar justamente na fábrica DWM de Günther em Poznan. Depois afirmou que Goebbels havia dado a ordem "para acabar comigo".[158] Após testemunhar o discurso de Günther na fábrica, Nebuschka escreveu cartas endereçadas a Goebbels e Göring, acusando Günther e seus executivos da fábrica em Poznan de desviar rações alimentares, destinadas a trabalhadores poloneses e prisioneiros de guerra russos, para Berlim. Com o envio das cartas, Nebuschka foi mais uma vez preso pela Gestapo e transferido para Fort VII, uma prisão em Poznan que também foi o primeiro campo de concentração estabelecido pelos nazistas na Polônia ocupada. Ele sobreviveu, voltou para a Alemanha e logo escreveu outra carta detalhando o que havia testemunhado na fábrica de Günther em Poznan. A carta, no entanto, foi endereçada a outra pessoa: o promotor-chefe dos Estados Unidos em Nuremberg.

16.

Em 9 de maio de 1944, Ferdinand Porsche, sua filha Louise e seu filho Ferry fugiram para a Áustria com suas famílias e a maioria dos empregados da Porsche. Deixaram Stuttgart porque a cidade foi assediada por ataques aéreos dos Aliados, e a Porsche estava entre os alvos. Ao lado da propriedade da família, no alto de uma colina com vista para Stuttgart, um posto de comando antiaéreo havia sido estabelecido na antiga casa dos vizinhos judeus dos Porsche. O posto só aumentou a vulnerabilidade do projetista de automóveis e de sua família. Numa manhã, os Porsche saíram de seu abrigo antibombas para o ar livre quando "um brilho vermelho de fogo surgiu da bacia. Stuttgart estava queimando", Ferry lembrou mais tarde.[159] Era hora de partir.

O clã Porsche-Piëch esperou o resto da guerra na Áustria, movendo-se entre a propriedade Schüttgut que Ferdinand Porsche havia comprado em Zell am See e a bucólica cidade montanhosa de Gmünd, onde Ferry começou a desenvolver o primeiro carro esportivo da empresa. Até a partida deles, Ferry tinha se ocupado liderando a Porsche em Stuttgart, que explorava centenas de trabalhadores coagidos.[160] No verão de 1942, um campo de trabalho forçado foi construído perto de sua nova fábrica de automóveis, e uma parte dele usada exclusivamente pela empresa da família para manter *Ostarbeiter*. A exploração de mão de obra pela família se estendia à esfera privada. Em março de 1943, Ferry e sua esposa, Dodo, começaram a usar uma "adorável" menina ucraniana de dezesseis anos como empregada doméstica em sua propriedade austríaca.[161] "Se ela for tão trabalhadora quanto é bonita, Ferry pode ficar satisfeito", escreveu um parente de Porsche a Louise Piëch, apresentando a adolescente.

Com a esposa, Louise, e os filhos em segurança na Áustria, Anton Piëch continuou seu reinado de terror no complexo Volkswagen em Fallersleben.[162]

Em meados de maio de 1944, um engenheiro da Volkswagen viajou para Auschwitz, onde selecionou trezentos trabalhadores metalúrgicos judeus húngaros. Eles foram empregados na fábrica Volkswagen para ajudar a produzir a bomba voadora V-1, uma das "armas milagrosas" dos nazistas. Mas logo foram deportados para ajudar a converter uma mina de minério de ferro em uma fábrica de armas subterrânea na Lorena controlada pelos nazistas. Na mina, juntaram-se a outro grupo de quinhentos prisioneiros judeus, também selecionados de Auschwitz pela Volkswagen. Em 31 de maio, cerca de oitocentos prisioneiros do campo de concentração de Neuengamme foram levados para terminar a construção de um campo a sudoeste do complexo Volkswagen destinado a abrigar aqueles que realizavam trabalho forçado. O sargento da SS Johannes Pump foi o primeiro a assumir o chamado campo Laagberg. No início daquele mês de maio, o sádico homem da SS tinha sido enviado a cerca de cem quilômetros a leste, do subcampo de Neuengamme, na fábrica da AFA de Günther Quandt em Hanôver, para aquele na fábrica Volkswagen que era comandado por Piëch. Em ambos os lugares, a regra de violência e brutalidade predominava.

17.

Em meados de setembro de 1944, o campo de concentração de Sachsenhausen transferiu um de seus trinta subcampos em Berlim para Niederschöneweide, um bairro industrial na parte leste da capital. O subcampo ficava na estrada que saía da fábrica de baterias Pertrix, dos Quandt. O filho mais velho de Günther, Herbert, era responsável pelo pessoal na fábrica da Pertrix. O novo subcampo era diferente da maioria: mantinha apenas prisioneiras.[163] Guardadas pela SS na margem sul do rio Spree, em Berlim, as mulheres viviam em um galpão para barcos no terreno do Loreley, um antigo clube noturno.

Quinhentas mulheres do subcampo foram forçadas a trabalhar como escravas na fábrica Pertrix nos meses seguintes. Muitas já haviam passado anos em prisões da polícia ou em campos de concentração. As polonesas e as belgas haviam sido transportadas várias vezes — para o galpão de barcos de um subcampo anterior e, antes disso, de Ravensbrück, o campo de concentração a cem quilômetros ao norte de Berlim. As polonesas chegaram a Ravensbrück vindas de Auschwitz.

Na Pertrix, todas as mulheres eram forçadas a labutar em turnos de doze horas; embora não tivessem equipamento de proteção, trabalhavam com ácidos de bateria que podiam ferir gravemente a pele. Elas tinham de usar roupas de trabalho com listras pretas e brancas fortes, como se para enfatizar sua condição de prisioneiras, junto com uma cruz nas costas e tamancos de madeira. Os guardas da SS, que as vigiavam a caminho da fábrica e enquanto elas trabalhavam ali, frequentemente as sujeitavam a abusos físicos. Lá não havia enfermaria para as doentes, nem sabonete no subcampo para lavagem básica; a comida adequada era pouca e os vermes eram muitos. Para dormir, duas mulheres tinham de compartilhar uma única plataforma de madeira no galpão de barcos.

Herbert Quandt não era responsável apenas pelas escravizadas do campo de concentração na Pertrix. Aos 34 anos, ele estava tentando construir seu próprio subcampo, perto de uma de suas casas. Cerca de duas décadas depois de seu pai comprar a propriedade em Severin para garantir um futuro profissional ao filho doente, Herbert comprou sua própria fazenda, Niewerle.[164] O sucessor designado de Günther tinha se desencantado com Severin. O casamento dos Goebbels a havia profanado, assim como a traição do zelador da família, que transformara a amada casa de campo em uma fortaleza nazista.

Herbert parou de ir a Severin, mas permaneceu um ávido adepto da vida ao ar livre, com uma predileção pela criação de cavalos Trakehner. Apesar de sua deficiência visual, ele também amava lanchas, carros velozes e veleiros. No outono de 1942, comprou a propriedade Niewerle, seiscentos acres no campo da Baixa Lusácia, cerca de 150 quilômetros a sudeste de Berlim. Nos dois anos seguintes, sempre que dispunha de tempo, pegava o trem de Berlim para o vilarejo mais próximo de Niewerle. Da estação, Herbert conduzia uma carruagem puxada por cavalos até sua propriedade, a cerca de oito quilômetros de distância. Ele passava os fins de semana lá, "com muito poucas exceções".[165] Em dezembro de 1944, Herbert usava uma dúzia de estrangeiros — entre eles quatro poloneses, quatro ucranianos e dois prisioneiros de guerra — para trabalhar no jardim, na cozinha e na casa.

A localização de Niewerle era conveniente para Herbert. Por causa dos constantes bombardeios de surpresa de Berlim, a fabricação de baterias para aeronaves da AFA e da Pertrix seria transferida aos remotos confins orientais da Alemanha nazista — duas cidades da Baixa Silésia — para proteger a produção. Em Sagan, uma dessas cidades, Herbert se envolveu pessoalmente com o planejamento e a construção de um subcampo de concentração.[166] Ele pretendia usar prisioneiros do campo para continuar a produção que seria transferida de Berlim. Sagan ficava a apenas quarenta quilômetros ao leste de Niewerle. Em 27 de outubro de 1944, um engenheiro da AFA apresentou e discutiu esboços para os alojamentos do campo com Herbert e seus colegas diretores da Pertrix. Uma semana depois, o engenheiro exibiu um pedido à Organização Todt — a entidade de engenharia nazista que construía campos de concentração, entre outras estruturas assassinas — para construir os alojamentos que abrigariam os prisioneiros.

Um mês depois, em 2 de dezembro de 1944, o engenheiro teve uma reunião introdutória com um oficial da SS do campo de concentração vizinho de Gross-Rosen, que tinha algumas centenas de subcampos espalhados por todo o Terceiro Reich. Dois dias após a reunião, o braço direito de Günther, Horst Pavel, e Herbert foram informados pessoalmente sobre o progresso da construção em Sagan. Dois dos alojamentos estavam quase concluídos, e é provável que cerca de 25 prisioneiros de campos de concentração já estivessem trabalhando na construção lá. Em meados de janeiro de 1945, quarenta vagões de trem transportando máquinas e equipamentos foram enviados a Sagan. As autoridades nazistas estimaram que levaria três meses para que o subcampo fosse terminado. Só quando ele estivesse concluído poderiam ser requisitados prisioneiros de Gross-Rosen para trabalho escravo. Mas isso nunca aconteceu; o Exército Vermelho estava se aproximando. No final de janeiro, Herbert administrou por si próprio a evacuação do subcampo incompleto, apenas algumas semanas antes de as tropas soviéticas conquistarem Sagan e Niewerle.

18.

Sábado, 30 de setembro de 1944, foi um dia ensolarado de outono. Na Vestfália Oriental, os bombardeiros americanos pareciam surgir do nada. Eles começaram a despejar bombas em Bielefeld por volta das duas da tarde, destruindo grande parte do centro histórico. Quando as sirenes soaram, Richard Kaselowsky, sua esposa e suas duas filhas se refugiaram no porão de sua propriedade em Johannisberg, onde tinham instalado um abrigo antiaéreo. Um ataque direto à casa provavelmente matou a família de quatro pessoas, embora, no fim, o suprimento de carvão no porão possa tê-los sufocado. O obituário deles começava com um refrão que se tornara muito comum: "Tomados de nós por um ataque terrorista".[167]

Rudolf-August Oetker estava a apenas algumas semanas de se tornar um oficial da Waffen-SS quando recebeu a notícia de que sua mãe, duas irmãs mais novas e o padrasto haviam sido mortos. A perda não foi apenas uma tragédia pessoal para o aspirante a oficial de 28 anos; foi também um golpe para um dos principais fornecedores de Hitler, a Dr. Oetker. Rudolf-August recebeu licença de seus deveres para assumir o controle da empresa de alimentos da família. Um mês depois, tendo completado com sucesso seu treinamento, ele foi promovido a SS *Untersturmführer*, o posto mais baixo de oficial comissionado na organização terrorista.

Antes de as bombas caírem em sua casa da infância, Rudolf-August fora designado para trabalhar na sede do Principal Escritório Econômico e Administrativo da SS em Berlim.[168] Oswald Pohl, general da SS e poderoso conhecido de seu padrasto do Círculo de Amigos de Himmler, liderava a organização. Mas, por causa da morte de Kaselowsky, Rudolf-August nunca assumiria a posição na SS. Enquanto sua carreira paramilitar terminava abruptamente, outra começava. Rudolf-August estava pronto e capacitado a seguir os passos do padrasto. "Eu não poderia imaginar um pai melhor do que Richard Kaselowsky", ele disse em entrevista a um jornal alemão mais de meio século depois, "nem um professor melhor para mim."[169]

No final de outubro de 1944, Rudolf-August visitou seu colega oficial da SS Fritz Kranefuss, a força motriz por trás do Círculo de Amigos de Himmler, em Berlim. Após essa visita, Kranefuss aconselhou o líder da SS a enviar uma carta de condolências a Rudolf-August em vez de a sua irmã mais velha. "Ele é o verdadeiro herdeiro das empresas Oetker e agora sucederá seu padrasto como diretor", escreveu Kranefuss.[170] Ele já havia comunicado a morte de Kaselowsky à SS: "Como se sabe, o dr. Kaselowsky pertencia ao Círculo de Amigos e, mesmo que não fosse um dos nossos velhos amigos de antes da tomada do poder, provou-se extraordinariamente bem. Tanto em termos pessoais quanto profissionais, tem sido um modelo, como se pode dizer de pouquíssimos líderes empresariais".[171]

Para Kaselowsky, não eram os contatos e as vantagens empresariais que tornavam o Círculo de Amigos de Himmler tão especial. Eles eram apenas um bom acessório. O círculo e seus encontros eram próximos ao coração do arrivista da Vestfália porque o ajudavam a sentir que realmente conseguira chegar lá. Em meados de maio de 1944, meses antes de sua morte, ele refletiu em uma carta sobre uma reunião do grupo na Berlim bombardeada: "A bela noite que passamos no jardim do cassino do Reichsbank, como se em um oásis de paz no meio de um mundo arruinado, será uma memória duradoura para mim".[172]

19.

O desastre atingiu Harald Quandt no final do verão de 1944, quando as tropas alemãs recuavam na Itália. Em 9 de setembro, Goebbels foi informado pessoalmente pelo general da Luftwaffe Kurt Student de que seu enteado havia sido ferido em batalha na costa adriática da Itália, perto de Bolonha. Harald estava desaparecido e provavelmente tinha sido feito prisioneiro de guerra pelos Aliados. Goebbels decidiu não contar a Magda "por enquanto, para não preocupá-la desnecessariamente".[173] Ele esperava que Harald ainda estivesse vivo e encarregou a Cruz Vermelha de descobrir, por meio de seus contatos internacionais, informações sobre o destino do enteado.

Goebbels esperou quase duas semanas para contar a Magda que seu filho mais velho estava desaparecido e provavelmente fora capturado pelos Aliados. Ela recebeu a notícia com frieza. O casal decidiu não contar nada aos seis filhos pequenos. O aniversário de 23 anos de Harald chegou e passou em 1º de novembro de 1944, e ainda não havia sinal dele. Magda e Goebbels estavam cada vez mais ansiosos com a possibilidade de nunca mais o verem. Uma semana depois, um capitão do batalhão de Harald contou a Goebbels que seu enteado havia sido baleado no pulmão antes de desaparecer.[174] Ainda não estava claro se ele havia sobrevivido ao tiro nem onde ele estava. Goebbels lançou uma rede mais ampla, mobilizando as embaixadas alemãs nas neutras Suíça e Suécia para ajudar na busca de Harald. O serviço de relações exteriores da Alemanha nazista, por meio de sua embaixada em Estocolmo, contatou até as embaixadas dos Aliados para ajudar a determinar o destino do enteado de Goebbels.

Em 16 de novembro de 1944, mais de dois meses depois do relato do desaparecimento de Harald, Goebbels recebeu um telegrama da Cruz Vermelha com boas notícias: Harald fora localizado em um campo de prisioneiros de guerra britânico no norte da África.[175] Magda começou a chorar quando seu marido lhe deu a notícia por telefone. Era como se seu primeiro filho tivesse nascido de novo. Na noite seguinte, o casal recebeu uma carta de Harald. Ele escreveu que havia sido gravemente ferido e recebera duas transfusões de sangue, mas que os médicos alemães estavam cuidando bem dele e tratando-o bem no campo de prisioneiros. Hitler, que estava "muito preocupado" com Harald, também ficou "muito satisfeito" com a localização do jovem, escreveu Goebbels em seu diário.[176]

Cerca de dois meses depois, em 22 de janeiro de 1945, na residência de Hitler na Chancelaria do Reich, Hermann Göring entregou a Goebbels e Magda uma carta reverenciando Harald, junto com a Cruz Alemã de Ouro — com uma suástica pontifícia no centro. A medalha foi concedida em ausência a Harald por seus feitos em combate. Goebbels se comoveu com o gesto de Göring; os dois sempre tiveram um relacionamento tenso. No entanto, não pôde deixar de atacar depois seu colega de gabinete encarregado da Luftwaffe. "Sempre ficamos profundamente tocados pela personalidade humana dele, mas, infelizmente, não alcança o que deveria ser alcançado em seu campo, e o Reich e o povo alemão têm de pagar muito caro por seu fracasso", lamentou Goebbels no diário.[177]

Afinal, as premonições de Harald sobre a guerra estavam certas. As tropas soviéticas e aliadas avançavam sobre Berlim, e o fim da Alemanha nazista estava próximo. Na verdade, Harald nunca veria a mãe, o padrasto nem seus seis meios-irmãos. As palavras de despedida do casal para seu amado Harald chegariam a ele por carta bem depois de terem encontrado seu destino.

Parte IV

"Você vai sobreviver"

1.

Dias antes da rendição da Alemanha nazista, em 8 de maio de 1945, Harald Quandt estava sentado nos alojamentos dos oficiais no campo de prisioneiros de guerra britânico 305, na cidade portuária líbia de Benghazi, onde era mantido como o prisioneiro #191901.[1] Ele estava tomando um copo de rum com seus companheiros de prisão quando ouviram uma notícia da rádio BBC anunciando que os corpos dos seis meios-irmãos de Harald tinham sido encontrados dentro do Führerbunker, um abrigo antiaéreo no jardim da Chancelaria do Reich, no centro de Berlim. Os corpos de sua mãe e seu padrasto, Magda e Joseph Goebbels, haviam sido descobertos do lado de fora, no Jardim da Chancelaria do Reich. Harald ficou arrasado. O ex-tenente paraquedista da Luftwaffe, de 23 anos, era próximo dos meios-irmãos e sofreu ao saber que os seis estavam mortos. Um camarada que estava com ele quando soube da notícia disse mais tarde que Harald, "um homem de estrita autodisciplina e fria reserva", tinha passado horas perturbado.[2]

Mais tarde, ainda em cativeiro, Harald recebeu duas cartas de despedida, aparentemente do além-túmulo. A primeira era de sua mãe, Magda:

> Meu filho amado!
>
> A esta altura, já estamos no Führerbunker há seis dias — papai, seus seis irmãos pequenos e eu — para dar a nossas vidas nacional-socialistas o único fim possível

e honroso. Não sei se vai receber esta carta. Talvez uma alma gentil torne possível enviar-lhe meu último adeus, afinal. Deve saber que fiquei com papai contra a vontade dele, e que no domingo passado o Führer quis me ajudar a escapar. Você conhece sua mãe — compartilhamos o mesmo sangue, eu nem considerei isso. Nossa ideia gloriosa está perecendo — e com ela tudo o que é belo, admirável, nobre e bom que conheci em minha vida. No mundo que virá depois do Führer e do nacional-socialismo não valerá a pena viver, e é por isso que eu trouxe as crianças para cá também. Elas são boas demais para a vida que virá depois de nós, e um Deus misericordioso me entenderá quando eu mesma lhes der a libertação. Você vai sobreviver, e eu tenho apenas um pedido a você: Nunca esqueça que você é um alemão, nunca aja de forma desonrosa e se certifique em sua vida de que nossas mortes não terão sido em vão.

As crianças são maravilhosas. Sem nenhuma ajuda, cuidam de si mesmas nestas condições piores do que primitivas. Mesmo que tenham de dormir no chão ou ficar sem se lavar, mesmo que tenham pouco para comer e assim por diante, nunca dizem uma palavra em reclamação ou soltam uma lágrima. O impacto [das bombas] faz o bunker tremer. As crianças maiores protegem as menores, e a presença delas aqui é uma bênção, no mínimo porque elas trazem um sorriso ao rosto do Führer de vez em quando.

Ontem à noite, o Führer retirou seu distintivo dourado do Partido e o prendeu em mim. Estou orgulhosa e feliz. Que Deus me conceda a força para fazer a última e mais difícil coisa. Só nos resta um objetivo: permanecer leal ao Führer até a morte. Que devamos terminar nossas vidas junto com ele é uma bênção do destino com a qual nunca teríamos ousado contar.

Harald, meu menino querido — para sua jornada, transmito a você a melhor coisa que a vida me ensinou: seja leal! Leal a si mesmo, leal aos outros e leal ao seu país! Em todos os sentidos!

É difícil começar uma nova página. Quem sabe se eu serei capaz de preenchê-la. Mas ainda há tanto amor que eu gostaria de lhe dar, tanta força, e eu quero eliminar toda a sua tristeza com a nossa perda. Tenha orgulho de nós e tente nos manter numa lembrança orgulhosa e feliz. Todos morrem um dia, e não é melhor viver uma vida breve mas honrosa e corajosa do que uma longa em desgraça?

A carta deve sair agora [...] Hanna Reitsch vai levá-la. Ela está partindo novamente! Abraço você com o amor mais íntimo, sincero e maternal!

Meu filho amado
Viva pela Alemanha!
Sua mãe[3]

A segunda carta era do padrasto de Harald, Joseph Goebbels.

Meu querido Harald,

Estamos trancados no Führerbunker, na Chancelaria do Reich, lutando por nossa vida e nossa honra. Só Deus sabe como essa batalha vai acabar. O que eu sei é que, vivos ou mortos, sairemos dela só com honra e glória. Não acredito que nos veremos novamente. É por isso que estas são provavelmente as últimas palavras que você receberá de mim. Se você sobreviver a esta guerra, espero que não traga nada além de honra para sua mãe e para mim. Não é absolutamente necessário que estejamos vivos para afetar o futuro de nosso povo. Você pode ser o único a dar continuidade ao legado de nossa família. Sempre faça isso de uma maneira que não nos dê motivos para ficar envergonhados. A Alemanha sobreviverá a esta terrível guerra, mas só se nosso povo tiver exemplos para erguê-la mais uma vez, e queremos ser um exemplo assim.

Você pode se orgulhar de ter uma mãe como a sua. Ontem à noite, o Führer deu a ela a insígnia dourada do Partido que ele usou em seu casaco durante anos, e ela a mereceu. Daqui em diante, você tem apenas uma tarefa: provar que é digno do maior sacrifício, que estamos dispostos e determinados a fazer. Sei que provará. Não deixe o barulho do mundo que está prestes a começar confundi-lo. Um dia, as mentiras desabarão e a verdade prevalecerá mais uma vez. Será a hora em que estaremos acima de tudo, puros e imaculados, como nossa fé e nossa busca sempre foram.

Adeus, meu querido Harald! Se algum dia nos encontraremos de novo, cabe a Deus. Se não, sempre tenha orgulho de pertencer a uma família que, mesmo no infortúnio, permaneceu fiel ao Führer e à sua causa pura e santa, até o último momento.

Tudo de bom e meus sinceros cumprimentos,
Seu pai[4]

Harald ainda não conhecia os detalhes horríveis da morte deles, que só viriam à tona algum tempo depois. Na noite de 28 de abril de 1945, Magda e Joseph Goebbels escreveram, cada um, uma carta para seu amado Harald. Magda deu as cartas para Hanna Reitsch, a famosa piloto de testes da Alemanha nazista, que visitou o Führerbunker enquanto as tropas soviéticas se aproximavam do centro de Berlim. Hitler deu a Reitsch duas cápsulas de cianeto como presente de despedida. Ela voou para fora da capital alemã naquela noite de uma pista de pouso improvisada perto do Portão de Brandemburgo. Foi o último voo a deixar Berlim antes de o Exército Vermelho capturar a cidade. Os soviéticos tentaram derrubar o avião, temendo que Hitler estivesse fugindo nele, mas Reitsch conseguiu decolar. Ela foi presa por soldados americanos depois que desembarcou na Áustria, ainda em posse das cartas para Harald.[5] Embora o capitão da Força Aérea do Exército dos Estados Unidos que interrogou Reitsch mantivesse as cartas originais, as autoridades americanas mais tarde enviaram cópias delas a Harald em Benghazi.[6]

Em 30 de abril de 1945, dois dias depois que Magda e Joseph escreveram a Harald, Adolf Hitler engoliu uma cápsula de cianeto, assim como sua esposa, Eva Braun, que estava sentada ao lado dele; ele então atirou na própria cabeça com sua pistola Walther. Os dois haviam se casado na noite anterior, encerrando oficialmente o voto de celibato de Hitler, que fora sua expressão de dedicação ao povo alemão. O casamento não durou muito. O Führer sabia que o Exército Vermelho havia penetrado nos limites da cidade de Berlim e estava a apenas alguns quarteirões de distância, cercando seu bunker de concreto armado. Os corpos do casal foram cremados no Jardim da Chancelaria, com base nas instruções de Hitler.

De acordo com a vontade do Führer, o padrasto de Harald, Joseph Goebbels, foi nomeado o novo chanceler da Alemanha. Ele ocupou o cargo menos de um dia. O testamento de Hitler declarava que seu sucessor deveria escapar de Berlim com a esposa e os filhos, mas Goebbels se recusou a fazê-lo. O homem que havia sido subserviente a seu Führer por mais de vinte anos não obedeceu à sua última ordem.

No dia seguinte ao suicídio de Hitler, Magda vestiu os seis filhos em camisolas brancas e penteou o cabelo deles. O dentista da SS Helmut Kunz aplicou em cada uma das crianças uma injeção de morfina. Quando estavam em letargia, Magda inseriu uma cápsula de cianureto na boca de cada criança e se certificou de que elas mordessem o vidro, assistidas por um dos médicos pessoais de Hitler, o dr. Stumpfegger. Magda realizou o ato nos aposentos particulares da família, para não preocupar os funcionários. Rochus Misch, um dos guarda-costas de Hitler, depois viu Magda jogando paciência, com aparência muito pálida, olhos injetados e o rosto "congelado".[7]

Poucas horas após Magda assassinar os próprios filhos, ela e Joseph, de braços dados, subiram os degraus em direção ao Jardim da Chancelaria. Não muito depois, o ajudante de Goebbels, Günther Schwägermann, encontrou lá os corpos sem vida do casal. Eles também tinham tomado cianureto. A insígnia dourada do Partido Nazista do Führer ainda estava presa ao vestido de Magda. Um soldado da SS, com base em instruções prévias de Goebbels, disparou alguns tiros nos corpos para garantir, derramou gasolina sobre eles e os incendiou. No dia seguinte, as tropas soviéticas encontraram os cadáveres carbonizados no jardim destruído, entre betoneiras.

Uma das últimas pessoas a ver Magda viva no Führerbunker foi Albert Speer, o arquiteto de Hitler que se tornou ministro de Armamentos. "Ela estava pálida e dizia apenas trivialidades em voz baixa, embora eu pudesse sentir que estava profundamente agoniada por causa da hora irrevogavelmente próxima em que seus filhos deviam morrer [...]. Só quando eu estava a ponto de sair ela insinuou o que de fato estava sentindo: 'Como estou feliz que pelo menos Harald [...] esteja vivo'", relatou Speer mais tarde em suas memórias.[8]

2.

No início de março de 1945, Magda visitara sua melhor amiga, Ello, madrinha de Harald, em um sanatório nas colinas com vista para Dresden, duas semanas depois de as bombas dos Aliados arrasarem a cidade.[9] Magda não chegou em sua limusine costumeira, mas na perua de entregas de uma empresa de cigarros; ela fora sentada na frente, com o motorista. Pretendia dizer adeus à sua melhor amiga que fazia 25 anos. O primeiro encontro delas, na Pritzwalk rural, fora numa vida anterior. Elas haviam sido esposas Quandt, depois divorciadas Quandt. Mas Ello nunca mais se casou. Mais tarde, ela disse que Günther se ofereceu para ajudar Magda a salvar seus filhos. Segundo Ello, Günther havia providenciado uma casa segura para eles na Suíça; Günther se ofereceu para sustentar as crianças e sua educação, mas Magda recusou. Os filhos morreriam com ela. Ello mais tarde se lembrou do solilóquio de Magda, de como ela racionalizava fazer o impensável aos filhos em uma tentativa final de ajustar as contas com sua cumplicidade nas atrocidades em massa do Terceiro Reich:

> Exigimos coisas monstruosas do povo alemão, tratamos outras nações com crueldade impiedosa. Por isso os vencedores vão cobrar sua vingança completa [...]. Todos os outros têm o direito de viver. Nós não entendemos direito isso – faltamos nesse sentido [...]. Eu me faço responsável. Eu fazia parte. Acreditei em Hitler e por tempo o bastante em Joseph Goebbels [...]. No futuro, Joseph será considerado um dos maiores criminosos que a Alemanha já produziu. Os filhos dele ouviriam isso diariamente, as pessoas os atormentariam, desprezariam e humilhariam. Eles teriam de carregar o fardo dos pecados do pai; a vingança seria descarregada nos filhos [...]. Você lembra como lhe contei na época muito francamente o que o Führer disse no Café Anast em Munique quando viu o menino judeu? Que ele gostaria de esmagá-lo como um inseto na parede [...]. Eu não podia acreditar naquilo e pensei que era apenas uma conversa provocativa. Mas ele realmente fez isso depois. Foi tudo tão indescritivelmente horrível, perpetrado por um sistema ao qual eu pertencia. Ele reuniu tanto desejo de vingança por todo o mundo – eu não tenho escolha, devo levar as crianças comigo, eu devo! Só meu Harald sobreviverá a mim. Ele não é filho de Goebbels [...].[10]

Magda passou a noite com Ello no sanatório. Na manhã seguinte, Ello a acompanhou até a perua de entregas, onde o motorista estava esperando. Magda correu pelo restante de Dresden, de volta às ruínas de Berlim, a caminho do Führerbunker, seu destino final. Ela se ajoelhou no assento da frente e acenou para Ello pela janela lateral até não mais poder ver a amiga.

3.

Em 25 de abril de 1945, uma semana antes de sua ex-mulher matar seis de seus filhos e depois ela mesma, Günther Quandt fugiu de Berlim e das tropas soviéticas que se aproximavam. Ele primeiro tentou fugir para a Suíça, supostamente para "reuniões de negócios", de acordo com seu pedido de permissão de entrada;[11] mas, como estava registrado na imigração suíça como apoiador financeiro de Hitler, seu pedido foi negado. O magnata então partiu para a Baviera. Havia vazado a notícia de que o estado alemão meridional se tornaria parte de uma zona de ocupação americana. Não sem razão, magnatas como Günther, Friedrich Flick e August von Finck previam políticas "amigáveis às empresas" dos capitalistas americanos.[12]

Günther começou alugando um "quarto modesto" em um castelo em Leutstetten, um vilarejo pastoral perto do lago Starnberg, a vinte quilômetros ao sul de Munique. Soldados americanos e britânicos logo ocuparam o castelo. Mas, em vez de ser preso pelos Aliados, Günther foi acolhido pelo prefeito da cidade, que morava em uma casa nas montanhas. Por ora, o magnata acreditava que "a única coisa certa a fazer" era "ficar em segundo plano o máximo possível".[13] Günther tinha todos os motivos para se manter discreto. Além de sua produção em massa de armas e de todas as empresas que ele havia arianizado, o magnata havia sujeitado 57 500 pessoas a trabalho forçado ou escravo em suas fábricas, de acordo com estimativas posteriores de um historiador.[14]

Em 18 de abril de 1945, uma semana antes de Günther fugir de Berlim, o Office of Strategic Services [Escritório de Serviços Estratégicos] (OSS), organização antecessora da CIA, havia publicado um memorando de quatro páginas sobre o magnata. A agência de espionagem vinha mantendo vigilância sobre o empresário careca desde o verão de 1941, quando ele tão prodigamente comemorara seu aniversário de sessenta anos. O OSS descrevia Günther como "um dos principais industriais da Alemanha, cujas participações, consideráveis antes de 1933, expandiram-se muito desde a ascensão de Hitler ao poder". Ele "divide a responsabilidade pela formulação e execução das políticas econômicas nazistas e pela exploração econômica dos territórios dominados pelos alemães".[15] Os métodos de negócios de Günther tinham garantido o sucesso "sem grande ruído de batalha".[16] Investigadores do Departamento do Tesouro dos Estados Unidos logo adicionaram Günther a uma lista de 43 líderes empresariais alemães a serem indiciados por crimes de guerra em um tribunal militar em Nuremberg.[17] Quando soube que estava na lista, Günther escreveu uma refutação irada e pediu que ela fosse encaminhada ao Senado dos Estados Unidos.

Antes de considerar uma fuga para a Suíça ou a Baviera, Günther tinha planejado fugir de Berlim para Bissendorf, uma cidade a vinte quilômetros ao norte da fábrica da AFA em Hanôver, que estava prestes a ser ocupada pelos britânicos.[18] Ele queria estar presente para liderar sua empresa de baterias, mas depois pensou melhor; havia pressão demais sobre o magnata. Desde fevereiro de 1945, um grupo de gerentes de Günther ia e voltava de Berlim a Bissendorf para estabelecer sedes alternativas perto da fábrica de última geração da AFA. Do grupo fazia parte o filho mais velho de Günther, Herbert, que, depois de evacuar pessoalmente o subcampo inacabado da AFA em Gross-Rosen, na Baixa Silésia, no final de janeiro, agora ficaria mais perto da celebrada nova fábrica do pai, onde mais horror se desenrolava.[19]

Com as forças aliadas se aproximando, a fábrica de Günther em Hanôver foi fechada no final de março de 1945. A administração queimou todos os arquivos, exceto uma lista de nomes dos prisioneiros. Mais ou menos na mesma época, centenas de outros cativos doentes e fracos chegaram ao subcampo da fábrica da AFA vindos do campo de concentração principal de Neuengamme. Uma semana depois, em 5 de abril, cerca de mil prisioneiros do subcampo da AFA, aqueles considerados "aptos" o suficiente, foram forçados a caminhar até o campo de concentração de Bergen-Belsen, 55 quilômetros ao norte, em uma marcha da morte. Eles estavam com a saúde péssima e careciam de comida, roupas e sapatos. Só no primeiro dia, um paramédico da SS provavelmente atirou em cinquenta cativos que não conseguiam mais andar. Mais prisioneiros foram executados nos dias seguintes. Em 8 de abril, o grupo restante chegou a Bergen-Belsen. Aqueles que ainda estavam vivos uma semana depois foram libertados por soldados britânicos.

Os que foram deixados no subcampo da AFA em Hanôver aguardavam um destino terrível. Seiscentos cativos estavam doentes ou fracos demais para se juntar à marcha, mas agora tinham de ser deslocados. Em 6 de abril, um dia após o início da marcha da morte para Bergen-Belsen, um comandante da SS ordenou que o campo da AFA fosse evacuado. Dois dias depois chegou um trem de carga, aparentemente a pedido da AFA, para remover os cativos. Mas o trem parou em uma área rural na Saxônia-Anhalt; os restos bombardeados de outro trem bloqueavam os trilhos, e o transporte de prisioneiros de campos de concentração em toda a Alemanha encalhava ali. As pessoas nesses trens foram liberadas. Já haviam morrido 65 cativos de Hanôver durante a viagem. Agora, a maioria dos prisioneiros era obrigada a continuar a pé, com alguns vagões agrícolas transportando os mais fracos. Eles acabaram na cidade de Gardelegen, onde tropas americanas chegavam. Depois de discutir a situação com oficiais da SS e da Wehrmacht, o líder nazista local decidiu trancar os cativos em um celeiro no limite da cidade e atear fogo nele. Forças da SS lançaram granadas na estrutura em chamas e atiraram em prisioneiros que tentavam fugir. Em 15 de abril de 1945, soldados americanos descobriram os corpos carbonizados de 1016 pessoas. Muitas foram queimadas vivas.

Dez dias depois, o coronel do Exército dos Estados Unidos George Lynch se dirigiu aos moradores de Gardelegen: "Alguns dirão que os nazistas foram os responsáveis por esse crime. Outros apontarão para a Gestapo. A responsabilidade não é de nenhum dos dois — a responsabilidade é do povo alemão [...]. A chamada Raça Senhora de vocês demonstrou que é senhora apenas do crime, da crueldade e do sadismo. Vocês perderam o respeito do mundo civilizado".[20]

4.

Na noite de 7 a 8 de abril de 1945, um dia depois de a SS evacuar o subcampo da fábrica da AFA em Hanôver, Herbert Quandt e o braço direito de Günther, Horst Pavel, fugiram de Berlim e se mudaram para Bissendorf com vinte empregados. A sede provisória da empresa foi instalada no balneário, e o grupo de colegas se mudou para alojamentos em uma floresta de pinheiros nos arredores da aldeia. Os arranjos de vida lá eram primitivos. Havia pouca comida, os terrenos eram frequentemente inundados e os homens usavam cacos de um holofote antiaéreo como espelho para se barbear.[21]

Soldados britânicos ocuparam a fábrica da AFA em Hanôver em 20 de abril de 1945. Ela estava praticamente intacta, e eles logo reiniciaram as operações lá. A fábrica, onde apenas algumas semanas antes trabalhadores escravizados fabricavam nas circunstâncias mais horríveis baterias para submarinos U-boat e torpedos, começou a produzir baterias secas para o Exército britânico. Herbert foi colocado sob vigilância; ele era suspeito de ser uma "ferramenta de seu pai".[22] Os britânicos o impediram de entrar na fábrica e trabalhar para a AFA. Horst Pavel foi nomeado seu administrador.

Cabia a Pavel salvar a fábrica da AFA em Hanôver de ser totalmente desmantelada. Günther, na Baviera, não suportava o fato de ter sido forçado a abrir mão de todo o controle.[23] Ele ficou paranoico, acreditando que o lugar-tenente em que confiava estava tramando contra ele. Nem mesmo Herbert escapou da suspeita do pai. O herdeiro escreveu a Günther que, se pretendiam superar os desafios presentes, ele tinha de deixar de lado sua desconfiança.

Semanas antes de fugir de Berlim, Herbert teve a oportunidade de comprar para si uma empresa arianizada; a Max Franck, uma importante fabricante de roupas íntimas em Chemnitz, foi oferecida a ele para venda. Herbert pensou seriamente em comprar a antiga empresa de propriedade de judeus para poder, uma vez que fosse, tomar uma decisão além da "sombra de seu grande pai".[24] No fim, porém, Herbert decidiu não fazer isso.

Apesar do enorme sofrimento que os dois Quandt haviam causado, Herbert ficou grato por tudo o que aprendera com Günther durante a guerra. "Acredito que sobretudo nesses anos mais difíceis, de um ponto de vista industrial, pude aprender mais com meu pai dessa forma do que teria sido possível para mim em [...] circunstâncias normais", lembrou ele mais tarde.[25] O que restava do império empresarial deles pendia precariamente na balança no verão de 1945. Mas seus problemas empalideciam em comparação com os de Friedrich Flick; o escrutínio agora apontava para ele e o caos que tomara conta de algumas de suas empresas sob a liderança do sempre decepcionante Otto-Ernst.

5.

Friedrich Flick fugiu de Berlim para a Baviera em fevereiro de 1945.[26] Ele se retirou para sua propriedade Sauersberg, a apenas uma hora ao sul de onde Günther estava escondido. Flick havia adquirido a propriedade Sauersberg anos antes de Ignatz Nacher, cervejeiro judeu perseguido. (A propriedade ainda é de uma neta de Flick.)[27]

Pouco antes de as forças aliadas libertarem o complexo siderúrgico da Rombach, na França, no final do verão de 1944, Otto-Ernst Flick fugiu para a Alemanha, onde seu pai o encarregou de mais uma tarefa:[28] liderar a fábrica de armas de Gröditz, na Saxônia. Mais de mil prisioneiros subnutridos de campos de concentração faziam canhões de artilharia e granadas lá.[29] Os cativos vinham de Flossenbürg e Dachau, na Baviera, Mauthausen e Gusen, na Áustria, e, finalmente, Auschwitz. Eram mantidos pela SS no sótão da fábrica, onde sofriam abusos. Em outubro de 1944, Flick inspecionou o pavilhão da fábrica de Gröditz quando foi instalar Otto-Ernst, de 28 anos, como seu diretor. Depois Flick foi jantar no cassino da fábrica para comemorar o novo emprego do filho. Tal como na Rombach, essa nomeação teve efeito contrário ao esperado. Poucas semanas depois de sua chegada, o estouvado Otto-Ernst tentou expulsar dois dos executivos de confiança de longa data do seu pai.[30]

Otto-Ernst fracassara em cada um de seus cargos de gestão desde o início da guerra. De qualquer forma, o pai lhe deu outra grande promoção. Em 1º de fevereiro de 1945, Flick o nomeou CEO da Maxhütte, uma importante siderúrgica com usinas e minas de minério de ferro na Baviera e na Turíngia.[31] Como na Rombach, Otto-Ernst sucedeu a seu sogro, que foi levado à aposentadoria antecipada. O herdeiro de Flick começou no novo emprego em 7 de março de 1945, quando o mundo inteiro parecia estar desmoronando.

Na Maxhütte, os gerentes de fábrica vinham obrigando *Ostarbeiter* e os prisioneiros de guerra a trabalhar durante quase cem horas por semana. Os trabalhadores estavam fracos demais para continuar. Ainda assim, os gerentes cortavam suas rações já mínimas como punição por "fingirem" estar incapacitados. "Os russos comem muito, e não recebiam tanto", um funcionário concluiu concisamente mais tarde.[32] Acidentes e mortes eram frequentes; mulheres trabalhavam descalças nas siderúrgicas — "algo ruim no tempo ruim", um dos executivos da empresa comentou secamente.[33]

Em meados de março de 1945, uma epidemia de febre maculosa se espalhou por Gröditz, matando cerca de 150 prisioneiros em questão de dias. Semanas depois, com tropas do Exército Vermelho e dos Estados Unidos aproximando-se depressa da fábrica, a SS enviou os cativos restantes de Gröditz em uma marcha da morte de dez dias em direção a Praga. Mas não antes de atirar em cerca de 185 prisioneiros que foram considerados fracos demais para caminhar e enterrá-los em uma cova de cascalho perto da fábrica de Flick.[34]

Enquanto os prisioneiros passavam fome e eram massacrados em suas empresas, Flick — são e salvo em sua propriedade Sauersberg, em uma colina a oeste de Bad Tölz — iniciou o chamado programa Tölzer.[35] Ele já havia dividido sua sede entre Berlim, Düsseldorf e a Baviera. Agora, para se dotar de uma reserva monetária para o pós-guerra, tentou transferir ativos de seu conglomerado para sua propriedade pessoal. Mas a manobra falhou.

Em junho de 1945, o US Counter Intelligence Corps (CIC), órgão de segurança militar encarregado de deter e interrogar muitos dos suspeitos mais notórios da Alemanha nazista, pôs Flick em prisão domiciliar. Àquela altura, o industrial só conseguira transferir uma de suas empresas. Na verdade, a Fella não tinha feito armas durante a guerra — era a única empresa de máquinas de Flick que não o fizera. O conglomerado de aço e carvão corria agora o risco de ser totalmente tomado. Mais da metade de suas fábricas e minas ficava na zona soviética, e logo seriam expropriadas. O resto das plantas de Flick foi posto sob controle dos Aliados pelo momento. Seu império continental de armamentos, pessoas escravizadas e pilhagem havia finalmente caído.

A prisão de Flick vinha sendo preparada havia meses. Em um memorando de maio de 1945, o OSS o considerava "o líder empresarial individual mais poderoso a participar da formulação e da execução das políticas econômicas nazistas", que "partilhou dos despojos da conquista nazista na Europa".[36] Depois de passar semanas em prisão domiciliar, Flick foi oficialmente detido e transferido para o Castelo de Kransberg (codinome Dustbin [lata de lixo]), um centro de detenção dos Aliados ao norte de Frankfurt.[37] Outros suspeitos proeminentes, como Albert Speer, Hjalmar Schacht e Wernher von Braun, estavam sendo interrogados lá. Robert H. Jackson, um ministro da Suprema Corte, e o recém-nomeado promotor-chefe dos Estados Unidos em Nuremberg receberam um memorando escrito por um assessor que delineava um possível julgamento de industriais e listava Flick, "o industrial mais poderoso da Alemanha", como réu em potencial.[38]

No início de agosto de 1945, Flick foi transferido de Kransberg para Frankfurt e entregue ao Office of Military Government for Germany [Escritório do Governo Militar dos Estados Unidos para a Alemanha] (OMGUS), que ocupava a antiga sede da IG Farben no distrito no extremo leste da cidade. Dias antes de Flick ser transferido, a última Conferência dos Aliados se concluiu em Potsdam. Lá, o presidente americano, Harry Truman, o ditador soviético, Stálin, e o novo primeiro-ministro britânico, Clement Attlee, chegaram a um acordo sobre seus objetivos para a ocupação de Alemanha: "democratização, desnazificação, desmilitarização e descartelização".[39]

Truman tinha sancionado muito antes a primeira política oficial de ocupação americana para a Alemanha, que manteria certas partes da indústria, em vez de destruí-la por completo, e realizaria procedimentos judiciais adequados contra criminosos de guerra nazistas em vez de executá-los sumariamente. Dias depois de concluída a Conferência de Potsdam, as potências aliadas, inclusive a França, assinaram a carta para criar o Tribunal Militar Internacional (TMI) em Nuremberg. O TMI indiciaria e julgaria 24 dos mais importantes líderes políticos e militares da Alemanha nazista por crimes de guerra, crimes contra a paz e crimes contra a humanidade. No entanto, o TMI seria apenas o primeiro de muitos casos de Nuremberg — um possível segundo julgamento realizado pelos Aliados ia se concentrar exclusivamente em industriais, financistas e CEOs alemães.[40] Dado quão profundamente entrelaçados com a máquina de guerra nazista esses conglomerados e cartéis industriais tinham estado — tomem-se os conglomerados de aço e carvão de Flick e Krupp e os enormes interesses químicos da IG Farben, por exemplo —, os Aliados optaram por uma abordagem de dividir para conquistar. Eles planejavam quebrar os gigantes industriais e processar seus proprietários e executivos.

Após a prisão de seu pai, Otto-Ernst aproveitou a chance de ocupar o vácuo de poder e embarcou em uma reorganização precipitada.[41] Ele começou demitindo gerentes de longa data da Maxhütte em quem não confiava e substituindo-os por pessoas que percebia como leais, entre elas dois ex-membros da SS e da SA. As autoridades americanas na Baviera não receberam bem o movimento: prenderam Otto-Ernst e o mantiveram por alguns dias, cancelando as mudanças no pessoal que ele havia feito na Maxhütte. Depois de sua libertação, o herdeiro Flick continuou exatamente de onde havia parado. Em 30 de julho de 1945, Otto-Ernst restabeleceu a si mesmo e aos gerentes nazistas. As autoridades americanas estavam fartas e impediram o jovem de 28 anos de entrar na Maxhütte. Otto-Ernst logo foi preso novamente e levado para a prisão de Frankfurt onde seu pai estava confinado. Com os dois presos e todas as suas minas e fábricas ocupadas, o futuro do conglomerado Flick parecia sombrio.

6.

O barão August von Finck teve uma guerra muito mais silenciosa do que Günther Quandt e Friedrich Flick. Os dois filhos adolescentes do aristocrata de 46 anos ainda eram muito jovens para ser treinados como seus sucessores. Ele havia completado as arianizações do banco Dreyfus, de Berlim, e do banco Rothschild, de Viena, bem antes de a guerra começar. Em consequência, ele podia simplesmente se sentar e supervisionar o crescimento de seu banco privado, o Merck Finck, e supervisionar os investimentos de sua família na Allianz e na Munich Re; não precisava se preocupar com produção de armamentos, trabalho escravo e todas as outras dores de cabeça da guerra com que seus colegas estavam lidando. (Uma dor de cabeça da guerra inesperada para Von Finck foi seu divórcio.) Ele levantou mais 8 milhões de marcos para a Haus der Deutschen Kunst de Munique depois que Hitler "expressou seu desejo" de um prédio separado para exposições relacionadas à arquitetura.[42] Por causa da guerra, a estrutura nunca foi construída. Von Finck também continuou exercendo sua habilidade de saquear.[43] Nem um amigo morto de Günther estava a salvo da ambição do barão. Em 1941, o Merck Finck e a IG Farben expropriaram uma empresa austríaca de mineração de magnesita depois que seu proprietário americano, Emil Winter, morreu. Winter era um imigrante alemão gentio que se tornara industrial siderúrgico em Pittsburgh. Günther admirava profundamente Winter e sua empresa.[44] Ele e Magda o visitaram em sua majestosa mansão em Pittsburgh durante a viagem do casal ao Estados Unidos. Infelizmente, tratava-se de um mundo de competição implacável.

Mas a rendição da Wehrmacht, em 8 de maio de 1945, perturbou a paz e o sossego de Finck. O arianizador antissemita foi prontamente posto em prisão domiciliar por soldados americanos em sua propriedade Möschenfeld, logo a leste de Munique. O financista conhecido por sua frugalidade estava esperando a chegada deles no frio congelante, envolto em uma pele antiga completamente roída por traças, embora tivesse bastante lenha à sua disposição para fazer uma fogueira.[45] Von Finck logo tirou de seu piano uma foto de Hitler com uma dedicatória. Os arquivos do aristocrata foram confiscados e enviados para Munique; lá, as autoridades americanas colocaram o Merck Finck sob controle de propriedade, a política aliada de assumir a custódia de ativos alemães. Como custodiante do banco, eles nomearam um sobrevivente de campo de concentração. Von Finck também foi removido da presidência do conselho fiscal das duas maiores seguradoras da Europa, a Allianz e a Munich Re, mas pelo momento permaneceu como o principal acionista das duas.

O banco privado de Von Finck já havia sido destacado em 1944, em um memorando do Tesouro sobre a remoção de funcionários de bancos alemães: "Examinar especialmente as [...] empresas privadas enriquecidas por arianização (por exemplo, Merck, Finck and Co.)".[46] Os Aliados estavam particularmente interessados em desmembrar bancos comerciais e privados da Alemanha, que tinham financiado inúmeras fábricas de armas, arianizações, campos de concentração e campos de extermínio em todo o Terceiro Reich. As respectivas participações em diretorias de Günther Quandt e Friedrich Flick no Deutsche Bank e no Dresdner Bank, portanto, os tornavam ainda mais suspeitos na visão dos Aliados.[47]

Apesar da queda de Hitler, a fidelidade de Von Finck ao Führer permaneceu inabalável até o fim. Kurt Schmitt, ex-CEO da Allianz e o ministro da Economia do Reich que tantas vezes acompanhara Von Finck em suas visitas a Hitler, disse a um interrogador americano: "Mesmo durante os últimos anos da guerra, quando personalidades importantes me declararam livremente que Hitler [...] levara a Alemanha à beira do abismo, V. Finck [...] nunca me expressou qualquer dúvida ou crítica à liderança do Führer".[48] Hans Schmidt-Polex, outro executivo da Allianz e velho amigo de Von Finck, declarou a seu interrogador americano que o banqueiro barão lhe havia dito nos primeiros meses de 1945 que "permanecia um nazista convicto" e que "morreria por sua crença, se necessário".[49]

Os estreitos laços de Von Finck com Hitler puseram seu banco privado bem na mira dos americanos e dos soviéticos. Em maio de 1945, um relatório da Seção de Guerra Econômica do Departamento de Justiça dos Estados Unidos afirmou que o banco de Von Finck era "o detentor e custodiante da fortuna privada de Hitler".[50] Essa afirmação ainda não fora comprovada. O nome de Hitler não estava na lista, enviada pelo banco, de nazistas proeminentes que haviam aberto contas privadas no Merck Finck. A propaganda soviética alegava que, durante o governo do Führer, Von Finck fizera dele um acionista do Merck Finck, mas o banco negava isso.[51]

A impressão das autoridades americanas sobre Von Finck piorou à medida que elas o mantiveram em prisão domiciliar. Um relatório do Departamento do Tesouro dos Estados Unidos descreveu o financista como "um pró-nazista em todos os aspectos, alto, esnobe, reservado, pedante e burocrata. Diz-se que tem temperamento totalmente frio, é insensível até o grau de crueldade e ambicioso ao extremo".[52] No final de maio de 1945, oficiais americanos transferiram Von Finck para um campo de internamento e lá o interrogaram. Eles descobriram que o financiador era "um cliente um tanto enganador, que há anos tenta extrair o melhor de dois mundos — lucrando muito com a [re]organização de casas bancárias judaicas [Rothschild, Dreyfus etc.] sob o pretexto de protegê-las".[53] Mas, agora que tinham aquele personagem astuto sob custódia, o que os americanos planejavam fazer com ele? Muito pouco, como se viu.

7.

Os americanos libertaram o barão August von Finck do campo de internamento em outubro de 1945, depois de ele ter passado cinco meses detido. Um futuro incerto o aguardava. O aristocrata foi barrado de seu banco e das diretorias de suas empresas, e a questão de suas arianizações ainda precisava ser abordada. O que restava do banco S. M. von Rothschild de Viena tinha sido liquidado.[54] Alguns bens foram finalmente devolvidos ao barão Louis von Rothschild, que emigrara para os Estados Unidos.

Willy Dreyfus, o ex-proprietário do banco de sua família, não tinha ido muito longe. Emigrara para Basileia, na Suíça, depois que o Merck Finck arianizara a filial de Berlim de seu banco, em 1938. Quando a guerra terminou, Dreyfus começou a investigar se ele e os herdeiros de seu falecido sócio poderiam considerar Von Finck financeiramente responsável pela arianização. Como Dreyfus não tinha interesse em reabrir o banco nem a opção de fazê-lo, queria reparação. Apesar de uma "compreensível relutância a pisar de novo no solo alemão",[55] ele cruzou a fronteira para explorar suas opções. Lá, em uma reunião em Munique em 29 de setembro de 1946, encontrou Von Finck por coincidência. Quando Dreyfus se recusou a cumprimentá-lo, Von Finck se sentiu profundamente insultado.

Von Finck disse a Dreyfus que "se os papéis tivessem sido invertidos, ele teria se aproximado e aproveitado essa oportunidade para lhe agradecer pela aquisição decente de sua empresa em 1937-8".[56] Quando o consultor jurídico de Dreyfus contou a Von Finck o motivo da visita a Munique — iniciar procedimentos de reparação contra ele —, o barão pareceu "surpreso" e "bastante preocupado". Von Finck concordou em resolver o assunto o mais rápido possível. Mas Dreyfus estava hesitante. Ele disse que interromperia de imediato as discussões se o banqueiro aristocrático "trivializasse ainda mais as circunstâncias da arianização".

As negociações entre os dois homens ocorreram em clima "muito gelado",[57] mas se concluíram em apenas três dias. Em 2 de outubro de 1946, Dreyfus e Von Finck assinaram um acordo. Dreyfus receberia cerca de 2 milhões de marcos, sobretudo em ações da Allianz e da Munich Re, em reparação por cerca de 1,65 milhão de marcos que a Merck Finck pagara a menos pela filial de Dreyfus em Berlim em março de 1938, com um pouco de boa vontade incluído. Os herdeiros do ex-sócio de Dreyfus, Paul Wallich, que havia cometido suicídio logo após a arianização, receberiam cerca de 400 mil marcos, também em ações.

No entanto, o acordo entre Dreyfus e Von Finck empacou. O Merck Finck estava sob controle de propriedade americano, portanto o barão não tinha permissão para acessar os ativos de seu banco privado; ele certamente não poderia transferir ações para a Suíça, onde Dreyfus vivia e de onde se tornara cidadão. Como uma lei de reparação dos Estados Unidos para a Alemanha ocupada ainda não havia sido implementada, o acordo teve de ser suspenso.[58] Enquanto isso, Von Finck permaneceu um foco-chave dos investigadores americanos. Embora as descobertas deles ainda fossem um segredo bem guardado, era quase garantido que o barão seria levado a julgamento.

8.

O trabalho parou na fábrica Volkswagen no início de abril de 1945. Não restara quase nenhuma comida no enorme complexo em Fallersleben. Os nazistas começaram a usá-lo como ponto de trânsito para deportações de outros subcampos de concentração.[59] Em 7 de abril, a SS ordenou a evacuação dos subcampos remanescentes da fábrica. Cem prisioneiros homens de um deles morreram depois de serem deportados horas ao norte para Wöbbelin, mais um subcampo de Neuengamme. Seiscentas e cinquenta prisioneiras judias mantidas em um salão da Volkswagen foram deportadas em carros de carga para Salzwedel, um campo de concentração só para mulheres uma hora a nordeste. Uma semana depois, forças americanas as libertaram.

As tropas dos Estados Unidos libertaram os trabalhadores remanescentes, forçados ou escravizados, na fábrica Volkswagen em 11 de abril de 1945. Um dia antes de chegarem, o sádico diretor da fábrica, Anton Piëch, fugiu do complexo, mas não antes de roubar mais de 10 milhões de marcos em dinheiro dos cofres e enviar cerca de 250 soldados da milícia da fábrica para combater na linha de frente.[60] Ele fugiu com os milhões para sua Áustria natal, onde o clã Porsche-Piëch o esperava na propriedade da família em Zell am See. Nos oito anos anteriores, a Porsche já havia cobrado da Volkswagen cerca de 20,5 milhões de marcos por serviços de projeto e desenvolvimento.

"Essa soma provavelmente lançou as bases financeiras para o bem-sucedido desenvolvimento pós-guerra da casa Porsche", concluíram dois historiadores décadas depois.[61]

Em meados de maio de 1945, uma equipe de investigação dos Aliados na Áustria invadiu a propriedade de mil acres em Zell am See e a sede provisória da Porsche em Gmünd.[62] Eles começaram a questionar Ferdinand Porsche e seus engenheiros sobre o desenvolvimento de tanques e carros militares. Quando os interrogadores foram mais duros, Porsche e sua equipe cederam e entregaram os desenhos técnicos da empresa. Na época da invasão, o OSS publicou um memorando sobre o projetista de armas e carros: através de Hitler, "Porsche foi incumbido da execução de um dos esquemas nazistas favoritos": o Volkswagen.[63] Porsche também "desempenhou um papel importante no equipamento da máquina de guerra nazista".

O CIC prendeu Anton Piëch, de cinquenta anos, e o filho de Porsche, Ferry, em 29 de julho de 1945 e os levou para um campo de internamento perto de Salzburgo. Ferdinand Porsche foi detido cinco dias depois, mas foi transferido para o Castelo de Kransberg, na Alemanha. O celebrado projetista de 69 anos se queixou aos seus interrogadores de que já havia sido exaustivamente questionado na Áustria. "O apoio de Hitler era simplesmente necessário para implementar com sucesso minhas ideias", disse ele.[64]

Não era apenas a produção de armas de Ferdinand Porsche para os nazistas que o colocava à mercê dos investigadores. No mínimo, os Aliados queriam seus segredos comerciais. Quanto à gestão trabalhista brutal de Porsche e Piëch da fábrica Volkswagen, onde haviam usado cerca de 20 mil pessoas como mão de obra forçada ou escrava, inclusive aproximadamente 5 mil cativos de campos de concentração, os Aliados não se importaram muito. Os investigadores se concentraram sobretudo no dinheiro deles e os acusaram de roubar os ativos da Volkswagen em benefício pessoal. E não estavam errados. Piëch, depois de atacar os cofres da Volkswagen, tinha continuado a enviar faturas da Áustria aos militares britânicos, os novos superintendentes da fábrica, cobrando deles mais de 1,25 milhão de marcos por serviços prestados pela empresa, mesmo depois que os britânicos ocuparam a fábrica.[65] Piëch, que não havia sido oficialmente tirado do cargo de diretor, sentia-se justificado em fazê-lo.

Ferdinand Porsche negou ter feito qualquer pilhagem: afinal, fora seu genro que praticara o roubo na Volkswagen. Ele foi libertado depois de cinco semanas e voltou para a Áustria. Anton Piëch e Ferry Porsche logo foram liberados do campo de internamento também; Ferdinand Porsche passara semanas pressionando as autoridades aliadas para tal. Mas, quando os investigadores americanos e britânicos se afastaram, o trio teve de enfrentar outro dos Aliados: os franceses.

9.

A cidade natal de Rudolf-August Oetker, Bielefeld, foi capturada por soldados dos Estados Unidos em 4 de abril de 1945. Em poucos dias, ele tinha três oficiais do Exército americano alojados em sua casa. Rudolf-August os entreteve com garrafas de Steinhäger, o gim da Vestfália, dizendo aos oficiais que queria marchar com eles contra os soviéticos.[66] Eles claramente não tinham ideia de que estavam sendo hospedados e festejados por um oficial da Waffen-SS.

A diversão de Rudolf-August terminou quando a Alemanha nazista capitulou, em 8 de maio. Bielefeld estava na zona de ocupação britânica. Como oficial da Waffen-SS, Rudolf-August, de 28 anos, seria preso imediatamente e afastado de todos os cargos profissionais. Ele vinha liderando a empresa de alimentos de sua família, a Dr. Oetker, desde que sua mãe, seu padrasto e suas meias-irmãs foram mortos em um ataque aéreo americano. Em 18 de maio, apresentou-se às autoridades britânicas em Bielefeld para interrogatório e foi logo detido. Rudolf-August foi informado de que seria transportado no dia seguinte para Staumühle, um enorme campo de internamento a trinta quilômetros ao sul de Bielefeld liderado pelos britânicos. Ele e seus companheiros detidos foram mantidos durante a noite em um fábrica inativa fora da cidade. O herdeiro lembrou mais tarde: "De repente apareceram alguns homens e começaram a nos espancar de forma violenta. Mais tarde, eu soube que eram poloneses, mas ninguém tinha certeza. Não vi muita coisa, porque recebi já uma pancada na cabeça e desmaiei".[67]

Quando Rudolf-August acordou em Staumühle, estava paralisado. O herdeiro foi logo transferido para um hospital militar britânico instalado em um castelo a alguns quilômetros ao leste da fronteira neerlandesa. Durante sua recuperação na detenção, Rudolf-August leu o romance de estreia de Thomas Mann, *Os Buddenbrook*, que narra o declínio de uma rica família de comerciantes do norte da Alemanha ao longo de quatro gerações; quando Mann ganhou o prêmio Nobel de literatura, foi em grande parte pelos méritos desse livro. Lê-lo deixou Rudolf-August "muito deprimido".[68] Não é de admirar. Ele, o herdeiro designado de uma dinastia empresarial do norte da Alemanha, estava agora imóvel, preso em sua terra natal devastada pela guerra e ocupada por estrangeiros. Pelo menos ainda tinha sua esposa, Susi. Ela foi visitá-lo em cativeiro e contrabandeou tabaco, jogos de tabuleiro e, é claro, pudim de chocolate em pó. Em meados de janeiro de 1946, Rudolf-August foi libertado após oito meses de detenção. Ele começou lentamente a andar de novo, embora os médicos tivessem dito que precisaria de uma bengala pelo resto da vida.

Rudolf-August achava que as autoridades britânicas o haviam detido por ser "culpado por associação", como o sucessor de seu padrasto nazista, Richard Kaselowsky. Durante o reinado de Kaselowsky na Dr. Oetker, a família se beneficiara de arianizações, produção de armas, uso de mão de obra forçada e escravizada e estreita colaboração com a SS e a Wehrmacht para nutrir melhor os soldados. Kaselowsky também tinha sido um membro pagante do Círculo de Amigos de Himmler. Mas, na verdade, com a morte de Kaselowsky, tais assuntos haviam sumido de vista. Os britânicos se importavam apenas com o papel de Rudolf-August como oficial da Waffen-SS.

Enquanto Rudolf-August estava detido, a Dr. Oetker e suas subsidiárias foram colocadas sob controle de propriedade britânico, e um custodiante foi nomeado. Quando de sua prisão, Rudolf-August fora proibido de reconstruir a empresa da família. Agora seus bens também estavam congelados. Ele estava fora da empresa, proibido de trabalhar, provavelmente seria julgado como oficial da SS e ainda sofria com sua lesão. Após sua libertação, mudou-se com a mulher e os filhos para a casa de hóspedes na propriedade de sua família perto de Bielefeld. Ansioso para retomar suas atividades, achou a proibição de trabalhar "frustrante".[69] Mas podia fazer muito pouco além de ler e reaprender a andar. Fazia longas caminhadas com seu filho, em paisagens pontilhadas de ovelhas e cabras. Mas Rudolf-August ainda não tinha se resignado a uma vida de obscuridade relaxada. O príncipe do pudim estava ganhando tempo.

10.

Günther Quandt também achou melhor ficar quieto depois que a guerra foi perdida. Enquanto grande parte de seus colegas magnatas era presa, na Baviera rural ele tinha milagrosamente escapado dos Aliados. Estava considerando uma mudança para Hanôver, onde vivia seu filho mais velho, Herbert, perto da outrora louvada fábrica de baterias da AFA, que os britânicos agora ocupavam.[70] Enquanto aguardava a decisão dos americanos quanto a indiciá-lo em Nuremberg, Günther também foi investigado por dois tribunais alemães: um em Hanôver e outro em Starnberg, perto da cidade para a qual fugira. Ele cancelou seus planos de mudança no final de 1945. Parecia mais prudente permanecer na Baviera.

Em janeiro de 1946, Günther achava que as próximas eleições de meio de mandato nos Estados Unidos anunciariam uma mudança positiva para ele na zona de ocupação americana. "Os republicanos não compartilham a visão de que dinheiro é roubo. Já se sente uma lufada de ar fresco", escreveu Günther a um amigo.[71] No entanto, assim que os republicanos venceram os democratas de lavada e retomaram o controle do Congresso naquele outono, Günther já tinha sido preso havia muito tempo e colocado em um campo de internamento.

Em meados de março de 1946, investigadores do CIC interrogaram Günther por duas horas em Starnberg. Para ele, o CIC nada mais era do que "a versão americana" da Gestapo.[72] Ao enviar seu questionário OMGUS, Günther adicionou uma seção intitulada "Perseguição política do dr. Günther Quandt", detalhando os supostos maus-tratos que sofrera nas mãos de Goebbels.[73] Isso não impressionou os investigadores americanos. Em meados de junho de 1946, eles o puseram em prisão domiciliar na casa do prefeito na montanha Tierkopf, em Leutstetten. "Muitos cavalheiros" estavam interessados por ele agora.[74] Os americanos confiscaram todos os seus arquivos e os enviaram para Nuremberg. Então, em 18 de julho de 1946, dez dias antes de seu aniversário de 65 anos, o CIC deteve Günther. Não haveria celebrações pródigas naquele ano.

Günther foi primeiro levado para a prisão em Starnberg. No fim de agosto de 1946, foi transferido para um campo de internamento em Moosburg, a nordeste de Munique, onde foi registrado como "procurado" para os julgamentos de industriais em Nuremberg, que ainda estavam sendo avaliados.[75] O inquérito de Hanôver sobre Günther acabara de ser concluído. Os investigadores de lá o consideraram um "capitalista reacionário, *stormtrooper* precoce e ativista militar. Sua influência contra a ideologia nazista e a economia de guerra precisaria ter sido mais ativa na posição que ele ocupava na vida econômica para tornar fidedigna sua afirmação de ser um oponente dos nazistas [...]. Seu antagonismo pessoal privado ao dr. Goebbels [...] não pode de forma alguma ser considerada uma [exoneração] política".[76] Os investigadores também receberam "o pedido urgente" dos representantes dos trabalhadores da AFA de retirar Günther e seu filho Herbert de qualquer envolvimento com a empresa de baterias "de uma vez por todas". Günther foi considerado "INAPTO a qualquer posição" na economia da Alemanha doravante.

Günther começou a trabalhar em sua defesa. Em agosto de 1946, ele contratou um advogado local inexperiente de Starnberg. Era difícil encontrar qualquer representação legal — milhões de alemães a procuravam — e muito mais garantir um bom advogado. Ele então ordenou que sua família, seus funcionários e seu advogado começassem a compilar declarações e documentos de defesa.[77]

Uma das primeiras paradas do advogado foi uma visita à melhor amiga de Magda e ex-Quandt, Ello, em Berlim. Ello havia deixado o Partido Nazista em 1935, mas continuou sendo uma hóspede querida na casa dos Goebbels. Como parte de sua defesa, Günther alegava que tinha sido um opositor dos nazistas e uma vítima de Goebbels, que o chantageara para que ele se filiasse ao NSDAP. Ello o ajudou a confirmar a mentira. "Goebbels aproveitou todas as oportunidades para menosprezar e ridicularizar o 'odiado Quandt'", declarou ela em um depoimento juramentado do fim de agosto de 1946. Ello delineou uma história familiar do relacionamento dos dois homens: Günther foi forçado a se submeter às exigências de Goebbels para ingressar no Partido Nazista por medo de que o senhor da Propaganda tomasse a guarda do jovem Harald, "eliminasse a influência de seu pai" e doutrinasse o menino com ideias nazistas. No entanto, Ello declarou que, mesmo depois de Goebbels ter reivindicado com sucesso o filho de Günther, Harald nunca sucumbiu à ideologia nazista e que "o amor e a afeição por seu pai" persistiram contra todas as probabilidades.[78]

Esse tipo de declaração ficou conhecida como *Persilschein*, um bilhete Persil, nome de um famoso sabão para lavar roupa alemão. Era um termo irônico para qualquer declaração destinada a limpar a mancha da colaboração e da simpatia nazista. Suspeitos de serem nazistas podiam ser isentos por depoimentos de familiares, amigos ou colegas que refutassem seus supostos crimes perante o tribunal. Muitas vezes, um *Persilschein* era suficiente para conceder a um réu alemão acusado de nazismo um certificado de idoneidade, que permitia que a pessoa voltasse para um emprego ou, no caso de um magnata, recuperasse o controle de um império empresarial e cargos de diretoria. É claro que Günther precisava de muito mais que um *Persilschein*. Ao passo que seu advogado claramente interferia na redação do depoimento de Ello,[79] Günther instruiu pessoalmente seu irmão mais novo Werner, ex-marido dela, para que "nenhuma promessa ou menção a qualquer assunto envolvendo dinheiro" fosse feita na obtenção de mais declarações exculpatórias de Ello e de outros, para manter uma aparência de integridade.[80]

No final de outubro de 1946, Harald enviou uma declaração do campo de prisioneiros de guerra britânico em Benghazi confirmando os "fatos" no depoimento de Ello: "Nunca fui membro ou candidato do NSDAP. Essa rejeição ao partido e a suas organizações se deve *unicamente* à influência de meu pai. Eu podia me permitir isso, porque, como 'enteado do dr. Goebbels', não me perguntavam muito sobre essas coisas".[81] Harald ansiava por um novo começo. Ele pensava em viajar, ou mesmo emigrar para a Austrália, para a Nova Zelândia ou para o Egito, quando fosse libertado.[82] Mas logo mudou de ideia. No início de 1947, o jovem de 25 anos estava pronto para voltar à Alemanha. Harald testemunhou a libertação de dezenas de seus camaradas de guerra, mas sua vez ainda não havia chegado. "Não é mais divertido. A pessoa quer ir para casa, ser de novo um ser humano entre seres humanos, e não um prisioneiro de guerra entre um povo imperioso, que é muito amigável, mas nem por um momento esquece que foi 'um membro da derrotada ex-Wehrmacht'", escreveu Harald ao pai.[83]

O tipo mais valioso de *Persilschein* era o escrito por alguém com origem ou ligação judaica; essas pessoas passaram a ser conhecidas pelo coloquialismo grosseiro "judeus de álibi". Algumas forneciam uma declaração de apoio com sentimento genuíno. Em outubro de 1946, Georg Sachs, ex-executivo de armas que havia trabalhado para Günther, escreveu uma carta dos Estados Unidos a um membro da diretoria da DWM. Günther havia apoiado Sachs financeiramente para que ele pudesse fugir da Alemanha nazista em 1936. Sachs agora respondia com empatia à prisão de Günther: "Sinto por Quandt, porque ele sempre se comportou de maneira bastante decente. Se ele desejar, posso lhe emitir uma declaração juramentada [...] caso preveja dificuldades. O filho dele escapou do suicídio em massa dos Goebbels? [...] Você não pode esperar que eu julgue a situação na Alemanha de forma particularmente branda. É claro que sinto pena das muitas pessoas que, sem ter nenhuma culpa direta, estão agora passando por dificuldades terríveis. Mas, por outro lado, qualquer pessoa instruída ou inculta devia ter logo percebido que pessoas desprezíveis estavam no poder".[84] Günther queria muito a declaração juramentada de Sachs. E Sachs, agora professor de metalurgia física em Cleveland, Ohio, a deu. Ele testemunhou que Günther havia providenciado um "generoso arranjo financeiro" que o ajudara a mudar sua família e os pertences dela.[85] Sachs desejava "sinceramente que o dr. Quandt não seja considerado um criminoso de guerra".

Enquanto estava detido no campo de concentração de Moosburg, Günther começou a escrever suas memórias. Escreveu sobre sua infância, seu início como empresário, suas viagens ao exterior e sua conquista de várias empresas durante a República de Weimar. Dedicou quase trinta páginas à vida com Magda, aproveitando no fim para se pintar como vítima dos nazistas, porque, em contraste com o fanatismo de sua ex-mulher e de Goebbels, ele não apoiara Hitler e suas ideias. Não escreveu quase nada sobre suas atividades empresariais durante o Terceiro Reich. Mencionou três vezes sua empresa de armas, a Deutsche Waffen und Munitionsfabriken, embora se referisse a ela apenas pela sigla DWM, que soava bastante insípida, sem conotações militares. Além disso, insinuou que a empresa fazia apenas locomotivas, peças industriais e máquinas. Não pôde deixar de se gabar de que o número total de "empregados" da DWM crescera para 150 mil durante a guerra, mas não mencionou as dezenas de milhares de trabalhadores forçados e escravizados em suas fábricas. E aludiu ao difícil trabalho extra que a expansão da guerra exigira dele e de seus "empregados", mas orgulhosamente escreveu concluindo: "Isso bastava".[86]

As memórias eram a tentativa nada sutil de Günther de se esconder, ocultar seu papel no Terceiro Reich e ganhar o favor dos americanos à medida que os julgamentos de Nuremberg se aproximavam. Ele dedicou um capítulo inteiro a suas viagens pelos Estados Unidos e sua admiração pelo país, concluindo em uma nota melosa: "América! Quantas vezes eu penso: a ascensão desse continente é um dos capítulos mais maravilhosos da história da humanidade".[87] Em outro lugar, Günther admitiu que, dadas suas vastas riqueza e ligações, poderia ter deixado a Alemanha nazista quando quisesse, mas, embora nunca tivesse servido em uma guerra, pintava-se como um soldado leal: "Um homem de negócios como eu poderia ter partido. Eu tinha amigos no exterior, na América do Norte e do Sul, que me acolheriam a qualquer momento. Mas eu teria considerado isso deserção. Permaneci em meu posto. Fiquei em contato estreito com meus colegas mais próximos, cuidei do grande número de trabalhadores e funcionários e tentei manter intactas as fábricas e empresas que me foram confiadas".

Mesmo a única reflexão de Günther sobre sua "culpa" o apresentava de forma positiva. Ele escreveu sobre a leitura de *Mein Kampf*, de Hitler, bem cedo, ao contrário de seus colegas alemães: "Nele estava escrito o que enfrentaríamos se esse homem entrasse no governo. Falava não só de trabalho e pão, mas também de guerra e opressão de outros povos. Infelizmente, a maioria dos alemães não leu esse livro a tempo. Se o tivesse feito, poderíamos ter sido poupados do mais terrível capítulo da história alemã. Eu me reprovo por não ter levado Hitler a sério. Se eu e algumas outras pessoas tivéssemos imprimido um trecho de *Mein Kampf* e o distribuído aos milhões, com a condição de que o lessem, teríamos nos safado a um custo menor!".

O produtor de armas em massa escreveu que havia saudado a reconstrução das Forças Armadas alemãs na década de 1930 "porque eu acreditava que era a única maneira de refrear o domínio arbitrário do partido. Que isso seria um dia usado para uma nova guerra mundial, considerei impossível por muito tempo. As repetidas afirmações de Hitler de que ele queria a paz me enganaram".

A derrota da Alemanha tivera um custo material para Günther. Para começar, algumas das empresas que ele havia arianizado foram devolvidas aos seus legítimos proprietários ou aos herdeiros sobreviventes. Günther também lamentou a perda de sua casa em Berlim, sua propriedade Severin e suas "máquinas", baterias e fábricas têxteis. Muito foi destruído, apreendido ou estava em território ocupado pelos soviéticos. "Admito que essas perdas não pesam muito em vista da catástrofe geral que se abateu sobre o povo alemão. No entanto, isso me magoa profundamente", escreveu Günther, em uma débil tentativa de dissipar sua autopiedade. "Em cada fábrica perdida, em cada máquina, considerações, planos e esperanças foram investidos."[88] Ele escreveu a um amigo que o número de mortos era "ruim", mas também questionou: "quem fazia ideia de quantas vítimas os nazistas tinham em sua consciência?".[89]

A vida no campo de Moosburg, que abrigava mais de 10 mil prisioneiros, era dura para o magnata envelhecido.[90] Günther compartilhava um alojamento com cerca de cem homens. Levantava-se às 5h30 para ter só para ele o banheiro, que contava com apenas duas torneiras com água. O industrial comia de uma lata e usava roupas do campo mal ajustadas e sapatos grandes demais, os quais enchia com oito pedaços de papelão. Suas costas estavam ficando tortas das semanas a fio sentado em bancos e banquetas. Para evitar "ponderar seu destino",[91] ele assistia a palestras noturnas oferecidas pela escola do campo: "Tibete três vezes, África Oriental duas vezes, China uma vez, seis vezes agricultura, teoria musical duas vezes, pedagogia duas vezes, círculo educacional europeu-americano seis vezes, Índia duas vezes, religiões cristãs ao longo do tempo três vezes, e pelo menos vinte vezes medicina das sete às oito".[92]

Em meados de setembro de 1946, as investigações norte-americanas e alemãs sobre o império de Günther continuavam a pleno vapor, mas nenhuma acusação contra ele havia sido feita ainda. Günther era transferido de campo em campo, inclusive para um localizado no terreno do antigo campo de concentração de Dachau. As circunstâncias lá haviam melhorado muito desde a partida dos nazistas. "Aquecimento central, banheiros grandes, que você usa sozinho, caso se levante às seis em ponto, o que não é difícil das nove da noite às seis da manhã e da uma às três da tarde, na folga do meio do dia. Água fria corrente, água quente três vezes por semana", escreveu Günther a um amigo.[93] Quando foi levado ao Hospital Militar de Dachau devido a problemas cardíacos, ele descreveu se sentir como um "hóspede do governo dos Estados Unidos no melhor sanatório na Alemanha. Não era ruim, os quartos lindamente aquecidos, a água corrente, os banhos e a boa e farta comida. Além disso, há o atendimento médico excepcional".[94]

11.

Pai e filho Flick estavam dando a seus entrevistadores americanos bastante dor de cabeça. Os interrogatórios dos dois em Frankfurt estavam se provando "não muito satisfatórios, na medida em que os Flick são muito evasivos e contraditórios em suas respostas", de acordo com um memorando de investigadores dos Estados Unidos.[95] Flick sênior se retratava como um opositor e vítima dos nazistas, que havia sido coagido a trabalhar com eles.[96] Torcia a verdade de suas arianizações em uma história favorável: eram acordos feitos para ajudar proprietários de empresas judeus a escapar dos nazistas. Ele também enfatizava a natureza supostamente descentralizada de seu conglomerado, fingindo que toda a responsabilidade pelas decisões recaía sobre os administradores individuais. Portanto, alegava que não tivera participação na produção de armas ou nos pedidos de trabalhadores para realizar trabalho forçado ou escravo. Os lugares-tenentes de Flick, na maioria presos no início de 1946, se aferraram a linhas de defesa semelhantes.

Durante o interrogatório, Otto-Ernst transferiu toda a responsabilidade pelas condições de trabalho e de vida desses trabalhadores no complexo siderúrgico da Rombach para as autoridades nazistas e os colegas gerentes dele. Os *Ostarbeiter* eram alojados em quartos "quase bonitos demais", declarou o herdeiro Flick durante um interrogatório.[97] Otto-Ernst disse que queria ter o mínimo de envolvimento possível com as condições de trabalho deles, mas afirmou ter notado que "os *Ostarbeiter* podiam andar livremente" e "quão bem alimentadas as pessoas pareciam. A comida era excelente. Cerca de arame farpado? Nunca vi". Otto-Ernst negou que existisse qualquer diferença de pagamento entre trabalhadores regulares e os que faziam trabalho forçado: "Em princípio, o Reich tinha a política de trabalho igual, desempenho igual, era completamente irrelevante quem fazia o trabalho".

Em reação às respostas bizarras de Otto-Ernst, Josif Marcu, investigador americano designado para os Flick, o ameaçou com trabalho forçado ou dez anos de prisão se continuasse a mentir.[98] Isso não teve nenhum efeito. O herdeiro Flick só reclamou de estar preso no mesmo corredor que os notórios matadores da SS Oswald Pohl e Otto Ohlendorf. Ironicamente, esses mesmos homens tinham sido, com o pai de Otto-Ernst, membros do Círculo de Amigos de Himmler. Flick sênior até assistira em 1943 a uma apresentação de Ohlendorf no Ministério da Propaganda de Goebbels, na qual, apoiado por um filme gravado na frente oriental, Ohlendorf falara sobre seu serviço como comandante do Einsatzgruppe D, responsável pelo massacre de mais de 90 mil pessoas, na maioria judeus, na União Soviética.

Em março de 1946, o promotor-chefe, Robert H. Jackson, nomeou Telford Taylor seu vice para o primeiro e principal julgamento de Nuremberg.[99] Taylor também presidiria a Divisão de Processos Subsequentes, que formou a base para o Gabinete do Chefe do Conselho para Crimes de Guerra, uma autoridade de acusação americana na Alemanha encarregada parcialmente de investigar grandes empresas. Naquele mês, Josif Marcu informou à imprensa a prisão oficial de Flick, chamando-o de "o maior poder individual por trás da máquina de guerra nazista".[100] Ele endossou fortemente a ideia de julgar o magnata, junto com outros industriais.

Quando por fim submeteu suas descobertas ao afável Taylor, educado na Harvard Law School, Marcu deixou claro que Flick era um forte candidato para Nuremberg. Marcu chamou Flick de "moderno Barão Ladrão alemão que se fez sozinho", caracterizado "por um desejo perverso de poder absoluto. Sua ascensão industrial foi baseada em operações sem escrúpulos e implacáveis; ele apoiou indivíduos e atos agora condenados por um mundo indignado; privou trabalhadores honestos dos frutos de seu trabalho; participou de programas de arianização de escalas tremendas; da espoliação de bens e propriedades em países brutalmente atacados e subjugados; utilizou dezenas de milhares de trabalhadores e trabalhadoras escravizados arrastados à força para longe de suas casas e seus países. Foi o maior produtor individual de armamentos para a guerra de conquista nazista".[101] Concluindo seu memorando a Taylor, Marcu afirmou que Flick, "que empregou mão de obra escravizada ucraniana em suas propriedades espoliadas na França e trabalho escravo francês em suas fábricas espoliadas na Ucrânia, o homem que destruiu as fronteiras nacionais da Europa para promover seu desejo pessoal de poder", estaria no banco dos réus em Nuremberg.

Em novembro de 1946, pai e filho Flick foram transferidos do ramo de descartelização do OMGUS em Frankfurt para a seção de crimes de guerra de Nuremberg. Esse movimento ocorreu um mês depois de o veredito final do primeiro julgamento de Nuremberg ter sido proferido.[102] Hermann Göring, antigo camarada de Flick, foi condenado à morte, mas cometeu suicídio na noite anterior à sua execução. Em seu lugar, o ex-ministro nazista das Relações Exteriores Joachim von Ribbentrop se tornou o primeiro condenado de Nuremberg a ser executado por enforcamento. A escalada social de Von Ribbentrop terminou na forca. O condutor de pessoas escravizadas, Fritz Sauckel, foi enforcado uma hora depois. Robert Ley, que havia financiado a fábrica Volkswagen de Ferdinand Porsche, também cometeu suicídio antes do início do julgamento. Walther Funk, velho amigo de Günther Quandt, foi condenado a vinte anos de prisão, assim como Albert Speer, rival de Porsche durante a guerra. O ex-chanceler Franz von Papen, cujo desejo de vingança levou Hitler ao poder, foi absolvido, assim como o amigo de Flick Hjalmar Schacht, ex-presidente do Reichsbank.

Flick já havia contratado o advogado de Schacht para montar sua defesa, mas ainda não havia acusação. Não estava claro nem se haveria um julgamento. No entanto, ele estava se preparando para brigar.

Quando o principal julgamento em Nuremberg terminou, ficou claro que um segundo, liderado pelos Aliados e concentrado em empresários alemães, não ia acontecer.[103] A absolvição de Hjalmar Schacht estabelecera um precedente ruim. Além disso, os Aliados se preocupavam com "um julgamento-espetáculo anticapitalista, dominado pelos soviéticos"[104] e com a falta de apetite do público por outro extenso conjunto de casos, o que poderia "diminuir as verdadeiras realizações do primeiro" julgamento de Nuremberg.[105] Os britânicos, cansados da guerra, também estavam preocupados com custos financeiros adicionais. Os americanos seguiriam sozinhos. Telford Taylor, que sucedeu Robert H. Jackson como promotor-chefe, concordou em supervisionar doze julgamentos subsequentes em Nuremberg — exclusivamente sob a alçada dos Estados Unidos —, inclusive três contra industriais e executivos alemães. Uma questão importante permanecia: quais deles Taylor escolheria?

12.

No início de novembro de 1945, um tenente do Exército francês visitou a propriedade Porsche-Piëch em Zell am See, na Áustria. As autoridades americanas e britânicas haviam libertado recentemente Ferdinand Porsche, seu filho Ferry e seu genro Anton Piëch enquanto aguardavam novas investigações. Um oficial francês abordou o trio com um convite. Uma comissão francesa, chefiada pelo ministro da Indústria, um comunista, queria trabalhar com Ferdinand Porsche no desenvolvimento de uma versão francesa do Volkswagen, auxiliado pela estatal Renault, que havia sido nacionalizada após sua colaboração com os nazistas.

Ansioso por trabalhar de novo com um governo, Porsche forneceu prontamente resmas de desenhos e dados técnicos aos franceses.[106] Começou então a negociar com a comissão em Baden-Baden, base das autoridades de ocupação francesas, perto da fronteira da Alemanha com a França. Em meados de dezembro de 1945, Porsche, Piëch e Ferry viajaram para Baden-Baden para a segunda rodada de negociações. Lá, oficiais do Exército francês à paisana os prenderam por suspeita de crimes de guerra.

Como ficou claro, a Peugeot, concorrente da Porsche, depois de saber das negociações, havia se queixado ao governo. Segundo a Peugeot, era antipatriótico para os franceses ajudar Ferdinand Porsche, dado seu relacionamento anterior com Hitler e a associação da Volkswagen com os nazistas. (O que a Peugeot realmente temia era uma concorrência maior da Renault.) Mais danosa, porém, foi a acusação da Peugeot de que Porsche e Piëch haviam cometido crimes de guerra. Sete gerentes de uma fábrica francesa da Peugeot saqueada pela Volkswagen tinham sido deportados para campos de concentração; três deles haviam sido mortos. E tudo isso enquanto Porsche e Piëch estavam encarregados do complexo Volkswagen, onde milhares de civis e soldados franceses eram obrigados a trabalho forçado e escravo. Mas, como era típico das autoridades dos Aliados, as brutais práticas de trabalho dos magnatas não eram alvo de interesse do governo francês.

Em vez disso, foram a deportação de funcionários da Peugeot e a acusação de assassinato que levaram as forças francesas a prender os três e a detê-los em Baden-Baden. Ferry foi libertado da prisão em março de 1946, mas mantido em prisão domiciliar em uma vila rural da Floresta Negra até julho, quando foi finalmente autorizado a regressar à Áustria. Enquanto isso, Porsche e Piëch foram transferidos para os arredores de Paris, onde foram mantidos nos aposentos dos empregados de uma propriedade que antes fora da família Renault. Em vez de passar sua prisão preventiva na cadeia, Porsche foi convidado a dar conselhos sobre o desenvolvimento do Renault 4CV. Embora Porsche tenha contribuído para aspectos cruciais do projeto do minicarro, o CEO da Renault disse ao governo que Porsche tinha feito um trabalho muito ruim. O diretor da empresa, um herói da Resistência francesa, não suportou ver o celebrado projetista alemão, acusado de cometer crimes de guerra contra compatriotas franceses, receber crédito por ajudar a projetar o carro francês. Em meados de fevereiro de 1947, Porsche e Piëch foram transferidos dos subúrbios de Paris para uma dura prisão militar em Dijon para aguardar julgamento.

Com os dois na prisão, os filhos de Porsche, Louise Piëch e Ferry, tiveram de salvar sozinhos a empresa da família,[107] que enfrentava sérios desafios. A fábrica da Porsche em Stuttgart — abandonada desde que o clã e seus funcionários fugiram para a Áustria — estava sendo usada como oficina de automóveis para o Exército dos Estados Unidos depois que fora posta sob controle de propriedade americano, juntamente com os ativos privados de Ferdinand Porsche. Dada a fuga da família para a Áustria, os americanos consideravam seriamente a liquidação da Porsche na Alemanha. Enquanto isso, o pedido de Ferdinand Porsche para se tornar um cidadão austríaco foi rejeitado porque ele estava sob custódia. A cidadania teria permitido que ele transferisse sua empresa e seus ativos do controle de propriedade dos Estados Unidos para a Áustria. Agora, ele precisaria encontrar outra maneira de escapar dos americanos.

Momentos de desespero exigiam medidas desesperadas. No início de 1947, os irmãos Porsche decidiram dividir formalmente os negócios da família.[108] Louise tinha mantido a cidadania austríaca através de seu casamento com Anton Piëch. Ela incorporou uma nova empresa em Salzburgo, sob o nome Porsche, à qual os bens austríacos da família foram transferidos. Ferry se agarrou à sua cidadania alemã para salvar a Porsche em Stuttgart. Por causa do controle de propriedade dos americanos, Ferry teve de fazer isso a partir da segurança da base austríaca da empresa nos Alpes, onde ele estava ocupado realizando o sonho de seu pai de projetar o primeiro carro esportivo com o nome da família: o Porsche 356.

Da prisão, Anton Piëch escreveu ao cofundador da Porsche, Adolf Rosenberger, pedindo mil dólares para ajudar a pagar sua própria fiança e a de Ferdinand Porsche.[109] Isso depois de os dois terem arianizado a participação de Rosenberger na Porsche mais de uma década antes. Agora, Piëch oferecia a Rosenberger a licença de patente da Porsche nos Estados Unidos, embora tivesse rejeitado friamente o pedido feito por Rosenberger em 1938. Rosenberger havia emigrado para os Estados Unidos em 1940 e vivia como Alan Robert em Los Angeles. Depois da guerra, enviara um telegrama a Louise Piëch. Na resposta, Louise expressou a esperança de que as relações comerciais com ele pudessem ser retomadas depois que o controle de propriedade fosse levantado. Logo os dois estavam se escrevendo com regularidade. Rosenberger também se correspondeu com Ferry e até enviou pacotes com mantimentos e roupas para a propriedade da família deles. Claramente esperava voltar a fazer parte da empresa.

Com Ferdinand Porsche e Anton Piëch enfrentando um julgamento na França e a próxima geração lutando pela sobrevivência da Porsche, parecia que o judeu Rosenberger poderia de fato retornar à empresa de projeto de carros de que havia sido cofundador.

13.

Depois de ter passado um ano no limbo dos campos de internamento, Günther Quandt foi informado em meados de setembro de 1947 de que não estaria entre os magnatas indiciados nos julgamentos de industriais em Nuremberg.[110] O empresário de 66 anos foi transferido para a jurisdição alemã pelo escritório de crimes de guerra de Telford Taylor, junto com todas as provas compiladas contra ele. "Entre os primeiros trinta entregues aos alemães [...] estava Guenther Quandt, fabricante de armamentos alemão e ex-marido da sra. Paul Joseph Goebbels", escreveu a Associated Press em 27 de outubro de 1947, cobrindo a transferência de responsabilidade em Dachau.[111] Um promotor em Starnberg apresentara uma acusação contra Günther. Ele era acusado de ter sido um grande infrator durante o regime nazista, mas apenas por ter lucrado com a produção de armas e munição.[112]

Quando a Guerra Fria começou, no início de 1947, as prioridades do governo Truman começaram a passar de punir a Alemanha para permitir sua recuperação econômica.[113] Em resumo, os Estados Unidos queriam um baluarte contra a expansão comunista na Europa, e a parte ocidental da Alemanha, que tinha potencial para se tornar a maior economia da Europa, poderia servir como a chave para conter a União Soviética e recuperar o resto do continente. O secretário de Estado George C. Marshall logo anunciou seu plano de ajuda homônimo, que dava à Alemanha e a outros países da Europa Ocidental a soma de 15 bilhões de dólares. O governador militar do OMGUS, Lucius D. Clay, substituiu a política de ocupação punitiva dos Estados Unidos por uma voltada ao autogoverno alemão. As zonas de ocupação dos Estados Unidos e do Reino Unido no oeste da Alemanha já haviam se fundido para coordenar essa alteração na política.

Seguiram-se mudanças muito significativas. As autoridades dos Aliados aceleraram uma entrega de suspeitos de crimes de guerra e simpatizantes nazistas aos chamados tribunais de desnazificação alemães, que eram painéis judiciais regionais com uma configuração semelhante à de um julgamento criminal.[114] Os réus contratavam os próprios advogados, se pudessem pagar um. Mas, dado o número muito grande de acusados, os juízes e promotores eram em grande parte, e de maneira decisiva, leigos, exceto nos casos mais sérios. Um indivíduo indiciado seria acusado como um grande infrator, um infrator, um infrator menor ou um seguidor. Se um réu fosse condenado, a punição seria prisão, campo de trabalho, multa ou alguma combinação disso. Os absolvidos eram categorizados como "pessoa exonerada".

Naturalmente, a maioria dos alemães não estava muito interessada em julgar seus compatriotas, acusados de crimes e convicções políticas com que muitos dos que participavam do julgamento haviam se envolvido. Nem os milhões de réus se sentiam particularmente inclinados a contar a verdade sobre suas simpatias nazistas ou suas transgressões durante a guerra. Incontáveis crimes e segredos permaneceram enterrados.

Mesmo após a transferência de responsabilidade, Günther foi mantido em Dachau.[115] Ele era considerado um risco de fuga e foi transferido para uma parte do campo onde outros suspeitos de crimes de guerra alemães aguardavam julgamentos de desnazificação. De lá, Günther partiu para a ofensiva. No final de outubro de 1947, escreveu uma carta a seu advogado afirmando que havia abandonado a produção de armas na DWM depois de ter comprado a empresa, em 1928, e a retomado só quando as autoridades nazistas ordenaram que o fizesse, em 1943.[116] O advogado de Günther transmitiu essa mentira descarada juntamente com vários depoimentos juramentados que a apoiavam ao tribunal de Starnberg. A manobra funcionou. No início de dezembro de 1947, o promotor em Starnberg reduziu a acusação contra Günther de grande infrator para infrator, embora por motivos jurídicos pouco claros.[117] Günther também foi transferido de Dachau para um campo de internamento mais confortável em Garmisch-Partenkirchen, uma cidade de montanha na fronteira com a Áustria.

Mas isso não era suficiente para Günther. Em 10 de janeiro de 1948, ele escreveu outra carta ao tribunal de Starnberg, reclamando que havia ficado "preso por mais de um ano e meio sem nenhum motivo real". Pediu para ser solto imediatamente e julgado como infrator menor, sustentando descaradamente na carta que sua "filiação ao partido ocorreu em circunstâncias extorsivas" e que ele havia sido "perseguido pelo governo nacional-socialista durante anos da maneira mais séria".[118]

Günther foi libertado dez dias depois, aguardando novos procedimentos.[119] O tribunal de Starnberg o liberou sem fiança. Inexplicavelmente, deixaram de considerar que havia risco de fuga. Nesse mesmo mês, Julius Herf foi nomeado o novo promotor do caso. Günther tinha um poderoso oponente em Herf, um acusador público proeminente. O homem "lógico e completamente frio"[120] havia processado membros da SA em Berlim antes de 1933 e agora estava encarregado dos casos de desnazificação mais famosos da Baviera. Com "sagacidade mordaz, formulações afiadas e tom acusatório cortante"[121] e ternos elegantes (ele mantinha um paninho perfumado no bolso do paletó),[122] Herf era temido em toda a Alemanha.

Em 8 de fevereiro de 1948, Herf apresentou uma acusação revisada contra Günther no tribunal de Starnberg.[123] Oferecendo muito mais substância do que houvera na acusação inicial, Herf começou afirmando que, mesmo que a filiação de Günther ao NSDAP fosse resultado da extorsão de Goebbels, o magnata "não sofreu nenhuma desvantagem da suposta inimizade do partido. Nenhum obstáculo foi colocado no caminho da consolidação e expansão de seus interesses comerciais ou industriais". De fato, Günther "recebeu total apoio das autoridades competentes do Reich em seus interesses empresariais", argumentou Herf. Para sublinhar isso, o promotor listou 29 cargos executivos que Günther ocupava na Alemanha nazista nas empresas que controlava, como AFA e DWM, bem como seus cargos de diretoria no Deutsche Bank, na Daimler-Benz e na AEG.

Além de citar a produção de armas e munição do magnata, Herf centrou o caso contra Günther na fracassada expropriação pelo magnata de uma participação majoritária na Tudor, uma empresa de baterias com sede em Bruxelas. Herf fez isso apesar de ter muitas provas documentais de outras arianizações e expropriações bem-sucedidas ou tentadas em toda a Europa ocupada pelos nazistas realizadas por Günther, seu filho Herbert e seus assessores da AFA. Tudo porque, ao contrário dos outros casos, para esse Herf tinha uma testemunha-chave, Léon Laval, o maior acionista da Tudor. Günther e seus sócios haviam pressionado Laval a vender sua participação enquanto ele estava sob custódia da Gestapo e seu filho era mantido em um campo de concentração.[124]

No final de fevereiro de 1948, Günther substituiu um advogado inexperiente por outro, que acabara de passar no exame da ordem.[125] Era um mau sinal; o julgamento se aproximava. O novo advogado obteve um adiamento de um mês no julgamento para se familiarizar com o caso e ganhar tempo. A estratégia da defesa foi agressiva. Em resposta à acusação de Herf, Günther escreveu uma biografia e uma refutação de 164 páginas, exigindo ser exonerado. Ele argumentava que as alegações de Herf eram baseadas em provas circunstanciais e "pseudoargumentos".[126] E acrescentava cerca de trinta *Persilscheine* a seu pedido, incluindo declarações juramentadas de Herbert e outros parceiros empresariais próximos, que atestavam a fibra moral de Günther e a deles próprios. A gangue de homens que tinha sido tão fundamental para a produção de armas em massa, a estratégia de arianização e o uso de mão de obra escrava do império Quandt estava agora se reagrupando para limpar seu histórico.

14.

O julgamento de desnazificação de Günther em Starnberg começou em 13 de abril de 1948. Uma semana antes de começar, ele foi transferido da Baviera para uma pequena casa pré-fabricada em Stuttgart, no bairro de Ferdinand Porsche.[127] Günther seria transportado para Starnberg nos dias de julgamento; esperava-se que fossem oito, de meados de abril ao final de julho. Harald e Herbert foram escolhidos para testemunhar pessoalmente. Harald tinha sido libertado do campo de prisioneiros de guerra britânico em Benghazi em abril de 1947. O jovem de 26 anos passara metade de sua vida até então morando na casa de Goebbels, nas linhas de frente e em um campo de prisioneiros. Agora trabalhava como soldador, pedreiro e operário de fundição, mas logo começaria a estudar engenharia mecânica em Hanôver.[128] Como nunca se filiou ao Partido Nazista, não teve de passar pela desnazificação.

Seu meio-irmão havia sido "desnazificado" no final de 1946, em Hanôver. Herbert — que havia se tornado voluntariamente membro do Partido Nazista, estivera envolvido com arianizações na França, ajudara a planejar e construir um subcampo de concentração na Baixa Silésia e fora o responsável pelos trabalhadores de uma fábrica de baterias de Berlim onde centenas de mulheres prisioneiras em campos de concentração haviam sofrido abuso — acabara exonerado por um painel de desnazificação que não sabia desses delitos. Os juízes decidiram que o herdeiro "nunca apoiou ativamente o partido e, ao contrário, criticou abertamente suas políticas".[129] Herbert estava livre.

Os filhos de Günther foram os primeiros a depor como testemunhas de defesa.[130] Harald falou sobre como Goebbels menosprezava seu pai por não ser um nazista, enquanto Herbert descreveu brigas entre Günther e Magda relacionadas ao antissemitismo dela. Logo depois que os irmãos fizeram sua parte pelo pai, Léon Laval foi ao banco de testemunhas. Herf não se favorecera construindo seu caso em torno de Laval. A situação da Tudor era complexa, e Laval não chegava nem perto de testemunha perfeita.[131] Durante a tentativa de tomada de controle da Tudor, tivera um contato nazista bem relacionado em Herbert Göring, meio-irmão corrupto do *Reichsmarschall*, o que não melhorava as coisas para a acusação. Ainda menos útil foi a antipatia de Laval por Günther.[132] Ele acusou o magnata de ser responsável por suas prisões pela Gestapo. Não tinha prova disso, e sua indignação tingiu o julgamento; testemunhos degeneraram em brigas aos gritos. O próprio advogado de Laval o repreendeu por seu comportamento emocional e por chamar para o banco de testemunhas vários sócios que agiram para minar o caso.

Günther testemunhou tudo isso com alegria. Acreditava que sua "reabilitação completa" era quase certa.[133] Em suas alegações finais, Herf argumentou que Günther tentara forçar Laval a vender suas ações quando ele estava mais indefeso. Também invocou os esforços de arianização e expropriação de Günther em toda a Europa ocupada pelos nazistas para mostrar que a "busca pelo poder" do magnata cobria o continente, indo além de Laval e da Tudor. O promotor recomendou que Günther, como apoiador dos nazistas e aproveitador, fosse considerado infrator, multado em 500 mil marcos e sentenciado a um campo de trabalho por um ano e meio, com redução do tempo que passara detido.[134]

O tribunal de Starnberg não concordou. Em sua decisão de 28 de julho de 1948, dia do aniversário de 67 anos de Günther, ele foi classificado como mero seguidor dos nazistas. Sua única punição seria pagar os custos do julgamento.[135] O tribunal julgou Günther um "ser humano apolítico" que havia rejeitado totalmente o nazismo. Embora suas brigas com Magda e Goebbels não pudessem ser vistas como "resistência ativa", os juízes acreditavam que o ministro da Propaganda havia forçado Günther a tornar-se membro do Partido Nazista. O tribunal leigo tampouco considerou que o industrial tinha sido beneficiário do regime de Hitler. Os juízes decidiram que Günther "recusou-se a subordinar as fábricas que dirigia ao serviço da política de armamento dos tiranos" — embora ele tivesse sido um dos maiores produtores de armas em todo o Terceiro Reich. De acordo com o tribunal, seus esforços de arianização em toda a Europa não podiam ser vistos como "uma política de expansão inaceitável"; e os juízes ficaram com uma visão negativa de Léon Laval, declarando que ele havia transformado uma briga empresarial em uma questão política.

As muitas declarações juramentadas apresentadas em apoio a Günther, em particular aquelas fornecidas por pessoas com origem ou conexão judaica, também impressionaram os juízes. Os testemunhos eram um sinal da "disposição humana" de Günther, pensava o tribunal. Para completar, os juízes concluíram que "os estrangeiros eram devidamente cuidados" nas empresas de Günther. Apenas uma vítima de trabalho forçado se apresentara como testemunha para atestar o contrário, e não acusara Günther de nenhuma irregularidade pessoal, concluiu (erroneamente) o tribunal.

Herf recorreu da decisão. As audiências relacionadas ocorreram em Munique no final de abril de 1949, e o próprio Günther não estava presente, por motivos de saúde. Em suas alegações finais, Herf invocou o livro de Max Weber *A ética protestante e o espírito do capitalismo* para explicar a personalidade de Günther: "É a excitação da busca do poder, a excitação de construir uma enorme corporação, a obsessão pela autoafirmação que está na raiz de tudo isso, e é a crença no valor do próprio trabalho, não só porque o trabalho é algo moral, mas porque construir a corporação é o bem final e porque qualquer coisa que resista à construção é ruim", argumentou o promotor.[136]

Herf repetiu sua recomendação de condenação de Günther. Mas a câmara de apelação da Baviera confirmou o veredito do tribunal inferior. Não havia "prova clara" de que Günther tivesse obtido "vantagens excessivas" para si mesmo, foi decidido. No entanto, os juízes admitiram que a avaliação era difícil "no caso de um homem que provou ao longo de sua vida que sabe como construir uma grande fortuna e um grande poder econômico".[137]

Em 23 de maio de 1949, quatro semanas após o veredito do tribunal de recursos de Munique, o país se dividiu em dois oficialmente. A República Federal da Alemanha, chamada de maneira informal de Alemanha Ocidental, fundiu três zonas de ocupação — americana, britânica e francesa — em um novo Estado autônomo, com capital em Bonn e tendo como líder o chanceler Konrad Adenauer. No verão anterior, o marco alemão havia substituído o reichsmark como moeda oficial do país, para ajudar a deter a inflação galopante. A zona de ocupação soviética foi logo estabelecida como a República Democrática Alemã, mais conhecida como Alemanha Oriental, com Berlim Oriental como capital do Estado comunista.

Herf recorreu do veredito sobre Günther uma última vez. Em dezembro de 1949, o tribunal de cassação da Baviera confirmou a decisão da câmara de apelação, concluindo que no caso de Günther não havia "prova conclusiva de culpa".[138] Embora o magnata de início ficasse chateado por não ter sido totalmente exonerado, logo elogiou a decisão como um "julgamento brilhante".[139]

Mas Günther ainda não estava inocentado. Naquele mesmo dezembro, passou a ser investigado em Berlim por maus-tratos a trabalhadores na Pertrix, onde, entre muitos outros, cerca de quinhentas prisioneiras de campo de concentração foram usadas e mantidas em um subcampo próximo durante as fases finais da guerra.[140] Günther alegou ter visitado a fábrica de baterias apenas duas vezes durante a guerra e negou ter qualquer conhecimento de "um chamado *Judenlager*" (campo judeu) na Pertrix.[141] Também protegeu seu filho Herbert; uma investigação semelhante em Berlim, sobre as ações de Herbert na Pertrix, não levara a nada. Em uma carta a seu advogado, Günther mentiu um pouco mais e escreveu que Herbert, como diretor comercial da empresa durante a guerra, não era responsável pelo quadro de funcionários. Na verdade, Herbert havia tido "conhecimento preciso" do uso de mão de obra forçada e escravizada na fábrica, concluiu mais tarde um historiador.[142]

Em 24 de fevereiro de 1950, um tribunal de desnazificação de Berlim decidiu reabilitar Günther, depois que a comunidade judaica remanescente da cidade não fez nenhuma objeção.[143] O magnata cobrou da AFA os 29 500 marcos em honorários advocatícios e voltou ao trabalho. Günther era um homem livre. Uma nova década começara, e com ela uma nova era para a Alemanha, de prosperidade maciça e silêncio grave.

15.

Embora tivesse sido obrigado a aceitar a quase absolvição de Günther Quandt, o obstinado advogado Julius Herf ainda não tinha acabado de lidar com os aproveitadores do Terceiro Reich. Ele teve outra chance de justiça em sua acusação contra o barão August von Finck. Apesar do pesado escrutínio dos investigadores americanos, o homem mais rico da Baviera não era, no final das contas, um candidato sério a um julgamento em Nuremberg. No início de novembro de 1948, Herf indiciou Von Finck como infrator: um nazista comprometido que havia arrecadado 20 milhões de marcos para o museu de arte de Hitler. O regime recompensara generosamente Von Finck por seus esforços, mostrou Herf. As arianizações por Von Finck de dois bancos, o Dreyfus de Berlim e o Rothschild de Viena, haviam quadruplicado o balanço de seu banco privado, o Merck Finck, que passou de 22,5 milhões de marcos em 1933 para 99,2 milhões de marcos em 1944.[144]

O julgamento de desnazificação contra Von Finck ocorreu em Munique no final de dezembro de 1948. A principal testemunha contra o banqueiro foi Willy Dreyfus. Embora Dreyfus e Von Finck tivessem chegado a um rápido acordo privado em outubro de 1946, não haviam sido autorizados a executá-lo: precisavam estabelecer procedimentos formais de restituição sob a lei de ocupação americana. Depois que a lei de restituição entrou em vigor, em novembro de 1947, os dois reabriram as negociações. Em agosto de 1948, após conversas exaustivas, eles chegaram a um acordo que espelhava exatamente o que haviam concluído dois anos antes.

Dreyfus receberia ações para restaurar o que o Merck Finck havia pagado a menos pela filial de Berlim de seu banco, assim como os parentes sobreviventes do ex-sócio de Dreyfus, Paul Wallich. Dreyfus sustentou que Wallich, que se suicidara após a arianização, "sofreu indignidades nas mãos da administração do Merck, Finck & Co., que [...] contribuíram grandemente para quebrar seu ânimo".[145] Então Dreyfus quis alterar uma passagem final no acordo, que teria obrigado ele e parentes de Wallich a devolver todas as ações de restituição se uma futura lei alemã o anulasse. Vendo uma chance de recuperar ações que estavam lhe escapando, Von Finck recuou, alegando que a lei de restituição americana não era aplicável ao acordo deles e que qualquer insinuação de que seu banco fora responsável pelo suicídio de Wallich era ofensiva. O acordo estava desfeito.[146]

Em 22 de dezembro de 1948, no início do julgamento, o habitualmente implacável Herf, por razões que não ficavam claras, mudou a categoria do indiciamento de Von Finck de infrator para infrator menor.[147] Nesse mesmo dia no tribunal, Von Finck negou todas as acusações. Segundo o financista, a transação do Dreyfus havia sido concluída de boa-fé em 1938, e a aquisição por seu banco do Rothschild se destinava a proteger dos nazistas os bens dos proprietários. Ele argumentou que seus esforços de angariação de fundos como presidente do conselho curador do museu, para o qual fora nomeado por instrução explícita de Hitler, não tinha sido uma expressão de simpatia nazista, mas apenas uma boa maneira de promover seus interesses empresariais, sustentou Von Finck. Ele alegou que o estabelecimento de relações tinha sido o responsável pelo crescimento de seu banco durante a era nazista.

Cerca de quarenta *Persilscheine* foram apresentados ao tribunal, cada um deles atestando a postura apolítica e até mesmo antinazista de Von Finck; entre eles havia vários depoimentos de ex-colegas e clientes judeus. Esse movimento defensivo se tornara muito comum em processos de desnazificação. Mas então o julgamento de Von Finck sofreu uma série de reviravoltas estranhas.[148] Era bastante incomum que Herf tivesse reduzido a gravidade da acusação contra o banqueiro. Em seguida, uma correspondência supostamente incriminadora, confiscada da casa da propriedade do barão por investigadores dos Estados Unidos, desapareceu do dossiê do tribunal; os juízes de repente ordenaram que a parte do julgamento relativa à arianização do Rothschild fosse tratada de portas fechadas, "por razões de segurança do Estado";[149] testemunhas de acusação que tinham sido convocadas para depor contra Von Finck não compareceram ao tribunal ou inverteram o teor de seu testemunho perante os juízes.

Um ex-confidente de Von Finck disse mais tarde à revista *Der Spiegel* que uma potencial testemunha de acusação, "que sabia muito e odiava Finck",[150] recebera a impressionante quantia de 500 mil marcos (cerca de 120 mil dólares na época) para não aparecer no tribunal. O suborno teria sido pago sem o conhecimento do financista frugal.

O subterfúgio não parou por aí. Julius Herf era gay — um segredo que todo mundo sabia. No início da década de 1930, o apelido do promotor criminal no submundo de Berlim era Schwule Jule, ou "Jules Gay".[151] Pouco antes de o julgamento de Von Finck começar, alguém apareceu no escritório de Herf e aludiu abertamente à sua orientação sexual; também "traiu o conhecimento de certos pormenores de natureza muito delicada, cuja divulgação teria sido devastadora para o promotor", o ex-confidente de Von Finck contou à *Der Spiegel*. "A conduta dele perante o tribunal deve ser considerada tendo isso em conta."[152] Atos homossexuais eram um delito criminoso na Alemanha (e assim permaneceram até 1994), e houve muita fofoca sobre isso. Circularam rumores sobre o envolvimento de Herf e outros promotores com homens mais jovens, e sem dúvida os capangas de Von Finck estavam ansiosos para explorá-los.[153]

Além de reduzir as acusações contra Von Finck, Herf também anunciou, perto do final do julgamento, que não ia mais considerar a arianização do Rothschild em suas alegações finais, afirmando acreditar na defesa do banqueiro de que ele tomara o controle da empresa para proteger seus ativos.[154] Embora o testemunho de Willy Dreyfus fosse considerado crível, outra testemunha de acusação importante, um diretor do Dreyfus meio judeu inicialmente mantido pelo Merck Finck após a arianização, foi desacreditado por ex-colegas que o consideravam um bêbado pouco confiável.

Em 14 de janeiro de 1949, o tribunal de desnazificação de Munique decidiu que Von Finck era apenas um seguidor dos nazistas e ordenou que ele pagasse 2 mil marcos para um fundo geral de restituição.[155] Os juízes tomaram o partido do banqueiro, aceitando a alegação de que seu papel no museu não tinha sido uma expressão de simpatia nazista, sendo apenas para a promoção de seus próprios interesses comerciais. O tribunal concordou que Dreyfus sofrera sérias desvantagens econômicas como resultado das leis discriminatórias do regime nazista, mas também sustentou que Von Finck não era pessoalmente responsável pelas leis nem se aproveitara da situação. Os juízes determinaram que, no caso Rothschild, Von Finck "comportou-se de maneira tão exemplar que cada palavra sobre ele em contrário é demasiada". De acordo com o tribunal, o financista de cinquenta anos havia reagido como um "comerciante real" que na verdade se colocou em perigo considerável vis-à-vis as autoridades nazistas na transação. Os juízes chegaram a ponto de chamar os "esforços" de Von Finck na questão Rothschild de "resistência ativa".

Herf logo se arrependeu de ceder à chantagem. Um mês após a decisão, o promotor entrou com um recurso contra Von Finck. Mas o mesmo visitante apareceu em seu escritório com iguais ameaças veladas.[156] Uma semana depois de Herf ter dado entrada no recurso, desistiu dele sem explicação, em uma concisa nota de uma frase ao tribunal de Munique.[157]

Von Finck não ficou completamente satisfeito com o resultado do julgamento e recorreu da sentença. Pediu anistia com base em uma lesão no joelho na Primeira Guerra Mundial para evitar pagar qualquer restituição. A anistia foi concedida. Von Finck foi "desnazificado" e voltou ao trabalho.[158]

Herf e Dreyfus não tiveram tanta sorte. Logo após o julgamento, Herf foi suspenso como promotor público por acusações de "crimes" homossexuais,[159] depois que cinquenta cartas de flerte que ele havia escrito a homens mais jovens vazaram para o público.[160] Em 1951, de acordo com Dreyfus, seu advogado pessoal agiu pelas suas costas e fez um acordo com Von Finck por uma fração do acordo inicial. O barão tinha paralisado o acordo por tempo suficiente para que o equilíbrio de poder mudasse a seu favor. Dreyfus então abriu um processo contra Von Finck em tribunais americanos. Seu litígio prosseguiu até a Suprema Corte, mas em 1976 ela se recusou a ouvir o caso.[161] Willy Dreyfus morreu no ano seguinte, aos 91 anos.

16.

A desnazificação de Rudolf-August Oetker nunca foi a julgamento. Ele foi "desnazificado" por um subcomitê interno em sua própria empresa depois de apelar contra sua demissão como CEO da Dr. Oetker; as autoridades britânicas o tinham destituído de sua posição porque ele fora oficial da Waffen-SS. Em 9 de abril de 1947, seu caso foi apresentado ao painel de desnazificação da Dr. Oetker em Bielefeld, que era composto inteiramente de funcionários da empresa. A defesa espúria do acusado, de trinta anos, foi assim: ele recebera ordens para deixar o serviço de aprovisionamento da Wehrmacht para se juntar à Waffen-SS. Então se candidatara a recuperar o posto de oficial, que havia perdido depois de ser transferido "forçosamente" para a Waffen-SS. Fizera isso porque tinham lhe dito que o posto de oficial era um pré-requisito para se tornar um diretor de empresa.[162]

Muitos *Persilscheine* já haviam sido apresentados em benefício de Rudolf-August. Agora, vários empregados da Dr. Oetker testemunharam em seu favor perante o painel. Não houve testemunhas de acusação porque "ninguém notou nenhuma atividade política" do herdeiro da empresa.[163] O comitê de desnazificação de cinco membros aceitou a explicação de Rudolf-August e o exonerou, observando que, além de ter sido obrigado a ingressar na Waffen-SS, ele também tinha sido declarado inapto para o serviço militar.

Alguns meses depois, autoridades britânicas confirmaram sua exoneração. Em agosto de 1947, Rudolf-August foi reintegrado como CEO da Dr. Oetker, após uma ausência de mais de dois anos. Sua participação majoritária na empresa foi liberada do controle de propriedade britânico no mês seguinte. Dias depois, o último obstáculo foi eliminado. Em 20 de setembro de 1947, aniversário de 31 anos de Rudolf-August, o custodiante nomeado pelos britânicos foi oficialmente dispensado de sua supervisão da Dr. Oetker. Rudolf-August estava de volta ao controle da empresa da família.[164] O príncipe do pudim ascenderia mais uma vez.

17.

Sete semanas antes, em 31 de julho de 1947, Ferdinand Porsche e Anton Piëch foram libertados da prisão militar de Dijon depois que Louise Piëch depositou 1 milhão de francos franceses como fiança. Os dois haviam estado em detenção quase constante durante dois anos. Eles voltaram à Áustria, onde foram autorizados a esperar um julgamento na França por acusações de crimes de guerra.[165] Os dois tinham sido indiciados pelo saque de uma fábrica da Peugeot, que havia sido desapropriada pela Volkswagen, e pela deportação de sete gerentes dela para campos de concentração — três dos quais tinham sido mortos.

Em 5 de maio de 1948, um tribunal militar em Dijon absolveu Porsche e Piëch. O caso, já considerado fraco, desmoronou após testemunhas francesas deporem a favor dos magnatas. O tribunal concluiu que nenhum dos dois havia desempenhado um papel no saque da fábrica da Peugeot nem na deportação de seus gerentes. Foi dito que ambos tinham na verdade feito pressão pela libertação de prisioneiros. Nem sequer foi mencionado no julgamento o uso por Porsche e Piëch de milhares de civis e soldados franceses como mão de obra forçada e escrava no complexo Volkswagen.

Durante a detenção dos dois homens, os irmãos Ferry e Louise estavam ocupados salvando a empresa da família ao dividi-la formalmente em duas: Louise Piëch incorporou uma nova empresa sob o nome Porsche em Salzburgo, enquanto Ferry reviveu a Porsche original em Stuttgart. Uma pergunta, porém, permanecia: o que fazer com a Volkswagen? O complexo fabril em Fallersleben estava sob controle dos militares britânicos, que renomearam a cidade construída em torno da fábrica Wolfsburg e começaram a produzir em massa o Volkswagen original. O "carro do povo" de Hitler estava se tornando o tão amado fusca. Contudo, Ferdinand Porsche o projetara, e durante a guerra havia negociado um contrato de remuneração inicial com a Volkswagen para caso o carro em algum momento fosse produzido em massa.[166]

Esse momento havia finalmente chegado. Em meados de setembro de 1948, alguns meses depois que Ferdinand Porsche e Anton Piëch foram absolvidos na França, as famílias entraram em negociações com o novo CEO da Volkswagen, Heinrich Nordhoff. O executivo nomeado pelos britânicos também tinha uma história recente bastante manchada. Como Ferdinand Porsche, Günther Quandt e Friedrich Flick, Nordhoff fora nomeado *Wehrwirtschaftsführer* pelo regime nazista enquanto trabalhava como executivo de automóveis na Opel, onde tinha usado cerca de 2 mil pessoas como mão de obra forçada.[167] Mas, após a desnazificação de Nordhoff, as autoridades britânicas desconsideraram seus pecados passados.

As negociações ocorreram no balneário bávaro de Bad Reichenhall, na fronteira com a Áustria e apenas dezesseis quilômetros ao norte do antigo retiro montanhês de Hitler, no Obersalzberg, onde, doze anos antes, Porsche havia apresentado os Volkswagens de teste ao Führer e o convencera a produzi-los. Agora era negociado outro acordo: como remunerar Porsche nos próximos anos pelo fusca que ele projetara.[168]

A resposta era "enormemente". O carro se tornaria um imenso sucesso. A família Porsche acabou negociando uma taxa de licenciamento de 1% sobre cada fusca vendido — seriam cerca de 21,5 milhões de modelos em todo o mundo quando a produção parou, em 2003. Além disso, a nova Porsche recém-incorporada em Salzburgo de Louise e Anton Piëch recebeu direitos exclusivos para importar Volkswagens. Ela se tornou a maior concessionária de carros da Áustria e foi vendida para a Volkswagen por 4,6 bilhões de dólares em 2011. Outro acordo formal reforçou a dinastia: a filha de Heinrich Nordhoff logo se casou com um filho de Louise e Anton Piëch.

Ao contrário das outras dinastias empresariais alemãs, o clã Porsche-Piëch entrara na era nazista, em janeiro de 1933, à beira da falência. Agora, na esteira da guerra, o acordo de Bad Reichenhall garantia seu lugar ao lado das outras dinastias e tornaria os Porsche-Piëch uma das famílias mais ricas na Alemanha e na Áustria. E tudo isso em meados de setembro de 1948, antes de o primeiro carro esportivo Porsche entrar em produção e enquanto a fábrica original da Porsche em Stuttgart — aquela que um dia produziria milhões dos carros mais desejados do mundo — ainda estava sob controle de propriedade do Exército dos Estados Unidos.

Da Áustria, Ferdinand Porsche escreveu: "Lastimo minha fábrica em Stuttgart [...] todo dia".[169] Embora o controle americano da empresa e dos ativos privados de Porsche em Stuttgart fosse levantado no início de março de 1949, a liberação teve curta duração. Adolf Rosenberger e a Porsche estavam envolvidos em uma batalha legal acalorada desde o verão de 1948.[170] Rosenberger não tinha voltado à empresa. O emigrado judeu agora queria restituição – ser reintegrado como acionista da empresa de que fora cofundador, com a mesma participação que Ferdinand Porsche e Anton Piëch haviam adquirido dele na arianização de 1935. Depois que a empresa Porsche recusou reiteradamente qualquer acordo, Rosenberger solicitou outro congelamento de ativos na empresa de Stuttgart, que foi concedido em outubro de 1949.

Quando o caso foi a julgamento, no fim de setembro de 1950, um advogado de Porsche e Piëch propôs um acordo ao advogado de Rosenberger: 50 mil marcos mais um carro. Foi oferecida a Rosenberger uma escolha: uma versão de luxo do fusca ou um Porsche 356, o primeiro carro esportivo com o nome da família, projetado pelo filho de Porsche, Ferry.[171] Rosenberger ainda não tinha voltado a Stuttgart. Estava em Los Angeles, cuidando de sua esposa doente. Assim, o advogado de Rosenberger aceitou o acordo sem consultá-lo. Só o informou por carta depois que o assunto estava concluído. A Porsche foi liberada do controle de propriedade americano; Rosenberger acabou escolhendo o fusca.

Ferry já havia retornado a Stuttgart da Áustria com seu projeto de carro esportivo. Agora seu pai poderia finalmente segui-lo. Enquanto a batalha legal com Rosenberger se intensificava em junho de 1949, Ferdinand Porsche iniciara seus procedimentos de desnazificação. Em sua propriedade na Áustria, onde as medidas de desnazificação eram generosas e frouxas, ele esperava em casa que o zelo diminuísse. A linha de defesa de seus advogados era em essência a mesma que tantos outros alemães haviam usado: "Professor Porsche sempre foi apenas um técnico, um projetista [...] questões políticas da época estavam e ainda estão completamente fora de sua esfera de pensamento".[172] Em 30 de agosto de 1949, um tribunal de desnazificação perto de Stuttgart exonerou o projetista de carros, a quem Hitler certa vez considerara seu engenheiro favorito.

Ferdinand Porsche ficou em particular feliz com isso, porque significava que que ele não tinha de pagar os custos do processo, que chegavam a cerca de 39 mil marcos. Com sua empresa intermitentemente sob um congelamento de ativos, ele estava vivendo de seus dois filhos e do aluguel de sua propriedade em Stuttgart: "Fui *entbräunt* livre de encargos. Esse 'livre de encargos' foi muito importante para mim", ele escreveu a um amigo alguns meses após o veredito.[173] Como os uniformes da SA eram marrons, estar "*entbräunt*", ou ter perdido o bronzeado, significava estar "desnazificado". Ferry, que tinha sido um oficial voluntário da SS e também fora exonerado em um tribunal de desnazificação, estava menos preocupado com as cores dos antigos uniformes nazistas de seus novos sócios (preto e cinza do uniforme de campo da SS, para ser preciso). Para comercializar o primeiro carro esportivo Porsche, Ferry se juntou a Albert Prinzing, um dos primeiros membros do NSDAP, que havia servido como oficial no serviço de segurança da SS de Heydrich e tinha cultivado laços com o partido fascista de Mussolini na Itália.[174] Em suma, um verdadeiro crente. Prinzing passara três anos sob custódia dos Aliados até ser julgado infrator menor por um tribunal de desnazificação em maio de 1948. Ele foi então contratado por seu amigo de infância Ferry como diretor comercial da Porsche e ajudou Ferdinand Porsche a lidar com sucesso com seus procedimentos de desnazificação.

Prinzing foi encarregado de reunir *Persilscheine* para Ferdinand Porsche. O projetista de carros ficou muito grato ao novo funcionário. Em meados de janeiro de 1950, Porsche escreveu a Prinzing que estava agradecido e consciente de "quão esforçadamente você trabalhou por nós e quanto contribuiu para tudo o que foi conquistado".[175] Embora o frágil Porsche não desempenhasse mais um papel significativo na empresa de projeto de automóveis que levava seu nome, os dois ex-oficiais da SS, Ferry e Prinzing, estavam apenas começando. Em novembro de 1949, a produção do Porsche 356 teve início em Stuttgart. Em dezoito meses, a fábrica produziu quinhentos. Prinzing então apresentou o Porsche 356 nos Estados Unidos, o maior mercado do mundo para automóveis. Foi um enorme sucesso. Americanos ricos logo se tornaram a clientela mais importante da Porsche fora da Alemanha. No fim, não foi o judeu perseguido e cofundador da empresa e emigrado alemão Adolf Rosenberger que levou o celebrado nome da Porsche para a América. Foi Prinzing, um ex-SS-*Hauptsturmführer*.

18.

A maioria dos magnatas do Terceiro Reich se safou com pouco mais que uma leve advertência, mas isso não ocorreu com um industrial em particular.

Em 15 março de 1947, Friedrich Flick foi levado para o apertado banco de testemunhas no Palácio da Justiça de Nuremberg, junto com cinco de seus sócios. Telford Taylor, o promotor-chefe dos Estados Unidos para o julgamento, leu as denúncias contra eles. Flick e os outros réus foram acusados de crimes de guerra e crimes contra a humanidade pelo uso em massa do trabalho forçado e escravo.[176] Flick e quatro dos outros acusados foram indiciados por saquear empresas expropriadas na França ocupada pelos nazistas e em partes da União Soviética. Flick, seu ex-braço direito e seu primo, respectivamente Otto Steinbrinck e Konrad Kaletsch, foram incriminados por várias arianizações importantes na Alemanha nazista antes da guerra. Flick e Steinbrinck também foram indiciados por apoiar financeiramente a SS e seus crimes como membros do Círculo de Amigos de Himmler. Todos os seis réus se declararam inocentes.

O caso Flick foi o quinto de doze julgamentos liderados por americanos no Tribunal Militar de Nuremberg, e o primeiro dos três julgamentos envolvendo industriais. Os processos contra Alfred Krupp, seus diretores e os executivos do conglomerado de produtos químicos IG Farben completaram o triunvirato de negócios. (Os funcionários econômicos nazistas Wilhelm Keppler e Paul Pleiger foram condenados a uma década de prisão cada, no chamado julgamento dos ministérios.) Flick fora um dos maiores produtores de armas, arianizadores e exploradores de mão de obra forçada e escrava do Terceiro Reich, através de seu conglomerado de aço, carvão e máquinas. Durante a guerra, o número de pessoas coagidas a fazer canhões e granadas nas siderúrgicas de Flick ou extrair carvão em suas minas pode ter chegado a 100 mil.[177]

Nenhum outro magnata tinha se beneficiado da Alemanha nazista quanto Flick.[178] Apenas Alfred Krupp, o outro gigante do aço, cujo julgamento começaria mais tarde naquele ano, e seu pai, Gustav, que estava senil demais para ser julgado, podiam competir com ele na magnitude da produção de armas e no apetite por trabalho forçado e escravo. Mas Flick construíra seu império industrial do zero em apenas trinta anos, em vez de herdá-lo ao longo de um século, como os Krupp. Hitler muitas vezes invocara publicamente os Krupp como um modelo para a indústria alemã — até mesmo criando uma lei de herança só para eles, para regular sua sucessão —, mas Flick tinha feito tudo sem ser notado, em sigilo e silêncio, desde 1933. O magnata que odiava a imprensa seria agora, pela primeira vez, exposto ao mundo inteiro.

Friedrich Flick entre policiais do tribunal em seu julgamento em Nuremberg, 1947.

Em 19 de abril de 1947, o julgamento de Flick começou de verdade. Em sua declaração de abertura, Telford Taylor enfatizou a ampla corresponsabilidade de industriais alemães por crimes nazistas e por manter Hitler à tona. "Uma ditadura é bem-sucedida não porque todos se opõem a ela, mas porque grupos poderosos a apoiam", afirmou ele. "A ditadura do Terceiro Reich foi baseada numa trindade profana de nazismo, militarismo e imperialismo econômico."[179] Taylor então citou o discurso que Hitler havia feito durante a agora infame reunião de fevereiro de 1933 em Berlim com o grupo de magnatas que incluíra Flick, Günther Quandt e August von Finck, na qual o Führer havia dito: "A empresa privada não pode ser mantida na era da democracia". Os titãs da indústria e das finanças haviam concordado com o líder nazista, declarou o advogado. À medida que seus valores morais se tornavam corruptos, o mesmo acontecia com suas práticas empresariais, argumentou Taylor.

O promotor concluiu sua declaração de abertura com uma nota severa:

> A história deste caso é [...] uma história de traição. Os réus eram homens de riqueza; muitas minas e fábricas eram de sua propriedade. Eles certamente dirão que acreditavam na santidade da propriedade privada, e talvez digam que apoiaram Hitler porque o comunismo alemão ameaçava esse conceito. Mas as fábricas da Rombach e de Riga pertenciam a outra pessoa. Os réus dirão que não eram antissemitas, e até mesmo protegeram judeus individuais contra os nazistas.

> No entanto, não estava abaixo deles aparecer em público com Himmler e pagar o resgate de um rei a ele, que praticamente extinguiu os judeus na Europa. Eles engordaram com os infortúnios de judeus ricos. Suas minas e fábricas foram operadas por trabalho humano e eles, especialmente eles, deveriam ter compreendido a verdadeira dignidade da labuta. No entanto, eles voltaram no tempo e reviveram a escravidão na Europa. Esses homens traíram descaradamente quaisquer ideais que se poderia esperar que possuíssem e, no fim, traíram a Alemanha. Nisso reside sua verdadeira culpa.[180]

Nas cinco semanas seguintes, Taylor e seus vices apresentaram o caso da acusação contra Flick e os outros cinco réus. Havia evidências contundentes do uso de mão de obra forçada e escrava no conglomerado Flick, bem como da arianização e da expropriação de empresas pela firma. Mas não foi fácil para os promotores estabelecer a responsabilidade de Flick e dos outros que eram acusados quando se tratava de conhecimento e responsabilidade individuais por essas transgressões em massa.[181] Os três juízes de tribunais estatais americanos não ajudaram. Às vezes tinham dificuldade com a complexidade do caso e as resmas de documentos empresariais traduzidos do alemão.

Em 2 de julho de 1947, o advogado de Flick, Rudolf Dix, iniciou o caso para a defesa. Flick chegara antes de Günther Quandt a Dix e o garantira logo após o advogado ter defendido com sucesso Hjalmar Schacht no principal julgamento de Nuremberg. Em sua declaração inicial, Dix falou sobre a impotência da indústria alemã e dos empresários acusados em face do todo-poderoso Estado nazista.[182] Ele argumentou que o regime, e não Flick, era responsável pelo trabalho escravo e pelas arianizações. O magnata não havia saqueado as empresas expropriadas no exterior — tinha investido nelas, argumentou Dix. E apenas ser membro de um grupo como o Círculo de Amigos de Himmler dificilmente poderia ser considerado criminoso, disse ele. No geral, argumentou Dix, os americanos tinham indiciado Flick só para que servisse como um símbolo, um representante de toda a indústria alemã.

Três dias depois, Flick foi o primeiro dos acusados a prestar depoimento. Nos onze dias seguintes, por até seis horas ao dia, o envelhecido industrial se defendeu no interrogatório, ficando o tempo inteiro de pé.[183] Flick pintou um retrato de si mesmo como alguém que em 1933 entrou na era nazista com um alvo nas costas. Disse que foi desprezado nacionalmente depois de vender em segredo sua participação majoritária no maior conglomerado industrial do país, o VSt, a um Estado alemão enfraquecido no auge da Depressão, e com um grande prêmio, de fato. Também sustentou que suas grandes doações a partidos políticos e candidatos que não o NSDAP pouco antes de Hitler tomar o poder fizeram dele um marco. Flick negou que o regime nazista o tivesse ajudado a construir sua fortuna: "Eu ficava contente se fosse deixado em paz e se tivesse minha segurança. Não pedi mais porque queria viver em paz e sossego e continuar com o trabalho da minha vida. É claro que eu precisava de alguma proteção para isso, porque, afinal, tinha um histórico político".[184]

Flick se apresentou como uma vítima dos nazistas, um homem ligado à Resistência, um defensor dos despossuídos e oprimidos. Disse que tinha sido "um defensor" das famílias judias Petschek, cujos enormes ativos de linhito ele na verdade havia saqueado, e afirmou que estava "representando os interesses delas numa situação econômica desesperadora".[185] Flick descartou quaisquer ações ou declarações antissemitas atribuídas a ele como "uivando com os lobos".[186] Afirmou que sua participação no Círculo de Amigos de Himmler era em parte seguro pessoal, em parte cultivo de contatos e em parte apoio aos hobbies e interesses culturais do líder da SS. Flick também disse que tinha investido em fábricas tomadas como a Rombach e feito melhorias na nutrição fornecida àqueles que lá executavam trabalho forçado e escravo.

Diante da enorme quantidade de provas documentais da promotoria, a defesa optou por adotar uma série de estratégias.[187] Uma delas foi transferir toda a responsabilidade à coação do Estado. Outra foi enfatizar a natureza descentralizada do conglomerado Flick, fazendo parecer que toda a autoridade de decisão estava com gerentes individuais, e não com o próprio Flick. A defesa inundou os juízes de *Persilscheine*, apresentando 445 depoimentos em favor dos réus, muitos atestando suas virtudes apolíticas ou antinazistas. A defesa também passou a desacreditar as testemunhas de acusação, sobretudo aquelas que tinham sobrevivido ao trabalho forçado e escravo nas fábricas de Flick. Isso levou a vários confrontos bizarros. Um advogado de defesa passou um sermão numa mulher, uma ex-*Ostarbeiter*, afirmando que o alemão médio no momento tinha menos para comer do que ela em um campo de trabalho forçado da Rombach. Dix banalizou uma descrição do uso de mão de obra forçada francesa em uma das cozinhas da fábrica de Flick dizendo que os franceses eram, afinal, os "melhores cozinheiros do mundo".[188] O juiz presidente resumiu quão dolorosamente desinformados estavam os magistrados quando, com toda a seriedade, perguntou a um antigo prisioneiro no campo de concentração da fábrica de Gröditz, de Flick, se lá não havia vinho tinto para o jantar.[189]

O imprestável filho mais velho de Flick, Otto-Ernst, contribuiu para a farsa. Ele de alguma forma escapara do indiciamento pelos papéis de liderança que exercera nas siderúrgicas Rombach e Gröditz; ainda assim, foi convocado como testemunha de defesa. O herdeiro de 31 anos testemunhou sobre "passear" pelo complexo da Rombach na Lorena francesa observando o que considerava as condições de vida mais ou menos confortáveis dos trabalhadores coagidos.[190] E declarou que havia proporcionado a trabalhadoras subutilizadas a oportunidade de trabalhar no jardim dele aos domingos, para que "conseguissem algo particularmente bom para comer".

A defesa levou três meses para apresentar seus casos em prol dos seis acusados. Então, no final de novembro de 1947, a promotoria começou as alegações finais. Telford Taylor exortou os juízes americanos a não ceder ao argumento da defesa de que aquele julgamento era "mero anacronismo" em uma Alemanha que mudava depressa.[191] Ele ainda argumentou: "a reconstrução de que que o mundo precisa não é meramente material, mas também moral". E declarou que, embora os acusados dessem "todas as indicações de devoção ao sistema de lucro [...] são menos ardentemente ligados a certos outros princípios fundamentais dos quais a comunidade empresarial de qualquer nação civilizada deve depender".[192] Sua "devoção ao sistema capitalista" não estava acima da lei, disse Taylor. "A livre iniciativa não depende do trabalho escravo, e empresas honestas não se expandem usando pilhagem." O advogado ainda concluiu: "Com certeza [...] deve-se exigir de empresários o mesmo padrão de firmeza, e de indisposição para cometer crimes, seja em face da tentação ou da ameaça, que a lei exige de todos os indivíduos".

Dix resumiu seus argumentos finais em defesa de Flick com palavras de sua declaração de abertura: "Os réus viviam no Terceiro Reich sob um governo que forçava aqueles que governava a praticar atos ímpios e iníquos. Essa foi a tragédia deles, mas não a culpa deles, nem mesmo a trágica culpa deles".[193] O advogado de Bernhard Weiss, sobrinho de Flick, não foi tão sutil e questionou o "grande alcance" da acusação no processo: "Este primeiro julgamento de industriais não é um ataque ao dr. Flick e seus assistentes, mas um ataque a toda a economia alemã, ao capitalismo alemão e a seus industriais".[194]

Flick concordou. Ele teve a palavra final diante dos juízes, e fez uma declaração em nome de todos os seis réus. Havia usado uma carranca, óculos de leitura de aro preto e um terno cinza de abotoamento duplo desbotado quase todos os dias nos últimos oito meses. "Estou aqui como um expoente da indústria alemã", trovejou o magnata de cabelos brancos. "Ao me sentenciar, a acusação está se esforçando para emprestar verdade a seu argumento de que foi a indústria alemã que colocou Hitler na sela, que o encorajou a travar guerras agressivas, que instigou a exploração implacável do potencial humano e econômico dos territórios ocupados [...]. Protesto contra o fato de que, na minha pessoa, os industriais alemães estão sendo estigmatizados aos olhos do mundo como proprietários de escravos e espoliadores [...]. Ninguém [...] que conheça meus companheiros réus e eu estará disposto a acreditar que cometemos crimes contra a humanidade, e nada nos convencerá de que somos criminosos de guerra."[195]

O juiz presidente então ordenou um recesso. Os magistrados voltariam ao tribunal em quatro semanas para decidir sobre o caso Flick — pouco antes do Natal.

19.

Em 22 de dezembro de 1947, mais de nove meses depois de Telford Taylor ler a acusação contra Flick e seus cinco cúmplices, os juízes americanos voltaram para dar sua decisão. Mais de seis meses inteiros tinham sido gastos em sessão, quase 1500 provas tinham sido apresentadas, e quase sessenta testemunhas, inclusive os seis réus, tinham sido ouvidas. A transcrição em inglês dos procedimentos chegava a mais de 11 mil páginas. Havia sido um julgamento gigantesco.[196]

O julgamento estava fadado a decepcionar, de todos os lados.[197] Friedrich Flick foi condenado a sete anos de prisão, descontado o tempo cumprido desde que ele fora preso, em meados de junho de 1945. Otto Steinbrinck foi condenado a cinco anos de prisão. Por fim, o sobrinho de Flick, Bernhard Weiss, foi condenado a dois anos e meio de prisão. Os três restantes, entre eles o primo de Flick, Konrad Kaletsch, foram absolvidos.

Dos seis homens, apenas Flick e Weiss foram considerados culpados de usar trabalho forçado e escravo, e em só uma de suas fábricas. Apenas Flick foi considerado culpado de saque, mas só no complexo siderúrgico da Rombach, expropriado na França. As acusações de arianização foram totalmente descartadas — as transações tinham sido concluídas antes do início da guerra, e o tribunal disse que sua jurisdição só abrangia crimes cometidos durante a guerra ou a ela relacionados. Flick e Steinbrinck foram considerados culpados de ter apoiado a SS e seus crimes através do Círculo de Amigos de Himmler. Steinbrinck foi condenado por uma acusação adicional: como oficial da SS, havia feito parte de uma organização criminosa.

Em seu relatório final sobre os processos subsequentes de Nuremberg, Taylor chamou a decisão sobre Flick de "extremamente (se não excessivamente) moderada e conciliatória".[198] Em especial considerando o que aconteceria com Alfred Krupp, que seria condenado a doze anos e teria seus bens confiscados. No caso de Flick, os juízes seguiram a linha de argumentação da defesa em seu ponto mais importante: que o programa de trabalho forçado e escravo fora criado pelo regime nazista e operado fora do controle dos seis acusados e da indústria alemã como um todo. Apenas em uma fábrica a acusação provara, além de qualquer dúvida, que Flick e Weiss tinham ido além para obter prisioneiros de guerra russos para aumentar a produtividade, de acordo com os juízes americanos.

Os juízes também consideraram que as siderúrgicas expropriadas na União Soviética eram antes propriedade estatal, não privada, portanto, no contexto da guerra, a tomada de controle delas por Flick tinha sido permissível. O magnata foi considerado culpado nesse caso apenas por sonegar o complexo siderúrgico Rombach a seus proprietários franceses. Ao mesmo tempo, o tribunal de alguma forma também concluiu que Flick havia deixado o lugar melhor do que quando o tomara. Os juízes rejeitaram as acusações de arianização por falta de jurisdição, mas tampouco conseguiam ver o caráter criminoso das transações. Era melhor deixar aquilo para um tribunal civil, argumentaram. "Uma venda compelida por pressão ou coação pode ser questionada em um tribunal de equidade, mas [...] tal uso de pressão, mesmo por motivos raciais ou religiosos, nunca foi considerado um crime contra a humanidade."[199]

No entanto, os três juízes não compraram a afirmação de Flick e Steinbrinck de que suas taxas de adesão ao Círculo de Amigos de Himmler sustentavam meramente hobbies esotéricos e interesses culturais do líder da SS. Embora o tribunal considerasse uma atenuante que a adesão pudesse ter constituído um tipo de seguro pessoal para os dois homens, também devia ter ficado claro para eles em algum momento que suas substanciais contribuições financeiras anuais iam, pelo menos em parte, manter uma organização criminosa que estava realizando o extermínio em massa de judeus e outras pessoas. Flick e Steinbrinck deram a Himmler "um cheque em branco", e era "irrelevante se ele foi gasto em salários ou em gás letal", disseram os juízes americanos.[200]

O destino seguinte de Flick foi a Prisão de Landsberg, onde, mais de duas décadas antes, Hitler ditara *Mein Kampf* a dois ajudantes, todos presos após o fracassado Putsch da Cervejaria na vizinha Munique. Flick também ascenderia mais uma vez. Muito antes de ser dada a decisão, ele contratara um advogado nos Estados Unidos. Flick foi o único condenado de Nuremberg a apelar de sua sentença no sistema judiciário americano, e a apelação foi até a Suprema Corte. Mas, em 1949, a Corte se recusou a ouvir seu caso. Sua condenação permaneceu.[201]

20.

Da prisão, Flick teve de delegar tarefas para salvar o que restava de seu império industrial. Enquanto cerca de metade do seu conglomerado tinha sido expropriada pelas autoridades soviéticas em sua zona de ocupação, a outra metade estava sob controle de propriedade americano e britânico. Essa última metade tinha de ser conduzida com segurança porque os Aliados planejavam uma reestruturação dos conglomerados de aço e carvão da Alemanha Ocidental. Os americanos e os britânicos queriam desconcentrar a economia alemã e eliminar o risco de rearmamento. Depois que seu julgamento terminou, em dezembro de 1947, Flick despachou dois sócios absolvidos para as zonas de ocupação americana e britânica, um para cada uma delas. Os dois negociariam com autoridades aliadas e alemãs sobre como seria essa reestruturação.

Essas complexas negociações ainda estavam acontecendo quando Flick foi libertado da Prisão de Landsberg.[202] Após o estabelecimento da Alemanha Ocidental, o presidente Truman nomeou John J. McCloy, um advogado republicano que havia sido um dos arquitetos da política de ocupação americana e do tribunal de Nuremberg, como o primeiro alto-comissário dos Estados Unidos para a Alemanha ocupada. Ao longo de 1950 e 1951, McCloy supervisionou uma série de atos controversos de clemência que afetaram mais de uma centena de condenados de Nuremberg. Ele não só indultou industriais como Alfred Krupp, até devolvendo seus bens, mas também comutou penas de morte e reduziu o tempo de prisão para muitos oficiais de alto escalão da SS, todos responsáveis por massacrar centenas de milhares de pessoas, sobretudo judeus, em toda a Europa ocupada pelos nazistas. A decisão de McCloy foi política. Destinava-se a aplacar um novo aliado importante: o governo e os cidadãos da Alemanha Ocidental.[203] Muitos pressionavam por essas sentenças reduzidas.

Telford Taylor ficou furioso. No início de 1951, o ex-promotor de Nuremberg condenou a decisão de McCloy na revista *The Nation* como a "encarnação da conveniência política, distorcida por uma abordagem nada razoável do direito e dos fatos, para não falar das realidades da política mundial contemporânea".[204] Mas essas políticas agora favoreciam os criminosos de guerra alemães condenados. O governo Truman estava atolado na Guerra Fria e na Guerra da Coreia e precisava de um bom relacionamento com a Alemanha Ocidental. Certos sacrifícios tinham de ser feitos.

Flick foi solto em 25 de agosto de 1950, depois que McCloy reduziu sua sentença em dois anos por bom comportamento.[205] O magnata de 67 anos tinha passado cinco anos atrás das grades, em parte trabalhando como registrador na biblioteca da Prisão de Landsberg. Flick negligenciara tanto esse trabalho que seu sucessor teve de se livrar de um acúmulo de quatro meses de livros devolvidos. Agora era hora de voltar ao trabalho real. Quando os portões da prisão se abriram, repórteres e fotógrafos aguardavam o magnata e os outros condenados de Nuremberg libertados com ele. Flick, que ainda abominava a atenção da imprensa, se escondeu atrás de um guarda-chuva e foi direto para uma limusine que o esperava, onde se juntou à sua esposa, Marie. A limusine então acelerou para o campo bávaro. Friedrich Flick era um homem livre.

Ao falar com amigos e colegas, Flick foi desdenhoso sobre sua condenação no julgamento de Nuremberg: "Meu tribunal era claramente uma corte americana. Todos, secretários, auxiliares e juízes, eram americanos. Além disso, eles oravam pelos Estados Unidos duas vezes por dia. A rejeição do meu recurso estava apenas de acordo com o interesse nacional dos Estados Unidos".[206] Flick tinha passado por processos de desnazificação na prisão e foi classificado como exonerado na zona de ocupação britânica.[207] Como transferira a sede de seu conglomerado para Düsseldorf, que ficava nessa região, Flick foi autorizado a voltar ao trabalho logo após sua libertação e a assumir as delicadas negociações para a reestruturação de seus negócios.

E ele fez isso com bastante sucesso. No final de 1951, vendeu um quarto da participação em sua enorme empresa siderúrgica Maxhütte para o estado da Baviera. Um ano depois, o Alto-Comissariado Aliado aprovou o plano de reestruturação de Flick. Em maio de 1954, ele tinha vendido as participações majoritárias em suas duas empresas de carvão restantes. Todas essas vendas lhe renderam cerca de um quarto de bilhão de marcos. Flick reinvestiu parte dos ganhos em uma empresa siderúrgica francesa e belga, o que fez dele um pioneiro muito indesejável da nascente integração econômica da Europa Ocidental. E ainda tinha cerca de 150 milhões de marcos para investir. O que fazer com todo esse dinheiro? Flick logo encontrou um lugar para ele em uma das maiores fabricantes de automóveis do mundo: a Daimler-Benz. No fim da década, o criminoso de guerra nazista condenado estava mais uma vez no topo. Era o homem mais rico da Alemanha.[208]

Parte V

“Nove zeros”

1.

Em 27 de dezembro de 1954, Günther Quandt viajou para o Egito de férias. Desde a conclusão de seus julgamentos de desnazificação, ele estava trabalhando com mais empenho que nunca, labutando em um escritório simples em Frankfurt para reestruturar o que restava de seu império empresarial.[1] Mas sua saúde era frágil. Ele havia se recuperado rapidamente de um pequeno derrame em 1950, mas ainda tinha de se internar em um hospital a cada três a seis meses por algumas semanas para tratar de vários outros problemas de saúde. Günther sempre chegava ao hospital com uma mala cheia de documentos de trabalho. Agora, queria fugir do inverno brutal da Alemanha e passar algumas semanas na África. O viajante montara para a folga pós-Natal um roteiro que incluía uma visita turística às pirâmides de Gizé, nos arredores do Cairo. Ele se hospedou no Mena House, famoso hotel de luxo da capital, mas nunca foi às pirâmides. Na manhã de 30 de dezembro de 1954, Günther morreu em sua suíte de hotel, com vista para a Esfinge. Se morreu sozinho permanece um mistério. Durante muito tempo, houve rumores de que o magnata sucumbira após "um orgasmo".[2] Ele tinha 73 anos.

O clima na Alemanha Ocidental havia mudado no início daquele ano. O orgulho alemão estava de volta. Depois que o país vencera a Hungria na final da Copa do Mundo de futebol de 1954, o canto da era nazista "Deutschland,

Deutschland über alles" ("Alemanha, Alemanha acima de tudo") correu pelo estádio em Berna.[3] A Alemanha estava de volta, mas Günther se fora.

Os anos de 1950 foram mais do que apenas uma nova década. Foram o alvorecer de uma nova era alemã, tudo isso graças ao governo dos Estados Unidos. A eclosão da Guerra da Coreia, em junho de 1950, foi a faísca que deflagrou o ressurgimento econômico da Alemanha Ocidental. Quando o governo Truman começou a gastar bilhões em rearmamento, muitas fábricas americanas tiveram que ser utilizadas na fabricação de armamentos. Como resultado, a produção de muitos outros bens reduziu, e a escassez aumentou em passo acelerado. A Alemanha Ocidental entrou em cena para resolver o problema. Uma importante nação industrializada do Ocidente, foi capaz de preencher esse vácuo de manufatura e de atender à enorme demanda global de bens de consumo por meio de sua grande capacidade de exportação. Em 1953, a economia da Alemanha Ocidental tinha quadruplicado.[4] Qualquer aversão persistente à compra de produtos alemães desapareceu clara e rapidamente em outros países.

Na nova república federal da Alemanha Ocidental, liderada pelo chanceler Konrad Adenauer, o *Wirtschaftswunder*, ou milagre econômico, anunciava uma era de crescimento sem precedentes e grande prosperidade para a maioria dos alemães. Em particular, aqueles magnatas "desnazificados" e seus herdeiros no Ocidente ingressaram em uma época de riqueza global insondável, que persiste até hoje. Mas esse recém-descoberto ganho inesperado passou inteiramente ao largo dos milhões de pessoas que viviam no Estado comunista da Alemanha Oriental, liderado pelos soviéticos. E, à medida que a desigualdade se agravava, uma cultura de silêncio também permeava a Alemanha dividida. Ela enterrou os horrores do Terceiro Reich e os papéis diabólicos que muitos alemães haviam desempenhado nele. Quando os magnatas da Alemanha Ocidental transformaram suas dezenas ou centenas de milhões de reichsmarks em bilhões de marcos alemães e dólares e (re)tomaram o controle de partes da economia alemã e global, raramente, ou nunca, olharam para trás. Eles deixaram seus herdeiros com empresas e fortunas no valor de bilhões — mas também com uma história manchada de sangue esperando para ser descoberta.

2.

Em 8 de janeiro de 1955, foi realizada uma cerimônia em homenagem a Günther Quandt na sala de reuniões da Universidade Goethe de Frankfurt. Hermann Josef Abs — um dos banqueiros mais influentes do Terceiro Reich, que agora, como presidente do Deutsche Bank, estava logo se tornando o financista mais poderoso da Alemanha Ocidental — tinha isto a dizer de Günther em seu elogio fúnebre: "Ele nunca se submeteu servilmente ao Estado dominador".[5] Era o oposto do que Abs havia dito sobre Günther durante a pródiga festa de sessenta anos do magnata em Berlim, em 1941. Naquele momento, falando para a elite nazista, o banqueiro elogiou o servilismo de Günther: "Mas sua característica mais marcante é a fé na Alemanha e no Führer".

Horst Pavel, o assessor mais próximo de Günther e um dos principais arquitetos da estratégia de arianização da AFA, também fez um elogio, que mal mencionou a era nazista, exceto para dizer com quanto esforço seu chefe e mentor trabalhara durante a guerra. Pavel falou com admiração sobre a "brilhante" habilidade de Günther de capitalizar os muitos desastres financeiros e políticos da Alemanha: "Ele [...] preparou suas ações com cuidado e então operou hábil e tenazmente até que o objetivo definido fosse enfim alcançado".[6]

Embora as autoridades soviéticas tivessem expropriado as empresas, fábricas, casas e a casa de campo de Günther na Alemanha Oriental, ele ainda retinha muitos ativos na Alemanha Ocidental: a fábrica de baterias AFA em Hanôver, várias fábricas de armas DWM mais suas subsidiárias Mauser e Dürener, e o que restava da Byk Gulden, uma enorme empresa química e farmacêutica que já tinha sido arianizada quando Günther a comprou durante a guerra, para citar apenas alguns.[7] Ele também tinha uma participação de quase um terço no gigante de petróleo e potassa Wintershall e uma participação de 4% na Daimler-Benz, e até 1945 havia sido membro do conselho fiscal da gigante fabricante de carros sediada em Stuttgart. Foi um movimento presciente. A motorização em massa crescia em todo o mundo, e o futuro econômico da Alemanha Ocidental estava na indústria automobilística. Nos anos anteriores à sua morte, Günther reestruturou a AFA, posicionando-a como fornecedora de acumuladores e baterias de arranque para automóveis.

Reestruturar na Alemanha Ocidental significava lidar com algumas verdades feias. O nome completo da DWM — Deutsche Waffen und Munitionsfabriken

— foi alterado para algo que soava mais inócuo: IWK (de Industriewerke Karlsruhe). Além disso, a empresa foi impedida de fabricar armas e munição, ao menos até o momento. No fim da guerra, a Byk Gulden de Günther havia se tornado uma das maiores empresas farmacêuticas da Alemanha, mas em parte era constituída de subsidiárias arianizadas. Após a guerra, herdeiros dos proprietários judeus originais iniciaram processos de restituição.[8] Essas negociações foram concluídas discretamente, e terrenos, prédios e maquinários foram entregues aos herdeiros. O advogado de Günther abordou esses assuntos de maneira pragmática. "Não havia uma única empresa alemã que não realizasse arianizações durante a guerra, então houve processos de restituição aqui e ali, e eram necessários advogados para isso", lembrou ele mais tarde.[9]

Günther lutara contra esses processos com unhas e dentes quando podia. Em 1947, Fritz Eisner, um químico judeu alemão que havia fugido para Londres, apresentou um pedido de restituição contra a AFA na zona de ocupação britânica.[10] Günther tinha arianizado as empresas eletroquímicas de Eisner fora de Berlim em 1937, e agora Eisner queria ser pago para compensar a ninharia que recebera. Mas as empresas estavam na zona de ocupação soviética e tinham sido desapropriadas. Em vez de pedir desculpas a Eisner por extorqui-lo e pagá-lo menos, Günther fez com que os advogados da AFA contestassem a reivindicação por motivos jurisdicionais. O pedido de restituição de Eisner foi rejeitado em 1955, não muito tempo depois que Günther morreu.

3.

Qual foi exatamente o legado empresarial de Günther Quandt? Kurt Pritzkoleit, um jornalista de negócios que documentou industriais alemães, deu este título a um capítulo de um livro sobre Quandt em 1953: "O poder do grande desconhecido". Pritzkoleit foi o primeiro repórter a expor o tamanho do império industrial de Günther e sua propensão ao segredo:

> Quandt desenvolveu o talento de proteger seu trabalho da visão do forasteiro em uma habilidade que raras vezes é encontrada [...] dificilmente alguém foi capaz de compreender em sua plenitude o alcance e a universalidade de suas atividades,

afora aqueles que lhe são próximos. Sua mímica, a capacidade, tão rara entre nós, fracos e vaidosos, de assumir a cor protetora do ambiente, é desenvolvida à perfeição. Entre fabricantes de têxteis ele aparece como fabricante de têxteis, entre metalúrgicos como metalúrgico, entre especialistas em armas como especialista em armas, entre engenheiros elétricos como engenheiro elétrico, entre especialistas em seguros como especialista em seguros, entre mineradores de potassa como minerador de potassa, e em cada manifestação parece tão genuíno e convincente que o observador que o encontra em uma área de sua multifacetada atividade acredita que a cor protetora é a original e a única, inata e imutável.[11]

A continuidade dinástica e empresarial foi crucial para Günther.[12] O magnata tinha visto outras famílias empresariais serem vítimas de lutas internas relacionadas à sucessão. Ele queria evitar isso a todo custo, então traçou meticulosamente planos para depois de sua morte. Seus filhos, Herbert e Harald, deveriam assumir, cada um, uma parte específica de seu império industrial. Harald era o mais tecnicamente dotado dos dois. Formara-se engenheiro mecânico em 1953 e como estudante já havia participado de várias diretorias nas empresas do pai. Portanto, fazia sentido supervisionar as empresas de armas e de máquinas IWK, Mauser, Busch-Jaeger Dürener e Kuka. Herbert, o meio-irmão dez anos mais velho de Harald, controlaria a AFA mais as participações na Wintershall e na Daimler-Benz.

Günther legou uma fortuna de 55,5 milhões de marcos (cerca de 135 milhões de dólares hoje), consistindo sobretudo em ações de empresas.[13] Ele as deixou para Herbert e Harald em partes quase iguais por meio de duas holdings. Mas, como já havia transferido muitos ativos para seus dois filhos na década anterior — uma estratégia para evitar o imposto sucessório, que muitos dos mais ricos do mundo ainda exploram hoje —, o tamanho real de seus bens era impossível de calcular. Basta dizer que valiam mais de 55,5 milhões de marcos.[14] As construções de propriedade e dívida dos Quandt através de várias holdings eram tão complexas que mesmo os auditores mais experientes desistiram. "Em que medida os títulos foram adquiridos com recursos pessoais ou com empréstimos bancários não pode ser especificado em detalhes [...]. Essas transações [...] estão tão entrelaçadas que é impossível estabelecer uma ligação entre compras de títulos e empréstimos individuais", disse uma revisão encomendada pelo governo alemão em 1962.[15]

No entanto, o negócio transitou suavemente para a próxima geração da família. Herbert, filho de Günther, mais tarde brincou: "Com toda a devida reverência por meu pai: se sua morte não tivesse saído no jornal, ninguém a teria notado em termos empresariais".[16] O trabalho nas fábricas Quandt foi suspenso durante a cerimônia em memória de Günther. Mas em pouco tempo foi retomado. Herbert e Harald viviam a trezentos metros de distância um do outro em Bad Homburg, um balneário ao norte de Frankfurt. Eles estavam ansiosos para expandir o império empresarial Quandt e deixar seu próprio legado. Imediatamente após a morte do pai, os meios-irmãos começaram a aumentar o pacote de ações que haviam herdado na Daimler-Benz, fabricante do Mercedes. Mas, sem que eles soubessem, outro magnata alemão, com ainda mais dinheiro à disposição, tinha planos de investimento próprios e poupara milhões para executá-los. Esse magnata era Friedrich Flick. Ele também estava de olho na maior empresa de automóveis da Alemanha. "A batalha pela Daimler" estava prestes a eclodir.[17]

4.

Em meados de julho de 1955, na reunião anual da Daimler-Benz em Stuttgart, dois novos grandes acionistas se registraram e foram eleitos para a diretoria da montadora: Herbert Quandt e Friedrich Flick. Herbert registrou uma participação considerável de 3,85% na Daimler, que ele e Harald haviam herdado de Gunther. Mas Flick pegou todos de surpresa ao assinalar uma participação de 25%, uma minoria de bloqueio. O magnata, recém-saído da prisão, começara secretamente a comprar ações da Daimler. Os irmãos Quandt e Flick agora queriam mais. Herbert e Harald desejavam uma participação de 25%. Flick estava de olho no controle majoritário. Quando duas das dinastias empresariais mais ricas da Alemanha se enfrentaram para aumentar suas participações, o preço das ações da Daimler subiu febrilmente.[18] Em janeiro de 1956, surgiu um terceiro investidor: um comerciante de madeira especulador de Bremen que tinha acumulado uma participação de 8%. Ele queria vender seu pacote de ações a uma das duas partes por um prêmio enorme: dobrar o preço das ações.

Unidos por um inimigo comum, os Quandt e Flick estabeleceram uma trégua e fizeram um acordo secreto para esmagar o novo investidor. Flick rejeitou a oferta do especulador, o que obrigou o homem a vender a participação a Herbert e Harald por um preço muito mais baixo. Os irmãos Quandt e Flick então dividiram o pacote de ações e continuaram a aumentar suas participações. Na assembleia geral anual seguinte da Daimler, em junho de 1956, Harald Quandt e o filho mais velho de Flick, Otto-Ernst, ingressaram no conselho fiscal da fabricante de automóveis de Stuttgart.

No final de 1959, Flick era o maior acionista da Daimler-Benz, com cerca de 40% de participação. Os Quandt detinham cerca de 15%. Entre eles estava o Deutsche Bank, com 28,5%. O triunvirato composto de Hermann Josef Abs — presidente do Deutsche Bank *e* presidente do conselho fiscal da Daimler-Benz —, os Flick e os Quandt governariam a maior fabricante de carros da Europa pelas próximas décadas. E o reinado não foi nada contencioso. Flick colocou parte de sua participação na Daimler em uma holding de propriedade de Herbert Quandt, o que permitiu que Herbert se qualificasse para uma isenção de impostos. As dinastias estavam agora oficialmente em parceria.

Mas, enquanto Herbert e Flick acabaram colaborando estreitamente na Daimler, em uma tentativa de salvar a BMW eles se viram em lados opostos.[19] A fabricante de Munique estava à beira da falência no final da década de 1950, devido à falta de variedade de modelos de carros e à má gestão. Herbert pediu permissão a Harald para comprar ações da BMW por conta própria, separado do grupo Quandt. Era um investimento arriscado, mas Herbert, que adorava carros velozes, queria uma chance de reestruturar a empresa.

Ele começou a comprar ações da BMW e bônus conversíveis. A imprensa suspeitou que Flick estivesse por trás do aumento do preço das ações, mas ele negou isso. No entanto, na reunião anual da BMW em dezembro de 1959, foi proposto um plano de reestruturação apoiado por Flick, que incluía a emissão de novas ações exclusivamente para a Daimler-Benz, que então teria uma participação majoritária na concorrente. Flick, como o maior acionista da Daimler, viu isso como uma forma barata de colocar a BMW sob seu controle. Mas o plano de reestruturação que apoiava acabou não sendo aceito na assembleia de acionistas em Munique, que foi bastante acalorada. Após a tentativa de golpe corporativo de Flick, Herbert tomou as rédeas com firmeza e começou ele próprio a reorganizar a BMW, tornando-se depois seu maior acionista.

A reestruturação de uma década feita por Herbert na BMW se mostrou bem-sucedida.[20] Ele estabeleceu uma nova administração, expandiu a gama de modelos de automóveis e continuou a comprar ações. Em 1968, a BMW atingiu 1 bilhão de marcos em receita, com Herbert detendo 40% de suas ações. Naquele verão, ele vendeu a participação de longa data da família no gigante de petróleo e gás Wintershall para o colosso de produtos químicos BASF por cerca de 125 milhões de marcos. Usou parte dos ganhos para se tornar o acionista controlador da BMW. Até hoje, dois de seus filhos retêm esse nível de controle sobre a fabricante de carros, o que os torna os irmãos mais ricos da Alemanha.

5.

Para os Quandt e muitas outras dinastias empresariais alemãs, os fantasmas do Terceiro Reich nunca estiveram longe, em especial porque os próprios magnatas continuaram a convidá-los a voltar.[21] Harald Quandt contratou um casal que havia trabalhando para os Goebbels durante a era nazista para se juntar aos empregados domésticos de sua casa em Bad Homburg. "O mesmo homem que fora o motorista da mãe dele na década de 1930 agora levava suas filhas para a escola de carro", um biógrafo da dinastia Quandt revelou mais tarde.[22] Mas essas contratações não se limitavam à vida privada de Harald. No início da década de 1950, ele levou dois dos assessores mais próximos de Joseph Goebbels no Ministério da Propaganda para o grupo Quandt, atribuindo a eles cargos de alto escalão. O mais proeminente foi Werner Naumann, sucessor nomeado de Goebbels no testamento político de Hitler. Naumann fora mais um amante de Magda, mãe de Harald. Quando ele o contratou como membro da diretoria da Busch-Jaeger Dürener, Naumann tinha acabado de ser libertado pelas autoridades britânicas na Alemanha. Em 1953, Naumann e um grupo de neonazistas haviam tentado se infiltrar em um partido político alemão, mas os britânicos frustraram a trama. Aparentemente, isso não incomodava o herdeiro Quandt. Falando a um amigo, Harald defendeu sua decisão de contratar Naumann, julgando-o "um sujeito inteligente, e não um nazista".[23] Mas Naumann ingressara no NSDAP em 1928 e fora nomeado general de brigada da SS em 1933. Por qualquer padrão, era um nazista comprometido.

Harald não estava sozinho em manter laços com o passado sombrio da Alemanha enquanto acumulava riqueza dinástica. Os dois ex-oficiais da SS Ferry Porsche e Albert Prinzing estavam ocupados tornando o Porsche 356 um enorme sucesso mundial na década de 1950. Ferry se cercou de ainda mais ex-oficiais da SS na empresa Porsche em Stuttgart.[24] Em 1952, ele encarregou o barão Fritz Huschke von Hanstein das relações públicas globais da Porsche e fez dele o diretor de sua equipe de automobilismo. Von Hanstein era um ícone das corridas de carro na época da guerra, dirigindo o BMW favorito de Himmler enquanto usava um macacão embelezado com as iniciais SS – que ele explicou secamente que significavam "Super-Sport".[25] A carreira de Von Hanstein na SS não se limitou às corridas. Como capitão da SS, ele ajudou no "reassentamento" de judeus e poloneses na Polônia ocupada pelos nazistas. Mas caiu em desgraça com Himmler depois que foi repreendido por um tribunal da SS por tentativa de estupro.

Em janeiro de 1957, Porsche contratou Joachim Peiper, que havia sido libertado da Prisão de Landsberg apenas quatro semanas antes, quando uma comissão de clemência americano-alemã comutara sua sentença de morte. Peiper, ex-ajudante de Himmler, havia sido condenado por um tribunal militar dos Estados Unidos na Alemanha depois da guerra por ter comandado a unidade de tanques da SS responsável pelo massacre de Malmedy, em 1944, no qual 84 prisioneiros de guerra americanos foram assassinados. A pedido de Albert Prinzing, Porsche contratou o criminoso de guerra nazista como seu chefe de promoção de vendas. Peiper estava muito satisfeito com sua nova posição. "Você vê [...]. Eu nado silenciosamente nas grandes inundações lodosas do prodígio econômico da República Federal. Não no topo, tampouco no fundo. No meio, sem fazer ondas", escreveu Peiper a seu advogado.[26] Mas, no fim, o emprego de Peiper na empresa de automóveis balançou um pouco demais o barco, mesmo para uma empresa tão bem abastecida de ex-oficiais da SS (o ex-motorista de Hitler, Erich Kempka, e o general da SS Franz Six eram outras contratações recentes). Em 1960, Porsche concluiu que Peiper poderia prejudicar a reputação da empresa no país mais importante para seu negócio de exportação: os Estados Unidos. Peiper foi demitido.

No mesmo período, outro ex-oficial da SS, Rudolf-August Oetker, estava lucrando enormemente com o milagre econômico da Alemanha Ocidental. A empresa de sua família, a Dr. Oetker, atingiu um novo recorde de vendas em 1950, vendendo cerca de 1,25 bilhão de pacotes de fermento em pó e pudins de caixinha.[27] Com esses lucros, Rudolf-August transformou a empresa sediada em Bielefeld em um conglomerado mundial.[28] Ele aumentou a participação de sua família na empresa de transporte Hamburg Süd e investiu em mais cervejarias. Também entrou em novas indústrias: comprou o banco privado Lampe e nomeou o banqueiro nazista Hugo Ratzmann seu sócio geral.[29] Durante o Terceiro Reich, Ratzmann ajudara Günther Quandt, Friedrich Flick, August von Finck e muitos outros magnatas a realizar arianizações e expropriações na Alemanha e na Polônia ocupada pelos nazistas.

Quatro anos após a morte de Ratzmann em um acidente de carro em 1960, Rudolf-August nomeou Rudolf von Ribbentrop diretor administrativo da Lampe. Ele era o filho mais velho do alpinista social e ministro das Relações Exteriores da Alemanha nazista, o primeiro homem a ser enforcado em Nuremberg. Rudolf-August e Rudolf von Ribbentrop eram amigos desde 1940, mas a carreira de Von Ribbentrop na SS havia tido muito mais sucesso do que a do príncipe do pudim. Von Ribbentrop servira como comandante de tanque altamente condecorado na unidade de elite Primeira Divisão Panzer Leibstandarte SS Adolf Hitler. Sua mãe era uma herdeira da Henkell, uma das maiores produtoras de vinho espumante da Alemanha. Ela nomeara seu filho sócio administrador da Henkell depois de ele ser libertado como prisioneiro de guerra, mas seus parentes e o presidente da Henkell, Hermann Josef Abs, tinham bloqueado a nomeação, pois achavam que o nome Ribbentrop seria ruim para os negócios. Mas Rudolf-August não tinha tais escrúpulos. Ele "me convenceu a ficar longe da panelinha da família e ir trabalhar para ele", escreveu mais tarde Von Ribbentrop em suas memórias. "A oportunidade de negócio que me disponibilizou constituiu para mim um desafio maior do que eu poderia ter imaginado. Serei sempre grato a ele."[30]

Rudolf-August primeiro deu a Von Ribbentrop um emprego em uma fábrica de marionetes na qual havia investido.[31] Enquanto isso, Von Ribbentrop reforçava os laços com sua rede da Waffen-SS. Em janeiro de 1957, ele pediu a Rudolf-August que fornecesse ajuda financeira para veteranos de sua divisão de tanques SS que tinham sido condenados pelo massacre de Malmedy e recentemente libertados da prisão. O grupo de criminosos de guerra nazistas incluía o ex-oficial comandante da unidade SS e recém-contratado da Porsche Joachim Peiper. Era um mundo pequeno. Rudolf-August ficou feliz em apoiar financeiramente os velhos camaradas da SS, mas o magnata avarento queria evitar pagamentos diretos, que não permitiam dedução de impostos. Ele sugeriu usar o conglomerado Dr. Oetker, como havia sido feito antes, insinuou, para canalizar dinheiro para a Stille Hilfe (Ajuda Silenciosa), a organização secreta de auxílio a condenados e membros fugitivos da SS, que existe ainda hoje.

Rudolf-August logo promoveu Von Ribbentrop a sócio geral do banco Lampe. Mas os laços dos ex-camaradas da SS só foram plenamente restaurados quando Rudolf-August comprou a empresa de espumantes da família Henkell por 130 milhões de marcos, em 1986.[32]

6.

Um dos magnatas enfrentou repercussões reais nos negócios por causa de suas ações durante o Terceiro Reich e reagiu radicalmente.[33] Em novembro de 1954, o barão August von Finck estava no sopé dos Alpes, planejando sua vingança. O caçador-chefe que ele empregava, um homem chamado Bock, instalou correntes para neve no velho jipe parado na aldeia de Mittenwald, na Baviera, na fronteira com a Áustria. Acompanhado por seu criado, seu cozinheiro e seu cão de caça Dingo, Von Finck dirigiu pelas estradas vertiginosas até a Vereinsalm, sua cabana rústica na montanha, decorada com galhadas. Ele queria recuperar o fôlego na solidão nevada abaixo da cordilheira Karwendel. Acabara de resistir à primeira troca de golpes em sua luta pelo poder com duas das maiores seguradoras do mundo.

Já fazia algum tempo de volta ao comando de seu banco privado, o Merck Finck, o financista aristocrático de 56 anos estava preparando uma aquisição hostil da Allianz e da Munich Re, os gigantes dos seguros de que seu pai fora cofundador. O motivo da tentativa de um golpe tão drástico era um recente rebaixamento. Em 1945, as autoridades de ocupação americanas tinham tirado o barão de sua função de presidente do conselho fiscal de ambas as seguradoras; ele havia, no entanto, sido autorizado a retornar como membro do conselho fiscal, mas não presidente, da Munich Re logo após o término de seu julgamento de desnazificação. Não era suficiente para Von Finck. Ele queria de volta seus dois antigos cargos. Dada a história recente de Von Finck como um fiel apoiador de Hitler e um grande aproveitador das arianizações de bancos privados, era inconcebível que as duas renomadas seguradoras globais o deixassem retornar como presidente. Irritado, ele renunciou ao conselho da Munich Re. "O ano de 1945 jogou tanta tradição ao mar, e os novos homens da Allianz queriam seu próprio círculo. Naquela época, afinal, os tanques americanos estavam fazendo barulho pelo país, e cabeças tinham de rolar", Von Finck, abrigado em sua cabana, queixou-se a um repórter do *Der Spiegel*.[34]

Com a herança e o banco privado de seu pai, Von Finck era ainda o maior acionista das duas seguradoras, cujos capitais sociais estavam estreitamente entrelaçados. Então, em resposta ao desprezo, o financista começou a comprar ações da Allianz em segredo por meio de testas de ferro ao longo de 1954. Ele pretendia aumentar sua participação de 8% para pelo menos uma minoria de bloqueio de 25%, a fim de obter o controle das duas empresas. Von Finck não recebeu para sua oferta hostil nenhum apoio dos bancos comerciais da Alemanha, que tinham laços estreitos com as seguradoras. Mas o homem mais rico da Baviera tinha muito dinheiro para gastar por conta própria. Em um movimento excepcionalmente incomum, o financista frugal chegou a comprar 16,5% de todas as ações da Allianz. Porém, a seguradora bloqueou o registro de suas novas ações, de modo que ele não pôde aproveitar todos os seus direitos de voto. O barão reservado, que nunca defendeu o homem comum, não conseguiu convencer acionistas menores em número suficiente para se juntarem a ele e formar uma minoria de bloqueio.

Era preciso encontrar uma solução. Após negociações obstinadas, Von Finck e as seguradoras chegaram a um acordo no fim de janeiro de 1955. Em troca de registrar suas novas ações, Von Finck retirou seu plano para apresentar propostas relacionadas à reestruturação a uma votação em uma reunião extraordinária de acionistas que ele havia convocado. Mas o financista ainda era um grande acionista das duas seguradoras e podia ser uma enorme dor de cabeça para elas. Mais negociações se seguiram e as seguradoras fecharam um acordo diferente com seu ex-presidente. Em troca de grande parte de suas ações da Allianz e da Munich Re, Von Finck receberia uma participação minoritária considerável em uma grande siderúrgica, a Südwestfalen.

Para sua grande consternação, Von Finck logo teve de enfrentar um novo acionista majoritário na Südwestfalen. Não era outro senão seu conhecido de longa data Friedrich Flick. O magnata estava atuando ativamente em todos os lugares na década de 1950, recuperando o tempo e os negócios perdidos após sua passagem pela prisão.[35] O conglomerado de Flick, com sede em Düsseldorf, tinha abandonado quase inteiramente o carvão e estava aumentando seus investimentos em aço e se aventurando nas indústrias automobilística e química. Ao mesmo tempo, outra atividade que era muito familiar para o magnata via um renascimento na Alemanha Ocidental: a fabricação de armas. Flick queria entrar nela, e não era o único. Havia contratos de defesa lucrativos a ser ganhos, e muitos magnatas de olho neles. A corrida armamentista na Alemanha recomeçara.

7.

Harald Quandt, o ex-tenente paraquedista da Luftwaffe, foi encarregado do ramo de armas e munições do esparramado império empresarial da família. Ele era o chefe da IWK — antes conhecida como DWM —, que estava fazendo um rápido retorno como uma das maiores fabricantes de armas da Alemanha Ocidental. O país devia seu rearmamento ao envolvimento dos Estados Unidos na Guerra da Coreia e na Guerra Fria. Quando a Guerra da Coreia terminou, o governo Eisenhower exigiu que seus aliados ocidentais assumissem uma parcela mais igualitária do fardo militar relacionado à Guerra Fria. O chanceler Adenauer aproveitou isso como uma oportunidade para defender o rearmamento da Alemanha Ocidental. Em maio de 1955, o país ingressou na Otan e foi mais uma vez autorizado a ter um Exército. Seis meses depois, a Alemanha Ocidental criou seu novo Exército, o Bundeswehr. Logo em seguida, a IWK dos Quandt e sua subsidiária que fabricava rifles, a Mauser, foram autorizadas a voltar a fabricar armas.

A decisão de rearmar foi um incentivo para um geek de tecnologia como Harald.[36] Ele mandou instalar um estande de tiro totalmente automático em seu porão e um bunker à prova de radiação foi construído sob a propriedade da família Quandt em Bad Homburg. Em 1957, o engenheiro ainda teve a oportunidade de desenvolver o protótipo de um tanque. Os Exércitos francês e da Alemanha Ocidental tinham concordado em produzir um tanque juntos e lançaram um concurso de projeto. O consórcio liderado pela IWK de Harald venceu. Mas o projeto de tanque franco-alemão acabou fracassando. A Alemanha Ocidental se retirou dele porque o governo queria que o país construísse seu próprio tanque: o Leopard.

A Alemanha Ocidental fez uma grande encomenda do novo tanque de combate. O Exército alemão-ocidental queria entre mil e 1500 tanques Leopard, construídos a um preço unitário de 1,2 milhão de marcos; o primeiro pedido podia chegar a 1,8 bilhão de marcos. Harald estava confiante de que ganharia o contrato, mas enfrentou forte concorrência de dois magnatas com muito mais experiência em construção e projeto de tanques: Friedrich Flick e Ferry Porsche. Embora seu braço direito houvesse declarado à imprensa em 1956 que o fabricante de armas condenado tinha "uma profunda aversão a qualquer tipo de armamento",[37] Flick voltou ao negócio naquele mesmo ano. Uma das subsidiárias produtoras de aço dele começou a construir partes de aeronaves para o novo avião de transporte militar Noratlas, da Luftwaffe, o caça a jato Fiat G91 e o caça-bombardeiro F-104, da Lockheed.

Foi apenas o começo dos planos de produção de armas de Flick.[38] Quando a Krauss-Maffei, que Flick controlava, deixou de receber encomendas de locomotivas, ele fez a empresa entrar na produção de armas por meio da oferta de tanques Leopard, em parceria com a Daimler-Benz para o motor e com a Porsche para o projeto. Mas a empresa automobilística de Stuttgart sentia a falta de dois de seus cofundadores.[39] Ferdinand Porsche morrera aos 75 anos em 1951, e no ano seguinte Anton Piëch morrera inesperadamente de um ataque cardíaco aos 57. Os dois nunca se recuperaram totalmente da detenção em uma prisão militar francesa.

Ferry Porsche e sua irmã, Louise Piëch, intervieram para fortalecer suas respectivas empresas. Depois de ter construído o primeiro carro com o nome da família, Ferry mais uma vez tinha sucesso onde seu pai fracassara: despachar o protótipo de um tanque Porsche para ampla produção.[40] Em 1951, durante férias para esquiar em Davos, na Suíça, Ferry conheceu um membro da família Tata, industriais da Índia. Eles queriam construir caminhões e tanques na Índia com a Daimler-Benz e haviam tido boas experiências ao trabalhar com a Krauss-Maffei na produção de locomotivas. As empresas alemãs ocidentais não tinham permissão para construir tanques na época, claro. Então Ferry apresentou uma brecha: eles iniciariam uma joint venture com sede na Suíça com a Daimler para o projeto do tanque, contornando assim a exigência de que a Alemanha não produzisse armas. O resultado foi uma fábrica Tata-Daimler na Índia que lançava tanques baseados no projeto de Ferry.

Uma década depois, a Krauss-Maffei e a Daimler-Benz, agora ambas sob o controle de Flick, retribuíram o favor incluindo a Porsche na oferta do tanque Leopard para criar o projeto. Harald Quandt pensou que tinha o melhor plano, mas subestimou as ligações políticas de Flick. Enquanto Harald queria levar a produção para a esquerdista Hamburgo, Flick propôs mandar fazer o Leopard na Baviera, o lar conservador de Franz Josef Strauss, ex-ministro da Defesa da Alemanha e o poderoso presidente do partido político governante da Baviera, a União Social-Cristã (CSU). Com o apoio de Strauss, Flick e Ferry venceram Harald; eles ganharam o contrato em 1963.

O tanque Leopard foi um enorme sucesso.[41] A Krauss-Maffei de Flick estimou sua participação no primeiro contrato em 408 milhões de marcos. Não muito tempo depois, os exércitos de vários aliados da Alemanha Ocidental na Otan também estavam fazendo seus pedidos. Cerca de 3500 tanques Leopard foram construídos até 1966, e um modelo novo e melhorado logo foi encomendado. Ferry Porsche não teve escrúpulos quanto ao fato de sua empresa automobilística ter voltado ao desenvolvimento de armas. "Nunca sabemos em qual direção a política vai se desenvolver. De acordo com o conceito pelo qual ele é estruturado, nosso Exército se baseia no princípio da defesa. Para essa tarefa devemos equipá-lo com os melhores armamentos disponíveis", escreveu em uma de suas autobiografias.[42]

Apesar de perder no Leopard, Harald continuou entusiasmado com o desenvolvimento e a produção de armas. Ele liderou outro consórcio, dessa vez para lançar o protótipo de um tanque americano-alemão.[43] O dispendioso projeto tampouco decolou. Harald e Ferry também se ocupavam projetando seus próprios carros anfíbios.[44] O protótipo militar de Ferry — nada muito diferente do Kübelwagen de seu pai — não foi escolhido pela Bundeswehr. E o Amphicar, carro anfíbio civil de Harald, foi um fracasso em todo o mundo. Sua IWK fazia mais sucesso fabricando minas terrestres, e forneceu mais de 1 milhão de minas antipessoais e antitanques para as Forças Armadas da Alemanha Ocidental e de muitos de seus aliados.[45] Algumas das minas antipessoais da IWK foram exportadas diretamente ou revendidas em zonas de guerra africanas. Minas não detonadas da IWK foram descobertas na Etiópia, na Eritreia e em Angola, entre outros países. Destinadas a mutilar ou matar soldados, elas podem ter acabado matando até mais crianças e outros civis. Muitas dessas minas terrestres provavelmente estão adormecidas sob o solo africano até hoje, bem depois da morte de Harald Quandt.

8.

Às 22h30 do dia 22 de setembro de 1967, o avião Beechcraft King de Harald Quandt decolou do Aeroporto de Frankfurt. Seu destino era Nice, especificamente a propriedade na Côte d'Azur, que Harald planejava vender. Também estavam a bordo sua amante e outros dois convidados. O clima em Frankfurt estava tempestuoso, e os pilotos logo perderam contato de rádio com o controle de tráfego aéreo. No dia seguinte, um pastor de ovelhas nos últimos contrafortes dos Alpes encontrou os restos do jato particular que havia se chocado contra as montanhas da região do Piemonte, não muito longe de Turim. Harald, todos os passageiros e os pilotos morreram.[46]

Harald tinha só 45 anos. Deixou sua esposa Inge, cinco filhas pequenas, que variavam de dois meses a dezesseis anos, e 22 cargos executivos e em conselhos fiscais. Seu meio-irmão Herbert, no entanto, superava esses números, com seis filhos de três casamentos e mais cargos administrativos do que qualquer outro industrial da Alemanha Ocidental. Quando Harald morreu, o único alemão mais rico que ele era Friedrich Flick.

Flick e oficiais de alto escalão das Forças Armadas da Alemanha Ocidental e dos Estados Unidos compareceram à cerimônia em memória de Harald em Frankfurt. Eles prestaram homenagem a um industrial empreendedor e encantador que amava as pessoas e festas. Os sócios mais próximos de Harald estavam "horrorizados" com sua morte precoce, mas não ficaram muito surpresos com ela.[47] Fazia muito tempo que temiam a chegada daquele dia. Harald sempre vivera de forma perigosa.[48] Depois de tudo o que testemunhara e suportara, ainda tinha um gosto infantil pela vida. Sua atitude contrastava fortemente com a de seu conservador meio-irmão mais velho, Herbert, o salvador da BMW, que tinha deficiência visual e não gostava de estranhos. Mas, na verdade, Harald era o mais sobrecarregado dos dois irmãos. Uma de suas filhas lhe perguntou se ela tinha tantos irmãos porque ele próprio tivera seis. Harald não respondeu gentilmente à pergunta. Embora o tema trágico não fosse de todo tabu, quase não era discutido. Harald carregava seu passado macabro consigo aonde quer que fosse.

Um jornalista alemão uma vez descreveu ter encontrado Harald em uma festa em Frankfurt promovida por um famoso arquiteto judeu: "Entre os rostos excitados e alegres, um, pálido como a lua, olhava, imóvel e silencioso, com olhos lacrimejantes e brilhantes [...] para lugar nenhum. O rosto pálido, sorrindo educada mas laboriosamente, permanecia imóvel. Parecia-me que havia uma tempestade distante por trás daqueles olhos de cera, uma lembrança de um infortúnio incurável. Harald Quandt, herdeiro rico, filho de Magda Goebbels [...]. Todos que olhavam para ele se lembravam do terrível sacrifício de Baal que sua mãe fizera no Führerbunker quando tudo chegava ao fim".[49] Harald nunca perdoou a mãe e o padrasto por assassinarem os próprios filhos, seus amados irmãos, tampouco superou o suicídio deles. Quando um advogado representando o espólio de Goebbels entrou em contato com Harald para tratar da herança de seu padrasto, ele não quis saber: disse que preferia acalentar as memórias da casa na ilha Schwanenwerder de Berlim — com os seis irmãos e a mãe vivos.[50]

A morte de Harald separou o clã Quandt. Ao mesmo tempo, a família Flick também estava se desfazendo. Uma dinastia empresarial sobreviveria ao tumulto interior. A outra ia desmoronar.

9.

O barão August von Finck usava um terno azul de modelo simples e sapatos marrons com saltos gastos no dia frio do início da primavera de 1970 em que um repórter da revista *Der Spiegel* o encontrou em sua propriedade em Möschenfeld, a leste de Munique. O jornalista estava lá para traçar o perfil do homem de 71 anos para uma reportagem sobre reforma agrária. A gola e os punhos da camisa do banqueiro pareciam puídos, e sua gravata estava torta. "Não é difícil para o velho desmentir o ditado de que a roupa faz o homem. Além da marca de 1 bilhão, as regras do campesinato se aplicam mais uma vez", escreveu o repórter no início de seu perfil de doze páginas, intitulado "Nove zeros". O aristocrata "bebe pouco e fuma moderadamente — no máximo Virgínias de palha baratos, o que desmente o proverbial ditado de que o dinheiro não fede".[51] Em 1970, Friedrich Flick, August von Finck, Herbert Quandt e Rudolf-August Oetker eram os quatro empresários mais ricos da Alemanha Ocidental, em ordem decrescente de fortuna.[52] Todos eram ex-membros do Partido Nazista; um deles tinha sido um oficial voluntário da Waffen-SS; todos haviam se tornado bilionários.

August von Finck na década de 1970.

O banco privado do financista aristocrático, o Merck Finck, era avaliado em 1 bilhão de marcos, mas uma vasta parte de sua fortuna estava em terras. A principal propriedade de Von Finck se estendia quase ininterruptamente por vinte quilômetros fora de Munique. Os 5 mil acres de terra nos arredores da cidade mais rica da Alemanha — 18,5 milhões de metros quadrados de potencial terreno para construção, no valor de cerca de 2 bilhões de marcos na época — eram um terço prados e terras agrícolas, dois terços floresta. Aos domingos, o barão dirigia seu Volkswagen surrado para o interior da Baviera e se arrastava por quilômetros através de suas florestas, vestindo um casaco gasto de lã verde. Na Baviera, August von Finck era onipresente. "É como o conto de fadas da lebre e do ouriço", queixou-se um empreiteiro sindicalizado ao jornalista da *Der Spiegel*. "Para onde quer que vamos, [Von] Finck já está lá."[53]

O homem mais rico da Baviera também permanecia o mais mesquinho. Von Finck não portava trocados. Se precisasse de dinheiro, enfiava seus dedos malcuidados no colete e murmurava: "Ah, eu não tenho nada no meu bolso?". Com a mão aberta, aceitava moedas de quem estivesse por perto, e pegava carona para o cabeleireiro em uma aldeia vizinha porque lá o corte de cabelo era quinze centavos mais barato do que em Munique. Ele "não entende o mundo de mudança social necessária nem quer entendê-lo", escreveu o repórter. "Como se estivesse em um museu, continua vivendo na época em que cresceu." E Von Finck não era o único magnata agarrado a uma era mais sombria.

O ex-oficial da Waffen-SS Rudolf-August Oetker ainda paparicava nazistas. Ele não parara ao empregar seu antigo camarada da SS Von Ribbentrop e fazer uma doação à Stille Hilfe. No início da década de 1950, sua segunda mulher, Susi, o deixou para se casar com um príncipe que logo se tornou um proeminente político do NPD, partido neonazista da Alemanha Ocidental.[54] Em 1967, no auge da popularidade marginal do partido, a *Der Spiegel* relatou que Rudolf-August se reunia em privado com alguns dos políticos neonazistas.[55] Ele conheceu o fundador do NPD através do novo marido de sua ex-esposa enquanto hospedava outro líder do NPD em sua mansão em Hamburgo. Em maio de 1968, o jornal alemão *Die Zeit* incluiu os conglomerados Dr. Oetker e Flick em uma lista dos financiadores empresariais do NPD.[56] Ambas as empresas negaram que apoiassem o partido.

No final de setembro de 1968, a despeito de enormes protestos, um museu público foi inaugurado em Bielefeld com o nome de Richard Kaselowsky, amado padrasto nazista de Rudolf-August e membro do Círculo de Amigos de Himmler.[57] Para projetar o museu, Rudolf-August contratara o celebrado arquiteto americano Philip Johnson, que também tinha sido apoiador dos nazistas.[58] Quando a controvérsia sobre o nome ressurgiu décadas depois, a câmara de vereadores tirou o nome de Kaselowsky do museu. Em resposta, Rudolf-August retirou seu financiamento, junto com as obras de arte que havia emprestado ao museu.

10.

Em dezembro de 1967, Adolf Rosenberger morreu de um ataque cardíaco como Alan Robert em Los Angeles. O cofundador perseguido da Porsche tinha apenas 67 anos. Após seu acordo com a empresa e a morte de Ferdinand Porsche e Anton Piëch no início da década de 1950, Rosenberger viajara de volta a Stuttgart e se encontrara com Ferry.[59] Rosenberger lhe ofereceu patentes e esperava representar a Porsche na Califórnia. Depois de tudo o que havia se passado, Rosenberger ainda queria fazer parte da empresa que ajudara a criar. Ferry respondeu de forma evasiva, e nada resultou da conversa.

Quase uma década após a morte de Rosenberger, Ferry publicou sua primeira autobiografia: *We at Porsche* [Nós na Porsche]. Nela, o projetista de carros esportivos não apenas torceu a verdade da arianização e da fuga da Alemanha nazista de Rosenberger mas também fez o mesmo com as histórias de outros judeus alemães que foram forçados a vender suas empresas e fugir do regime de Hitler. Ferry chegou até a acusar Rosenberger de extorsão depois da guerra. E mais, o ex-oficial da SS usou estereótipos e preconceitos antissemitas flagrantes em seu relato distorcido: "Depois da guerra, parecia que aquelas pessoas que haviam sido perseguidas pelos nazistas consideravam seu direito obter um lucro adicional, mesmo em casos em que já haviam sido compensadas. Rosenberger não era de modo nenhum um exemplo isolado".[60]

Ferry, agora com sessenta e poucos anos, deu um exemplo de uma família judia que vendera voluntariamente sua fábrica depois de deixar a Alemanha nazista e ir para a Itália de Mussolini apenas para retornar após a guerra e reivindicar "pagamento pela segunda vez", pelo menos de acordo com a interpretação dele dos acontecimentos. Ferry continuava: "Seria difícil culpar Rosenberger por pensar de maneira semelhante. Ele sem dúvida sentia que, como era judeu e tinha sido forçado a sair da Alemanha pelos nazistas que causaram tantos danos, tinha direito a um lucro extra".

Ferry então afirmou falsamente que sua família havia salvado Rosenberger da prisão pelos nazistas. Mas não fora Ferry, seu pai ou seu cunhado, Anton Piëch, quem libertara Rosenberger de um campo de concentração no final de setembro de 1935, apenas algumas semanas depois que os magnatas do carro arianizaram a participação dele na Porsche. Na verdade, o sucessor de Rosenberger na Porsche, o barão Hans von Veyder-Malberg, havia negociado com a Gestapo a libertação dele e depois ajudado os pais de Rosenberger a fugir da Alemanha.[61] Mas Ferry roubou o crédito por essas ações moralmente sãs do barão morto em benefício da família Porsche: "Tínhamos ligações tão boas que conseguimos ajudá-lo, e ele foi libertado. Infelizmente, tudo isso foi esquecido quando o sr. Rosenberger viu o que pensou ser uma oportunidade de ganhar mais dinheiro. No entanto, não só o povo judeu, mas a maioria dos emigrantes que deixaram a Alemanha sentiam o mesmo".

11.

Quando o pai deles morreu, Herbert e Harald "juraram um ao outro que não haveria guerra fratricida na casa dos Quandt".[62] Mas, depois que Harald morreu no acidente de avião de 1967, o relacionamento entre sua viúva, Inge, e o meio-irmão dele, Herbert, se deteriorou. Inge começou um namoro com o melhor amigo do falecido marido, que começou a criticar as decisões de negócios de Herbert. Os dois ramos da família Quandt iniciaram uma separação de bens.[63] Depois de negociações longas e difíceis, Inge e suas cinco filhas receberam de Herbert quatro quintos da participação de 15% da dinastia na Daimler-Benz. Outros bens também foram logo divididos entre as duas famílias.

Inge não era talhada para a vida de uma herdeira Quandt.[64] Era viciada em remédios controlados e fumava cerca de cem cigarros por dia. Na manhã da véspera de Natal de 1978, Inge foi encontrada morta em sua cama. Ela morreu de insuficiência cardíaca aos cinquenta anos, provavelmente com um cigarro na mão, pois dois de seus dedos estavam chamuscados. Suas filhas ficaram órfãs, mas outro drama as aguardava. Na noite seguinte, Natal, o novo marido de Inge se deitou ao lado da esposa morta, cujo corpo estava na casa de Bad Homburg, colocou uma arma na boca e puxou o gatilho. Uma de suas enteadas descobriu seu corpo no dia seguinte.

Apesar dessa outra tragédia na vida das filhas de Harald, pelo menos elas estavam bem providas. Os Quandt haviam começado a tentar vender sua participação na Daimler-Benz em 1973. A família Flick não se interessou, porque estava lidando com seus próprios problemas. Os Quandt encontraram depressa outro comprador. Em novembro de 1974, as famílias venderam a participação.[65] O comprador, de início mantido em segredo, logo foi revelado: a Kuwait Investment Authority, o mais antigo fundo soberano do mundo. A venda foi controversa na Alemanha Ocidental, vindo logo após a crise do petróleo de 1973, mas rendeu às famílias Quandt quase 1 bilhão de marcos, a maior transação de ações na história alemã. As filhas de Harald tinham a vida garantida. Em seis semanas, a venda de ações delas foi eclipsada por uma ainda maior: uma participação na Daimler, com o dobro do tamanho, foi vendida por 2 bilhões de marcos por um herdeiro Flick. O conglomerado Flick e a família que o possuía também estavam entrando em colapso.

12.

No início dos anos 1960, irrompeu uma acalorada batalha legal entre Friedrich Flick e seu filho mais velho, Otto-Ernst. Estavam em jogo a sucessão e o futuro do conglomerado Flick, o maior grupo privado de empresas da Alemanha Ocidental. Como acontecera com Günther Quandt, a continuidade dinástica e empresarial significava tudo para Flick. Mas, ao contrário de Günther, Flick nunca organizou de forma adequada as estruturas que permitiriam uma sucessão empresarial tranquila na passagem da tocha a seus filhos. Para piorar a situação, o desejo de Otto-Ernst de se separar do pai controlador o transformou em um líder autoritário e brusco na sala de reuniões da diretoria do conglomerado, alienando aqueles com quem ele trabalhava.

Otto-Ernst era o oposto do pai frio, racional e calculista. Durante uma tensa reunião familiar em Düsseldorf, convocada para discutir o futuro profissional de Otto-Ernst, ele acusou o pai de ser um covarde. Flick respondeu que "era a pessoa mais bem-humorada da face da terra, mas não um covarde", acrescentando que seu filho logo descobriria isso no tribunal.[66] O veredito que a esposa de Flick, Marie, proferiu sobre o filho foi particularmente brutal: "Você era uma pessoa que justificava grandes esperanças. No entanto, suas poucas qualidades ruins se tornaram tão fortes no curso de sua vida que [...] você não tem os requisitos de caráter e a aptidão profissional para suceder a seu pai".

Depois de mais anos de disputas tensas, Flick finalmente concluiu no final de 1961 que Marie estava certa: seu filho mais velho simplesmente não servia para aquilo. Flick alterou o acordo de acionistas de seu conglomerado em favor do filho mais novo, Friedrich Karl, que foi promovido em detrimento do irmão onze anos mais velho. Em resposta, Otto-Ernst processou o pai e o irmão por quebra de contrato e solicitou em juízo que o conglomerado Flick fosse dissolvido e dividido.[67]

Os trâmites judiciais em Düsseldorf se arrastaram por anos. Otto-Ernst perdeu dois julgamentos.[68] Um acordo extrajudicial foi feito no outono de 1965. A parte de Otto-Ernst no conglomerado da família foi comprada por cerca de 80 milhões de marcos e sua participação de 30% foi transferida para seus três filhos. Seu irmão mais novo, Friedrich Karl, agora controlava a maioria das ações da empresa. Flick tampouco aprovava muito esse filho, mas

A família Flick em 1960. Otto-Ernst na extrema esquerda, Marie e Friedrich no centro, e Friedrich Karl na extrema direita.

estava ficando sem tempo e sem opções para sua sucessão. Agora depositava suas esperanças nos dois netos – ambos filhos de Otto-Ernst – Muck e Mick.

Meses após a conclusão do acordo que separou sua família, Marie morreu. A esposa de Flick por mais de cinquenta anos tinha visto seus dois filhos sobreviventes como incapazes de suceder ao pai. Otto-Ernst "sempre foi talentoso, capaz e esforçado, mas não se relaciona bem com as pessoas". Friedrich Karl "não era talentoso, capaz nem trabalhador, mas se relacionava bem com as pessoas". Era essa sua avaliação impiedosa.[69]

Após a morte da esposa, Flick, que sofria de uma doença brônquica após uma vida inteira fumando charutos baratos, mudou-se de Düsseldorf para o ar fresco dos Alpes no sul da Alemanha. Ele acabou estabelecendo residência permanente em um hotel no lago Constança, a poucos minutos da Suíça. Morreu no hotel, em sua suíte, em 20 de julho de 1972, dez dias depois de seu aniversário de 89 anos.

13.

No momento de sua morte, Friedrich Flick era o homem mais rico da Alemanha Ocidental e uma das cinco pessoas mais ricas do mundo. Ele controlava o maior conglomerado privado do país, com 103 participações majoritárias e 227 participações minoritárias importantes, receita anual de quase 6 bilhões de dólares e mais de 216 mil empregados, aí incluídos aqueles que trabalhavam para a Daimler-Benz.[70]

No entanto, Flick se recusara a pagar um centavo em compensação àqueles que realizaram trabalho forçado ou escravo em fábricas e minas que ele controlava. No início da década de 1960, a Conferência de Reivindicações Judaicas apresentou uma reivindicação contra a Dynamit Nobel, uma fabricante de explosivos transformada em uma produtora de plástico controlada por Flick.[71] Durante a guerra, ela havia usado cerca de 2600 mulheres judias da Hungria, da Tchecoslováquia e da Polônia como escravas para fabricar munição em fábricas subterrâneas. Elas eram escolhidas nos campos de concentração de Auschwitz e Gross-Rosen e deportadas para os subcampos de Buchenwald, onde eram postas para trabalhar para a fabricante de explosivos. Cerca de metade das mulheres sobreviveu à provação. Flick não era dono da Dynamit Nobel durante a guerra; ele se tornou seu acionista majoritário apenas em 1959. De maneira cruel, não chegou a rejeitar os pedidos de indenização das mulheres: só enrolou os negociadores durante anos e depois abandonou as conversas. Até John J. McCloy, ex-alto-comissário dos Estados Unidos para a Alemanha ocupada, que havia ordenado a libertação antecipada de Flick da prisão, se envolveu na questão. Ele apelou à obrigação moral de Flick, mas é claro que não conseguiu nada.

Nos quinze anos anteriores à chegada à sua mesa da reivindicação relativa à Dynamit Nobel, Flick havia ganhado muita experiência com negociações de restituição.[72] Durante esse período, o magnata chegou a um acordo em três casos complexos de arianização. Sem admitir qualquer culpa, Flick restituiu uma mera fração das enormes empresas industriais que havia comprado à força ou ajudado a tomar das famílias Hahn e Petschek, que tinham emigrado. Não só Flick conseguiu manter todos os ativos restantes, mas ainda obteve lucro negociando uma compensação do governo por todo o carvão que ele tinha cedido ao conglomerado nazista Reichswerke Hermann Göring na arianização da Ignaz Petschek.

Não foi uma surpresa, então, quando Hermann Josef Abs, o onipresente presidente do Deutsche Bank, em seu discurso de homenagem no funeral de Flick em Düsseldorf, adotou um tom muito mais sóbrio do que fizera no funeral de Günther Quandt em Frankfurt. Depois de chegar a um acordo com os herdeiros de Ignaz Petschek por seu próprio papel duvidoso na arianização, Abs atuara como mediador com o governo alemão e Flick em nome dos herdeiros. Sempre o intermediário, Abs fizera o mesmo para Flick em suas tratativas insensíveis com a Conferência de Reivindicações Judaicas. No funeral de Flick, Abs disse que qualquer avaliação do trabalho da vida do magnata devia ser "deixada para uma historiografia mais objetiva do que é habitual atualmente em nosso país tão atormentado e exausto".[73]

Não foram apenas as relações profanas de Flick — ou dele próprio — durante o Terceiro Reich que levaram Abs a essa declaração estranhamente melancólica no final de julho de 1972. Na década de 1960, o movimento estudantil de protesto assinalara uma mudança cultural na Alemanha Ocidental. Chegara à idade adulta uma geração mais progressista, que nascera após a guerra e era crítica das estruturas de poder do país, do domínio contínuo do Terceiro Reich sobre posições de alto escalão em praticamente todos os aspectos da sociedade e da falta de qualquer ajuste de contas verdadeiro com o passado nazista da Alemanha. Os velhos reacionários que lideravam grandes indústrias da Alemanha ficaram perplexos. Tinham crescido em uma época em que a autoridade era inquestionável e assuntos dolorosos eram varridos para debaixo do tapete. Além disso, depois de quase 25 anos de crescimento inexorável, o boom econômico da Alemanha Ocidental estava esfriando. Flick deixou um conglomerado que envelhecia depressa e uma família em desintegração encarregada de manter tudo aquilo junto.

Otto-Ernst não compareceu ao funeral do pai em Düsseldorf. Quase dezoito meses depois, sucumbiu a um ataque cardíaco — com apenas 57 anos, era um homem quebrado. Seu irmão mais novo, Friedrich Karl, não perdeu tempo em se apossar do conglomerado Flick, sucedendo ao falecido pai como CEO.[74] Em meados de janeiro de 1975, ele anunciou a venda de uma participação de 29% na Daimler-Benz ao Deutsche Bank por 2 bilhões de marcos. Haviam circulado rumores de que Friedrich Karl estava negociando a venda de toda a participação dos Flick na Daimler para o xá da Pérsia — o que o governo da Alemanha Ocidental considerou inaceitável, especialmente porque vinha apenas seis semanas depois da venda da participação dos Quandt na Daimler para o Kuwait. O Deutsche Bank interveio. Friedrich Karl precisava de liquidez para assuntos familiares urgentes. No mês seguinte, comprou a parte dos sobrinhos Muck e Mick e da sobrinha Dagmar por 405 milhões de marcos. Os três filhos de Otto-Ernst foram tirados da empresa da família, e Friedrich Karl agora governava sozinho o império Flick.[75]

Ao contrário de seu pai severo e viciado em trabalho, que preferia um estilo de vida austero, Friedrich Karl gostava das pompas da riqueza. Ele voava de jato entre suas mansões na Baviera e em Düsseldorf, uma propriedade de caça na Áustria, uma casa na Côte d'Azur, uma cobertura em Nova York, um castelo perto de Paris e um iate de sessenta metros chamado *Diana II*. Suas festas libidinosas em Munique eram lendárias. O herdeiro Flick era inteligente, mas preguiçoso, e não estava muito interessado em administrar as empresas da família. Ele deixava isso em grande parte para seu amigo de infância Eberhard von Brauchitsch, um advogado arrojado que Flick pai havia promovido a administrador. Os dois melhores amigos agora estavam sentados em cima de uma pilha de dinheiro.

Eles fizeram um acordo com o Ministério das Finanças da Alemanha Ocidental: os bilhões da venda da Daimler-Benz seriam basicamente isentados de impostos, desde que o dinheiro fosse reinvestido dentro de dois anos na economia alemã ou em ativos elegíveis no exterior. Assim, nos anos seguintes, várias empresas de propriedade de Flick na Alemanha foram atualizadas e centenas de milhões foram reinvestidos em companhias americanas, como a empresa química W. R. Grace. As isenções fiscais para o maior conglomerado privado da Alemanha Ocidental foram concedidas no último momento.[76]

Mas tudo desmoronou no início de novembro de 1981, quando as autoridades fiscais invadiram o escritório do contador-chefe do conglomerado Flick em Düsseldorf; ele era suspeito pessoalmente de evasão de impostos. O que os investigadores encontraram era muito mais insidioso: documentos detalhando que, por mais de uma década, Von Brauchitsch pagara quase 26 milhões de marcos em subornos aos três maiores partidos políticos da Alemanha Ocidental, a fim de facilitar as isenções fiscais.[77] Uma missão católica tinha sido usada para fazer o dinheiro doado por Flick voltar ao conglomerado para distribuição a seu maior beneficiário: a CDU/CSU, uma aliança de dois partidos políticos conservadores, a União Democrata Cristã e a União Social-Cristã,

Eberhard von Brauchitsch e Friedrich Karl Flick, 1982.

da Baviera. Von Brauchitsch se referiu eufemisticamente aos subornos como "cultivar a paisagem política".[78]

O caso Flick, o maior escândalo de corrupção política da Alemanha até hoje, abalou o país. A *Der Spiegel* o chamou de "república comprada".[79] No inquérito que se seguiu, centenas de parlamentares e ex-parlamentares foram implicados, entre eles o novo chanceler, Helmut Kohl.[80] Ele conseguiu manter o emprego, mas seu ministro da Economia, conde Otto von Lambsdorff, foi indiciado por aceitar suborno do conglomerado Flick. Ele renunciou ao cargo. Friedrich Karl negou qualquer conhecimento dos pagamentos e atribuiu toda a culpa a seu amigo Von Brauchitsch. Em 1987, o diretor demitido foi condenado a uma pena de dois anos de prisão, suspensa, e uma multa por sonegação de impostos. Von Brauchitsch se mudou para Zurique e Mônaco. Ele e Friedrich Karl permaneceram amigos íntimos, mas aparentemente por necessidade. As memórias de Von Brauchitsch, publicadas depois, traziam um título revelador: *O preço do silêncio*.[81]

Àquela altura, o conglomerado Flick tinha deixado de existir.[82] Em dezembro de 1985, quando grande parte das investigações sobre o caso Flick continuava, Friedrich Karl vendeu todo o seu negócio para o Deutsche Bank por 5,4 bilhões de marcos (2,2 bilhões de dólares), estabelecendo um novo recorde para a maior transação empresarial na Alemanha Ocidental. Com quase sessenta anos, Friedrich Karl estava farto de grandes empresas. Ele embolsou o dinheiro e logo emigrou para a Áustria, cuja legislação tributária era generosa com os ricos. Quase setenta anos depois de seu pai ter iniciado sua primeira tomada de controle secreta de uma siderúrgica, o conglomerado Flick se dissolveu. O escândalo de suborno acabou sendo demasiado para a notória empresa da família. Como um historiador alemão concluiu mais tarde, tudo o que restava da antes poderosa empresa de Friedrich Flick era "a enorme fortuna de seus herdeiros e o som ruim de um nome".[83]

Como o pai, Friedrich Karl recusou-se firmemente a indenizar aqueles que haviam realizado trabalho forçado e escravo para o conglomerado Flick. Ele deixou para o Deutsche Bank satisfazer as reivindicações da Conferência de Reivindicações Judaicas contra a Dynamit Nobel. O banco o fez prontamente em janeiro de 1986, pagando 5 milhões de marcos (2 milhões de dólares) às mulheres judias que ainda estavam vivas.[84] Uma mudança estava próxima na Alemanha e ela exporia o passado nazista suprimido de seus mais eminentes patriarcas empresariais.

14.

Enquanto o império Flick desmoronava, outras dinastias empresariais alemãs implodiam. O clã Porsche-Piëch vinha gerando manchetes nas décadas de 1970 e 1980, mas não por novos projetos de carros esportivos empolgantes.[85] Foram seus sórdidos escândalos sexuais intrafamiliares e suas brigas internas pela sucessão que viraram notícia. A essas disputas dinásticas um tanto típicas foi acrescentada a ameaça de rapto.[86] Em 1976, um dos filhos de Rudolf-August Oetker foi sequestrado no estacionamento do campus da universidade bávara na qual estudava. Ele foi mantido por 47 horas em uma caixa de madeira, onde recebeu choques elétricos. Depois que seu pai pagou um resgate de 21 milhões de marcos (14,5 milhões de dólares), o jovem foi libertado, mas a provação o deixou incapacitado.

Contudo, de todas as tragédias que poderiam acontecer a uma dinastia de negócios, a morte de um patriarca continuava a ser a mais perigosa. Em um dia ensolarado do final de abril 1980, o barão August von Finck desabou atrás de sua escrivaninha em sua propriedade em Möschenfeld e morreu. Ele tinha

81 anos. No momento de sua morte, era considerado o banqueiro mais rico da Europa, com uma fortuna estimada em mais de 2 bilhões de marcos (1,2 bilhão de dólares). O aristocrata reacionário deixou o banco privado Merck Finck, bem como milhares de acres em Munique, uma das regiões mais caras do mundo. O barão teve cinco filhos em dois casamentos. O "tirano avarento [...] sujeitou seus cinco filhos a uma versão teutônica de 'papai querido', mão-fechada e exigente, frio e distante", de acordo com um perfil da revista *Fortune*.[87] Von Finck tirou sua única filha de seu testamento por meras migalhas e deserdou seu filho Gerhard em 1978 por "levar um estilo de vida desonroso" após emigrar para o Canadá.[88] (Gerhard agora trabalha como corretor de imóveis caros em Toronto, onde oferece a seus clientes "uma combinação de eficiência alemã e cortesia canadense".)[89]

Isso deixou aos três filhos remanescentes a divisão do espólio.[90] Os dois mais velhos, August Jr. e Wilhelm, seguiram devidamente os passos do pai e assumiram o Merck Finck. O meio-irmão mais novo deles, Helmut, escolheu um caminho diferente, ingressando na seita mística de Bhagwan Shree Rajneesh no Oregon. Seus irmãos arquiconservadores não deram a mínima para isso. Em fevereiro de 1985, a dupla convocou Helmut a um cartório de Munique, onde ele foi convidado a assinar a cessão de sua herança em troca de 65 milhões de marcos. Ele aceitou, deixou o movimento de Rajneesh e tornou-se criador de cavalos na Alemanha. Cinco anos depois, seus meios-irmãos venderam o Merck Finck ao Barclays por 600 milhões de marcos.

Levou mais duas décadas para Helmut se lembrar de que era viciado em álcool e drogas na época em que assinara a cessão de sua herança e, portanto, segundo ele próprio, não era legalmente capaz. Seus meios-irmãos também tinham violado a vontade do pai ao vender o banco e outros ativos da família, Helmut argumentava. Ele os processou, alegando que os dois lhe deviam centenas de milhões de euros. Em 2019, um tribunal decidiu que Helmut era legalmente capaz quando assinara o acordo. Ele perdeu o processo. Enquanto isso, August Jr. seguia os passos do pai de outras maneiras: financiando políticos de extrema direita.

15.

Enquanto outras dinastias empresariais brigaram, oscilaram e até desapareceram, os Quandt de alguma forma sobreviveram. No início de junho de 1982, Herbert Quandt morreu inesperadamente de insuficiência cardíaca ao visitar parentes em Kiel, semanas antes de seu aniversário de 72 anos. Herbert deixou seis filhos de três casamentos. Como o pai, havia transferido grande parte de sua fortuna antes de morrer.[91] Sua filha mais velha, pintora, recebeu ações e imóveis. Os três filhos seguintes receberam uma participação majoritária na Varta, o gigante das baterias anteriormente conhecido como AFA. Ele deixou as joias de sua fortuna para sua terceira esposa, Johanna, e os dois filhos do casal, Susanne e Stefan. Eles herdaram cerca de metade da BMW mais a Altana, a empresa farmacêutica e química anteriormente conhecida como Byk Gulden. Quando Friedrich Karl Flick emigrou para a Áustria, esse último lote de herdeiros de Herbert Quandt se tornou a família mais rica da Alemanha.

Embora Herbert tenha superado o sucesso do pai economizando e comprando a BMW, o herdeiro Quandt com deficiência visual foi incapaz de deixar a sombra de Günther. Em um uma cerimônia na antiga Ópera de Frankfurt, o assessor mais próximo de Herbert se lembrou de seu chefe como alguém que "permanecia no fundo de seu ser o filho que se orgulhava de não ter decepcionado as expectativas do pai".[92]

Após a morte dele, os dois ramos da dinastia Quandt começaram a administrar suas fortunas em prédios de escritórios vizinhos perto dos limites da cidade de Bad Homburg. Os herdeiros de Herbert e Harald estão separados não apenas por uma rua e bilhões em patrimônio líquido, mas também por diferentes estilos de fazer negócios e perspectivas contrastantes: enquanto um olha para o passado, o outro olha para o futuro.[93] Ao passo que o escritório de Susanne e Stefan Quandt está instalado em um edifício brutalista simples da década de 1960 com o nome de seu avô Günther, os herdeiros de Harald fazem seus investimentos em elegantes escritórios do tipo bangalô adornados com vegetação e com o nome de seu pai e de sua mãe. Eles encomendaram retratos de Harald e sua esposa, Inge, a Andy Warhol. O retrato de Harald está pendurado no foyer da empresa gestora do patrimônio deles. Os outros Quandt colocaram um retrato severo de Günther acima do balcão da recepção e bustos do patriarca Quandt e de Herbert no hall de entrada. Susanne e

Herbert Quandt em seu aniversário de setenta anos, 1980.

Stefan herdaram imensa responsabilidade econômica por meio do controle da BMW e da Altana. As filhas de Harald, por outro lado, investem seu dinheiro livremente, auxiliadas pela empresa que administra seus bens. Certa vez, elas receberam uma oferta para comprar o Edifício Chrysler de Nova York, mas a mãe delas não conseguiu chegar a uma decisão. Os dois ramos Quandt diferem tanto quanto Herbert e Harald diferiam: o irmão mais velho míope, conservador, desesperado para agradar o pai; o mais novo, moderno e voltado para o futuro, apesar, ou por causa, de tudo.

Em um impressionante acerto de contas histórico para o ramo Quandt mais moderno, uma das cinco filhas de Harald se converteu ao judaísmo.[94] Quando ficou órfã, em 1978, Colleen-Bettina Quandt tinha apenas dezesseis anos. No início daquele ano, ela soube pela primeira vez que sua avó era Magda Goebbels, a primeira-dama do Terceiro Reich. Não foi sua família que lhe deu a notícia — ela veio de seu namorado judeu. Assim como Magda durante sua adolescência em Berlim, Colleen-Bettina era amiga de um grupo de jovens judeus em Frankfurt. Ela também se sentia alienada em casa; estava procurando uma maneira de se sentir parte de algo e ficou fascinada pelo judaísmo. A notícia de que uma neta de Magda Goebbels tinha um namorado judeu se espalhou como fogo pela fechada comunidade religiosa de Frankfurt. "No fim, toda a Mishpacha sabia", ela contou mais tarde a um biógrafo da dinastia Quandt.[95] Nem todos na comunidade judaica a receberam de braços abertos. Alguns dos pais de seus amigos chegavam a se recusar a falar com ela.

Colleen-Bettina acabou se mudando para Nova York para estudar design de joias na Parsons School of Design. Como em Frankfurt, a maioria de seus amigos em Nova York eram judeus, e foi lá que ela decidiu se converter ao judaísmo ortodoxo moderno. Em 1987, aos 25 anos, a neta de Magda se converteu diante de três rabinos. Logo após o evento, ela conheceu Michael Rosenblat, um judeu alemão que se mudara para Nova York para trabalhar no setor têxtil. Rosenblat cresceu em uma família judaica ortodoxa em Hamburgo. Seu pai havia sobrevivido a um campo de concentração. Sua família agora tinha de se acostumar com o fato de que ele estava namorando não apenas uma convertida, mas a neta da matriarca mais notória do Terceiro Reich.

Mas o amor prevaleceu. Em 1989, o casal alemão se casou em uma sinagoga em Nova York. Colleen-Bettina ficou feliz por perder o nome de solteira. "Quandt, esse nome só irritava e destruía. Guarda-costas, conflitos, solidão sem fim. Pessoas terrivelmente invejosas e hipócritas. Eu não quero mais ter nada a ver com ele", disse ela a um jornalista alemão em 1998.[96] Ela e Rosenblat tinham se divorciado no ano anterior, mas até hoje ela mantém o sobrenome dele.

Parte VI

O ajuste de contas

1.

Em 2019, Stefan Quandt e Susanne Klatten, os filhos mais novos de Herbert Quandt e os dois herdeiros da BMW, já não podiam afirmar ser a família mais rica da Alemanha.[1] Outra dinastia, ainda mais reclusa, os ultrapassou naquele ano: os Reimann. Nenhuma foto de um herdeiro Reimann jamais se tornara pública. Ninguém sabia sequer onde a família morava. Esse clã de acionistas controlava a JAB, uma empresa de investimento em bens de consumo sediada, por razões fiscais, em Luxemburgo.[2] Desde 2012, a JAB gastara mais de 50 bilhões de dólares para adquirir marcas americanas de alimentos e bebidas, como Snapple, Dr Pepper, Krispy Kreme, Peet's Coffee, Einstein Bros. Bagels, Stumptown Coffee Roasters, Keurig Green Mountain, Panera Bread e Pret A Manger. Na Europa, a empresa comprou a Douwe Egberts. A família Reimann também controla a marca de beleza Coty e a marca de moda Bally, além de ter sido dona da Jimmy Choo.

Mas as raízes da fortuna da família Reimann são muito mais profundas do que donuts, bagels, cafés, batons e saltos agulhas. Elas estão na sombria cidade industrial de Ludwigshafen, a uma hora de carro ao sul de Frankfurt. Durante quatro gerações, a dinastia Reimann possuiu e administrou a Joh. A. Benckiser (JAB), uma empresa de produtos químicos especiais que operava em Ludwigshafen. Sob a liderança de Albert Reimann na década de 1960, a empresa familiar se ramificou em bens de consumo doméstico, formando a base de um império onipresente na vida dos consumidores. Albert era o pai dos atuais herdeiros Reimann. Ele morreu em 1984. Como tantos magnatas alemães de sua geração, tinha levado uma vida dupla, escondendo muitos segredos obscuros. Seu passado nazista era apenas uma faceta de uma história bizarra que começou a se desenrolar, em tempo real, quando quatro de seus herdeiros surgiram como a família mais rica da Alemanha.

As notícias da história nazista dos Reimann apareceram pela primeira vez quando o tabloide britânico *Mail on Sunday* revelou, em setembro de 2018, que Albert havia sido membro do NSDAP. Os repórteres encontraram seu cartão de membro em um arquivo alemão, que começaram a vasculhar após a aquisição pela JAB, por 2 bilhões de dólares, da Pret A Manger, cadeia global de sanduíches fundada por um judeu londrino. Esse fundador, falecido em 2017, não pôde responder à história do tabloide, mas sua irmã o fez: "Estou horrorizada [...]. Meu irmão teria ficado mortificado. Somos uma família judia".[3] Porta-vozes da JAB e da família Reimann disseram ao tabloide que estavam cientes de que Albert havia sido membro do Partido Nazista e confirmaram que a empresa dele havia feito uso de trabalho forçado e prisioneiros de guerra. Mas era isso, pelo momento. O artigo não continha outros detalhes.

Depois de ler a história no outono de 2018, liguei para a porta-voz de longa data da família Reimann em Düsseldorf. Eu havia coberto por anos a onda global de aquisições da JAB enquanto ainda estava na *Bloomberg News*. Na verdade, a primeira história que contei na *Bloomberg*, em 2012, identificou os quatro acionistas reclusos da Reimann por trás da JAB.[4] Além de seus nomes e idades, meu colega e eu descobrimos que a maioria deles eram químicos treinados que dirigiam uma instituição de caridade para crianças e nunca haviam trabalhado no negócio de bens de consumo do pai. A empresa gestora do patrimônio da família estava sediada em Viena. Os Reimann haviam trocado seus passaportes alemães por austríacos, uma medida de evasão fiscal de que muitas famílias alemãs ricas se aproveitavam. (Entre seus vários benefícios fiscais, a Áustria não tem imposto sucessório.) Descobrimos pouco mais do que isso na época.

No outono de 2018, a porta-voz me garantiu por telefone que não havia nada mais na história nazista de Reimann que acabava de ser publicada. Sim, Albert Reimann tinha pertencido ao NSDAP, mas era só, disse ela. Suprimindo meu instinto de repórter, aceitei sua explicação. Já fazia um ano que eu estava trabalhando neste livro sobre dinastias empresariais alemãs e suas histórias no Terceiro Reich. A última coisa que eu queria era acrescentar ainda mais uma família à história.

Isso logo mudou. No final de março de 2019, a primeira página do *Bild am Sonntag*, o maior tabloide de domingo da Alemanha, trouxe um grande furo: a história nazista da dinastia Reimann. Um repórter do *Bild* descobrira nos arquivos que Albert Reimann, sua irmã Else e o pai deles eram crentes precoces da causa nazista e antissemitas virulentos.[5] Pai e filho começaram a doar para a SS em 1931 e se tornaram membros do NSDAP em 1932. Os dois até ingressaram sucessivamente na câmara de vereadores da cidade de Ludwigshafen representando o Partido Nazista. Em maio de 1933, o pai de Albert disse a seus empregados: "O judeu Karl Marx reuniu as piores pessoas a seu redor para realizar sua ideia, enquanto Hitler reuniu as melhores".[6] Em julho de 1937, Albert escreveu uma carta a Heinrich Himmler, dizendo: "Somos uma empresa de família puramente ariana que tem mais de cem anos. Os proprietários são seguidores incondicionais da teoria da raça". Albert Reimann tinha 38 anos na época e era o executivo-chefe da empresa. Sua irmã Else se casou com um homem da SS.

A reportagem do *Bild* também descobriu que, em 1943, 30% da força de trabalho dos Reimann em sua fábrica de produtos químicos, cerca de 175 pessoas, eram trabalhadores forçados ou prisioneiros de guerra franceses. O capataz da fábrica da empresa abusava brutalmente desses trabalhadores e até torturou uma mulher russa na adega de carvão da propriedade privada de Albert. Este, por sua vez, incentivava os maus-tratos. Seu capataz ordenava que trabalhadoras coagidas ficassem nuas do lado de fora de seus alojamentos no meio da noite para que ele pudesse apalpá-las. Durante um ataque aéreo dos Aliados em 1945, o capataz expulsou dezenas de trabalhadores dos abrigos antibomba da empresa. Um homem russo foi morto; outros foram feridos.

Após a guerra, Ludwigshafen estava dentro da zona de ocupação francesa. Os Aliados prenderam Albert e o mantiveram em um campo de internamento. Os bens da empresa da família foram tomados e suas ações foram congeladas. Em fevereiro de 1947, as autoridades francesas demitiram Reimann pai e filho de sua própria empresa e os baniram de outras posições nos negócios. Mas os dois se engajaram em arbitragem de zona de ocupação. Recorreram de sua sentença em Heidelberg, que estava na zona de ocupação americana; eles possuíam uma segunda casa lá. Como tantos outros alemães, pai e filho obtiveram declarações *Persilschein* atestando falsamente sua posição contra os nazistas e seu envolvimento ativo na Resistência. Os dois foram classificados como seguidores nazistas em seus julgamentos de desnazificação. Tiveram de pagar uma pequena multa, depois a empresa lhes foi devolvida. Ao longo das décadas seguintes, Albert transformou a companhia familiar em Ludwigshafen em uma grande empresa de bens de consumo, produzindo o creme adesivo para dentadura Kukident e o detergente para máquina de lavar louça Calgonit.

Nenhum dos Reimann comentou as revelações no *Bild am Sonntag*. Mas Peter Harf, presidente da JAB e confidente familiar de longa data dos Reimann, confirmou todas as reportagens e acrescentou que Reimann pai e filho "deviam ter ido para a prisão".[7] Harf anunciou que a família doaria 10 milhões de euros (11,3 milhões de dólares) a uma organização adequada. Também revelou que fazia tempo que os Reimann haviam comissionado um eminente professor de história alemão para pesquisar a história nazista de sua família, criando um estudo independente que estaria disponível ao público. Semanas antes de a história do *Bild* ser publicada, o historiador havia apresentado um relatório provisório a cinco Reimann e a Harf: "Ficamos envergonhados e brancos como um lençol. Não há nada para encobrir. Esses crimes são repugnantes", disse Harf.

As consequências das revelações sobre os Reimann foram rápidas. As marcas que a família controla são na maioria baseadas nos Estados Unidos e profundamente enraizadas na cultura americana. Manchetes como "Proprietários do Krispy Kreme admitem história de laços nazistas da família" circularam pelo globo.[8] Convocações para boicote logo se seguiram. Uma crítica de gastronomia judeu-americana do *Boston Globe* escreveu uma coluna causticante intitulada "Descobri que o dinheiro nazista está por trás do meu café preferido. Devo continuar a bebê-lo?".[9] Meu texto favorito foi uma paródia na *McSweeney's* intitulada "É constrangedor, mas nossa rede de bagel judeu falso foi financiada por nazistas".[10] Os Reimann precisavam desesperadamente de controle de danos, e depressa, para que sua reputação e suas marcas não fossem prejudicadas de maneira irremediável. A família teve de emitir uma resposta. Quando finalmente o fez, voltou às manchetes mundiais.

Os Reimann se apoiavam em Peter Harf — um pouco demais. O economista nativo de Colônia formado pela Harvard Business School é basicamente responsável pela criação da fortuna dos Reimann, estimada em cerca de 32 bilhões de euros (39 bilhões de dólares) em 2020.[11] A condução dos ativos por Harf também fez dele um bilionário. Os herdeiros de Albert Reimann o nomearam CEO da empresa da família em 1988, sete anos depois de ele deixar o Boston Consulting Group e ingressar na empresa em Ludwigshafen. Nas décadas seguintes, Harf e um protegido holandês transformaram a empresa da família na Reckitt Benckiser, uma das maiores companhias de bens de consumo do mundo. Em 2012, Harf e dois lugares-tenentes usaram o dinheiro dos dividendos e vendas de ações da Reckitt para criar a JAB como empresa de investimentos dos Reimann, com uma estratégia concentrada em café, carboidratos, beleza e artigos de luxo. Em 2019, a JAB se expandiu para cuidados com animais de estimação.

Harf é careca, tem um olhar intenso e um sorriso pronto. Gosta de usar jeans, camisas coloridas de grife para fora da calça e óculos de armação preta e pesada, vistos principalmente em arquitetos e artistas, não em executivos alemães sérios e maçantes. Mas ele é mais cosmopolita do que um executivo global comum — vivendo de forma diferente em Londres, Milão e Nova York — e mais bem relacionado. Harf modelou a JAB na empresa de seu ídolo, a Berkshire Hathaway. Embora seus retornos não tenham sido tão bons quanto os de Warren Buffett, todo mundo que é alguém parece interessado em apostar um pouco de seu dinheiro na JAB. De Buffett e seu banqueiro favorito, o ex-sócio do Goldman Sachs Byron Trott, à empresa brasileira de investimentos 3G, à família francesa Peugeot, a dinastias cervejeiras belgas e colombianas: todos investiram na JAB e trabalharam com Harf. Durante minhas reportagens anteriores sobre a empresa, as breves respostas dele via e-mail eram sempre cuidadosamente elaboradas e bastante genéricas, revelando pouco. Tudo da JAB e dos Reimann estava envolto em mistério, uma estratégia de comunicação orquestrada por Harf e executada por uma cara empresa de relações públicas em Nova York para o lado empresarial e uma porta-voz em Düsseldorf para a família. As revelações do *Bild* foram um golpe para essa imagem meticulosamente controlada. Mas elas também apresentaram uma oportunidade de mudança. "Ao assumir responsabilidade pelo passado, danos à empresa no presente e no futuro tinham de ser evitados", Harf me escreveu mais tarde. "Se eu tivesse tido de escolher entre os interesses da empresa e a responsabilidade pelo passado, acho que teria escolhido a última."[12]

2.

Durante a década de 1990, pressões externas forçaram as empresas alemãs a lidar com uma parte de seu passado nazista que elas evitaram por décadas: o uso brutal de milhões de trabalhadores forçados ou escravizados.[13] O Muro de Berlim e a União Soviética caíram. A Guerra Fria terminou e a Alemanha foi finalmente reunificada. Mais de 1 milhão de trabalhadores coagidos sobreviventes foram libertados após décadas atrás da Cortina de Ferro, e alguns voltaram sua raiva para as empresas alemãs que os haviam explorado sob o regime nazista. Nos Estados Unidos, sobreviventes processavam empresas alemãs em ações coletivas, enquanto anúncios convocavam boicotes a seus produtos. Em um mundo globalizado, as empresas alemãs começaram a sentir os danos que seu envolvimento não resolvido com os nazistas poderia causar aos preços de suas ações, a suas vendas e a sua posição. Algumas empresas abriram seus arquivos para permitir que historiadores pesquisassem seu papel no Terceiro Reich; outras até encomendaram elas próprias a pesquisa. Daimler-Benz, Volkswagen, Allianz e Deutsche Bank foram as mais proeminentes entre elas.

No momento em que os estudos foram iniciados, nenhuma das empresas alemãs globais que os encomendaram era controlada por uma dinastia empresarial. Os Flick e os Quandt estavam havia muito tempo fora da Daimler, assim como os Von Finck da Allianz e da Munich Re. A influência dinástica sobre a Volkswagen se limitava a Ferdinand Piëch, um poderoso descendente de Anton Piëch e Ferdinand Porsche. Ele começou a liderar o Grupo Volkswagen em 1993, anos depois que um estudo foi encomendado, mas não antes de executivos descontentes que haviam sido preteridos para o emprego vazarem a história de que Piëch era uma escolha inadequada, já que seu pai e seu avô haviam usado dezenas de milhares de pessoas como mão de obra forçada e escrava durante seu reinado na Volkswagen.[14] Os inimigos de Piëch insinuaram que sua nomeação motivaria cobertura negativa na imprensa dos Estados Unidos, o mais importante mercado para o crescimento da Volkswagen. Piëch sobreviveu ao ataque e nenhuma das outras dinastias empresariais alemãs fez nenhum esforço durante a década de 1990 para jogar luz sobre seu papel no Terceiro Reich.

Um ramo da dinastia Flick — especificamente os filhos de Otto-Ernst Flick, Muck e Mick — foi o primeiro a experimentar um revés público, depois de relacionarem seu sobrenome a doações filantrópicas na academia e nas artes.

A participação dos dois no conglomerado Flick havia sido comprada por centenas de milhões de marcos por seu tio Friedrich Karl, em 1975 – junto com a da irmã deles, Dagmar, que recebeu muito menos dinheiro do que os irmãos, pois tinham lhe dado só metade das ações que haviam dado a eles.[15]

Em 1992, Muck, que estava baseado em Londres, foi nomeado para o tribunal de benfeitores da Universidade Oxford após uma doação inicial de 350 mil libras.[16] Esse dinheiro foi usado para criar uma cátedra com o nome Flick no Balliol College. Mas, em 1996, Muck retirou seu nome e seu dinheiro em meio a uma onda de protestos por causa do passado de sua família. Os manifestantes estavam enfurecidos porque os Flick até então tinham se recusado a indenizar quaisquer sobreviventes de trabalho forçado e escravo na empresa. Embora, em uma carta aberta ao *Daily Telegraph*, o multimilionário Muck expressasse sua "total aversão ao que ocorreu na Alemanha durante o Terceiro Reich" e sua "profunda vergonha pessoal pelo envolvimento de meu avô nesses terríveis acontecimentos",[17] ele disse ao *Jewish Chronicle* que a indenização poderia deixá-lo "sem recursos", acrescentando: "Como é possível compensar a tragédia humana com dinheiro?".[18]

Embora o alvoroço em Oxford tenha diminuído bastante depois que Muck retirou seu dinheiro, a controvérsia sobre compensação estava apenas começando. Em agosto de 2000, uma fundação chamada Memória, Responsabilidade e o Futuro (EVZ) foi criada em Berlim pelo Estado e por empresas alemãs. A EVZ foi fundada após um acordo entre os governos dos Estados Unidos e da Alemanha. Pagamentos de indenizações seriam feitos a sobreviventes de trabalho forçado e escravo sob a condição de que nenhuma outra ação legal seria movida contra empresas alemãs em tribunais americanos.[19] Como disse um historiador: "Desta forma, o governo alemão e a indústria alemã desenvolveram juntos uma retórica de responsabilidade sem, mais uma vez, nenhuma admissão explícita ou individual de responsabilidade legal [...] o governo alemão ocupou o lugar de superioridade moral, enquanto perpetradores significativos convenientemente desapareciam atrás de um véu de aparente responsabilidade sem culpa real".[20] O negociador pelo Estado alemão foi o conde Otto von Lambsdorff, o único ministro que havia sido forçado a renunciar por causa do escândalo de suborno Flick. O ex-político chegou a ser condenado por evasão fiscal no caso, mas isso claramente não foi impedimento para ele se tornar o chefe das negociações de indenização.

Entre 2001 e 2006, a EVZ pagou cerca de 4,4 bilhões de euros (por volta de 5,85 bilhões de dólares em dezembro de 2006) a mais de 1,66 milhão de ex-trabalhadores coagidos. Para os quase 300 mil trabalhadores escravizados sobreviventes usados em campos de concentração e em guetos, a maior indenização individual foi de 7670 euros (cerca de 10 mil dólares). Para o 1,35 milhão que tinham sobrevivido ao trabalho forçado, foi de 2560 euros (cerca de 3500 dólares). Ao todo, o Estado da Alemanha e empresas alemãs contribuíram igualmente para os 5,2 bilhões de euros (quase 7 bilhões de dólares) que a fundação tinha à sua disposição. Mas mais de 60% desse dinheiro havia sido dado por apenas dezessete das 6500 empresas alemãs que contribuíram para o fundo EVZ. Entre essas dezessete empresas estavam grandes nomes globais como Allianz, BMW, Daimler, Volkswagen, Siemens e Krupp. Cerca de 1560 empresas alemãs contribuíram com apenas quinhentos euros (665 dólares) cada uma para a fundação — na melhor das hipóteses, um gesto simbólico.[21]

Todo o dinheiro prometido pelas empresas alemãs deveria ser pago no momento em que a fundação EVZ foi criada, em 2000. No entanto, quando a EVZ iniciou suas operações naquele ano, ainda faltavam centenas de milhões em contribuições que várias empresas alemãs e seus proprietários haviam prometido. Empresas controladas pelos Quandt e pelos Reimann já haviam pagado, assim como aquelas do clã Porsche-Piëch e dos Oetker. Agora, os Flick eram convocados pela fundação para fazer o mesmo. Mas sem nenhum efeito imediato.

Em 2001, quando o irmão mais novo de Muck, Mick, anunciou a construção de um museu em Zurique, a ser projetado por Rem Koolhaas como um lugar para abrigar a coleção de arte contemporânea de Mick, a polêmica da indenização reviveu. Eclodiram grandes protestos contra o museu proposto. Mick voltou atrás e, em vez disso, emprestou sua coleção a um museu em Berlim, em 2004. Mais uma vez, a história pegou fogo. No auge do alvoroço, a irmã de Mick, Dagmar, escreveu uma carta aberta no *Die Zeit*, anunciando que havia contribuído anonimamente com milhões para a EVZ no início de 2001 e que estava contratando um grupo de historiadores alemães para narrar a história da empresa e da família Flick durante o século XX.[22] Os irmãos de Dagmar logo seguiram seu exemplo. Mick imitou a irmã particularmente de perto: primeiro doou milhões para a EVZ, em seguida financiou o trabalho de cinco historiadores que investigaram as operações do conglomerado Flick durante o Terceiro Reich.[23]

3.

Apesar da comoção que causaram, os três irmãos na verdade eram peixe pequeno na dinastia Flick. Eles valiam apenas milhões. Os bilhões da família pertenciam ao tio deles, Friedrich Karl, que emigrara para a Áustria alguns anos depois de vender o conglomerado por 2,2 bilhões para o Deutsche Bank e morrera lá aos 79 anos, em 2006.

Mas, mesmo na morte, Friedrich Karl não conseguiu escapar da notoriedade da dinastia Flick. Em 2008, ladrões de túmulos removeram o caixão de 660 libras contendo seu corpo de um mausoléu na cidade austríaca de Velden, à beira de um lago. Eles exigiram um resgate de 6 milhões de euros (7,5 milhões de dólares) da viúva, Ingrid, uma loira baixinha constantemente cercada por guarda-costas.[24] Os restos mortais de Friedrich Karl foram mais tarde recuperados na Hungria e enterrados de novo em Velden. "Finalmente, meu marido voltou para casa", disse Ingrid a um tabloide alemão. "A espera e o medo acabaram. As preces foram atendidas."[25]

Como seu pai, Friedrich Karl se recusou a indenizar sobreviventes de trabalho forçado e escravo e nunca contribuiu para a EVZ. Os quatro filhos de Friedrich Karl, de duas esposas diferentes, herdaram, cada um, um quarto de sua fortuna de 6 bilhões de dólares em 2006. Seus filhos mais novos, um

Ingrid Flick.

casal de gêmeos, tinham apenas sete anos quando ele morreu. Com sua morte, os gêmeos, um menino e uma menina, se tornaram os bilionários mais jovens do mundo.[26] O dinheiro deles é investido pela empresa gestora do patrimônio da família Flick no centro de Viena, perto da Ópera Estatal. E a mãe deles, Ingrid, filha de um carpinteiro e ex-recepcionista de hotel, tem a tarefa de dirigir a fortuna e a fundação deles.

Ingrid se orgulha de suas doações filantrópicas. "Ajudo onde quer que eu considere útil e necessário", disse ela a um jornal regional austríaco em 2019.[27] Cinco anos antes, por exemplo, Ingrid havia doado "uma quantia muito substancial" ao Museu de Arte de Tel Aviv, que seria usada em parte "para um intercâmbio intercultural de crianças judias, muçulmanas e cristãs chamado 'O Caminho da Arte para a Paz'".[28] No entanto, ajudar vítimas do império Flick aparentemente nunca foi uma causa que valia a pena assumir para o ramo bilionário da família após a morte de Friedrich Karl. Apesar de sua generosidade, Ingrid e as filhas mais velhas de Friedrich Karl não contribuíram com um centavo para a EVZ.

Enquanto isso, Ingrid preside a Fundação Friedrich Flick em Düsseldorf. Ela direciona dinheiro para causas educacionais, médicas e culturais, sobretudo na Alemanha e na Áustria, através de uma fundação familiar que ainda tem o nome de um criminoso de guerra nazista condenado em cujas fábricas e minas dezenas de milhares de pessoas trabalharam e morreram em trabalho forçado ou escravo, inclusive milhares de judeus. Mas, olhando para o site da fundação, você nunca saberia do passado corrupto da fortuna Flick, nem daquele de seu patriarca fundador. Na verdade, a "principal preocupação" de Ingrid como presidente é "continuar as atividades filantrópicas da fundação no espírito do fundador, o dr. Friedrich Flick" e de seu falecido marido — dois homens famosos por muitas coisas, mas não por sua caridade.[29]

Flick criou sua fundação homônima em 1963, evidentemente para fins de acobertamento.[30] Por meio da filantropia, o condenado de Nuremberg esperava restaurar e adicionar brilho a seu nome, a fim de receber uma das mais altas honrarias federais da Alemanha, a Ordem do Mérito, por seu aniversário de oitenta anos. Funcionou. Em 2006, Ingrid Flick assumiu a presidência da fundação e manteve seu nome intacto[31] — mas outra instituição tomou um rumo diferente. Em 2008, o nome de Friedrich Flick foi removido de uma escola na cidade onde ele nasceu, Kreuztal, após anos de intenso debate local, que recebeu muita atenção no país.[32] Uma escola não devia ter o nome de um criminoso de guerra nazista condenado, argumentou o lado a favor da substituição do nome dele. Mas outra instituição educacional mais proeminente não parecia tão zelosa quanto a colocar os fatos da história acima do desejo de financiamento.

Desde 2015, a Fundação Friedrich Flick é cofinanciadora de várias iniciativas acadêmicas proeminentes na renomada Universidade Goethe de Frankfurt,[33] entre elas uma prestigiosa bolsa de estudos para alemães.[34] Em 2018, a instituição filantrópica Flick assumiu o cofinanciamento de uma cátedra para professores visitantes em história financeira na universidade do Grupo Edmond de Rothschild, o ramo franco-suíço da dinastia banqueira judaica. Desde então, o dinheiro de Flick ajudou a levar para lá professores de Princeton, Berkeley e Oxford.[35] Os gastos não deixaram de ser recompensados. A Fundação Friedrich Flick ganhou um assento na diretoria da fundação da universidade.[36]

Não foi a primeira vez que a Universidade Goethe aceitou dinheiro de uma fundação com o nome de um aproveitador nazista e, assim, o honrou. Em 2015, a universidade batizou um salão no campus com o nome de Adolf Messer após receber durante uma década uma série de doações de sua fundação homônima. Não era segredo que Messer tinha sido um membro precoce do NSDAP que lucrava com a produção de armas e o uso de trabalho forçado em sua empresa de máquinas. Mas os estudantes protestaram contra essa falsificação grotesca. "Adolf Messer não é de forma alguma um modelo para alunos e professores da Goethe University", argumentaram.[37] No fim, o clamor teve efeito. O salão foi renomeado em 2019, depois de quatro anos de protesto e debate.[38] A família Messer também rebatizou sua fundação.[39]

Mas as doações da Fundação Friedrich Flick continuam a chegar, escondidas à vista de todos — até agora.

Muitas outras fundações na Alemanha receberam nomes de empresários que apoiaram e se beneficiaram do regime nazista e foram condenados por isso depois da guerra. Tomemos as fundações com os nomes de Alfred Krupp e Fritz Thyssen, por exemplo. Pelo menos elas não podem ser acusadas de esconder completamente o passado. Enquanto a Fundação Friedrich Flick continua enterrando seu legado do Terceiro Reich, as instituições de caridade associadas a Krupp e Thyssen são mais transparentes; cada uma delas fornece em seu site informações sobre as condenações ou crimes nazistas de seu magnata epônimo.[40] Qualquer pessoa que receba uma doação de uma dessas fundações pode pelo menos aprender algo sobre a pessoa cujo nome ela homenageia.

Ingrid Flick disse uma vez sobre seus gêmeos: "As crianças têm de aprender que não são nada especiais, mas que o nome Flick impõe obrigações".[41] Mas ao que exatamente ele obriga, no caso de Ingrid? Se a penitência da matriarca Flick pela riqueza contaminada e pelo passado brutal da família é um indicador, pouco.

E, embora Ingrid Flick possa ser cúmplice em enterrar os pecados ligados a sua fortuna herdada, está longe de ser a única.

4.

Na noite de 30 de setembro de 2007, perto da meia-noite, um documentário foi exibido, sem aviso prévio, no principal canal público de TV da Alemanha, intitulado *O silêncio dos Quandt*. O áudio de tom sinistro criava um clima tenso enquanto a introdução fazia uma pergunta: estão os Quandt, a dinastia mais rica da Alemanha, escondendo deliberadamente o passado de sua família?[42] Nos 25 anos passados desde a morte de Herbert, seus herdeiros mais ricos e mais visíveis — aqueles que controlam a BMW — haviam mantido um silêncio quase total nos meios de comunicação. Embora muitos fatos brutais sobre as atividades do patriarca deles durante o Terceiro Reich tivessem emergido em uma biografia da família em 2002, um best-seller, os herdeiros da BMW de Herbert não comentavam nela a parte sombria da história dos Quandt[43] que fora desnudada. Mas a transmissão finalmente forçou todos os Quandt a falar.

A força visceral do documentário está no testemunho de dois sobreviventes que haviam realizado trabalho escravo na fábrica de Hanôver da AFA enquanto eram mantidos em cativeiro em seu subcampo. Um deles, um dinamarquês na casa dos oitenta anos, foi entrevistado no antigo local da fábrica de Quandt e do subcampo liderado pela SS. Ele falou sobre o completo inferno que era o lugar. "Sempre que eu sonho, estou aqui no campo", disse Carl-Adolf Soerensen enquanto olhava ao redor horrorizado. "Vai ser assim enquanto eu viver."[44]

A empresa sucessora da AFA, a Varta, recusara o pedido de doação de um grupo de trabalhadores escravizados dinamarqueses sobreviventes em 1972.

"Já que não reconhecemos nem uma obrigação legal nem moral que pudesse ser derivada de comportamento culposo por parte de nossa empresa, pedimos sua compreensão se não levamos em conta sua solicitação", respondeu a empresa de propriedade dos Quandt.[45] No documentário, Soerensen respondeu a essa declaração: "Eles reagiram de forma rude e arrogante. Eles nos humilharam".[46]

No final da década de 1980, a Varta acabou cedendo dinheiro para um projeto diferente mas relacionado: preservar o campo de concentração de Neuengamme como um lugar de memória.[47] Mas, mesmo então, o presidente da instituição de caridade que fez o pedido teve de trabalhar intensamente para convencer os que estavam na Varta a fazê-lo. E, depois que a Varta finalmente enviou o cheque em apoio ao memorial — apenas 5 mil marcos, uma quantia tão baixa que o presidente achou que era um erro —, o gigante das baterias pediu que um recibo de despesas fosse enviado à empresa, para tornar a subvenção dedutível de impostos.

Enquanto os Quandt mais ricos se recusaram a ser entrevistados para o documentário, um dos outros filhos de Herbert falou. Sven Quandt herdara parte da Varta e era membro de seu conselho fiscal. Na tela, Sven, sorridente, rejeitou qualquer responsabilidade moral por sua fortuna herdada e minimizou o envolvimento do pai e do avô nos crimes do Terceiro Reich. O herdeiro Quandt também exortou a Alemanha a se afastar de seu passado nazista: "Devemos tentar esquecer isso. Coisas semelhantes aconteceram [...] no mundo todo. Ninguém fala mais sobre isso".[48]

A transmissão atraiu milhões de espectadores. Para os Quandt foi um desastre de relações públicas. O testemunho convincente dos trabalhadores escravizados sobreviventes e os comentários insensíveis e desdenhosos de Sven criaram uma dissonância que não podia ser ignorada. Infelizmente, o documentário também era falho. Apresentava a falsa premissa de que a riqueza dos Quandt começara com os lucros da era nazista — uma fortuna construída nas costas de trabalhadores forçados e escravizados. Isso era dado como o motivo do silêncio absoluto deles. Mas era uma conclusão enganosa. Günther Quandt já era um dos homens mais ricos da Alemanha quando Hitler chegou ao poder.

Em 5 de outubro de 2007, cinco dias depois da transmissão, os herdeiros de Herbert e Harald deram uma concisa declaração conjunta. As acusações do documentário tinham "comovido" a família, ele dizia. Os Quandt admitiam que haviam deixado de reconhecer sua história do Terceiro Reich. Agora planejavam contratar um historiador que pesquisaria de forma independente o passado nazista da família, abririam seus arquivos para facilitar a investigação e publicariam os resultados. Em conclusão, eles pediram à mídia que "trate nossa história como uma família empresarial alemã com cuidado e justiça".[49] Isso era interessante, vindo de uma dinastia que ainda negava respeito básico aos sobreviventes de trabalho forçado e escravo explorados por suas empresas. A declaração da família nem sequer incluía um pedido de desculpas a eles.

Embora a família mais rica da Alemanha raramente desse entrevistas, os herdeiros de Herbert na BMW vinham concedendo um prêmio de jornalismo desde 1986 — o Herbert Quandt Media Prize, anualmente mantido com 50 mil euros (60 mil dólares) e batizado com o nome de um homem antes descrito como tendo "uma inclinação quase patológica para o segredo".[50] Meses depois que o documentário foi ao ar, três editores-chefes se demitiram do conselho da fundação Quandt, que concede o prêmio. Eles não queriam mais se envolver com a concessão de um prêmio em nome de Herbert enquanto a pesquisa sobre o passado nazista da família estava em andamento. Mas os Quandt da BMW continuaram conferindo o prêmio de mídia naquele ano e o têm feito todos os anos desde então.

Durante a cerimônia de premiação de junho de 2008, Stefan Quandt, o herdeiro mais rico da Alemanha, foi o primeiro da dinastia a declarar publicamente sua tristeza pelo uso de trabalho forçado e escravo nas empresas de propriedade dos Quandt durante o Terceiro Reich. Embora não tenha chegado a pedir desculpa, Stefan expressou seu pesar pelos muitos trabalhadores coagidos que sofreram e morreram nas fábricas Quandt durante a guerra. Mas, embora o estudo encomendado pela família estivesse a três anos da conclusão, o filho mais novo de Herbert já estava defendendo seus antepassados e desviando qualquer crítica a eles. Durante o Terceiro Reich, Günther e Herbert tinham sido forçados a operar "em um clima de medo e insegurança", argumentou Stefan.[51] Uma afirmação intrigante, considerando que nem Günther tinha apresentado essa visão. Em suas memórias, o patriarca da família Quandt escreveu que poderia ter deixado a Alemanha nazista quando quisesse, mas tinha ficado para manter suas empresas e fábricas funcionando.[52]

Cinco meses depois da declaração de Stefan, em novembro de 2008, sua irmã mais velha, Susanne Klatten, a mulher mais rica da Alemanha, falou livremente pela primeira vez a um jornalista sobre sua vida pessoal. As razões para a transparência repentina com o *Financial Times Deutschland* eram muitas. Por um lado, Susanne estava emergindo de um caso sórdido.[53] No outono anterior, enquanto o documentário sobre a história de sua família na era nazista abalava a Alemanha, a herdeira Quandt, casada, estava sendo chantageada por seu ex-amante, Helg Sgarbi. Ele exigia milhões dela. O vigarista da Suíça mandara um cúmplice gravar secretamente o casal enquanto faziam sexo em um quarto de hotel. Se ela se recusasse a pagar, Sgarbi enviaria as fitas de sexo para a família dela, para a imprensa e para a administração da BMW — ela era membro do conselho fiscal da empresa. No fim, Susanne foi à polícia e Sgarbi foi preso. Agora o caso de extorsão estava em manchetes por todo o mundo.

A entrevista, portanto, tocava apenas brevemente no passado nazista da família de Susanne. Ela não fugiu do assunto nem tirou conclusões precipitadas como seu irmão mais novo fizera. "Uma luz foi jogada sobre algo sombrio", disse a herdeira Quandt. "Isso é sempre melhor do que quando se permite que cresça no escuro [...]. É melhor saber o que está lá do que ignorar." Susanne, de 46 anos, concluiu: "Nunca perderei o respeito e o amor por meu pai. Ninguém pode julgar como era viver naquela época".[54]

Levou mais de três anos para o professor de história comissionado pelos Quandt, Joachim Scholtyseck, e seus pesquisadores completarem seu estudo. O livro de 1183 páginas, publicado em setembro de 2011, forneceu uma riqueza de provas da cumplicidade de Günther e Herbert, seus principais executivos e empresas de propriedade dos Quandt nos crimes do Terceiro Reich. Günther era um oportunista implacável, não um nazista convicto, de acordo com Scholtyseck. Independentemente disso, seu empreendedorismo estava "inseparavelmente" ligado aos crimes nazistas, escreveu o historiador.[55] O desejo de Günther de aumentar sua fortuna era tão forte que "não deixava espaço para questões fundamentais de lei e moralidade".[56] Scholtyseck concluiu: "O patriarca da família fazia parte do regime nazista".[57]

Günther havia removido membros da diretoria judeus "alegre e vergonhosamente cedo", escreveu o professor.[58] Ele também descobriu mais arianizações realizadas por pai e filho: "Quandt não era um dos compradores 'amigáveis' que cumpriram suas obrigações [...]. Pelo contrário, pertencia ao grande grupo de 'arianizadores' que consciente e friamente exploravam os apuros dos proprietários judeus para tomar o controle de suas empresas disponíveis", explicou Scholtyseck. "Dúvidas sobre a legitimidade das 'arianizações' ou reservas morais não podem ser encontradas [...] em Günther Quandt, seu filho Herbert, ou os administradores deles."[59]

O historiador julgou duramente o papel de Herbert na era nazista: "Não pode haver dúvida de que Herbert [...] estava ciente da extensão do envolvimento do Grupo Quandt nos atos de injustiça do regime em relação ao uso de trabalho forçado e prisioneiros de campos de concentração, mas também em relação às arianizações. Pelo que foi possível saber até agora, ele não expressou nenhuma reserva sobre a gestão de seu pai, nem na época nem em retrospectiva. Além disso, ao longo de sua ascensão ao topo da empresa, ele assumiu responsabilidade direta pelas injustiças cometidas".[60]

5.

Em setembro de 2011, Stefan Quandt e sua prima Gabriele, filha de Harald, sentaram-se com dois jornalistas do *Die Zeit*, jornal semanal intelectualizado da Alemanha, para a primeira e única entrevista da família, até hoje, sobre as descobertas do estudo. Um dos entrevistadores era Rüdiger Jungbluth, autor da biografia best-seller da família Quandt de 2002 e o primeiro a trazer o passado nazista da dinastia para um público mais amplo.

Gabriele expressou horror e vergonha pela forma como os trabalhadores forçados e escravizados foram tratados em empresas de propriedade dos Quandt durante o Terceiro Reich. Ela concluiu: "Dói. Günther Quandt é nosso avô. Gostaríamos de ter tido outro. Ou melhor: gostaríamos de tê-lo tido de forma diferente".[61] O documentário, embora falho, tinha posto as coisas em movimento, disse Gabriele. Ela achava "a insinuação de que nossa timidez publicitária sugeria que tínhamos coisas a esconder e que nosso dinheiro vinha de fontes duvidosas, dolorosas e ultrajantes. Mas isso nos acordou".

Aparentemente nem todos acordaram. Stefan mais uma vez ficou na defensiva. A entrevista começou com o herdeiro mais rico da Alemanha contando as coisas que o estudo confirmara que seu avô Günther *não era*: "[...] não era um antissemita. Não era um nacional-socialista convicto. E não era um belicista". As muitas arianizações de Günther eram novidade para o herdeiro Quandt, de 45 anos. Ele descreveu as revelações como "dolorosas". Mesmo assim, Stefan não partilhava da conclusão de Scholtyseck de que seu avô era parte do regime nazista: "Eu preferiria 'parte do sistema nazista'. Interpreto 'regime' como liderança política, à qual ele não pertencia. Ele aproveitou as oportunidades que o sistema oferecia aos industriais, mas não adotou seus objetivos ideológicos".

E, embora Stefan reconhecesse que trabalhadores coagidos sofreram coisas terríveis nas fábricas da família e achasse "uma triste verdade que pessoas não sobreviveram ao trabalho forçado nas empresas Quandt", o herdeiro da BMW argumentou que Günther "não perseguiu o objetivo de matar pessoas. Isto é algo próximo do meu coração como neto. Essa linha não foi cruzada. O emprego de trabalho forçado era necessário no sistema naquele momento para manter a produção. Os homens alemães estavam no front". Stefan ignorou o fato de Günther ter se beneficiado diretamente do assassinato na linha de frente, simplesmente por ser um dos maiores produtores de armas e munição da Alemanha nazista.

Embora Stefan admitisse que seu pai, Herbert, também fazia parte desse mesmo sistema nazista e participara do uso de trabalho forçado e escravo, ele considerou a era do Terceiro Reich um período muito curto para servir de base para entender Herbert ou inferir sua "personalidade inteira de suas ações. Ele ficou na sombra de seu pai". Stefan anunciou na entrevista que ele, sua mãe Johanna e sua irmã Susanne, os três herdeiros da BMW, fariam uma doação ao centro de documentação de trabalho forçado de Berlim. O centro está localizado em um campo intacto que havia aprisionado duzentas mulheres escravizadas na fábrica Pertrix, pela qual Herbert era responsável durante a guerra. Seus herdeiros dariam mais de 5 milhões de euros (cerca de 6 milhões de dólares) para sua renovação, bem como seus programas educacionais e exposições, inclusive uma sobre o uso de trabalho forçado e escravo pela Pertrix.[62] Stefan tinha visitado o centro e estava impressionado com o trabalho de recordação que era feito lá.

Quando os entrevistadores perguntaram a Stefan sobre a declaração de seu meio-irmão de que a Alemanha deveria simplesmente esquecer seu passado nazista, ele afinal admitiu que as respostas de Sven tinham sido infelizes: "Não vejo nenhum momento no tempo na Alemanha em que possamos dizer: não devemos mais pensar na era nazista, ou refletir sobre ela. Mas também não pode ser que este país se defina apenas pelos doze anos do nacional-socialismo".[63] Mas Stefan tinha a princípio defendido Sven, afirmando que ele "não estava preparado para as perguntas". Parecia achar injusto que um repórter pudesse fazer ao irmão, ou a um de seus parentes, uma pergunta sem aviso prévio ou uma chance de vetá-la de antemão. Isso foi dito pelo administrador de um prêmio anual de jornalismo.

Stefan descreveu o distanciamento da família de seu pai e de seu avô como necessário, mas um conflito interno "enorme e doloroso". Contudo, apesar dessas admissões, pouco parecia mudar entre os Quandt mais jovens e mais penitentes. Os Quandt da BMW não tirariam o nome de Günther de sua sede em Bad Homburg. "Não podemos e não queremos apagar Günther Quandt da nossa história, mas vamos lembrá-lo com seus lados claros e escuros. Todo o resto é muito fácil", disse Stefan na entrevista. A família mais rica da Alemanha também decidiu manter o nome de Herbert no prêmio de mídia e em uma de suas fundações. Stefan acreditava que "o trabalho da vida" de seu pai justificava aquilo. O herdeiro Quandt não achava estranho que eles concedessem um prêmio de mídia com o nome de um homem que raramente falava com a imprensa e que tinha "responsabilidade direta" nos crimes do Terceiro Reich. Como Herbert antes dele, Stefan parecia incapaz de escapar da sombra do pai, ou simplesmente não queria fazê-lo.

Stefan disse na entrevista que os objetivos mais importantes da família ao encomendar o estudo de sua história era "abertura e transparência". Mas, por uma década inteira após a entrevista, quando se visitava o site do Herbert Quandt Media Prize e se lia a biografia de seu homônimo, não se encontrava nenhuma menção a suas atividades durante a era nazista, exceto uma: ele ingressou na diretoria executiva da AFA em 1940. Nada estava escrito sobre seus crimes, os de seu pai, ou os de suas empresas. A descrição do site do estudo de Scholtyseck era desconcertantemente vaga. A razão para o estudo e o peso de suas descobertas estavam ausentes, e o Terceiro Reich não era mencionado em lugar nenhum. A partir disso, seria possível analisar o verdadeiro motor do estudo — pressão pública, e não um desejo honesto de confrontar uma história desafiadora. Uma declaração eufemística era o mais perto a que o site chegava de expressar o motivo do estudo: "Assim como no caso de outras importantes empresas e famílias empreendedoras do século XX, houve um forte chamado para uma apresentação geral da história empresarial da família".[64]

Só na última semana de outubro de 2021, mais de uma década depois que o estudo foi publicado, mas apenas alguns dias após a última de uma série de indagações de minha parte, a biografia extirpada de informações comprometedoras de Herbert no site foi de repente substituída por uma expandida. Essa última versão incluiu algumas das atividades dele durante o Terceiro Reich, parte das descobertas e conclusões de Scholtyseck e a razão pela qual o estudo aconteceu: pressão pública.

6.

No início, parecia que as coisas estavam indo de forma mais branda para membros da dinastia Oetker enquanto eles ajustavam as contas com os pecados de seu pai. Em meados de outubro de 2013, dois anos após a entrevista com os herdeiros Quandt, dois jornalistas do *Die Zeit* mais uma vez se sentaram com um herdeiro empresarial avesso à imprensa para discutir os resultados de mais um estudo encomendado pela família sobre sua empresa e a história da família durante o Terceiro Reich.[65] De novo, Rüdiger Jungbluth era um dos jornalistas. Ele havia seguido sua biografia de 2002 dos Quandt com uma centrada nos Oetker, publicada em 2004. Embora tivessem negado a Jungbluth o acesso aos arquivos Oetker, ele encontrou muita coisa sobre as ligações nazistas da família.[66] E agora que o estudo estava prestes a ser publicado, alguns anos depois da morte do patriarca, um Oetker estava finalmente disposto a falar.

Rudolf-August Oetker morrera em Hamburgo aos noventa anos, em janeiro de 2007 — o último dos bilionários nazistas. O ex-oficial da Waffen-SS, parcialmente formado em Dachau, deixou um conglomerado global em Bielefeld com uma receita anual de 15 bilhões de dólares e interesses em transporte, alimentos, bebidas, bancos privados e hotéis de luxo. As pizzas congeladas e o pudim de caixinha da Dr. Oetker eram conhecidos no mundo inteiro. Os oito filhos de três casamentos do magnata tinham herdado uma participação igual nos negócios da família, o que os tornara bilionários individuais.[67] Com a morte de Rudolf-August, os herdeiros também ficaram com algumas perguntas.

O pai raramente falava com os filhos sobre a era nazista e a guerra, mas eles sabiam que Rudolf-August estivera em Dachau. No ano anterior à sua morte, ele publicou um livro de memórias privado, *Mimado pela sorte*, que aparentemente revelou pouco sobre aquele período de sua vida. Em 2008, um ano depois de sua morte, seus filhos, por iniciativa própria, contrataram três historiadores para pesquisar as atividades de sua empresa, seu pai e seu padrasto, Richard Kaselowsky, durante o Terceiro Reich. Rudolf-August tinha vetado um estudo do tipo em vida, mas o documentário sobre os Quandt instou os Oetker a trazer alguma clareza ao assunto antes que a imprensa o fizesse.[68]

Essa clareza finalmente veio no outono de 2013. Os historiadores concluíram em seu estudo que "Kaselowsky, e com ele a família e a empresa Oetker, tinha responsabilidade pelo sistema político em que viviam. Eram pilares da sociedade nazista, buscavam proximidade com o regime e lucravam com suas políticas".[69] Foi o filho mais velho de Oetker, August, que falou em outubro de 2013 a Jungbluth e um colega do *Zeit* sobre a iminente publicação do estudo e o passado de seu pai. August nasceu em 1944, enquanto seu pai estava em treinamento para ser um oficial da Waffen-SS. Ele o havia sucedido como CEO do conglomerado familiar e não teve problemas em se distanciar do patriarca. "Meu pai era um nacional-socialista", disse August na entrevista. "Agora o nevoeiro está sendo levantado."[70] August também confirmou que seu pai ainda abrigava simpatias de extrema direita muito depois da guerra. O que não foi discutido era que os herdeiros Oetker continuavam a manter duas fundações com o nome de seu pai e seus avós, todos nazistas comprometidos.

Durante a entrevista, uma rixa geracional entre os Oetker se tornou aparente. Os cinco irmãos mais velhos — nascidos nos anos 1940 e no início dos 1950 — tinham insistido em encomendar o estudo, enquanto os três mais novos — nascidos no final dos anos 1960 e nos anos 1970 — haviam hesitado de início, segundo August. Ele também disse que seus meios-irmãos mais novos ainda não haviam se distanciado do pai como ele e seus irmãos tinham feito.

No dia em que o estudo foi publicado, no final de outubro de 2013, Maja, viúva de Oetker e mãe de seus três herdeiros mais novos, criticou o livro de 624 páginas e seu enteado August em uma entrevista a um jornal regional da Vestfália. A matriarca afirmou que os historiadores só queriam provar que seu falecido marido e o padrasto dele, Kaselowsky, tinham sido nazistas devotados. Maja também contestou a afirmação de seu enteado de que o pai dele ainda simpatizava com a extrema direita depois da guerra. "Sempre concordamos com ideias conservadoras. Esquerdistas podem considerar o pensamento conservador algo negativo. Para nós, conservador significa manter os valores cristãos e preservar boas tradições que resistiram ao teste do tempo", disse ela na entrevista.[71] Maja admitiu ter lido deliberadamente apenas as partes do estudo que tratavam de seu marido, mas afirmou ter encontrado várias insinuações não comprovadas. Ela não especificou quais.

Ambas as entrevistas foram um sinal do que estava por vir. Três meses depois, no final de janeiro de 2014, uma luta pelo poder entre os dois campos de irmãos Oetker estourou na imprensa alemã e agitou o sedado mundo empresarial do país.[72] A disputa girava em torno da sucessão dos irmãos para o cargo de CEO da Dr. Oetker.[73] As linhas de batalha eram novamente geracionais: os cinco Oetker mais velhos contra seus três meios-irmãos mais novos. Anos de luta se seguiram. Ações judiciais foram elaboradas; iniciou-se a mediação. Pela primeira vez, a empresa nomeou um CEO que não era membro da família. Mas isso não pôs fim à contenda.

No final de julho de 2021, o pior pesadelo de Rudolf-August Oetker se tornou realidade: oito de seus herdeiros anunciaram que iam dividir o conglomerado Dr. Oetker em dois grupos independentes.[74] A empresa familiar que ele construiu estava se despedaçando, uma espécie de cenário dos *Buddenbrook*. Embora os herdeiros bilionários tenham trinchado o império empresarial Oetker, ele ainda atende a todos os tipos de desejo: por bolo, pudim e pizza, por cerveja Radeberger, pelo espumante Henkell da Freixenet, e por hotéis de luxo famosos, como o Lanesborough de Londres, o Le Bristol de Paris e o Cap-Eden-Roc em Antibes.

Após a divisão, os herdeiros Oetker mais velhos rebatizaram a fundação que tinha o nome de seus avós nazistas, Richard e Ida Kaselowsky. No entanto, os três filhos mais novos de Rudolf-August mantiveram sua fundação e sua coleção de arte com o nome do pai oficial da Waffen-SS. Mas, novamente, não se saberia nada dessa história lendo o novo site do conglomerado na internet. É mais um passado sombrio que permanece obscuro.

7.

Em março de 2019, a Fundação Ferry Porsche anunciou que iria conferir a primeira cátedra de história corporativa da Alemanha, na Universidade de Stuttgart. A Porsche criara a fundação um ano antes — setenta anos depois de Ferry projetar o primeiro carro esportivo Porsche — com a esperança de "reforçar seu compromisso com a responsabilidade social".[75] Em um comunicado, o então presidente da instituição de caridade disse: "Lidar com a própria história é um compromisso de tempo integral. É justamente essa reflexão crítica que a Fundação Ferry Porsche quer incentivar, porque: para saber aonde está indo, você tem de saber de onde veio". O presidente acrescentou: "a cátedra de professorado é [...] um convite a empresas familiares em particular para que se envolvam com sua história de forma ainda mais intensa e franca, e com os resultados e possíveis consequências disso".[76] Uma declaração particularmente ousada, dadas as mentiras de Ferry sobre sua candidatura à SS, seu uso descarado de estereótipos e preconceitos antissemitas em sua primeira autobiografia e o silêncio duradouro da família Porsche diante de tudo isso.

Em 1998, Ferry morreu durante o sono aos 88 anos, na cidade de Zell am See, na Áustria. O ícone dos carros esportivos de renome mundial publicara sua segunda autobiografia uma década antes. Mas, nessa versão, mudara de tom. As declarações antissemitas se foram, e ele reduziu o caso Adolf Rosenberger a apenas dois parágrafos. O bilionário continuava negando a arianização da participação de Rosenberger na Porsche realizada por seu pai, Ferdinand, e seu cunhado, Anton Piëch. Em vez disso, Ferry jogou a carta da pena: "Por piores que esses acontecimentos tenham sido para Rosenberger na época, nas circunstâncias sempre nos comportamos de forma justa e correta em relação a ele. Para nós, também, a situação então não era nada fácil".[77]

Uma constante na autobiografia posterior de Ferry era sua afirmação de que ele não queria ser oficial da SS; Himmler havia lhe concedido o posto, que era meramente honorário. Ferry ainda negava ter se candidatado voluntariamente à SS. Em sua nova autobiografia, afirmava que ter recebido essa "posição honorária" não oferecia nenhuma prova de que era um homem da SS: "se você é feito um cidadão honorário de Salzburgo, é então um nacional austríaco?".[78] Mas as invenções pós-guerra de Ferry foram desfeitas em 2017, quando três historiadores alemães revelaram, em um estudo das origens da Porsche, que Ferry de fato se candidatou voluntariamente à SS em 1938.[79] Eles desenterraram os formulários preenchidos e assinados por Ferry, assim "expondo a negação de uma adesão à SS buscada ativamente como uma das desculpas disseminadas para obscurecer o próprio passado", escreveram.[80] A mentira de vida inteira de Ferry tinha sido desnudada. Ainda assim, a família Porsche permaneceu em silêncio sobre ela.

O estudo das origens da Porsche fora financiado pela própria empresa.[81] Em 2012, a companhia de carros esportivos de Stuttgart se tornou uma subsidiária integral do agora Grupo Volkswagen, controlado pela Porsche-Piëch.[82] O gigante sediado em Wolfsburg tem cerca de 250 bilhões de dólares em vendas anuais e mais de 665 mil empregados fabricando e vendendo carros de luxo como Audi, Bentley e Lamborghini, além das marcas "familiares", Volkswagen e Porsche.[83] A fortuna da dinastia cresceu para 21 bilhões de dólares.[84]

Na verdade, a razão pela qual a Fundação Ferry Porsche conferiu a cátedra na Universidade de Stuttgart foi que membros do departamento de história da universidade escreveram o estudo financiado pela empresa.[85] A empresa de automóveis ficara feliz com suas descobertas, embora ninguém do clã Porsche-Piëch reagisse publicamente a elas. Em resposta às suas revelações, uma placa foi instalada na fábrica da Porsche em Stuttgart para honrar a memória dos trabalhadores mantidos em cativeiro e forçados a trabalhar lá durante a guerra. No entanto, o público logo levantou uma questão: o estudo era realmente baseado em uma análise objetiva independentemente do registro histórico?

Em junho de 2019, um documentário sobre o esquecido cofundador da Porsche, Adolf Rosenberger, foi exibido na televisão pública alemã.[86] A transmissão detalhou quão crucial fora o papel que Rosenberger tinha desempenhado na fundação da Porsche, como seus cofundadores, Ferdinand Porsche e Anton Piëch, haviam arianizado sua participação em 1935, e como Rosenberger lutou por reconhecimento e acabou sendo excluído da história da empresa.

O documentário também confrontou certo Wolfram Pyta, professor de história moderna na Universidade de Stuttgart e principal autor do estudo que a Porsche encomendara; de alguma forma, nenhum dos documentos pessoais de Rosenberger tinha sido incluído na pesquisa. Pyta disse que uma herdeira de Rosenberger em Los Angeles havia lhe negado acesso aos papéis que herdara. Mas, no documentário, a prima de Rosenberger contestou isso. Ela disse que um dos pesquisadores de fato entrara em contato, mas que, na realidade, Pyta nunca foi ver os documentos em posse dela.

Igualmente duvidosa era outra descoberta — ou a falta dela — no estudo. A participação de Rosenberger na Porsche foi comprada em 1935 exatamente pelo mesmo valor que ele havia pagado por sua participação de 10% na fundação da empresa em 1930, embora os lucros da Porsche tivessem aumentado enormemente no período intermediário. Rosenberger foi ludibriado e não recebeu o valor integral de suas ações. Embora tenha escrito que "não houve hesitação sobre extrair uma vantagem econômica da situação precária de Rosenberger"[87] e "não se pode afastar a impressão de que Rosenberger [...] foi enganado"[88] para abrir mão de suas ações da Porsche, Pyta se recusou a chamar a transação do que era claramente: uma arianização.

No documentário, o professor disse que Ferdinand Porsche e Anton Piëch conduziram a transação para fortalecer o caráter familiar da empresa, não porque Rosenberger era judeu. Mas, pagar um acionista judeu em uma empresa alemã muito abaixo do valor real de mercado de sua participação no capital na Alemanha de Hitler de 1935 só podia significar uma coisa: uma arianização. Oitenta e dois anos depois, um historiador financiado pela Porsche optou intencionalmente por não reconhecer esse fato.

8.

No final de novembro de 2018, a *Der Spiegel* publicou uma reportagem de capa bombástica intitulada "O bilionário e a AfD". Nas eleições federais de 2017, a Alternative für Deutschland (Alternativa para a Alemanha) se tornou o maior partido de oposição no parlamento do país, e o primeiro partido de extrema direita a ocupar assentos lá em quase 65 anos. Desde sua fundação em 2013, a AfD cresceu rapidamente.

Mas o bilionário octogenário mencionado na manchete, o barão August von Finck Jr., ainda se mantinha nas sombras. Depois de vender o banco privado de sua família, o Merck Finck, ao Barclays por cerca de 370 milhões de dólares em 1990, o aristocrata passou a ser um dos investidores mais ricos e reclusos do mundo. Alguns de seus investimentos, pelo menos os conhecidos, eram em empresas alemãs e suíças, como a empresa de construção Hochtief, a cadeia hoteleira Mövenpick, a empresa de testes de mercadorias Der Spiesgv e o fabricante de material de isolamento Von Roll. A fortuna de Von Finck Jr., estimada em mais de 9 bilhões de dólares,[89] é administrada na sede empresarial da família na aristocrática Promenadeplatz, em Munique. Embora se diga que os ativos de Von Finck incluem cerca de metade do centro da cidade de Munique e grande parte dos terrenos ao redor,[90] ele viveu sobretudo no exterior. Em 1999, Von Finck Jr. emigrou com a esposa, Francine, e os quatro filhos deles para a Suíça, generosa na cobrança de impostos. Um castelo medieval com vista para a cidade de Weinfelden, perto da fronteira alemã, comprado pelo pai de Von Finck Jr. se tornou uma das bases deles lá.

Von Finck Jr. era ainda mais reservado que o pai. O herdeiro, apelidado "Gustl", nunca deu uma entrevista à imprensa. As poucas imagens dele mostravam um homem alto com cabelos brancos e olhos verdes aguçados, muitas vezes vestindo um terno cinza-escuro, usando uma gravata Hermès e alternando entre duas expressões: um olhar severo e um sorriso. Ele herdou um pouco da avareza excêntrica do pai.[91] Embora gostasse de se deslocar entre suas mansões de helicóptero, dirigia seus carros até que enferrujassem e quebrassem. Von Finck Jr. levava sua própria carne e seu próprio queijo e pão para as festas, e em comemorações familiares servia a seus convidados ricos uma fatia de bolo de carne. Nunca encomendou um estudo sobre a adulação de seu pai a Hitler, suas arianizações de bancos privados e sua desnazificação duvidosa. Entre os traços herdados do pai, Gustl tinha preferência por política reacionária. Ao passo que seu pai levantou 20 milhões de marcos para a Haus der Deutschen Kunst de Hitler, Von Finck Jr. se tornou bem estabelecido como doador a organizações políticas alemãs de direita e extrema direita.

August von Finck Jr. na década de 2000.

O início documentado da doação política de Gustl começou logo depois que ele vendeu o banco privado da família. Em 1993, um banqueiro amigo do investidor aristocrata brincou com a *Der Spiegel*: "À direita de Gustl está só Genghis Khan".[92] Bem suprido de dinheiro após a venda ao Barclays, Von Finck Jr. começou a apoiar causas reacionárias. Entre 1992 e 1998, doou 8,5 milhões de marcos (cerca de 5 milhões de dólares) em dinheiro ao fundador de um partido de extrema direita marginal na Alemanha, que fez campanha contra a introdução do euro. O político foi posteriormente condenado por evasão fiscal relacionada ao dinheiro doado,[93] que muitas vezes era entregue em mãos por Ernst Knut Stahl, o braço direito de Gustl.

Após esse fracasso inicial, Von Finck Jr. passou a apoiar partidos que eram mais bem estabelecidos. Para manter certo anonimato, doou apenas uma vez com o próprio nome. Todas as outras doações vieram de entidades controladas por ele.[94] Entre 1998 e 2008, algumas de suas subsidiárias doaram cerca de 3,6 milhões de euros (cerca de 5 milhões de dólares) para a conservadora cristã CSU, da Baviera. Em 2009, uma de suas entidades doou 1,1 milhão de euros (aproximadamente 1,5 milhão de dólares), em três parcelas, para o FDP, defensor do livre mercado. Logo após receberem suas doações, os partidos da coalizão pressionaram com sucesso por alíquotas de impostos mais baixas sobre estadias em hotéis;[95] acontece que na época Von Finck Jr. possuía uma parte da rede hoteleira Mövenpick. O FDP foi ridicularizado como o "partido Mövenpick".[96] A mídia viu o escândalo como uma versão em pequena escala do caso Flick, um sinônimo alemão de política comprada.

Von Finck Jr. doava para causas que poderiam ser categorizadas como conservadoras pró-livre mercado, anti-União Europeia e antieuro; sua visão política era melhor descrita como libertária. Em 2003, ele doou milhões a uma organização de lobby que defendia um governo alemão menor.[97] A presidente de longa data do grupo agora extinto, Beatrix von Storch, é atualmente uma das vice-líderes da AfD. O Instituto Ludwig von Mises da Alemanha – batizado em homenagem ao economista cujos escritos a favor do padrão-ouro são há muito tempo um dos esteios dos libertários, assim como os investimentos em ouro – funciona na sede da Von Finck em Munique.[98] Em 2010, com a Europa tomada por uma crise financeira, Gustl entrou no negócio de comércio de ouro. Seu empreendimento veio com uma lúgubre, embora não totalmente surpreendente, falta de sensibilidade histórica.

Para criar a marca de sua empresa de comércio de ouro, uma das entidades de Gustl pagou 2 milhões de euros (3 milhões de dólares) pelos direitos de marca registrada da Degussa, acrônimo para o Instituto Alemão de Separação de Ouro e Prata.[99] O conglomerado de produtos químicos de má reputação tinha ajudado a produzir o pesticida à base de cianeto Zyklon B e fundido metais preciosos saqueados pelos nazistas. Em um estudo de 2004 encomendado pela empresa, um professor de história da Universidade Northwestern, Peter Hayes, detalhou como uma subsidiária da Degussa desenvolveu o pesticida e como a SS se tornou um de seus clientes de confiança.[100] Entre 1941 e 1945, a SS usou o Zyklon B para matar com gás mais de 1 milhão de pessoas, quase todas judeus, em campos de extermínio. Depois de assassinar milhões nos campos ou nos guetos, os nazistas despojaram os cadáveres de dentes e obturações de ouro. Muitos desses metais acabaram nas fábricas de fundição da Degussa, geralmente de forma compactada, mas às vezes em seu estado original. A Degussa também refinava e revendia ouro e prata no valor de milhões; uma parcela disso havia sido roubada pelos nazistas em toda a Europa, em parte de judeus enviados para campos de concentração e campos de morte.

Em uma reviravolta perversa da história, Von Finck Jr., um bilionário de direita cujo pai nazista, antissemita e obcecado por Hitler aumentou seu banco privado arianizando ativos de propriedade de judeus no Terceiro Reich, acabou carregando a bandeira da Degussa. Hoje o ouro e a prata da Degussa são comercializados em locais de compras chiques em toda a Europa.[101] Há uma loja da Degussa ao lado da sede da Von Finck em Munique, e qualquer pessoa pode comprar e vender metais preciosos lá. Mas Von Finck Jr. não parou por aí. Também colocou um CEO de extrema direita na Degussa, que uma vez descreveu a política monetária do Banco Central como a "sala de máquinas do autogenocídio".[102]

9

O financiamento político de August von Finck Jr. foi muito menos bem-sucedido do que seu negócio de investimentos. Surgiu, então, uma oportunidade que poderia beneficiar ambas as áreas de interesse. No início de 2013, foi fundado o partido antieuro AfD. Dias depois de sua primeira convenção partidária, um *think tank* afiliado à CDU governante da chanceler Angela Merkel especulou em um memorando que Von Finck Jr. se tornaria um grande doador da AfD.[103] Até hoje, não há nenhuma prova direta de que essa previsão tenha se concretizado, mas os sinais estão aí.

Não há limites para doações a partidos políticos na Alemanha. Porém, pessoas e empresas anônimas só podem doar até 10 mil euros (cerca de 12 mil dólares) de cada vez a um partido político. Para qualquer valor acima disso, o partido tem de revelar anualmente a identidade do doador. Nos casos em que mais de 50 mil euros (cerca de 60 mil dólares) são dados em uma única contribuição, a doação deve ser imediatamente publicada pela presidência do parlamento nacional, junto com o nome do doador.[104] É fácil deduzir, por exemplo, que os herdeiros Quandt que controlam a BMW doaram milhões de euros, sobretudo à CDU, desde pelo menos 2002. Mas Von Finck Jr. usou métodos mais secretos para financiar partidos políticos em uma escala considerável — enquanto ainda tenta manter o anonimato.

Mesmo antes de sua primeira tentativa fracassada em uma eleição nacional, em setembro de 2013, a AfD estava quase falida. Tinha poucos membros ou doadores pagantes. Na época, uma porta-voz da AfD, que financiava alguns de seus eventos e despesas, também gerenciava a publicidade da Degussa. A *Der Spiegel* seguiu a trilha do dinheiro e depois relatou que uma parte dessas contas parecia ter sido paga por Von Finck Jr. através de seu fiel braço direito: Ernst Knut Stahl.[105] Isso apesar de ser ilegal na Alemanha agir como um canal para financiar um partido político. Para angariar mais fundos, a AfD também abriu uma loja de ouro on-line, ao mesmo tempo que estimulava receios de que o euro estivesse entrando em colapso. Ainda atenta ao rastro de Von Finck Jr., a *Der Spiegel* descobriu que a Degussa era uma das duas fornecedoras dos produtos de ouro da loja.

A loja on-line da AfD vendeu 2 milhões de euros em produtos de ouro tanto em 2014 quanto em 2015, impulsionando as vendas da Degussa. Enquanto isso, a AfD colhia subsídios estatais; os partidos políticos alemães recebem financiamento do governo se conseguem gerar financiamento externo a partir de doações, taxas de filiação ou outras receitas. Mas, em dezembro de 2015, uma emenda à lei da Alemanha relativa aos partidos políticos significava que a loja de ouro on-line da AfD já não era suficiente para que o partido se qualificasse para receber subsídios. A lei partidária alemã não era a única mudança em desenvolvimento. A própria plataforma política da AfD estava mudando. Durante a crise migratória de 2015 na Europa, a AfD se reformulou: não era mais um partido antieuro, e sim um partido anti-imigrantes, alimentando e explorando receios de que a decisão de Merkel de aceitar mais de 1 milhão de refugiados de países predominantemente muçulmanos mudaria a identidade cultural da Alemanha.

Em fevereiro de 2016, dois meses após a redução dos subsídios estatais à AfD, o partido começou a receber um tipo diferente de ajuda de campanha, aparentemente do nada. Milhares de outdoors e cartazes começaram a aparecer em dois estados alemães, Baden-Württemberg e Renânia-Palatinado; cada um deles estava no meio de um ciclo eleitoral. Um jornal gratuito foi entregue a cerca de 2 milhões de lares. A mensagem era sempre a mesma: vote na AfD. Mas o material da campanha não vinha da própria AfD. Era pago por uma organização misteriosa, a Associação para a Preservação do Estado de Direito e das Liberdades dos Cidadãos, uma instituição sem fins lucrativos semelhante a um grupo de interesse de "dark money" [dinheiro obscuro], no estilo americano. A associação poderia receber e gastar quantias ilimitadas, e não era exigido por lei que divulgasse seus doadores, desde que ela não colaborasse diretamente com o partido político ou candidato que apoiava. Se em algum momento surgissem indícios de qualquer colaboração, as campanhas da associação contariam como doações ilegais. A AfD seria atingida com multas enormes, e os doadores da associação seriam revelados. Ao longo de 2016 e 2017, essa associação realizou campanhas eleitorais em apoio à AfD em toda a Alemanha. Enquanto isso, a AfD negava qualquer cooperação com a entidade sem fins lucrativos.

A história ficou mais suspeita. Em setembro de 2016, a *Der Spiegel* revelou que as campanhas da associação estavam sendo projetadas pela Goal, uma empresa suíça de relações públicas políticas.[106] A empresa de caixa de correio da associação em Stuttgart tinha um endereço de encaminhamento: o endereço da Goal.[107] O dono da Goal é Alexandre Segert, guru de campanha alemão para os principais partidos de direita. Ele projetou campanhas eleitorais para o SVP, partido que governa a Suíça, o FPÖ da Áustria e alguns dos candidatos mais destacados da AfD, e suas campanhas são notórias pelas mensagens e imagens anti-imigrantes.[108] A Goal está sediada na moderna propriedade de Segert, protegida por forte segurança, na bucólica aldeia de Andelfingen, perto da fronteira alemã.[109] O escritório doméstico dele fica a meros vinte minutos de carro a oeste do castelo suíço de Von Finck Jr., em Weinfelden.

A teia emaranhada de coincidências era mais profunda. Desde setembro de 2016, a associação era presidida por David Bendels, que ocasionalmente tinha sido visto em público com Segert. Em julho de 2017, Bendels também se tornou editor-chefe do *Deutschland-Kurier*, um jornal recém-fundado que foi inicialmente publicado pela associação e ainda serve de porta-voz da AfD. Adicionando mais uma camada à conspiração, a *Der Spiegel* revelou que Ernst Knut Stahl, braço direito de Von Finck Jr., estava envolvido na fundação do *Kurier*. Stahl tentara recrutar um editor durante um almoço em maio de 2017 em Munique. "Há perigo adiante", disse o lugar-tenente de Von Finck Jr. no encontro.[110] "Há uma rua em Nova York com muitos banqueiros de investimento, advogados e assim por diante. Coincidentemente, são todos judeus, mas isso não é relevante aqui. Eles querem empurrar a Alemanha para a ruína. Eles controlam tudo."

Em setembro de 2017, a AfD emergiu como a grande vencedora nas eleições nacionais da Alemanha. Passou de controlar zero assento no parlamento a ser o terceiro maior partido da Alemanha. Em pouco tempo, ganhou representação em todos os dezesseis parlamentos estaduais do país. As campanhas da associação em todo o país haviam elevado o perfil nacional do partido, cada vez mais de extrema direita; enquanto isso, seus doadores ricos permaneciam encobertos. Bendels afirmou que a associação dependia de doadores comuns, mas nunca apresentou prova disso.[111] De acordo com uma estimativa da LobbyControl da Alemanha, a associação gastou até agora mais de 10 milhões de euros (12 milhões de dólares) em apoio a campanhas eleitorais para a AfD.

Bendels e a AfD continuaram negando qualquer cooperação. Mas, em 2018, a AfD ficou atolada em vários escândalos relacionados a doações. Dois deles envolviam a Goal de Segert, que agia como testa de ferro para financiar campanhas eleitorais de dois políticos proeminentes da AfD. Em abril de 2019, a AfD foi multada pelo caso em mais de 400 mil euros (500 mil dólares).[112] Dias depois, a promotoria pública de Berlim anunciou que ia investigar o tesoureiro nacional da AfD por causa das campanhas eleitorais da associação projetadas pela Goal em apoio ao partido político.[113] Se os promotores conseguirem provar que a associação e a AfD cooperavam, será o maior escândalo de doação política da Alemanha desde o caso Flick. No momento em que escrevo, dezembro de 2021, a investigação ainda está em andamento.[114] Até agora, a AfD foi multada em quase 1 milhão de euros (cerca de 1,2 milhão de dólares) por seus vários escândalos de doação.[115]

Enquanto isso, a AfD está se tornando ainda mais radical. Os políticos do partido estão atacando a cultura da memória do país e seu ajuste de contas com o passado nazista. Como disse tão delicadamente o então colíder da AfD, Alexander Gauland, em um discurso de 2018: "Hitler e os nazistas são apenas uma partícula de cocô de pássaro em mais de mil anos de história alemã de sucesso".[116] E ele representa a facção moderada do partido.

A ala extremista da AfD abraça publicamente o antissemitismo, a islamofobia e o revisionismo histórico, inclusive a minimização dos crimes nazistas e a depreciação do Holocausto. Enquanto isso, ameaças e ataques contra imigrantes, judeus e políticos estão crescendo na Alemanha.[117] Com maior destaque, o tiroteio de fevereiro de 2020 em Hanau, quando um atirador assassinou nove pessoas, todas ela imigrantes ou alemães de famílias de imigrantes, mais a própria mãe. Antes disso, o tiroteio na sinagoga de Halle em outubro de 2019, quando dois espectadores foram mortos a tiros. Em junho de 2019, um político local de Hessen que apoiava a imigração foi assassinado em casa por um pistoleiro. Esses ataques foram todos realizados por pessoas de extrema direita; algumas tinham ligações com grupos neonazistas.

Naquele mesmo junho, Von Finck Jr. foi visto sentado ao lado do principal ministro da Baviera, Markus Söder, num jantar festivo em Munique. Havia laços entre eles. O ex-braço direito de Söder recentemente ingressara na empresa gestora do patrimônio da família de Gustl.[118] Agora, eles estavam participando da festa de setenta anos de um conhecido advogado e notável político euro-cético. Gustl pagara ao advogado mais de 11 milhões de euros (cerca de 12,5 milhões de dólares) em "taxas de consultoria" enquanto o advogado atuava no parlamento alemão.[119] Mas, embora a carreira do ex-parlamentar estivesse acabando, a de Söder estava ascendendo. Em março de 2021, Söder abandonou uma disputa de liderança para suceder a Angela Merkel como candidato nacional do partido dos conservadores cristãos a chanceler alemão. Mas Söder não vai a lugar nenhum. No final de novembro de 2021, August von Finck Jr. morreu, aos 91 anos, em Londres.

10.

A manchete que acompanhou o artigo do *New York Times* em meados de junho de 2019 poderia ter sido o subtítulo de um romance ruim: "Nazistas mataram o pai dela. Então ela se apaixonou por um deles". Mas o artigo em si tinha um tom muito mais sério. Pela primeira vez, dois membros da dinastia Reimann, agora a família mais rica da Alemanha, haviam falado publicamente com um repórter. A história que eles contaram era trágica e bizarra. Durante ou logo após a guerra, Albert Reimann — patriarca da dinastia, antissemita e político local do Partido Nazista — iniciou um relacionamento de décadas com Emily Landecker, uma funcionária do magnata e filha de um judeu. Em 1941, Emily foi contratada pela empresa de Reimann em Ludwigshafen. Em 1942, seu pai, Alfred, foi preso por oficiais da Gestapo em sua casa em Mannheim e assassinado logo depois. Sua última mensagem veio de um gueto na Polônia ocupada pelos nazistas, que servia como ponto de transferência para os campos de extermínio de Sobibor e Belzec.

A partir de 1951, Albert Reimann teve três filhos com Emily; dois são atuais acionistas do conglomerado da família, o JAB. Agora, alguns dos Reimann estavam prontos para compartilhar o legado de sua família. Eles eram descendentes de um nazista ardoroso e um judeu assassinado pelos nazistas. Eram o produto do perpetrador e da vítima, e sua história envolvia acerto de contas e mágoa. Mas a coisa ficou mais complexa. Ao longo do romance com sua funcionária, Albert era casado com outra mulher, com quem não teve filhos. Em 1965, ele adotou formalmente seus filhos com Emily, dando continuidade à relação dos dois. Albert e Emily falavam pouco da guerra com os filhos. As únicas coisas que Albert contou a eles foi que prisioneiros de guerra franceses "frequentemente recebiam vinho tinto aos sábados" e que "os trabalhadores forçados amavam tanto a empresa que choraram quando o conflito acabou e eles tiveram de partir".[120]

Wolfgang Reimann, filho de Emily e Albert, disse ao *Times* que, quando eles perguntaram à mãe sobre as raízes judaicas da família, ela falou vagamente de ter sido criada em um "meio judeu" e depois os repreendeu para que parassem de falar daquelas "velharias". Eles só descobriram que o pai tinha sido um nazista fervoroso quando o historiador contratado pela família apresentou seu relatório provisório, em janeiro de 2019. Emily amava Albert, apesar de tudo. "Nunca entendi o porquê", disse Wolfgang ao *New York Times*. "Da minha perspectiva, ele não era muito amável."

No artigo, o presidente da JAB e confidente dos Reimann, Peter Harf, nascido exatamente um ano e um dia após o fim da guerra, revelou que seu pai também tinha sido um nazista. Ele estava preocupado com a ascensão do nacionalismo no Ocidente e disse que era hora de tomar uma posição. O bilionário achava que poucas vozes empresariais estavam se manifestando contra o ressurgimento do populismo. "Na história, as empresas permitiram os populistas", disse Harf ao repórter do *Times*. "Não devemos cometer o mesmo erro hoje."

Em um importante avanço no acerto de contas da Alemanha empresarial com o Terceiro Reich, a dinastia empresarial mais rica do país anunciou que mudaria o nome da fundação da família. Ele não honraria mais o pai ou o avô nazista dos Reimann, mas sim o avô judeu que havia sido assassinado pelos nazistas. Além disso, a Fundação Alfred Landecker se concentraria em educar as pessoas sobre o Holocausto. Os Reimann sinalizaram seu compromisso com esse objetivo com uma enorme verba financiada pela família: 250 milhões de euros (300 milhões de dólares), a cada dez anos, em perpetuidade. Eles empilharam a diretoria da fundação com nomes de destaque global da academia, das empresas e da política e anunciaram o financiamento de um novo programa e cátedra na Universidade de Oxford para pesquisar a perseguição de minorias na Europa. A família não parou por aí. A fundação começou a rastrear sobreviventes de trabalho forçado na empresa da família e, em seguida, os indenizou. A nova dinastia empresarial mais rica da Alemanha estava honrando sua palavra, tudo em nome de um homem que havia sido demonizado pelos magnatas fundadores da família. E mais: o site da Fundação Alfred Landecker é transparente sobre os patriarcas nazistas da família Reimann e seus crimes.[121]

Isso contrastava fortemente com os Quandt da BMW. Em 20 de junho de 2019, seis dias depois que o artigo do *New York Times* sobre os Reimann foi publicado, a *Manager Magazin*, uma publicação alemã semelhante à *Forbes*, publicou uma reportagem de capa sobre dois dos Quandt. Era a primeira vez que Susanne Klatten e Stefan Quandt, os filhos mais novos de Herbert, davam uma entrevista juntos. A revista estimou a fortuna deles naquele ano em cerca de 26,5 bilhões de euros (30 bilhões de dólares), o que os tornava a segunda família mais rica da Alemanha, atrás só dos Reimann.[122] Os dois irmãos Quandt controlam cerca de 47% da BMW, entre muitos outros investimentos.[123] A BMW deu a eles um dividendo total de quase 800 milhões de euros (1 bilhão de dólares) em 2019, embora o preço de suas ações estivesse defasado. Na entrevista, a história nazista da família não foi discutida. Aparentemente, a revista achava que o tema se esgotara havia muito.

Em vez disso, Stefan usou a oportunidade para questionar a lógica de um imposto sobre herança. Susanne disse que a redistribuição de riqueza não funcionava e defendeu uma meritocracia, dizendo que uma sociedade justa deveria permitir que as pessoas buscassem oportunidades de acordo com suas capacidades. "Nosso potencial decorre de nossos papéis como herdeiros e no desenvolvimento dessa [herança]", disse ela à revista. "Trabalhamos nisso com empenho todos os dias. O papel de guardiões de riqueza também tem lados pessoais que não são tão legais."[124] Um desses aspectos desagradáveis, segundo os irmãos multibilionários, é lidar com a inveja da imensa herança deles. "Algumas pessoas acreditam que ficamos constantemente sentados em um iate no Mediterrâneo", disse Susanne. Seu irmão havia feito um comentário semelhante quase oito anos antes, quando discutira a história nazista da família com o *Die Zeit*. "Não passamos o dia todo na praia," disse Stefan na época. "Eu não tenho uma caixa-forte recheada de dinheiro, como o Tio Patinhas."[125] Ele também parecia ver sua herança como uma imensa cruz a carregar. A manchete da nova entrevista citava diretamente uma pergunta feita por Susanne, ecoando, sem nenhum traço de ironia, outra das reflexões anteriores do irmão: "Quem ia querer trocar de lugar conosco?".

Em 22 de junho de 2019, dois dias após a publicação da entrevista, o prêmio Herbert Quandt de Mídia foi concedido, como de praxe, na data de nascimento do magnata. Naquele dia, Stefan publicou uma versão de seu discurso de premiação como uma coluna no *Frankfurter Allgemeine Zeitung*, um dos maiores e mais influentes jornais da Alemanha, de tendência conservadora. O título da coluna era "Protejam a propriedade privada!".[126] Nela, ele protestava contra supostas ameaças aos direitos de propriedade, a ameaça de um imposto sobre herança mais alto e o fantasma das expropriações na Alemanha de hoje. O fato de seu avô e seu pai terem desrespeitado os direitos de propriedade privada de suas vítimas da era nazista e se beneficiado enormemente de expropriações apoiadas pelo Estado parece ter escapado ao herdeiro da BMW. Dez dias depois, Stefan ingressou no conselho fiscal do jornal.[127]

Stefan Quandt no Museu Judaico de Berlim, 2018.

Até hoje, os dois irmãos Quandt supervisionam seu império empresarial da Casa Günther Quandt em Bad Homburg. Stefan concede anualmente o prêmio de mídia Herbert Quandt a jornalistas alemães. Em 2016, o braço de caridade da BMW foi consolidado sob a Fundação Herbert Quandt. Os ativos da fundação foram aumentados para 100 milhões de euros (120 milhões de dólares); outros 30 milhões (35 milhões de dólares) foram fornecidos por Stefan e Susanne.[128] Sua missão é promover e inspirar "liderança responsável"[129] em nome de um homem que um dia ajudou a arianizar empresas na França, que supervisionava uma fábrica em Berlim cheia de trabalhadoras escravizadas e que supervisionou o planejamento e a construção de um subcampo de concentração na Polônia ocupada pelos nazistas. Mas, aparentemente, nada disso importa para a BMW. Se acreditarmos na fundação, toda a biografia de Herbert consiste em apenas um ato: ele "garantiu a independência" da BMW.[130] Os triunfos e as farsas de sua vida são reduzidos a essa frase concisa.

Em maio de 2021, o *Süddeutsche Zeitung* informou que uma rua em Munique com o nome de Herbert Quandt estava em uma lista de ruas que poderiam ser renomeadas. Quando um membro distrital da AfD argumentou que os méritos das empresas de Herbert após a guerra deviam ser considerados durante a deliberação, o historiador encarregado de recomendar as renomeações contrapôs que qualquer pessoa que tivesse "lucrado com o sistema nazista" e assim "pecado" contra valores centrais da humanidade "não merece uma visão geral relativizadora do trabalho de sua vida".[131]

Até agora, a balança continua inclinada a favor do dinheiro e do poder. Muitas dinastias empresariais alemãs continuam a evitar um acerto de contas completo com a história sombria que mancha suas fortunas, de modo que os fantasmas do Terceiro Reich ainda os assombram.

Epílogo
O museu

No final de 2019, voei para Tel Aviv para visitar minha namorada alemã por uma semana. Ela estava trabalhando durante um mês como repórter em Israel e nos Territórios Palestinos, substituindo um colega de licença. Numa noite, no início de dezembro, visitamos o Museu de Arte de Tel Aviv, um edifício labiríntico com uma mistura de arquitetura brutalista e modernista. Por recomendação de um amigo em Nova York, fomos ver uma exposição do artista americano Raymond Pettibon. O clima ainda estava quente. E, no entanto, ao chegar à exposição, senti um arrepio me percorrer a espinha. Pouco antes de entrarmos, notei uma lista de nomes escritos em alemão e hebraico na parede. Acima dos nomes havia uma placa: GALERIA DOS AMIGOS ALEMÃES DO MUSEU DE ARTE DE TEL AVIV.

Entre os sobrenomes listados abaixo da placa, como Gottesdiener e Gleitman, alguns especialmente notáveis me saltaram aos olhos. Perto do topo: Gabriele Quandt. Gabriele, neta de Magda Goebbels e filha de Harald Quandt, o herdeiro que cresceu na casa dos Goebbels mas nunca se tornou membro do Partido Nazista, que tentou olhar para o futuro, mas nunca conseguiu escapar das tragédias de seu passado.

Bem no fim da lista: Ingrid Flick, terceira esposa de Friedrich Karl Flick, o homem responsável pelo maior escândalo de corrupção do pós-guerra na Alemanha e o terceiro e mais novo filho de Friedrich Flick, o mais poderoso e mais implacável de todos os industriais alemães, que foi condenado em Nuremberg e se tornou o homem mais rico da Alemanha em três épocas diferentes. Friedrich Flick, que não conseguiu abandonar sua criação, levando seu império e sua família a desmoronar. Friedrich Karl, que, como o pai, se recusou a pagar indenização a qualquer uma das dezenas de milhares de pessoas usadas como mão de obra forçada ou escrava nas fábricas e minas Flick; milhares morreram ali, muitos deles judeus trazidos de campos de concentração. Friedrich Karl pegou seus bilhões e fugiu para a Áustria, deixando seus sobrinhos lidarem sozinhos e publicamente com os fantasmas da família. Enquanto isso, Ingrid Flick dá continuidade ao trabalho manchado do falecido marido, mantendo uma fundação em nome de seu falecido sogro, um criminoso de guerra nazista condenado que roubou os meios de subsistência de muitos para expandir seu império.

Ver os nomes Quandt e Flick homenageados em um museu israelense, seus nomes escritos em hebraico, era, como os alemães diriam, *unheimlich*, esquisito. A geração reinante de herdeiros ainda tem a chance de alterar o curso antes de passar adiante seus impérios — de se comprometer por completo com a transparência histórica e a responsabilidade moral, de se esforçar, incondicionalmente, para pagar à sociedade as enormes dívidas que seus pais contraíram. Os filhos desses herdeiros, por sua vez, terão a chance de usar seu poder e sua riqueza para ajudar a criar um mundo melhor, no qual seus avós não teriam lugar.

Abaixo dos nomes de Gabriele e Ingrid estavam os de seus filhos: os de Gabriele, agora com trinta e poucos anos, e os dos gêmeos Flick, os bilionários mais jovens do mundo, agora com vinte e poucos anos. Eles são a próxima geração — a minha geração. "Faremos melhor", eu disse a ninguém em particular. Minha namorada sorriu para mim. Pulamos a exposição e saímos do museu para a noite quente de dezembro e uma nova década.

Apêndice

Árvores genealógicas

Estas não são árvores genealógicas completas, pois omitem certos cônjuges e membros das gerações mais velhas e mais jovens. Elas incluem apenas os membros das famílias relevantes para este livro.

A Dinastia Quandt

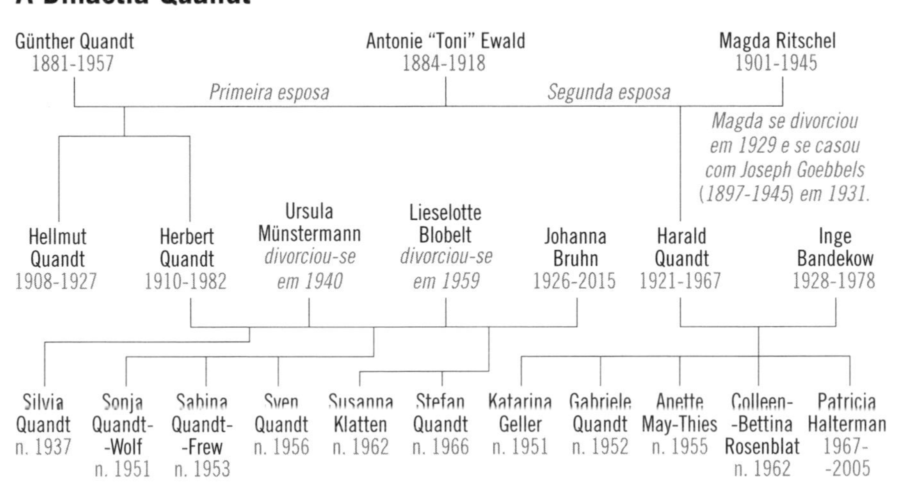

Nota: Todos os anos conhecidos são fornecidos.

A Dinastia Flick

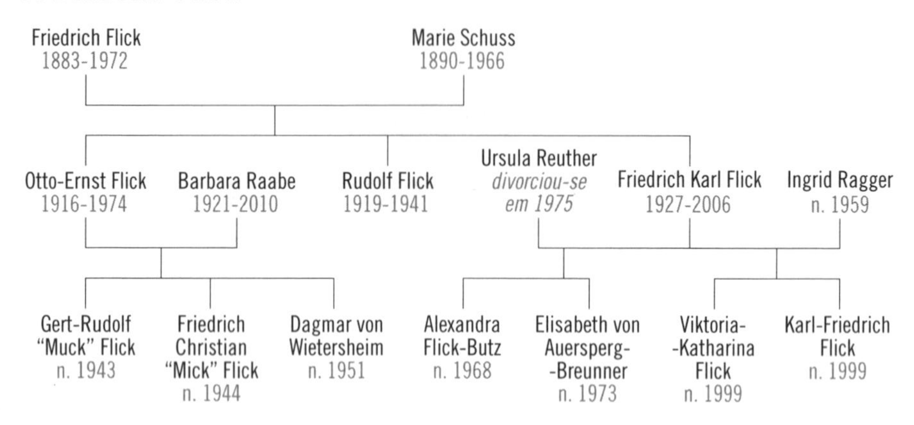

Nota: Todos os anos conhecidos são fornecidos.

A Dinastia von Finck

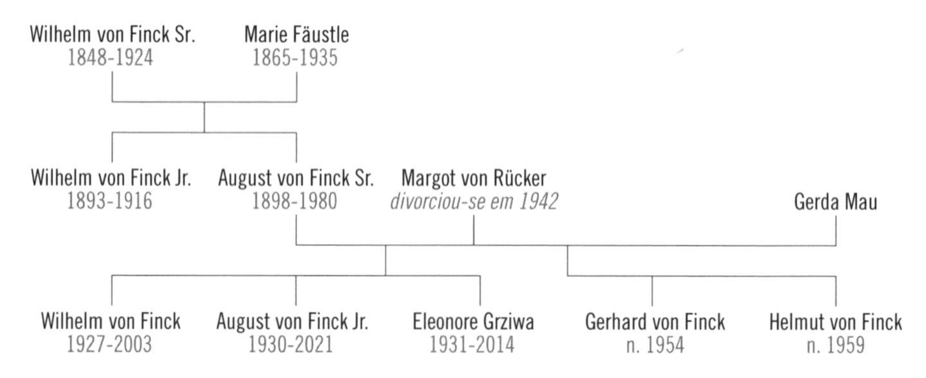

Nota: Todos os anos conhecidos são fornecidos.

A Dinastia Porsche-Piëch

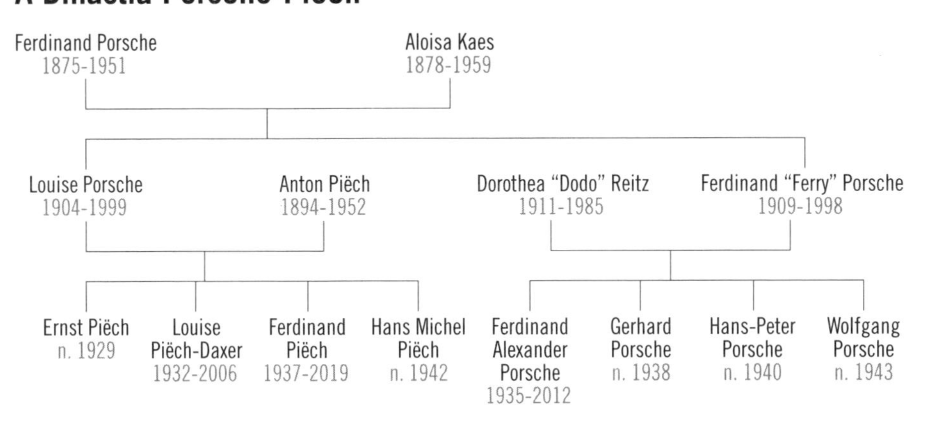

Nota: Todos os anos conhecidos são fornecidos.

A Dinastia Oetker

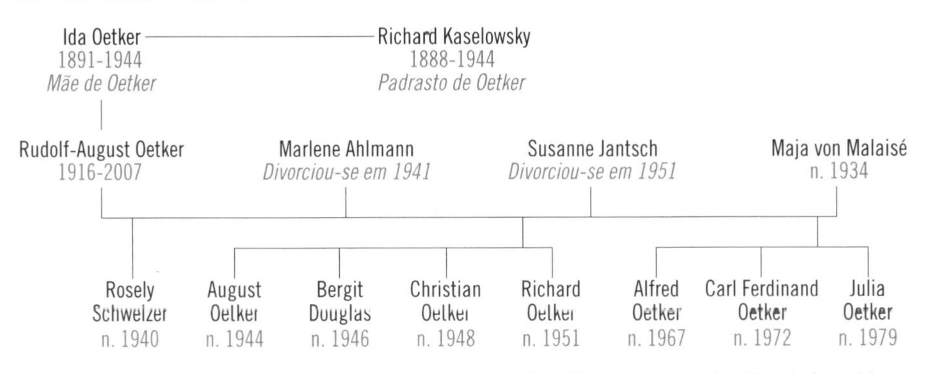

Nota: Todos os anos conhecidos são fornecidos.

Agradecimentos

O cerne deste livro consiste em artigos que escrevi para a *Bloomberg News* entre abril de 2012 e maio de 2018. Embora eu tenha saído para escrever este livro, jamais teria mergulhado nesse assunto sem o incentivo de muitas pessoas na *Bloomberg*. Não só Matthew (G.) Miller deu involuntariamente o título do livro ("De Jong, temos mais alguma história de bilionário nazista na prateleira?"), como ele e Peter Newcomb (sua sugestão, "nazilionários", era a segunda opção de título) apostaram em mim e me puseram nesta empreitada. Obrigado a ambos. Matt, acho que levei sua tarefa de "encontrar o ouro nazista" um pouco a sério demais. Obrigado também a Rob LaFranco e Pierre Paulden por sua orientação editorial, e a Pamela Roux Castillo e Jack Witzig, dois esteios dos Bilionários Bloomberg que viraram equipe de riqueza.

Obrigado a Max Abelson por inadvertidamente me levar ao início e ao fim deste livro: por me apresentar à *Bloomberg* no outono de 2011 e por me dizer para ver a exposição de Raymond Pettibon no Museu de Arte de Tel Aviv no outono de 2019. Um grande obrigado a Donal Griffin, meu irlandês rabugento favorito, por ler as primeiras versões. Obrigado também a Caleb Melby, que, lá atrás, me disse que eu deveria escrever um livro sobre este assunto, plantando a ideia em minha mente. Obrigado aos meus então editores Simone Meier, Elisa Martinuzzi e Neil Callanan por me encorajarem a escrever este livro. Obrigado também a Annette Weisbach e Matthew Boyle; colaborei com eles em algumas das minhas primeiras reportagens sobre os Reimann e os Quandt.

Sou grato ao meu agente, Howard Yoon, por acreditar neste projeto desde o início e por sua enorme ajuda e encorajamento, e a seus sócios na Ross Yoon, notadamente Dara Kaye. Um imenso obrigado a Alexander Littlefield, meu perspicaz editor na Houghton Mifflin Harcourt/HarperCollins, que permaneceu imperturbável e nunca perdeu de vista o contexto. Obrigado também a Zach Phillips, Marleen Reimer e Lisa Glover por toda a ajuda, e a Susanna Brougham por sua impecável edição. Obrigado a David Eber pela revisão legal e a Mark Robinson e Chloe Foster pela capa e pelo projeto do miolo do livro original. Obrigado também a Glen Pawelski e à equipe da Mapping Specialists. Também sou muito grato a Arabella Pike e Jo Thompson na William Collins em Londres pela ajuda com o livro.

Muito obrigado aos colegas da Büro Hermann & Söhne, particularmente Gerben van der Marel, Jan Zappner e Peter Wollring, pelos anos de camaradagem em vez de uma redação real. A multitalentosa Pauline Peek contribuiu com a pesquisa e fez a checagem de fatos deste livro. Um muito obrigado a Martin Breitfeld e seus colegas da Kiepenheuer & Witsch em Colônia por toda a ajuda que deram. Obrigado também a Rüdiger Jungbluth, que uma vez me disse durante o almoço em Hamburgo: "Quando não está escrito em inglês não é considerado notícia"; isso me fez perceber que essas histórias sombrias de dinheiro e poder não eram conhecidas fora da Alemanha. Obrigado a todos os historiadores alemães que se dispuseram a falar comigo sobre esse assunto – mais notavelmente Tim Schanetzky, Kim Christian Priemel e Sven Keller.

Obrigado, por vários motivos, a Alex Cuadros, Alice Pearson, Ben e Jenny Homrighausen, Volker Berghahn, Yana Bergmann, Brittany e Sam Noble, Ruby Bilger, Daniel Sedlis, Nina Majoor, Eric Gade, Evan Pheiffer, Sven Becker, Janette Beckman, Daniel Steinmetz-Jenkins, Norman Ohler, Taunton e Nikki Paine, Sam Moyn, Majlie de Puy Kamp, Patrick Radden Keefe, Mary Vromen, Mathew Lawrence, Hayden Miller, Ryan Alexander Musto, Heather Jones, Joe Dolce, Lauren Streib, Henry Seltzer, Line Lillevik e Max Raskin. A história sombria da Alemanha nunca esteve longe, e às vezes chegava bizarramente perto. Um grande *danke* à "panelinha" da capital, em especial Elsa Wallenberg, Alexander Esser, Laura Stadler, Cäcilie von Trotha, Richard Meyer zu Eissen, Finn Weise e todos os outros esquisitões. Um agradecimento especial, também, a meus queridos amigos em Amsterdam.

Escrever este livro me fez perceber ainda mais como sou afortunado por estar cercado de famílias tão maravilhosas. Um imenso agradecimento aos meus pais, Helen e Philip, por seu amor e apoio incondicionais, à minha tia Jacqueline, aos De Zwart, aos Velaise e aos Tann.

Finalmente, um grande obrigado a Sophie, que é uma verdadeira força da natureza. Sempre diligente, sempre exploradora. Fico feliz em ser apanhado por seu turbilhão. Mal posso esperar para descobrir aonde ele vai nos levar a seguir.

Nota sobre as fontes

Membros de quase todas as dinastias empresariais alemãs detalhadas neste livro se recusaram a comentar ou ser entrevistados; outros não responderam aos pedidos de entrevista ou às perguntas enviadas a seu porta-voz ou a representantes da empresa gestora do patrimônio da família. Mas houve uma exceção notável.

Jörg Appelhans, o porta-voz de longa data dos dois irmãos Quandt que controlam a BMW, recusou meu pedido de entrevista com Stefan Quandt alegando que o estudo acadêmico que a família encomendou para examinar as atividades de seus patriarcas durante o Terceiro Reich era "inovador e abrangente. Portanto, não obtivemos insights além das descobertas que são de conhecimento comum desde que o estudo foi publicado em 2011". Quando lhe perguntei como ele considerava que as descobertas eram de "conhecimento comum", Appelhans respondeu: "Conhecimento comum no sentido de que foram publicadas e, portanto, estão acessíveis a todos".

Na verdade, acessíveis a todos que sabem ler alemão. O estudo Quandt e estudos semelhantes encomendados por outras dinastias nunca foram traduzidos para outras línguas, embora a maioria das vítimas das atividades de seus patriarcas durante a era nazista não fosse alemã e os interesses empresariais das dinastias tenham sido no passado e ainda sejam hoje globais. No entanto, Appelhans escreveu, "a Família Quandt está convencida de que os objetivos de abertura e transparência foram alcançados [...]. Não acreditamos que renomear ruas, lugares ou instituições é uma forma responsável de lidar com figuras históricas porque tal '*damnatio memoriae*' [...] impede uma exposição consciente do papel delas na história e, em vez disso, promove sua omissão". No entanto, comemorar figuras históricas sem nenhuma menção a sua história nazista acaba por fazer o mesmo.

Em resposta às perguntas que enviei ao Grupo BMW, entre elas por que a fabricante de carros de Munique mantém o nome de seu salvador em sua fundação de caridade, que promove "liderança responsável", mesmo depois de as atividades dele no Terceiro Reich terem sido reveladas, um representante da Fundação Herbert Quandt da BMW escreveu, em uma declaração para mim: "[a fundação] se baseia nos feitos empresariais da BMW e de Herbert Quandt, razão pela qual tomou uma decisão consciente: as ações de longo prazo e voltadas para o futuro com que Herbert Quandt atuou de 1959 até sua morte em 1982 [...] devem ser representadas no nome da fundação".

Solicitei entrevistas com Gabriele Quandt e Colleen-Bettina Rosenblat, filhas de Harald Quandt, mas elas "decidiram não dar entrevista", escreveu o porta-voz da empresa gestora do patrimônio da família, Ulrich von Rotenhan.

Os documentos que detalham o julgamento de desnazificação e as apelações de Günther Quandt, inclusive muitos documentos sobre as arianizações que Günther, Herbert e seus executivos conduziram em países ocupados pelos nazistas durante a Segunda Guerra Mundial, podem ser encontrados em cópias de microfichas das pastas 1362 e 1363 dos Arquivos Estatais da Baviera, em Munique. Os documentos do arquivo da família Quandt que Joachim Scholtyseck citou no estudo encomendado, e que os Quandt consideraram relevantes o suficiente para serem postos à disposição de pesquisadores, podem ser acessados nos Arquivos Hessian Business, em Darmstadt.

Antiquários alemães provaram ser uma mina de ouro de fontes primárias. Comprei maços das cartas de Günther de 1938, suas memórias do pós-guerra, livros da empresa Quandt da década de 1930 e muito mais. Foi particularmente gratificante comprar a biografia privada encomendada por Herbert em 1980, dado o esforço que seus assessores fizeram para mantê-la fora do alcance de jornalistas, o que é descrito vividamente na correspondência de arquivo. Os diários de Joseph Goebbels, de 1923 a 1945, editados por Elke Fröhlich, estão disponíveis on-line na editora De Gruyter por uma taxa de licenciamento anual.

As biografias de Rüdiger Jungbluth de 2002 e 2015 sobre a dinastia Quandt foram fontes igualmente indispensáveis, assim como o estudo de Joachim Scholtyseck de 2011.

Representantes da empresa gestora do patrimônio da família trabalhando para Ingrid Flick e seus gêmeos em Viena recusaram-se a comentar uma lista de perguntas que enviei sobre as doações filantrópicas diretas de Ingrid e a filantropia que ela conduz em nome de seu sogro, o criminoso de guerra nazista condenado Friedrich Flick. Depois de contatar a Universidade Goethe de Frankfurt com perguntas sobre como ela concilia as contribuições financeiras anuais da Fundação Flick para a instituição acadêmica com o lugar problemático de seu homônimo na história, um porta-voz da universidade me enviou esta declaração: "A Universidade Goethe vem trabalhando com a Fundação Friedrich Flick há seis anos e passou a conhecê-la como uma parceira justa, confiável e generosa. Graças ao compromisso exemplar da fundação, tem sido possível financiar projetos de pesquisa e ensino bem como bolsas de estudo para os quais nenhum outro fundo estaria disponível. A cooperação representa um importante alicerce no contexto do compromisso diversificado de patrocinadores para a universidade". As filhas mais velhas de Friedrich Karl Flick, Alexandra Flick-Butz e Elisabeth von Auersperg-Breunner, não responderam a um pedido de entrevista nem a perguntas enviadas aos respectivos representantes da empresa gestora do patrimônio da família em Munique.

De todas as dinastias empresariais alemãs detalhadas neste livro, o único membro da família a responder às minhas perguntas foi Gert-Rudolf Flick, também conhecido como "Muck". Ele o fez com franqueza. Neto mais velho de Friedrich Flick e filho mais velho de Otto-Ernst, está com quase oitenta anos e vive há décadas em Londres, onde escreve e ensina sobre pinturas dos antigos mestres. Muck nasceu na França em 1943, durante o desastroso reinado de seu pai na expropriada siderúrgica Rombach, na Lorena ocupada pelos nazistas. Ele foi próximo de seu avô Friedrich até a morte do patriarca, em 1972, quando Muck tinha quase trinta anos. Friedrich Flick esperava que Muck e seu irmão mais novo, Mick, ambos aconselhados pelo patriarca, um dia assumissem as rédeas do conglomerado familiar. Mas não foi como ele planejara.

Recebi permissão de Muck para citar parte de nossa correspondência por e-mail. "Durante a vida dele, não discutimos a guerra; meu irmão e eu obviamente admirávamos e venerávamos meu avô, que era um gênio em mais de uma maneira", escreveu Muck. "Agora surgiram mais coisas feias. Seria possível assumir uma visão mais dura, mas eu me lembro dele como um ser humano muito talentoso e não posso mudar meus sentimentos de forma retroativa. Sou profundamente grato por tê-lo conhecido, e não apenas pela riqueza que ele nos concedeu." Os irmãos de Muck, Mick Flick e Dagmar von Wietersheim, não responderam às solicitações de entrevista enviadas às fundações de Mick em Potsdam e Zurique e à gestora do patrimônio da família de Dagmar em Munique.

O processo do julgamento de Nuremberg de 1947 contra Friedrich Flick e seus sócios, inclusive muitos documentos, estão disponíveis on-line. Como fontes secundárias, recorri intensamente ao estudo de doutorado de Kim Christian Priemel de 2007, sobre o conglomerado Flick, e aos estudos que Dagmar e Mick, respectivamente, encomendaram de dois grupos separados de historiadores alemães: o estudo de 2009 sobre o conglomerado Flick no século XX, realizado por Norbert Frei, Ralf Ahrens, Jörg Osterloh e Tim Schanetzky; e o estudo de 2008 sobre o conglomerado Flick durante o Terceiro Reich, realizado por Johannes Bähr, Alex Drecoll, Bernhard Gotto, Harald Wixforth e, novamente, Kim Christian Priemel. A biografia de Friedrich Flick de 1971, de autoria de Günther Ogger, também resistiu notavelmente bem ao teste do tempo. O Berlin-Brandenburg Business Archive tem um arquivo completo de pesquisa sobre Flick, que contém documentos originais e copiados usados no estudo acadêmico que Dagmar encomendou. Em uma coincidência bizarra, o arquivo Flick está alojado no que era antes parte do amplo complexo de armamentos esparramado da DWM de Günther Quandt no bairro de Wittenau, em Berlim. Infelizmente, devido à pandemia de covid-19, não pude visitar o arquivo.

Em junho de 2021, Annemarie Thoene, secretária de longa data do escritório particular de August "Gustl" von Finck Jr. em Munique, me informou por telefone que a "política de comunicação" deles permanecia inalterada — Von Finck Jr. não dava entrevistas e não havia nenhum endereço de e-mail pelo qual eu pudesse solicitar uma entrevista. Anteriormente, eu tinha recebido um número de fax para pedir um comentário de Gustl, mas para este livro me disseram para escrever uma carta. Gustl não respondeu ao pedido de entrevista nem a outras perguntas que enviei por correspondência com confirmação de recebimento para seu escritório particular durante o verão e o início do outono de 2021. Ele morreu em Londres no final de novembro de 2021. Seus meios-irmãos, Helmut e Gerhard, tampouco responderam aos pedidos de entrevista. Nem o guru de relações públicas da Goal AG, Alexander Segert. David Bendels também não respondeu a um pedido de entrevista para discutir as supostas conexões entre a AfD e a misteriosa Associação para a Preservação do Estado de Direito e das Liberdades dos Cidadãos. O porta-voz da AfD, Peter Rohling, recusou-se a apontar um membro da liderança do partido para uma entrevista sobre o assunto.

Os documentos originais do julgamento de desnazificação de August von Finck Sr. estão na pasta 409 no Arquivo do Estado da Baviera em Munique. Muitos dos documentos detalhando as transações de arianização dos bancos Dreyfus Rothschild pelo Merck Finck podem ser encontrados nos National Archives and Record Administration, em College Park, Maryland, ou através de seu site parceiro, o Fold3, que digitalizou milhões de registros. O estudo de doutorado de Ingo Köhler, de 2005, sobre a arianização de bancos privados de propriedade de judeus na Alemanha foi uma fonte vital, assim como um estudo de 2001 sobre a Allianz durante o Terceiro Reich, de Gerald Feldman. Para o capítulo sobre as conexões entre a AfD, a associação, a Goal e a órbita de August von Finck Jr., eu me baseei na reportagem inovadora dos jornalistas Melanie Amann, Sven Becker, Ann-Katrin Müller e Sven Röbel na *Der Spiegel*; Anna Jikhareva, Jan Jirat e Kaspar Surber no *Wochenzeitung*; Friederike Haupt no *Frankfurter Allgemeine Zeitung*; Christian Fuchs e Paul Middelhoff no *Die Zeit*; e Roman Deininger, Andreas Glas e Klaus Ott no *Süddeutsche Zeitung*.

A empresa Porsche, em Stuttgart, recusou-se a disponibilizar Wolfgang Porsche, filho de Ferry Porsche e porta-voz pelo lado Porsche do clã Porsche--Piëch, para uma entrevista. Em respostas escritas às minhas perguntas, Sebastian Rudolph, chefe de comunicações da Porsche, caracterizou as declarações antissemitas e discriminatórias de Ferry em sua autobiografia de 1976, *We at Porsche*, como prova da "falta de empatia por parte de Ferry Porsche com o destino da família de Adolf Rosenberger e de outras famílias judias que tiveram de deixar a Alemanha [...]. Ferry Porsche acreditava que Adolf Rosenberger tinha pelo menos sido tratado e compensado corretamente pela empresa. Essa é a única maneira de interpretar seu aborrecimento com as renovadas disputas depois da Segunda Guerra Mundial".

Um estudo de 1996 sobre o complexo fabril da Volkswagen durante o Terceiro Reich de autoria de Hans Mommsen e Manfred Grieger foi um recurso inestimável, assim como o estudo de 2013 de Bernhard Rieger sobre a história do fusca. Também recorri a várias biografias sobre o clã Porsche--Piëch dos jornalistas alemães e austríacos Stefan Aust, Thomas Ammann, Georg Meck, Wolfgang Fürweger, e aos documentários sobre o cofundador judeu da Porsche, Adolf Rosenberger, de Eberhard Reuß.

A versão alemã original do estudo de 2017 de Wolfram Pyta e seus dois colegas sobre as origens da Porsche pode ser considerada uma fonte confiável, apesar de suas deficiências significativas. Ela é exaustivamente pesquisada, o que torna o fato de Pyta não ter inspecionado os documentos privados de Adolf Rosenberger ainda mais confuso e preocupante. Embora Pyta também não tenha caracterizado adequadamente a compra em 1935 da participação de Adolf Rosenberger na Porsche por Ferdinand Porsche e Anton Piëch como uma arianização, o historiador admitiu para mim em uma entrevista por Zoom que a transação constituiu um "lucro de arianização".

Nos últimos dias de checagem do livro, o porta-voz da Porsche me enviou um código de acesso a uma tradução em inglês somente digital do estudo de Pyta. Após quatro anos de pesquisa, fiquei muito surpreso ao saber que essa versão existia. Eu nunca a tinha encontrado, porque não há quase nenhuma menção a ela on-line. Como fica claro, o acesso à tradução inglesa do estudo de Pyta está disponível somente após ele ser solicitado à Porsche ou quando a empresa opta por fornecê-lo. Essa é uma das razões pelas quais essa tradução não pode ser considerada uma fonte confiável. A segunda e mais importante razão é que foram adicionadas palavras a pelo menos um parágrafo crucial da versão em inglês, o que dá a impressão de que Ferry Porsche mentiu sobre sua candidatura à SS apenas no pós-guerra imediato. Na verdade, ele mentiu sobre sua adesão voluntária à SS pelo resto de sua vida. Ferry sustentava que Himmler o forçara a aceitar um posto honorário. A falsificação aparece em ambas as autobiografias de Ferry e em uma declaração juramentada de 1952 para o consulado dos Estados Unidos em Stuttgart, que a Porsche me forneceu.

* * *

Jörg Schillinger, porta-voz de longa data do conglomerado Dr. Oetker em Bielefeld, recusou-se a disponibilizar qualquer membro da família Oetker para entrevista. Christoph Walther, porta-voz dos três filhos mais novos de Rudolf-August Oetker, me escreveu: "Eles não têm nenhuma intenção de falar sobre esse tema além do que já foi publicado".

O estudo de 2013 da empresa Dr. Oetker e da família Oetker/Kaselowsky durante o Terceiro Reich, de Jürgen Finger, Sven Keller e Andreas Wirsching, foi uma fonte indispensável, assim como a história de 2004 sobre a dinastia e o conglomerado Oetker, de autoria de Rüdiger Jungbluth. O arquivo da Dr. Oetker em Bielefeld é geralmente aberto a pesquisadores, mas está fechado desde o início da pandemia de covid-19. Por esse motivo, não pude visitá-lo.

A porta-voz de longa data da família Reimann se recusou a disponibilizar um membro do clã baseado em Viena para uma entrevista. Ela marcou uma entrevista em Berlim com Peter Harf e dois outros executivos da Fundação Alfred Landecker. Como seria previsível, Harf não apareceu. Ele concordou em responder à maioria das minhas perguntas por escrito, mas minha busca por um dia entrevistar o bilionário alusivo em pessoa continua. A publicação do estudo encomendado pelos Reimann sobre a família e sua empresa durante o Terceiro Reich está prevista para 2023. Ele será emparelhado com a publicação de uma biografia de Alfred Landecker. O estudo da Bahlsen deve ser concluído no verão de 2023, de acordo com um porta-voz da empresa, embora ainda não se saiba quando será publicado. Em uma entrevista ao *Süddeutsche Zeitung* em setembro de 2021, Verena Bahlsen pareceu ter mudado de opinião. Ela disse ao jornal: "Falhamos por décadas em ser transparentes quanto a nossa história nazista. Acredito que isso vai continuar se não aproveitarmos esta oportunidade agora. E tenho de pressionar minha família a falar sobre isso".

Este livro é uma obra de não ficção narrativa. Ele é amplamente baseado em fontes, indicadas em notas, e os fatos que relata foram checados de forma independente. Em casos em que as várias fontes citadas fornecem relatos diferentes do mesmo acontecimento, escolhi a versão mais plausível. Quaisquer erros que permaneçam são meus.

Notas

ABREVIAÇÕES

ARD: principal rede de emissoras de TV públicas da Alemanha
HWA: Hessian Business Archives
NARA: National Archives and Records Administration, Washington
NDR: Emissora de TV do Norte da Alemanha
TMN: Tribunal Militar de Nuremberg
NND: Designação para documentos secretos tornados públicos
OMGUS: United States Office of Military Government for Germany
OSS: Office of Strategic Services
AEM: Arquivo do Estado de Munique
SWR: Emissora de TV do Sudeste da Alemanha
TG: Os diários de Joseph Goebbels (*Die Tagebücher von Joseph Goebbels*)
USACA: United States Allied Commission for Austria
USHMM: United States Holocaust Memorial Museum, Washington

PRÓLOGO: A REUNIÃO [pp. 19-23]

1. Éric Vuillard, *The order of the day* (Londres: Picador, 2018, trad.), p. 17.

2. Para duas listas de presença (incompletas), ver Dirk Stegmann, "Zum Verhältnis von Großindustrie und Nationalsozialismus, 1930-1933", Archiv für Sozialgeschichte, v. 13, 1973, pp. 478

e 481; Henry Ashby Turner Jr., *German Big Business and the Rise of Hitler* (Nova York: Oxford University Press, 1985), p. 468 n. 81.

3. TMN, v. VII, "The IG Farben Case" (Washington, DC: US Government Printing Office, 1953), p. 557, disponível em: <https://www.loc.gov/rr/frd/MilitaryLaw/pdf/NTwar-criminalsVol-VII.pdf>.

4. Stegmann, "Verhältnis", p. 478.

5. TMN, v. VII, pp. 557-60.

6. TMN, v. VII, p. 558.

7. TMN, v. VII, p. 560.

8. TMN, v. VII, p. 561.

9. TMN, v. VII, p. 562.

10. TMN, v. VII, pp. 561-2.

11. TMN, v. VII, p. 562.

12. Stegmann, "Verhältnis", p. 480.

13. Citado em Louis Lochner, *Tycoons and Tyrant* (Chicago: Henry Regnery, 1954), pp. 146-7.

14. Günter Ogger, *Friedrich Flick der Grosse* (Berna: Scherz, 1971), p. 132.

15. TMN, v. VII, pp. 567-8.

16. Elke Fröhlich (Org.), TG (Munique: De Gruyter Saur, 1993-2008), 21 fev. 1933.

INTRODUÇÃO [pp. 25-32]

1. Verena Bahlsen, "About the Future of Cookies", Online Marketing Rockstars, 15 maio 2019, vídeo do YouTube, 18:53, disponível em: <https://www.youtube.com/watch?v=TauCu0aJ5Vs>.

2. "Zwangsarbeiter-Zoff um Keks-Erbin", *Bild*, 12 maio 2019.

3. "Bahlsen During National Socialism, 1933 to 1945", 1 jul. 2020, disponível em: <https://www.thebahlsenfamily.com/int/company/about-us/history/bahlsen-during-national-socialism-1933-to-1945/>.

4. Felix Bohr, Jürgen Dahlkamp e Jörg Schmitt, "Die Bahlsens und die SS", *Der Spiegel*, 17 maio 2019; Nils Klawitter, "So wurden die NS-Zwangsarbeiter bei Bahlsen wirklich behandelt", *Der Spiegel*, 5 jul. 2019.

5. Rob van den Dobbelsteen, "De Engelandvaarders die het niet haalden", *Provinciale Zeeuwse Courant*, 9 out. 1993.

6. Peter de Waard, *Schoonheid achter de Schermen* (Amsterdam: Querido, 2014), pp. 105-19 e 192-5.

7. David de Jong, "Nazi Goebbels' Step-Grandchildren are Hidden Billionaires", *Bloomberg News*, 28 jan. 2013.

8. Rüdiger Jungbluth e Giovanni di Lorenzo, "NS-Vergangenheit der Quandts: Man fühlt sich grauenvoll und schämt sich", *Die Zeit*, 22 set. 2011.

9. "Bahlsen Announces 'Next Generation' Leadership", 11 mar. 2020, disponível em: <https://www.thebahlsenfamily.com/int/press/2020/>.

PARTE I: "PERFEITAMENTE MEDIANO" [pp. 33-92]

1. Joachim Scholtyseck, *Der Aufstieg der Quandts* (Munique: C. H. Beck, 2011), p. 57.
2. Herbert Quandt e Harald Quandt (Orgs.), *Günther Quandt Erzählt sein Leben* (Munique: Mensch & Arbeit, 1961), p. 27.
3. Scholtyseck, *Aufstieg*, p. 36; Quandt e Quandt, *Günther*, pp. 41-2.
4. Quandt e Quandt, *Günther*, pp. 70-2.
5. Quandt e Quandt, *Günther*, p. 111.
6. Quandt e Quandt, *Günther*, p. 112.
7. Quandt e Quandt, *Günther*, p. 114.
8. Hans-Otto Meissner, *Magda Goebbels: The First Lady of the Third Reich* (Nova York: Dial Press, 1980, trad.), pp. 28-30.
9. Anja Klabunde, *Magda Goebbels* (Londres: Sphere, 2001, trad.), pp. 37-8.
10. Citado em Klabunde, *Magda*, p. 46.
11. Citado em Scholtyseck, *Aufstieg*, pp. 197-8.
12. Meissner, *First Lady*, p. 34.
13. Citações em Scholtyseck, *Aufstieg*, p. 198.
14. Quandt e Quandt, *Günther*, p. 86.
15. Citações em Quandt e Quandt, *Günther*, p. 88.
16. Scholtyseck, *Aufstieg*, pp. 118-9.
17. Quandt e Quandt, *Günther*, pp. 97-9.
18. Scholtyseck, *Aufstieg*, pp. 120-2.
19. Minutas do julgamento, 13-4 maio 1948, tribunal de desnazificação Starnberg, AEM, documentos do tribunal de desnazificação, Günther Quandt, caixa 1362/4.
20. Scholtyseck, *Aufstieg*, pp. 142-6.
21. Quandt e Quandt, *Günther*, pp. 185-8.
22. Thomas Ramge, *Die Flicks* (Frankfurt: Campus, 2004), p. 56.
23. Norbert Frei, Ralf Ahrens, Jörg Osterloh e Tim Schanetzky, *Flick: Der Konzern, die Familie, die Macht* (Munique: Pantheon, 2009), pp. 51-2.
24. Frei et al., *Flick*, pp. 18-9; Kim Christian Priemel, *Flick: Eine Konzerngeschichte vom Kaiserreich bis zur Bundesrepublik* (Göttingen: Wallstein, 2007), pp. 49-52.
25. Frei et al., *Flick*, pp. 27-33.
26. Priemel, *Konzerngeschichte*, pp. 87 ss.; Frei et al., *Flick*, pp. 36-85.
27. Felix Pinner, *Deutsche Wirtschaftsführer* (Berlim: Weltbühne, 1924), p. 99.
28. Ver Ogger, *Grosse*, pp. 25-7; Frei et al., *Flick*, p. 15.
29. Relato detalhado em Priemel, *Konzerngeschichte*, pp. 121-48.
30. Citado em Scholtyseck, *Aufstieg*, p. 159.
31. Quandt e Quandt, *Günther*, pp. 152-63.
32. Citado em Meissner, *First Lady*, p. 47.
33. Quandt e Quandt, *Günther*, p. 176.
34. Quandt e Quandt, *Günther*, p. 176.
35. Ver Meissner, *First Lady*, pp. 59-60; Klabunde, *Magda*, pp. 73 e 85-6.
36. Quandt e Quandt, *Günther*, p. 178.

37. Quandt e Quandt, *Günther*, pp. 73-4; Wilhelm Treue, *Herbert Quandt* (Bad Homburg: Varta/Altana, 1980), pp. 29-31.

38. Quandt e Quandt, *Günther*, pp. 92-4.

39. Quandt e Quandt, *Günther*, p. 175.

40. Scholtyseck, *Aufstieg*, p. 197.

41. Citado em Klabunde, *Magda*, pp. 48-9.

42. Kurt G. W. Ludecke, *I Knew Hitler* (Nova York: Charles Scribner, 1937), pp. 316-7.

43. Ludecke, *I Knew Hitler*, p. 317.

44. Meissner, *First Lady*, pp. 61-6.

45. Cópia certificada de decisão do tribunal, 13-7 jul. 1929, HWA, dept. 2017, pasta 47; Meissner, *First Lady*, pp. 67 e 95.

46. Quandt e Quandt, *Günther*, p. 230.

47. Quandt e Quandt, *Günther*, p. 180.

48. Quandt e Quandt, *Günther*, p. 111.

49. Declaração de Herbert Quandt, 10 nov. 1947, HWA, dept. 2017, pasta 42; Meissner, *First Lady*, pp. 67 e 75-8.

50. Ludecke, *I Knew Hitler*, p. 317.

51. Citações em Klabunde, *Magda*, p. 113.

52. Peter Longerich, Goebbels (Londres: Vintage, 2015, trad.), pp. 3-151.

53. Citado em Rüdiger Jungbluth, *Die Quandts: Ihr leiser Aufstieg zur mächtigsten Wirtschaftsdynastie Deutschlands* (Frankfurt: Campus, 2002), p. 108.

54. Meissner, *First Lady*, pp. 79-81.

55. Citado em Klabunde, *Magda*, p. 118.

56. Fröhlich, TG, 7 nov. 1930.

57. Citações em Quandt e Quandt, *Günther*, pp. 230-1.

58. Minutas do julgamento, 13-4 maio 1948, tribunal de desnazificação Starnberg, AEM, documentos do tribunal de desnazificação Günther Quandt, caixa 1362/4.

59. Declaração, Herbert Quandt, 10 nov. 1947, HWA, dept. 2017, pasta 42.

60. Quandt e Quandt, *Günther*, pp. 68-9.

61. Ver Jungbluth, *Quandts* (2002), p. 122; Scholtyseck, *Aufstieg*, pp. 263-4.

62. Scholtyseck, *Aufstieg*, p. 264.

63. Henry Ashby Turner Jr. (Org.), *Hitler — Memoirs of a Confidant* (New Haven: Yale University Press, 1985, trad.), pp. 232-7.

64. Ver Bernhard Hoffmann, *Wilhelm von Finck* (Munique: C. H. Beck, 1953); "Neun Nullen", *Der Spiegel*, 18 maio 1970, disponível em: <https://www.spiegel.de/politik/neun-nullen-a-608eb41d-0002-0001-0000-000045152285?>.

65. Turner, *Big Business*, p. 150.

66. Turner, *Confidant*, p. 237.

67. Turner, *Confidant*, p. 237.

68. Turner, *Confidant*, pp. 238 e 243.

69. Quandt e Quandt, *Günther*, p. 233.

70. Turner, *Confidant*, pp. 239-40.

71. Turner, *Confidant*, p. 240.

72. Turner, *Confidant*, p. 241.

73. Fröhlich, TG, 15 fev. 1931.

74. Fröhlich, TG, 10 mar. 1931.

75. Fröhlich, TG, 15 mar. 1931.

76. Fröhlich, TG, 22 mar. 1931.

77. Fröhlich, TG, 26 mar. 1931.

78. Fröhlich, TG, 12 mar. 1931.

79. Fröhlich, TG, 14 jun. 1931.

80. Fröhlich, TG, 12 ago. 1932.

81. Fröhlich, TG, 19 out. 1931.

82. Jungbluth, *Quandts* (2002), p. 115.

83. Fröhlich, TG, 9 abr. 1931.

84. Fröhlich, TG, 26 jun. 1931.

85. Meissner, *First Lady*, p. 95; Quandt e Quandt, *Günther*, p. 233.

86. Fröhlich, TG, 31 maio 1931.

87. Fröhlich, TG, 14 set. 1931.

88. Longerich, *Goebbels*, pp. 157-8.

89. Turner, *Confidant*, pp. 255-9; citação p. 255.

90. Longerich, *Goebbels*, pp. 157-60.

91. Fröhlich, TG, 12 set. 1931.

92. Quandt e Quandt, *Günther*, pp. 233-5; citação p. 235.

93. Minutas do julgamento, 13-4 maio 1948, tribunal de desnazificação Starnberg, AEM, documentos do tribunal de desnazificação Günther Quandt, caixa 1362/4.

94. Quandt e Quandt, *Günther*, p. 232.

95. Fröhlich, TG, 30 nov. 1931.

96. Fröhlich, TG, 11 dez. 1931.

97. Meissner, *First Lady*, p. 95.

98. Meissner, *First Lady*, pp. 95-6.

99. Quandt e Quandt, *Günther*, pp. 232-3 e 236.

100. Fröhlich, TG, 29 dez. 1931.

101. Fröhlich, TG, 19 fev. 1932.

102. Quandt e Quandt, *Günther*, p. 235.

103. Fröhlich, TG, 24 abr. 1932.

104. Fröhlich, TG, 13 out. 1932.

105. Fröhlich, TG, 6 ago. 1934.

106. Para um relato mais detalhado do caso Gelsenberg, ver Priemel, *Konzerngeschichte*, pp. 220 ss.

107. Para relatos da reunião, ver Turner, *Big Business*, pp. 235-6; TMN, v. VI, "The Flick Case" (Washington, DC: US Government Printing Office, 1952), p. 349, disponível em: <https://www.loc.gov/rr/frd/MilitaryLaw/pdf/NTwarcriminals_Vol-VI.pdf>.

108. Ver Frei et al., *Flick*, pp. 39, 58 e 150.

109. Frei et al., *Flick*, p. 717.

110. Priemel, *Konzerngeschichte*, pp. 236-46.

111. Turner, *Big Business*, pp. 254-7; citação p. 257.

112. TMN, v. VI, p. 285.

113. TMN, v. VI, p. 349.

114. Citado em Scholtyseck, *Aufstieg*, p. 245.

115. Fröhlich, TG, 4 nov. 1932.

116. Fröhlich, TG, 24, 25, 27, 30, 31 dez. 1932.

117. Fröhlich, TG, 5 fev. 1933.

118. Stefan Aust e Thomas Ammann, *Die Porsche Saga* (Colônia: Bastei Lübbe, 2016), pp. 73-4 e 85-6.

119. Ver Hans Mommsen e Manfred Grieger, *Das Volkswagenwerk und seine Arbeiter im Dritten Reich* (Düsseldorf: Econ, 1996), pp. 72-4; Wolfram Pyta, Nils Havemann e Jutta Braun, *Porsche: Vom Konstruktionsbüro zur Weltmarke* (Munique: Siedler, 2017), pp. 20-2 e 28.

120. Bernhard Rieger, *The People's Car* (Cambridge, MA: Harvard University Press, 2013), p. 61.

121. Ferry Porsche e John Bentley, *We at Porsche* (Nova York: Doubleday, 1976), pp. 49-53.

122. Citado em Aust e Ammann, *Saga*, p. 84.

123. Citado em Aust e Ammann, *Saga*, p. 85.

124. Citado em Pyta et al., *Porsche*, p. 59.

125. Pyta et al., *Porsche*, p. 65.

126. Para relatos dessa reunião, ver Aust e Ammann, *Saga*, pp. 116-7; Pyta et al., *Porsche*, pp. 69-73.

127. Interrogatório de August von Finck, 22 set. 1947, NARA, OMGUS, RG 260, M1923, rolo 7.

128. TMN, v. VI, p. 389.

129. TMN, v. VII, pp. 567-8.

130. Jungbluth, *Quandts* (2002), pp. 125-6.

131. Ian Kershaw, *Hitler* (Londres: Allen Lane, 2008), p. 291.

132. Quandt e Quandt, *Günther*, p. 232.

133. Resposta de Günther Quandt à acusação do promotor público, 8 fev. 1948, HWA, dept. 2017, pasta 38.

134. Minutas do julgamento, 13-4 maio 1948, tribunal de desnazificação Starnberg, AEM, documentos do tribunal de desnazificação Günther Quandt, caixa 1362/4.

135. Fröhlich, TG, 29 abr. 1933.

136. A menos que haja outra anotação, esse relato se baseia na resposta de Günther Quandt à acusação pelo promotor público, 8 fev. 1948, HWA, dept. 2017, pasta 38; Minutas do julgamento, 13-4 maio 1948, tribunal de desnazificação Starnberg, AEM, documentos do tribunal de desnazificação Günther Quandt, caixa 1362/4; Scholtyseck, *Aufstieg*, pp. 253-60.

137. Scholtyseck, *Aufstieg*, p. 254.

138. Resposta de Günther Quandt à acusação do promotor público, 8 fev. 1948, HWA, dept. 2017, pasta 38.

139. Citado em Scholtyseck, *Aufstieg*, p. 259.

140. Resposta de Günther Quandt à acusação do promotor público, 8 fev. 1948, HWA, dept. 2017, pasta 38.

141. Scholtyseck, *Aufstieg*, p. 314.

142. Quandt e Quandt, *Günther*, p. 237.

143. Fröhlich, TG, 5 maio 1933.

144. Fröhlich, TG, 7 maio 1933.
145. Fröhlich, TG, 14 jun. 1933.
146. Minutas do julgamento, 13-4 maio 1948, tribunal de desnazificação Starnberg, AEM, documentos do tribunal de desnazificação Günther Quandt, caixa 1362/4.
147. Klabunde, *Magda*, pp. 193-9.
148. Citado em Treue, *Herbert*, p. 37.
149. Citado em Treue, *Herbert*, p. 63.
150. Citado em Treue, *Herbert*, p. 64.
151. Treue, *Herbert*, pp. 70-2.
152. Scholtyseck, *Aufstieg*, pp. 766-7.
153. Gerald D. Feldman, *Allianz and the German Insurance Business, 1933-1945* (Nova York: Cambridge University Press, 2001), p. 73.
154. Feldman, *Allianz*, p. 102.
155. Interrogatório de Kurt Schmitt, 15 jul. 1947, NARA, OMGUS, RG 260, M1923, rolo 7.
156. Interrogatório de Hans Schmidt-Polex, 22 set. 1947, NARA, OMGUS, RG 260, M1923, rolo 7.
157. Interrogatório de Hans Hess, 17 set. 1947, NARA, OMGUS, RG 260, M1923, rolo 7.
158. Interrogatório de Edgar Uexküll, 9 jun. 1947, NARA, OMGUS, RG 260, M1923, rolo 7.
159. Citado em "Neun Nullen", *Der Spiegel*, 18 maio 1970.
160. Ines Schlenker, *Hitler's Salon* (Berna: Peter Lang, 2007), p. 50.
161. Citado em Rieger, *People's Car*, p. 57.
162. Pyta et al., *Porsche*, pp. 161-4.
163. Ver Paul Schilperoord, *The Extraordinary Life of Josef Ganz* (Nova York: RVP, 2012), pp. 112-24.
164. Pyta et al., *Porsche*, pp. 168-70.
165. Aust e Ammann, *Saga*, p. 91.
166. Mommsen e Grieger, *Volkswagenwerk*, p. 91.
167. Porsche e Bentley, *We at Porsche*, p. 76.
168. Fröhlich, TG, 13 abr. 1934.
169. Fröhlich, TG, 13 abr. 1934.
170. Fröhlich, TG, 18 abr. 1934.
171. Fröhlich, TG, 20 abr. 1934.
172. Fröhlich, TG, 5 maio 1934.
173. Fröhlich, TG, 9 maio 1934.
174. Fröhlich, TG, 5 jun. 1938.

PARTE II: "A PERSEGUIÇÃO NACIONAL-SOCIALISTA LOGO VAI PASSAR" [pp. 93-150]

1. Arranjo de mesa para aniversário de sessenta anos do líder da economia militar Dr.-Ing. E. h. Günther Quandt, Hotel Esplanade, Berlim, 28 jul. 1941, Arquivo Federal de Berlim, 8119 F/P 1112; 60. Geburtstag Dr. Günther Quandt, 28 jul. 1941, material n. 2240, arquivo do filme Karl Höffkes Agency, 13:17, disponível em: <https://archiv-akh.de/filme/2240#1>.

2. Citado em Scholtyseck, *Aufstieg*, p. 279.

3. Citado em *AFA-Ring*, revista comunitária dos trabalhadores da Accumulatoren-Fabrik AG Berlin, ano 8, n. 5, set. 1941, p. 9, AEM, documentos do tribunal de desnazificação Günther Quandt, caixa 1363/6.

4. Jungbluth, *Quandts* (2002), p. 178.

5. Scholtyseck, *Aufstieg*, p. 77.

6. Jungbluth, *Quandts* (2002), p. 179; Scholtyseck, *Aufstieg*, pp. 591-5.

7. Scholtyseck, *Aufstieg*, p. 411.

8. Citado em Jungbluth, *Quandts* (2002), pp. 164-6.

9. Citado em Jungbluth, *Quandts* (2002), p. 183.

10. Scholtyseck, *Aufstieg*, pp. 279-80.

11. Scholtyseck, *Aufstieg*, pp. 191-3.

12. Jonathan Petropoulous, *Göring's Man in Paris* (New Haven: Yale University Press, 2021), p. 139.

13. Scholtyseck, *Aufstieg*, p. 297.

14. Citado em Petropoulous, *Göring's Man*, p. 138.

15. Citado em *AFA-Ring*, revista comunitária dos trabalhadores da Accumulatoren-Fabrik AG Berlin, ano 8, n. 5, set. 1941, p. 9, AEM, documentos do tribunal de desnazificação Günther Quandt, caixa 1363/6.

16. Adam Tooze, *The Wages of Destruction* (Londres: Penguin, 2006), pp. 53-6.

17. Scholtyseck, *Aufstieg*, p. 365.

18. Vereines deutscher Ingenieure (Org.), *50 Jahre Deutsche Waffenund Munitionsfabriken* (Berlim: VDI, 1939), p. I.

19. Jungbluth, *Quandts* (2002), pp. 133-5; Scholtyseck, *Aufstieg*, pp. 366-8, 439 e 447.

20. Citado em Scholtyseck, *Aufstieg*, p. 374.

21. Citado em Wolfgang Seel, *Mauser* (Zurique: Stocker-Schmid, 1986), p. 112.

22. Scholtyseck, *Aufstieg*, pp. 143 e 440.

23. Johannes Bähr, Alex Drecoll, Bernhard Gotto, Kim Christian Priemel e Harald Wixforth, *Der Flick-Konzern im Dritten Reich* (Munique: Oldenbourg, 2008), pp. 77-84.

24. Frei et al., *Flick*, p. 190.

25. Bähr et al., *Flick-Konzern*, p. 137.

26. TMN, v. VI, p. 236.

27. Citado em Frei et al., *Flick*, p. 191.

28. TMN, v. VI, p. 237.

29. Ver Priemel, *Konzerngeschichte*, pp. 344-5; Bähr et al., *Flick-Konzern*, pp. 142-3; Frei et al., *Flick*, pp. 194-5.

30. Citações em Frei et al., *Flick*, p. 194.

31. Ver Priemel, *Konzerngeschichte*, pp. 345-8; Bähr et al., *Flick-Konzern*, 143-7; Frei et al., *Flick*, p. 195; Scholtyseck, *Aufstieg*, p. 368.

32. Ver Priemel, *Konzerngeschichte*, pp. 349-52; Bähr et al., *Flick-Konzern*, pp. 302-3; Frei et al., *Flick*, pp. 196-7.

33. Citado em Priemel, *Konzerngeschichte*, p. 350.

34. Citado em Bähr et al., *Flick-Konzern*, p. 302.

35. Priemel, *Konzerngeschichte*, p. 350.

36. Citado em Priemel, *Konzerngeschichte*, p. 351.

37. TMN, v. VI, p. 302.

38. Turner, *Big Business*, pp. 244-5.

39. Para a lista de convidados, ver Reinhard Vogelsang, *Der Freundeskreis Himmler* (Göttingen: Muster-Schmidt, 1972), pp. 149-50.

40. Citado em Tobias Bütow e Franka Bindernagel, *Ein KZ in der Nachbarschaft* (Colônia: Böhlau, 2004), p. 53.

41. Citado em Feldman, *Allianz*, p. 77.

42. Citado em Vogelsang, *Freundeskreis*, p. 24.

43. Jürgen Finger, Sven Keller e Andreas Wirsching, *Dr. Oetker und der Nationalsozialismus* (Munique: C. H. Beck, 2013), p. 123.

44. Heather Pringle, *The Master Plan* (Londres: HarperCollins, 2006), p. 40.

45. Finger et al., *Dr. Oetker*, pp. 141-9.

46. Rüdiger Jungbluth, *Die Oetkers* (Frankfurt: Campus, 2004), pp. 139-42; Finger et al., *Dr. Oetker*, pp. 178-90.

47. Jungbluth, *Oetkers*, pp. 142-3; Finger et al., *Dr. Oetker*, pp. 191 e 195.

48. Vogelsang, *Freundeskreis*, pp. 78-81.

49. Relato da visita ao TMN, v. VI, pp. 303-5.

50. TMN, v. VI, p. 305.

51. Citado em TMN, v. VI, p. 326.

52. TMN, v. VI, p. 238.

53. Vogelsang, *Freundeskreis*, p. 158.

54. Finger et al., *Dr. Oetker*, p. 197.

55. Citado em Porsche e Bentley, *We at Porsche*, p. 76.

56. Mommsen e Grieger, *Volkswagenwerk*, pp. 83-4.

57. Aust e Ammann, *Saga*, p. 87.

58. Pyta et al., *Porsche*, p. 90.

59. Adolf Rosenberger a Hermann Bienstock, 18 fev. 1950. Citado em Eberhard Reuß, "Der Mann hinter Porsche — Adolf Rosenberger", NARD/SWR, 24 jun. 2019, vídeo no YouTube, 43:57, disponível em: <https://www.youtube.com/watch?v=VSQzYWHtl-0>.

60. Aust e Ammann, *Saga*, p. 87.

61. Reuß, "Rosenberger", ARD/SWR; Pyta et al., *Porsche*, p. 135; Aust e Ammann, *Saga*, p. 87.

62. Pyta et al., *Porsche*, pp. 124-5.

63. Porsche e Bentley, *We at Porsche*, pp. 91-2.

64. Henry Picker, *Hitlers Tischgespräche im Führerhauptquartier* (Stuttgart: Seewald, 1977), p. 374.

65. "Der Puddingprinz", *Der Spiegel*, 17 dez. 1957.

66. Citado em Finger et al., *Dr. Oetker*, p. 345.

67. Finger et al., *Dr. Oetker*, pp. 343-4.

68. Ver Finger et al., *Dr. Oetker*, pp. 120, 352 e 354.

69. Citado em Finger et al., *Dr. Oetker*, p. 346.

70. Citado em Finger et al., *Dr. Oetker*, p. 224.

71. Finger et al., *Dr. Oetker*, pp. 225-6.

72. Jungbluth, *Oetkers*, pp. 169-71; Finger et al., *Dr. Oetker*, pp. 226-9.

73. Finger et al., *Dr. Oetker*, p. 227.

74. Citado em Jungbluth, *Oetkers*, p. 170.

75. Citado em Finger et al., *Dr. Oetker*, p. 349.

76. Citado em Finger et al., *Dr. Oetker*, p. 353.

77. Citado em Finger et al., *Dr. Oetker*, p. 353.

78. Para a saga de Sachs, ver Scholtyseck, *Aufstieg*, pp. 315-8.

79. Citado em Bryan Mark Rigg, *Hitler's Jewish Soldiers* (Lawrence: University Press of Kansas, 2002), p. 21.

80. Tooze, *Wages of Destruction*, p. 339.

81. Citado em Scholtyseck, *Aufstieg*, p. 317.

82. Citado em Scholtyseck, *Aufstieg*, p. 317.

83. Citado em Scholtyseck, *Aufstieg*, p. 318.

84. Leistungsbericht Kriegsjahr 1941/42, Dürener Metallwerke AG, HWA, dept. 2017, pasta 54.

85. Ver Frei et al., *Flick*, p. 202; Wolfgang Fürweger, *Die PS-Dynastie* (Viena: Ueberreuter, 2007), p. 73.

86. Scholtyseck, *Aufstieg*, pp. 270-1.

87. Scholtyseck, *Aufstieg*, p. 290.

88. Fröhlich, TG, 1 ago. 1936.

89. Fröhlich, TG, 2 ago. 1936.

90. Fröhlich, TG, 3 jun. 1936; Longerich, *Goebbels*, pp. 317-8.

91. Jungbluth, *Oetkers*, pp. 156-7.

92. Sobre essas arianizações dos Oetker, ver Finger et al., *Dr. Oetker*, pp. 213-4 e 231-5.

93. Citado em Finger et al., *Dr. Oetker*, p. 213.

94. Finger et al., *Dr. Oetker*, pp. 235-46.

95. Frei et al., *Flick*, pp. 211, 711-2.

96. "Neun Nullen", *Der Spiegel*, 18 maio 1970.

97. Schlenker, *Salon*, pp. 41-2.

98. Fröhlich, TG, 6 jun. 1937.

99. Fröhlich, TG, 7 jun. 1937.

100. Longerich, *Goebbels*, p. 349.

101. Fröhlich, TG, 7 set. 1937.

102. Fröhlich, TG, 9 dez. 1937.

103. Sobre a arianização da Herny Pels, ver Scholtyseck, *Aufstieg*, pp. 393-401 e 951 n224; Hans-Dieter Nahme, *Ein Deutscher im zwanzigsten Jahrhundert* (Rostock: Hinstorff, 2007), pp. 219-23.

104. Citado em Scholtyseck, *Aufstieg*, p. 396.

105. Nahme, *Deutscher*, p. 220.

106. Treue, *Herbert*, pp. 74-6.

107. Quandt e Quandt, *Günther*, p. 73.

108. Carta de 6 set. 1938, em Günther Quandt, *Gedanken über Südamerika. Briefe in zwangloser Folge*, v. I, set.-dez. 1938.

109. Citado em Frei et al., *Flick*, p. 211.

110. Frei et al., *Flick*, pp. 211 e 711-3.

111. Benjamin Engel, "Der Beraubte Bierbaron", *Süddeutsche Zeitung*, 11 out. 2020.

112. "Habe Rottenmann lieben gelernt", *Kleine Zeitung*, 24 ago. 2015.

113. Sobre a arianização da Lübeck, ver Ogger, *Grosse*, pp. 161-73; Priemel, *Konzerngeschichte*, pp. 371-83; Bähr et al., *Flick-Konzern*, pp. 307-21; Frei et al., *Flick*, pp. 213-23.

114. Citado em Ogger, *Grosse*, p. 168.

115. Citado em Bähr et al., *Flick-Konzern*, p. 320.

116. Citado em Ogger, *Grosse*, p. 171.

117. Citado em Ogger, *Grosse*, p. 172.

118. Bähr et al., *Flick-Konzern*, 322.

119. Citações em Bähr et al., *Flick-Konzern*, p. 326.

120. Citado em Priemel, *Konzerngeschichte*, p. 394.

121. Citado em Frei et al., *Flick*, p. 229.

122. Ver Tooze, *Wages of Destruction*, pp. 219 ss.

123. Bähr et al., *Flick-Konzern*, p. 327.

124. Bähr et al., *Flick-Konzern*, p. 328.

125. Ver Priemel, *Konzerngeschichte*, p. 392.

126. Ver TMN, v. VI, pp. 442-60; Priemel, *Konzerngeschichte*, pp. 396-8; Bähr et al., *Flick-Konzern*, pp. 331-3; Frei et al., *Flick*, pp. 230-1.

127. Citado em Frei et al., *Flick*, p. 231.

128. Citado em Priemel, *Konzerngeschichte*, p. 400.

129. Citado em Bähr et al., *Flick-Konzern*, p. 334.

130. Frei et al., *Flick*, p. 232.

131. Citado em Priemel, *Konzerngeschichte*, p. 401.

132. Ver TMN, v. VI, pp. 469-71; Priemel, *Konzerngeschichte*, p. 404; Bähr et al., *Flick-Konzern*, p. 338; Frei et al., *Flick*, p. 233.

133. Citações em Bähr et al., *Flick-Konzern*, pp. 339-40.

134. Citado em Priemel, *Konzerngeschichte*, p. 405 n64.

135. Ver Bähr et al., *Flick-Konzern*, pp. 384-5.

136. Priemel, *Konzerngeschichte*, p. 408.

137. Citado em Frei et al., *Flick*, p. 229.

138. Ingo Köhler, *Die "Arisierung" der Privatbanken im Dritten Reich* (Munique: C. H. Beck, 2005), p. 307.

139. Köhler, *Arisierung*, p. 366.

140. Citado em Köhler, *Arisierung*, p. 367.

141. Köhler, *Arisierung*, pp. 371-3.

142. Harold James, *Verbandspolitik im Nationalsozialismus* (Munique: Piper, 2001), p. 181.

143. Para mais sobre a arianização do Dreyfus, ver Köhler, *Arisierung*, pp. 305-11; Christopher Kopper, *Zwischen Marktwirtschaft und Dirigismus* (Bonn: Bouvier, 1995), pp. 257-9.

144. Köhler, *Arisierung*, p. 503.

145. Georg Siebert, *Hundert Jahre Merck Finck & Co.* (Munique: 1970), p. 45.

146. Citações em Köhler, *Arisierung*, p. 310.

147. Interrogatório de Gerhard Lück, 17 out. 1947, NARA, OMGUS, RG 260, M1923, rolo 7.

148. Köhler, *Arisierung*, p. 311.

149. Peter Melichar, *Neuordnung im Bankwesen* (Viena: Oldenbourg, 2004), pp. 397-8.

150. Giles MacDonogh, *1938: Hitler's Gamble* (Nova York: Basic Books, 2009), pp. 61 e 69-71.

151. Interrogatório de Emil Puhl, 23 out. 1947, NARA, OMGUS, RG 260, M1923, rolo 7.

152. Interrogatório de August von Finck, 23 set. 1947, NARA, OMGUS, RG 260, M1923, rolo 7.

153. Citado em Harold James, *The Deutsche Bank and the Nazi Economic War Against the Jews* (Cambridge, UK: Cambridge University Press, 2001), p. 137.

154. Köhler, *Arisierung*, pp. 414-5.

155. Citado em Köhler, *Arisierung*, p. 415.

156. Ver James, *Nazi economic wars*, pp. 77-81; Köhler, *Arisierung*, pp. 374-89.

157. Melichar, *Neuordnung*, pp. 399-402.

158. Ver relatório "German External Assets in Austria: Private Bank E.V. Nicolai & Company S.M. V. Rothschild in Liquidation", 19 mar. 1947 ss., NARA, USACA, RG 260, M1928, rolo 13.

159. Interrogatório de Erich Gritzbach, 24 out. 1947, NARA, OMGUS, RG 260, M1923, rolo 7.

160. Ver interrogatório de August von Finck, 23 set. 1947; interrogatório de Erich Gritzbach, 24 out. 1947, ambos em NARA, OMGUS, RG 260, M1923, rolo 7; Ogger, *Grosse*, pp. 131-2.

161. James, *Verbandspolitik*, p. 183.

162. "Baron Louis de Rothschild Dies; Freed by Nazis for $21 Million", *New York Times*, 16 jan. 1955.

163. Melichar, *Neuordnung*, pp. 401-2.

164. Interrogatório de Egon von Ritter, 10 out. 1947, NARA, OMGUS, RG 260, M1923, rolo 7.

165. Interrogatório de Hans Schmidt-Polex, 22 set. 1947, NARA, OMGUS, RG 260, M1923, rolo 7.

166. Ver acusação pelo promotor público J. Herf, 3 nov. 1948, AEM, documentos do tribunal de desnazificação August von Finck, caixa 409.

167. James, *Verbandspolitik*, pp. 183-4.

168. Citado em Rieger, *People's Car*, p. 72.

169. Ver Mommsen e Grieger, *Volkswagenwerk*, pp. 155-65.

170. Ver Mommsen e Grieger, *Volkswagenwerk*, 182-86; Rieger, *People's Car*, pp. 71-2.

171. Rieger, *People's Car*, p. 71.

172. Citado em Rieger, *People's Car*, p. 72.

173. Porsche e Bentley, *We at Porsche*, p. 113.

174. Pyta et al., *Porsche*, pp. 91 e 215-7.

175. A Porsche mais tarde pagou restituição a um herdeiro de Wolf. Ver Pyta et al., *Porsche*, pp. 131-4.

176. Hans von Veyder Malberg a Adolf Rosenberger, 2 jun. 1938. Citado em Reuß, "Rosenberger", ARD/SWR, 24 jun. 2019.

177. Pyta et al., *Porsche*, p. 126.

178. Ver Mommsen e Grieger, *Volkswagenwerk*, p. 915 n19; Pyta et al., *Porsche*, pp. 308-9.

179. Citado em Pyta et al., *Porsche*, pp. 126-7.

180. Citado em Pyta et al., *Porsche*, p. 126.

181. Ver Longerich, *Goebbels*, pp. 391-2; Meissner, *First Lady*, pp. 177-9.

182. Fröhlich, TG, 16 ago. 1938.

183. Fröhlich, TG, 11 out. 1938.

184. Fröhlich, TG, 3 fev. 1937.
185. Fröhlich, TG, 18 out. 1938.
186. Fröhlich, TG, 25 out. 1938.
187. Longerich, *Goebbels*, p. 395.
188. Fröhlich, TG, 22 out. 1938.
189. Longerich, *Goebbels*, p. 394.
190. Fröhlich, TG, 23 jul. 1939.
191. Longerich, *Goebbels*, pp. 420-1.
192. Ver Priemel, *Konzerngeschichte*, p. 410.
193. Citado em TMN, v. VI, p. 458.
194. Ver Priemel, *Konzerngeschichte*, p. 392.
195. TMN, v. VI, pp. 485-6.
196. Ver TMN, v. VI, pp. 480-4; Priemel, *Konzerngeschichte*, p. 411; Bähr et al., *Flick-Konzern*, pp. 343-5; Frei et al., Flick, pp. 236-7.
197. Ver Priemel, *Konzerngeschichte*, pp. 412-4.
198. Citado em Priemel, *Konzerngeschichte*, p. 410.
199. Para mais sobre a saga da permuta de carvão, ver Priemel, *Konzerngeschichte*, pp. 414-26; Bähr et al., *Flick-Konzern*, pp. 345-70; Frei et al., *Flick*, pp. 239-47.
200. TMN, v. VI, pp. 498-503.
201. Bähr et al., *Flick-Konzern*, pp. 366-7.
202. Mommsen e Grieger, *Volkswagenwerk*, pp. 198-200 e 1032.
203. Volkswagen, *Place of Remembrance of Forced Labor in the Volkswagen Factory* (Wolfsburg: Volkswagen, 1999), p. 18.
204. Rieger, *People's Car*, pp. 81-2.
205. Ver Mommsen e Grieger, *Volkswagenwerk*, pp. 283-311.
206. Priemel, *Konzerngeschichte*, pp. 429-30.
207. TMN, v. VI, pp. 569-70.
208. Frei et al., *Flick*, p. 176.
209. Ver Bähr et al., *Flick-Konzern*, pp. 162-3.
210. Citações em Scholtyseck, *Aufstieg*, p. 366.
211. Quandt e Quandt, *Günther*, pp. 11-2.
212. Citado em Scholtyseck, *Aufstieg*, p. 274.
213. Scholtyseck, *Aufstieg*, p. 419 para a AFA, pp. 421-2 para a DWM.
214. Citado em Treue, *Herbert*, p. 80.
215. Citado em Scholtyseck, *Aufstieg*, p. 417.

PARTE III: "AS CRIANÇAS JÁ SE TORNARAM HOMENS" [pp. 151-96]

1. Scholtyseck, *Aufstieg*, p. 248.
2. Longerich, *Goebbels*, pp. 404-5.
3. Fröhlich, TG, 28 e 29 out. 1939.
4. Fröhlich, TG, 2 nov. 1939.

5. Fröhlich, TG, 2 nov. 1939.
6. Fröhlich, TG, 3 nov. 1939.
7. Ver Scholtyseck, *Aufstieg*, pp. 573-6.
8. Quandt e Quandt, *Günther*, p. 243.
9. Fröhlich, TG, 14 jan. 1940.
10. Jungbluth, *Quandts* (2002), p. 147.
11. Ver Jungbluth, *Quandts* (2002), pp. 143-6; Scholtyseck, *Aufstieg*, p. 248.
12. Citado em Jungbluth, *Quandts* (2002), p. 145.
13. Minutas do julgamento, 13-4 maio 1948, tribunal de desnazificação Starnberg, AEM, documentos do tribunal de desnazificação Günther Quandt, caixa 1362/4.
14. Citado em Jungbluth, *Quandts* (2002), p. 151.
15. Fröhlich, TG, 21 jul. 1940.
16. Ver Günther Reinhardt Nebuschka a Telford Taylor, 3 nov. 1947, AEM, documentos do tribunal de desnazificação Günther Quandt, caixa 1362/1.
17. Jungbluth, *Quandts* (2002), p. 151.
18. Fröhlich, TG, 13 out. 1940.
19. Fröhlich, TG, 5 nov. 1940.
20. Fröhlich, TG, 26 dez. 1940.
21. Longerich, *Goebbels*, pp. 405-6.
22. Fröhlich, TG, 5 nov. 1940.
23. Scholtyseck, *Aufstieg*, p. 518.
24. Scholtyseck, *Aufstieg*, p. 565.
25. Scholtyseck, *Aufstieg*, p. 766.
26. Citado em Treue, *Herbert*, p. 79.
27. Citado em Scholtyseck, *Aufstieg*, p. 529.
28. Ver Scholtyseck, *Aufstieg*, pp. 493-6 e 992 n394.
29. Ver Scholtyseck, *Aufstieg*, pp. 519-21.
30. Scholtyseck, *Aufstieg*, pp. 521-8.
31. Ver Scholtyseck, *Aufstieg*, pp. 528-30.
32. Ver Scholtyseck, *Aufstieg*, pp. 530-1.
33. Citado em Scholtyseck, *Aufstieg*, p. 530.
34. Quandt e Quandt, *Günther*, p. 242.
35. Ver Scholtyseck, *Aufstieg*, pp. 537ss.
36. Citado em Jungbluth, *Quandts* (2002), p. 153.
37. Fröhlich, TG, 12 fev. 1941.
38. Jungbluth, *Quandts* (2002), p. 153.
39. Fröhlich, TG, 13 fev. 1941.
40. Fröhlich, TG, 20 fev. 1941.
41. Winston Churchill, *The Second World War* (Londres: Bloomsbury, 2013), p. 429.
42. Para o relato de Harald sobre a invasão de Creta, ver *AFA-Ring*, revista comunitária dos trabalhadores da Accumulatoren-Fabrik AG Berlin, ano 8, n. 5, set. 1941, p. 9, AEM, documentos do tribunal de desnazificação Günther Quandt, caixa 1363/6.
43. Ver Jungbluth, *Quandts* (2002), p. 156.

44. Churchill, *Second World War*, p. 429.
45. Fröhlich, TG, 14 jun. 1941.
46. Fröhlich, TG, 31 maio 1941.
47. Fröhlich, TG, 16 jun. 1941.
48. Fröhlich, TG, 14 set. 1941.
49. *AFA-Ring*, revista comunitária dos trabalhadores da Accumulatoren-Fabrik AG Berlin, ano 8, n. 5, set. 1941, p. 9, AEM, documentos do tribunal de desnazificação Günther Quandt, caixa 1363/6.
50. Citado em Scholtyseck, *Aufstieg*, p. 274.
51. Frei et al., *Flick*, pp. 280-1.
52. TMN, v. VI, pp. 192-4.
53. Citado em Priemel, *Konzerngeschichte*, p. 735.
54. Citado em Ramge, *Flicks*, p. 56.
55. Ogger, *Grosse*, p. 218.
56. Frei et al., *Flick*, p. 282.
57. Citado em Ramge, *Flicks*, p. 114.
58. Frei et al., *Flick*, p. 281.
59. Ver Frei et al., *Flick*, p. 752; Bähr et al., *Flick-Konzern*, p. 257 n428.
60. Citado em Ramge, *Flicks*, p. 174.
61. Bähr et al., *Flick-Konzern*, p. 452.
62. Porsche e Bentley, *We at Porsche*, 141; Ferry Porsche e Günther Molter, *Ferry Porsche* (Stuttgart: Motorbuch, 1989), p. 123.
63. Ver Mommsen e Grieger, *Volkswagenwerk*, pp. 383-405.
64. Ver Mommsen e Grieger, *Volkswagenwerk*, p. 453 ss.
65. Volkswagen, *Remembrance*, p. 23.
66. Porsche e Bentley, *We at Porsche*, p. 141.
67. Porsche e Bentley, *We at Porsche*, p. 162; Porsche e Molter, *Ferry*, pp. 124-5.
68. Pyta et al., *Porsche*, pp. 307-8 e 458 n16; Jens Westemeier, *Himmlers Krieger* (Paderborn: Ferdinand Schöningh, 2014), pp. 540-1.
69. Volkswagen, *Remembrance*, p. 35.
70. TMN, v. VI, p. 694.
71. Citado em Bähr et al., *Flick-Konzern*, p. 419.
72. Ver Priemel, *Konzerngeschichte*, pp. 459-68; Bähr et al., *Flick-Konzern*, pp. 420-30; Frei et al., *Flick*, pp. 317-23.
73. TMN, v. VI, pp. 695-8; citações nas pp. 696 e 698.
74. Ver Finger et al., *Dr. Oetker*, pp. 355-8.
75. Citações em Finger et al., *Dr. Oetker*, p. 357.
76. Finger et al., *Dr. Oetker*, p. 358.
77. Citado em Michael Bloch, *Ribbentrop* (Londres: Abacus, 2003), p. 19.
78. Finger et al., *Dr. Oetker*, p. 351.
79. Finger et al., *Dr. Oetker*, p. 358.
80. Scholtyseck, *Aufstieg*, p. 250.
81. Citado em Veit Harlan, *Im Schatten meiner Filme* (Gütersloh: Mohn, 1966), p. 140.
82. Fröhlich, TG, 23 jul. 1942.

83. Fröhlich, TG, 18 out. 1942.
84. Fröhlich, TG, 13 out. 1942.
85. Citado em Jungbluth, *Quandts* (2002), p. 200.
86. Fröhlich, TG, 9 mar. 1943.
87. Fröhlich, TG, 24 fev. 1943.
88. Ver Jungbluth, *Quandts* (2002), pp. 200-1; Longerich, *Goebbels*, pp. 559-60.
89. Fröhlich, TG, 27 mar. 1942.
90. Ver Scholtyseck, *Aufstieg*, p. 421 ss.
91. Citado em Scholtyseck, *Aufstieg*, p. 423.
92. Citado em Scholtyseck, *Aufstieg*, p. 427.
93. Scholtyseck, *Aufstieg*, p. 426.
94. Ver Tooze, *Wages of Destruction*, pp. 513-7.
95. Tooze, *Wages of Destruction*, p. 517.
96. Ver Marc Buggeln, *Slave Labor in Nazi Concentration Camps* (Oxford, UK: Oxford University Press, 2014, trad.), pp. 20-1.
97. Ver Mark Spoerer e Jochen Fleischhacker, "Forced Laborers in Nazi Germany: Categories, Numbers, and Survivors", *Journal of Interdisciplinary History*, vol. 33, n. 2 (outono 2002): pp. 197 e 201.
98. Tooze, *Wages of Destruction*, pp. 531-2.
99. Quandt e Quandt, *Günther*, p. 239.
100. Citado em Scholtyseck, *Aufstieg*, p. 790.
101. Scholtyseck, *Aufstieg*, pp. 435-6.
102. Sobre o subcampo de Hanôver da AFA, ver Hans Hermann Schröder et al. (Orgs.), *Konzentrationslager in Hannover* (Hildesheim: August Lax, 1985), pp. 50 ss.; Jungbluth, *Quandts* (2002), pp. 190-9; Marc Buggeln, *Arbeit & Gewalt* (Göttingen: Wallstein, 2009), pp. 71-4, 188-92, 307-12; Scholtyseck, *Aufstieg*, pp. 638-43, 664-70 e 682-7.
103. Ver Benjamin Ferencz, *Less Than Slaves* (Bloomington: Indiana University Press, 2002).
104. Citado em Buggeln, *Slave Labor*, p. 71.
105. Schröder, *Konzentrationslager*, pp. 74-6 e 80-104.
106. Citado em Schröder, *Konzentrationslager*, p. 83.
107. Citado em Schröder, *Konzentrationslager*, pp. 60-1.
108. A menos que haja outra anotação, esse relato se baseia em minutas do julgamento, 13-4 maio 1948, tribunal de desnazificação Starnberg, AEM, documentos do tribunal de desnazificação Günther Quandt, caixa 1362/4; resposta de Günther Quandt à acusação pelo promotor público, 8 fev. 1948, HWA, dept. 2017, pasta 38; Jungbluth, *Quandts* (2002), pp. 202-4.
109. Fröhlich, TG, 20 jun. 1943.
110. Minutas do julgamento, 13-4 maio 1948, tribunal de desnazificação Starnberg, AEM, documentos do tribunal de desnazificação Günther Quandt, caixa 1362/4.
111. Minutas do julgamento, 13-4 maio 1948, tribunal de desnazificação Starnberg, AEM, documentos do tribunal de desnazificação Günther Quandt, caixa 1362/4.
112. Citado em Priemel, *Konzerngeschichte*, p. 578.
113. Bähr et al., *Flick-Konzern*, p. 283.
114. Citações em TMN, v. VI, pp. 183-4.

115. Ver Bähr et al., *Flick-Konzern*, pp. 495-6.

116. Frei et al., *Flick*, p. 396.

117. Ver Bähr et al., *Flick-Konzern*, p. 511; Frei et al., *Flick*, p. 328.

118. Citado em Frei et al., *Flick*, p. 359.

119. Priemel, *Konzerngeschichte*, p. 492.

120. Sobre a Rombach, ver Priemel, *Konzerngeschichte*, pp. 447-52; Bähr et al., *Flick-Konzern*, pp. 451-61; Frei et al., *Flick*, pp. 299-306.

121. Citado em Bähr et al., *Flick-Konzern*, p. 459.

122. Citações em Priemel, *Konzerngeschichte*, p. 449.

123. Ver Priemel, *Konzerngeschichte*, pp. 495-7; Bähr et al., *Flick-Konzern*, pp. 527-8 e 546-8; Frei et al., *Flick*, pp. 307-9.

124. Priemel, *Konzerngeschichte*, p. 497.

125. Citado em Frei et al., *Flick*, p. 308.

126. Frei et al., *Flick*, pp. 308-9.

127. Bähr et al., *Flick-Konzern*, p. 548.

128. Citações em Pyta et al., *Porsche*, p. 315.

129. Mommsen e Grieger, *Volkswagenwerk*, pp. 453-76.

130. Ver Mommsen e Grieger, *Volkswagenwerk*, pp. 496-515; Volkswagen, *Remembrance*, pp. 81 e 84; Buggeln, *Slave Labor*, pp. 66-67.

131. Volkswagen, *Remembrance*, p. 58.

132. Mommsen e Grieger, *Volkswagenwerk*, p. 756.

133. Rieger, *People's Car*, p. 83.

134. Ver Mommsen e Grieger, *Volkswagenwerk*, pp. 762-5; Volkswagen, *Remembrance*, p. 52.

135. Citado em Rieger, *People's Car*, pp. 83-4.

136. Para o programa e a lista de convidados, ver TMN, v. VI, pp. 273-5.

137. TMN, v. VI, p. 366.

138. Citado em "Treue im Chor", *Der Spiegel*, 12 out. 1965.

139. TMN, v. VI, p. 336.

140. Citado em Finger et al., *Dr. Oetker*, p. 201.

141. Finger et al., *Dr. Oetker*, pp. 286, 288 ss.

142. Finger et al., *Dr. Oetker*, pp. 199-200.

143. Ver Jungbluth, *Oetkers*, pp. 186-8; Finger et al., *Dr. Oetker*, pp. 311-24; Buggeln, *Slave Labor*, pp. 67-8.

144. Citado em Finger et al., *Dr. Oetker*, p. 318.

145. Citações em Finger et al., *Dr. Oetker*, p. 365.

146. Finger et al., *Dr. Oetker*, pp. 358-64.

147. Fröhlich, TG, 13 jan. 1944.

148. Fröhlich, TG, 17 jan. 1944.

149. Jungbluth, *Quandts* (2002), p. 205.

150. Fröhlich, TG, 13 fev. 1944.

151. Fröhlich, TG, 15 mar. 1944.

152. Fröhlich, TG, 16 mar. 1944.

153. Fröhlich, TG, 19 abr. 1944.

154. Citado em Jungbluth, *Quandts* (2002), p. 206.

155. Scholtyseck, *Aufstieg*, pp. 576-84.

156. Scholtyseck, *Aufstieg*, pp. 680-1, 695-9, 709.

157. Reinhardt Nebuschka a Telford Taylor, 3 nov. 1947, AEM, documentos do tribunal de desnazificação Günther Quandt, caixa 1362/1; Scholtyseck, *Aufstieg*, p. 578.

158. Reinhardt Nebuschka a Telford Taylor, 1 nov. 1947, AEM, documentos do tribunal de desnazificação Günther Quandt, caixa 1362/1.

159. Porsche e Molter, *Ferry*, p. 145.

160. Ver Pyta et al., *Porsche*, pp. 319-25.

161. Citações em Pyta et al., *Porsche*, p. 321.

162. Ver Mommsen e Grieger, *Volkswagenwerk*, pp. 766 ss.; Volkswagen, *Remembrance*, pp. 88 ss.

163. Sobre o subcampo da Pertrix, ver Gabriele Layer-Jung e Cord Pagenstecher, "Vom vergessenen Lager zum Dokumentationszentrum? Das ehemalige NS-Zwangsarbeiterlager in Berlin-Schöneweide", *Gedenkstätten-Rundbrief*, v. 111 (mar. 2003), p. 3; Gabriele Layer-Jung e Cord Pagenstecher, "Das Pertrix-Außenlager in Berlin TMN Niederschöneweide" (maio 2004), pp. 1-2; Scholtyseck, *Aufstieg*, pp. 647-8, 673-4 e 690.

164. Treue, *Herbert*, p. 93.

165. Citado em Scholtyseck, *Aufstieg*, p. 705.

166. Scholtyseck, *Aufstieg*, pp. 648-9.

167. Jungbluth, *Oetkers*, pp. 196-8, citação p. 198.

168. Finger et al., *Dr. Oetker*, p. 360.

169. "Einen besseren Vater könnte ich mir nicht vorstellen", *Welt am Sonntag*, 22 nov. 1998.

170. Citado em Jungbluth, *Oetkers*, p. 199.

171. Citado em Jungbluth, *Oetkers*, p. 198.

172. Citado em Finger et al., *Dr. Oetker*, p. 201.

173. Fröhlich, TG, 10 set. 1944.

174. Fröhlich, TG, 10 nov. 1944.

175. Fröhlich, TG, 17 nov. 1944.

176. Fröhlich, TG, 2 dez. 1944.

177. Fröhlich, TG, 23 jan. 1945.

PARTE IV: "VOCÊ VAI SOBREVIVER" [pp. 197-254]

1. Wolf Jobst Siedler, *Ein Leben wird besichtigt* (Berlim: Siedler, 2000), p. 317.

2. Citado em Treue, *Herbert*, p. 103.

3. Magda Goebbels a Harald Quandt, 28 de abril, 1945, coleção Robert E. Work, USHMM; carta reproduzida em Rolf Hochhuth (Org.), *Joseph Goebbels: Tagebücher 1945* (Hamburgo: Hoffmann und Campe, 1977), pp. 549-50.

4. Joseph Goebbels a Harald Quandt, 28 de abril, 1945, USHMM; carta reproduzida em Hochhuth, *Tagebücher 1945*, pp. 547-8; Robert E. Work, últimas cartas do Abrigo contra Ataques Aéreos de Hitler, 1 nov. 1945, USHMM. Os filhos do capitão da força aérea doaram as cartas originais ao museu em 2019.

5. Sobre os acontecimentos no Führerbunker, ver Hanna Reitsch, *Fliegen Mein Leben* (Munique: Ullstein, 1979), pp. 324-9; Ian Kershaw, *Hitler* (Londres: Penguin, 2008), pp. 938 ss.; Rochus Misch, *Hitler's Last Witness* (Londres: Frontline, 2017, trad.), pp. 176-81; Longerich, *Goebbels*, pp. X-XI e 686-7; Hochhuth, *Tagebücher*, pp. 550-6.

6. Steve Johnson, "How Goebbels' Final Letter Made Its Way from Hitler's Bunker to a Chicago Family — and at Last to the Holocaust Museum", *Chicago Tribune*, 24 abr. 2019, disponível em: <https://www.chicagotribune.com/entertainment/museums/ct-ent-goebbels-final-letters-chicago-family-0425-story.html>.

7. Misch, *Witness*, p. 177.

8. Albert Speer, *Inside the Third Reich* (Londres: Phoenix, 1995, trad.), p. 643. Publicado originalmente em 1970.

9. Para o episódio de Dresden, ver Meissner, *First Lady*, pp. 239-43.

10. Meissner, *First Lady*, pp. 239-42.

11. Karl Bernd Esser, *Hitlers Gold* (Munique: 2004), p. 403.

12. Citações em Scholtyseck, *Aufstieg*, p. 730.

13. Citado em Scholtyseck, *Aufstieg*, p. 731.

14. Scholtyseck, *Aufstieg*, p. 709.

15. Quandt, *Günther*, 18 abr. 1945, Cornell Law Library, Donovan Nuremberg Trials Collection, v. 17, sec. 53.051, disponível em: <https://lawcollections.library.cornell.edu/nuremberg/catalog/nur: 01775>.

16. Citado em Scholtyseck, *Aufstieg*, p. 731.

17. Ver Bernd Greiner, *Die Morgenthau-Legende* (Hamburgo: Hamburger Edition, 1995), p. 238; Scholtyseck, *Aufstieg*, p. 732.

18. Treue, *Herbert*, p. 90; Scholtyseck, *Aufstieg*, pp. 714 e 730.

19. Sobre a evacuação do subcampo da AFA em Hanôver e o massacre de Gardelegen, ver Herbert Obenaus et al. (orgs.), *Konzentrationslager in Hannover* (Hildesheim: August Lax, 1985), pp. 493 ss.; Jungbluth, *Quandts* (2002), pp. 197-9; Buggeln, *Arbeit & Gewalt*, pp. 638-40 e 650-1; Scholtyseck, *Aufstieg*, pp. 668-70.

20. Citado em Gardelegen, USHMM, disponível em: <https://encyclopedia.ushmm.org/content/en/article/gardelegen>.

21. Treue, *Herbert*, pp. 90 ss.; Scholtyseck, *Aufstieg*, pp. 714, 790-2 e 822-3.

22. Citado em Scholtyseck, *Aufstieg*, p. 822.

23. Scholtyseck, *Aufstieg*, pp. 823-4.

24. Citado em Scholtyseck, *Aufstieg*, pp. 765-6.

25. Citado em Treue, *Herbert*, p. 85.

26. Frei et al., *Flick*, pp. 464, 712-3.

27. Engel, "Beraubte Bierbaron"

28. Priemel, *Konzerngeschichte*, p. 452; Bahr et al., *Flick-Konzern*, p. 460.

29. Sobre trabalho escravo em Gröditz, ver TMN, v. VI, pp. 770-88, 815-6, 828-9 e 835-7; Priemel, *Konzerngeschichte*, pp. 493-4; Bähr et al., *Flick-Konzern*, pp. 530, 553-6; Frei et al., *Flick*, pp. 359-60.

30. Frei et al., *Flick*, 386.

31. Bähr et al., *Flick-Konzern*, pp. 509-10.

32. Citado em Frei et al., *Flick*, p. 358.

33. Citado em Priemel, *Konzerngeschichte*, p. 488.

34. Sobre o massacre em Gröditz, ver TMN, v. VI, pp. 778-81; Priemel, *Konzerngeschichte*, p. 494; Bähr et al., *Flick-Konzern*, pp. 530-1 e 554-5; Frei et al., *Flick*, p. 360.

35. Sobre as transferências e tomadas de ativos de Flick, ver Priemel, *Konzerngeschichte*, pp. 554-5 e 591-615; Bähr et al., *Flick-Konzern*, pp. 579-609; Frei et al., *Flick*, pp. 388-9 e 448-71.

36. Bähr et al., *Flick-Konzern*, pp. 878-9 e 883.

37. Priemel, *Konzerngeschichte*, p. 603.

38. Bähr et al., *Flick-Konzern*, p. 883.

39. Kim Christian Priemel e Alexa Stiller (Orgs.), *Reassessing the Nuremberg Military Tribunals* (Nova York: Berghahn, 2014), p. 5.

40. Para outras leituras, ver Telford Taylor, *The Anatomy of the Nuremberg Trials* (Nova York: Knopf, 1992), pp. 151-61; Donald Bloxham, *Genocide on Trial* (Oxford, UK: Oxford University Press, 2001), pp. 24-5; Kim Christian Priemel, *The Betrayal* (Oxford, UK: Oxford University Press, 2016), pp. 152-5; Priemel e Stiller, *Reassessing*, p. 166.

41. Priemel, *Konzerngeschichte*, pp. 603-5; Frei et al., *Flick*, pp. 467-8.

42. Interrogatório de August von Finck, 25 set. 1947, NARA, OMGUS, RG 260, M1923, rolo 7.

43. Ver relatório preliminar sobre a Deutsche Heraklith AG; provas originais Alpenländische Bergbau Gmbh, USACA Section 1945-1950, NARA, RG 260, M1928, rolos 22, 46-7; Siebert, *Hundert Jahre*, pp. 47-8.

44. Quandt e Quandt, *Günther*, pp. 135-6.

45. "Neun Nullen". *Der Spiegel*. 18 maio 1970.

46. Sugestão relativa à remoção de representantes de bancos, Major Peery a Lt. Ladenburg, Desnazificação: Políticas e Diretivas, NARA, OMGUS, RG 260, M1925, rolo 3.

47. Ver Scholtyseck, *Aufstieg*, p. 1044 n46; Frei et al., *Flick*, p. 403.

48. Interrogatório de Kurt Schmitt, 15 jul. 1947, NARA, OMGUS, RG 260, M1923, rolo 7.

49. Interrogatório de Hans Schmidt-Polex, 22 set. 1947, NARA, OMGUS, RG 260, M1923, rolo 7.

50. Guia para investigação da Vereinigte Stahlwerke AG, Düsseldorf, Alemanha, 31 maio 1945, apêndice B, p. 78, NARA, OMGUS, RG 226, M1934, rolo 5.

51. Siebert, *Hundert Jahre*, p. 49.

52. Citado em James, *Verbandspolitik*, p. 300 n72.

53. Citado em James, *Verbandspolitik*, p. 301 n88.

54. Ver "German External Assets in Austria: Private Bank E. V. Nicolai & Company S. M. V. Rothschild in Liquidation", USACA, RG 260, M1928, rolo 13; Melichar, *Neuordnung*, pp. 404-8.

55. Citado em Köhler, *Arisierung*, p. 502.

56. Citações em Köhler, *Arisierung*, p. 502.

57. Köhler, Arisierung, pp. 503-6, citação p. 505.

58. Ver testemunho juramentado Willy Dreyfus, 22 dez. 1948, AEM, documentos do tribunal de desnazificação August von Finck, caixa 409; Frank J. Miller a Albert F. Bender Jr., 6 mar. 1947, Deutscher Reichsanzeiger Re: J. Dreyfuss [sic] & Co. e Merck, Finck & Co., NARA, OMGUS, RG 260, M1923, rolo 3.

59. Mommsen e Grieger, *Volkswagenwerk*, pp. 798-9 e 901-2; Volkswagen, *Remembrance*, pp. 95, 100 e 133.

60. Mommsen e Grieger, *Volkswagenwerk*, pp. 926-7.

61. Mommsen e Grieger, *Volkswagenwerk*, p. 643.

62. Porsche e Bentley, *We at Porsche*, pp. 180-2; Pyta et al., *Porsche*, p. 341.

63. Porsche, Ferdinand, 17 maio 1945, Cornell Law Library, Donovan Nuremberg Trials Collection, v. 17, sec. 53.048, disponível em: ‹https://lawcollections.library.cornell.edu/nuremberg/catalog/nur: 01772›.

64. Citado em Georg Meck, *Auto Macht Geld* (Berlim: Rowohlt, 2016), p. 79.

65. Mommsen e Grieger, *Volkswagenwerk*, pp. 927-8 e 940-1.

66. Finger et al., *Dr. Oetker*, pp. 374-7.

67. Citado em Finger et al., *Dr. Oetker*, p. 376.

68. Citações em Finger et al., *Dr. Oetker*, p. 377.

69. Finger et al., *Dr. Oetker*, pp. 385-7, citação p. 385.

70. Scholtyseck, *Aufstieg*, pp. 736-7.

71. Citado em Scholtyseck, *Aufstieg*, p. 731.

72. Citado em Scholtyseck, *Aufstieg*, p. 732.

73. Folha suplementar a questionário governo militar da Alemanha, 1 mar. 1946, AEM, arquivos de desnazificação Günther Quandt, caixa 1363/7.

74. Citado em Scholtyseck, *Aufstieg*, p. 733.

75. Citado em Scholtyseck, *Aufstieg*, p. 733.

76. Folha de opinião, painel de desnazificação do distrito de Hanôver, 6 ago. 1946, AEM, documentos do tribunal de desnazificação Günther Quandt, caixa 1363/7.

77. Scholtyseck, *Aufstieg*, p. 737.

78. Testemunho juramentado Eleonore Quandt, 27 ago. 1946, AEM, documentos do tribunal de desnazificação Günther Quandt, caixa 1362/1.

79. Jungbluth, *Quandts* (2002), p. 218.

80. Günther Quandt a Werner Quandt, 5 jan. 1947, HWA, dept. 2017, pastas 36/37.

81. Declaração certificada Harald Quandt, 27 ago. 1946, AEM, documentos do tribunal de desnazificação Günther Quandt, caixa 1362/1.

82. Günther Quandt a Lieselotte Dietermann, 11 out. 1946, HWA, dept. 2017, pastas 36/37; Scholtyseck, *Aufstieg*, p. 253.

83. Citado em Liselotte Dietermann a Günther Quandt, 5 fev. 1947, HWA, dept. 2017, pastas 36/37.

84. Citado em Scholtyseck, *Aufstieg*, p. 320.

85. Testemunho juramentado Georg Sachs, 10 fev. 1947, AEM, documentos do tribunal de desnazificação Günther Quandt, caixa 1362/2.

86. Quandt e Quandt, *Günther*, pp. 111-26, 167-80, 191-2, 230-2 e 240-4; citação p. 241.

87. Citações em Quandt e Quandt, *Günther*, pp. 139, 184, 238-9 e 245-6.

88. Quandt e Quandt, *Günther*, pp. 247-9.

89. Citado em Scholtyseck, *Aufstieg*, p. 731.

90. Quandt e Quandt, *Günther*, pp. 252-3.

91. Citado em Scholtyseck, *Aufstieg*, p. 733.

92. Quandt e Quandt, *Günther*, pp. 252-3.

93. Citado em Scholtyseck, *Aufstieg*, p. 734.

94. Günther Quandt, carta de Natal circular, 5 dez. 1947, HWA, dept. 2017, pastas 36/37.

95. Citado em Priemel, *Konzerngeschichte*, p. 605.

96. Ver Priemel, *Konzerngeschichte*, pp. 627-31; Bähr et al., *Flick-Konzern*, pp. 582-5 e 608-15; Frei et al., *Flick*, pp. 410-1.

97. Citações em Bähr et al., *Flick-Konzern*, pp. 611-2.

98. Bähr et al., *Flick-Konzern*, pp. 582 e 610; TMN, v. VI, pp. 261-2.

99. Taylor, *Anatomy*, pp. 274-92.

100. Citado em Frei et al., *Flick*, p. 409.

101. Bähr et al., *Flick-Konzern*, p. 897.

102. Taylor, *Anatomy*, pp. 587-624.

103. Ver Bloxham, *Genocide*, pp. 28-32; Priemel, *Betrayal*, pp. 156-7; Telford Taylor, relatório final ao secretário do Exército sobre o Julgamento dos Crimes de Guerra de Nuremberg sob a Lei nº 10 do Conselho de Controle (Washington, DC: US Government Printing Office, 1949), pp. 22-7, 73-85 e 271-81, disponível em: <https://www.loc.gov/rr/frd/MilitaryLaw/NT_final-report.html>.

104. Priemel e Stiller, *Reassessing*, p. 167.

105. Bloxham, *Genocide*, p. 30.

106. Sobre o episódio francês, ver Porsche e Bentley, *We at Porsche*, pp. 189 ss.; Mommsen e Grieger, *Volkswagenwerk*, p. 942; Pyta et al., *Porsche*, pp. 342 ss.

107. Pyta et al., *Porsche*, pp. 335-8 e 362-3.

108. Mommsen e Grieger, *Volkswagenwerk*, pp. 937-8; Pyta et al., *Porsche*, 328-30 e 364-7.

109. Reuß, "Rosenberger", ARD/SWR, 24 jun. 2019.

110. Scholtyseck, *Aufstieg*, p. 734.

111. "U.S. War Crimes Unit Seeks to End Task Early in '48", Associated Press, 27 out. 1947.

112. Acusação do promotor público, tribunal de desnazificação Starnberg, 25 set. 1946, AEM, documentos do tribunal de desnazificação Günther Quandt, caixa 1362/1.

113. Para outras leituras, ver James F. Tent, *Mission on the Rhine* (Chicago: University of Chicago Press, 1982), pp. 254-318; S. Jonathan Wiesen, *West German Industry and the Challenge of the Nazi Past* (Chapel Hill: University of North Carolina Press, 2001), pp. 43-4; Frank M. Buscher, *The US War Crimes Trial Program in Germany* (Nova York: Greenwood Press, 1989), pp. 49-50; Jean Edward Smith, *Lucius D. Clay* (Nova York: Henry Holt, 1990), pp. 378-87, 425-44; Frederick Taylor, *Exorcising Hitler* (Nova York: Bloomsbury Press, 2011), pp. 277-331.

114. Para mais leituras, ver Taylor, *Final Report*, pp. 14-21 e 54-6; Buscher, *War Crimes*, pp. 30-1; Taylor, *Anatomy*, pp. 278-87, Priemel e Stiller, *Reassessing*, pp. 249-71; Office of Military Government for Germany, *Denazification (Cumulative Review): Report of the Military Governor (1 April 1947-30 April 1948)*, n. 34; John H. Herz, "The Fiasco of Denazification in Germany", *Political Science Quarterly*, v. 63, n. 4 (dez. 1948), pp. 569-94.

115. Mandado de prisão Günther Quandt, tribunal de desnazificação Dachau, 24 out. 1947, AEM, documentos do tribunal de desnazificação Günther Quandt, caixa 1362/1.

116. Günther Quandt a Herman Alletag, 11 out. 1947, AEM, documentos do tribunal de desnazificação Günther Quandt, caixa 1362/1.

117. Memorando do dr. Carl Reiter, tribunal de desnazificação Starnberg, 13 dez. 1947, AEM, documentos do tribunal de desnazificação Günther Quandt, caixa 1362/1.

118. Günther Quandt ao presidente do tribunal de desnazificação Starnberg, 10 jan. 1948, AEM, documentos do tribunal de desnazificação Günther Quandt, caixa 1362/1.

119. Scholtyseck, *Aufstieg*, p. 739.

120. "Wie's den Ehemännern geht", *Der Spiegel*, 21 jun. 1950.

121. "Wie's den Ehemännern geht", *Der Spiegel*, 21 jun. 1950.

122. Henriette von Schirach, *Der Preis der Herrlichkeit* (Munique: Herbig, 2016), p. 216.

123. Acusação do promotor público, 8 fev. 1948, AEM, documentos do tribunal de desnazificação Günther Quandt, caixa 1362/3.

124. Sobre o caso Tudor e Laval, ver Scholtyseck, *Aufstieg*, pp. 537-62; Jungbluth, *Quandts* (2002), pp. 180-1.

125. Scholtyseck, *Aufstieg*, p. 741.

126. Resposta de Günther Quandt à acusação do promotor público, 8 fev. 1948, HWA, dept. 2017, pasta 38.

127. Scholtyseck, *Aufstieg*, pp. 742-3.

128. Treue, *Herbert*, p. 103.

129. Scholtyseck, *Aufstieg*, pp. 767-8, citação p. 767.

130. Minutas do julgamento, tribunal de desnazificação Starnberg, 13-4 maio AEM, documentos do tribunal de desnazificação Günther Quandt, caixa 1362/4.

131. Minutas do julgamento, tribunal de desnazificação Starnberg, 3, 4, 26 jun. 1948; 15 jul. 1948, AEM, documentos do tribunal de desnazificação Günther Quandt, caixa 1362/4.

132. Ver Jungbluth, *Quandts* (2002), p. 225; Scholtyseck, *Aufstieg*, pp. 743-4.

133. Günther Quandt a Heidi von Doetinchem, 29 jun. 1948, HWA, dept. 2017, pasta 35.

134. Argumentação do promotor público, 16 jul. 1948, AEM, documentos do tribunal de desnazificação Günther Quandt, caixa 1362/2.

135. Decisão tribunal de desnazificação Starnberg, 28 jul. 1948, AEM, documentos tribunal de desnazificação Günther Quandt, caixa 1362/1.

136. Declaração do promotor, anexa a minutas da apelação, Munique, 29 abr. 1949, AEM, documentos do tribunal de desnazificação Günther Quandt, caixa 1362/5.

137. Decisão da câmara de apelações da Alta Baviera, 29 abr. 1949, AEM, documentos do tribunal de desnazificação Günther Quandt, caixa 1362/4.

138. Decisão do tribunal de cassação da Baviera, 2 dez. 1949, AEM, documentos do tribunal de desnazificação Günther Quandt, caixa 1362/5.

139. Günther Quandt a Heidi von Doetinchem, 18 abr. 1950, HWA, dept. 2017, pasta 35.

140. Scholtyseck, *Aufstieg*, pp. 748-9.

141. Günther Quandt a Eckhard König, 5 jan. 1950, HWA, dept. 2017, pasta 27.

142. Scholtyseck, *Aufstieg*, pp. 705 e 765.

143. Scholtyseck, *Aufstieg*, p. 749.

144. Acusação pelo promotor público, 3 nov. 1948, AEM, documentos do tribunal de desnazificação August von Finck, caixa 409.

145. Citado em Köhler, *Arisierung*, pp. 310-1 n375.

146. Ver depoimento juramentado Willy Dreyfus, 22 dez. 1948, e minutas do julgamento, tribunal de desnazificação X Munique, 22 dez. AEM, documentos do tribunal de desnazificação August von Finck, caixa 409.

147. Minutas do julgamento, tribunal de desnazificação X Munique, 22 dez. 1948, AEM, documentos do tribunal de desnazificação August von Finck, caixa 409; "Neun Nullen", *Der Spiegel*, 18 maio 1970.

148. Minutas do julgamento, tribunal de desnazificação X Munique, 22, 23, 24, 27 dez. 1948, documentos do tribunal de desnazificação August von Finck, caixa 409; "Neun Nullen", *Der Spiegel*, 18 maio 1970.

149. Otto von Dewitz a Julius Herf, 14 jan. 1949, AEM, documentos do tribunal de desnazificação August von Finck, caixa 409.

150. "Neun Nullen", *Der Spiegel*, 18 maio 1970.

151. "Wie's den Ehemännern geht", *Der Spiegel*, 21 jun. 1950.

152. "Neun Nullen", *Der Spiegel*, 18 maio 1970.

153. "Wie's den Ehemännern geht", *Der Spiegel*, 21 jun. 1950.

154. Minutas do julgamento, tribunal de desnazificação X Munique, 22, 27 dez. 1948, AEM, documentos do tribunal de desnazificação August von Finck, caixa 409.

155. Decisão tribunal de desnazificação X Munique, 14 jan. 1949, AEM, documentos do tribunal de desnazificação August von Finck, caixa 409.

156. "Neun Nullen", *Der Spiegel*, 18 maio 1970.

157. Desistência de recurso, 24 fev. 1949, AEM, documentos do tribunal de desnazificação August von Finck, caixa 409.

158. Fritz Berthold a Ludwig Hagenauer, 19 abr. 1949; Kurz a Ludwig Hagenauer, 28 jun. 1949, AEM, documentos do tribunal de desnazificação August von Finck, caixa 409.

159. "Wie's den Ehemännern geht", *Der Spiegel*, 21 jun. 1950; R. R. Bowie a Hans Weigert, 31 ago. 1950; 27 set. 1950, NARA, RG 260, NDD 775035.

160. Julius Herf a Lorenz Willberger, 29 abr. 1950; Julius Herf a Günther Griminski, 25 maio 1950, NARA, RG 260, NDD 775035.

161. Eric Schnapper e William Schurtman, *Willy Dreyfus, Petitioner, v. August Von Finck et al.* (Washington, DC: Gale, 2011).

162. Finger et al., *Dr. Oetker*, pp. 360-1 e 378-80.

163. Citado em Finger et al., *Dr. Oetker*, p. 379.

164. Finger et al., *Dr. Oetker*, pp. 379-80, 386-7 e 394.

165. Sobre processos franceses, ver Mommsen e Grieger, *Volkswagenwerk*, pp. 942-4; Pyta et al., *Porsche*, pp. 357-8.

166. Mommsen e Grieger, *Volkswagenwerk*, p. 939.

167. Mommsen e Grieger, *Volkswagenwerk*, p. 973; Rieger, *People's Car*, pp. 109-10.

168. Sobre o pacto de Bad Reichenhall, ver Porsche and Bentley, *We at Porsche*, pp. 215-6; Mommsen e Grieger, *Volkswagenwerk*, p. 938; Meck, *Auto*, pp. 110-3 e 116.

169. Citado em Pyta et al., *Porsche*, p. 376.

170. Pyta et al., *Porsche*, pp. 377-8; Reuß, "Rosenberger", ARD/SWR, 24 jun. 2019.

171. Aust e Ammann, *Saga*, pp. 234-5; Reuß, "Rosenberger," ARD/SWR, 24 jun. 2019; relatório de transações de controle de propriedade, Stuttgart, 26 out. 1950.

172. Citado em Pyta et al., *Porsche*, p. 311.

173. Citado em Pyta et al., *Porsche*, p. 389.

174. Porsche e Bentley, *We at Porsche*, pp. 222-3; Pyta et al., *Porsche*, pp. 379-82.

175. Citado em Pyta et al., *Porsche*, p. 381.

176. TMN, v. VI, pp. 9-25.

177. Bähr et al., *Flick-Konzern*, p. 531.

178. Harold James, *Krupp* (Princeton: Princeton University Press, 2012), pp. 172-225; Taylor, *Final Report*, pp. 22-7, 78-9 e 184-201 ss.

179. TMN, v. VI, pp. 32-3.

180. TMN, v. VI, pp. 114-5.

181. Priemel, *Konzerngeschichte*, pp. 640-1; Bähr et al., *Flick-Konzern*, pp. 627-30; Frei et al., *Flick*, p. 426.

182. TMN, v. VI, pp. 115-34.

183. TMN, v. VI, pp. 217-25, 382-3 e 405 ss., pp. 1015-6; Frei et al., *Flick*, p. 420.

184. TMN, v. VI, pp. 222-3.

185. TMN, v. VI, p. 133.

186. Citado em TMN, v. VI, p. 997.

187. Ver Priemel, *Konzerngeschichte*, pp. 635-41; Bähr et al., *Flick-Konzern*, pp. 635-9; Frei et al., *Flick*, pp. 421-3; TMN, v. VI, pp. 4, 202 ss. e 285 ss.

188. Citado em Bähr et al., *Flick-Konzern*, p. 638.

189. Priemel, *Konzerngeschichte*, p. 640.

190. Citações em Frei et al., *Flick*, p. 422.

191. TMN, v. VI, p. 974.

192. TMN, v. VI, pp. 1034-5.

193. TMN, v. VI, pp. 115 e 1172.

194. TMN, v. VI, pp. 1117-8.

195. TMN, v. VI, pp. 1186-7.

196. TMN, v. VI, pp. 3-4.

197. Para a decisão, ver TMN, v. VI, pp. 1187-228.

198. Taylor, *Final Report*, p. 187.

199. TMN, v. VI, p. 1214.

200. TMN, v. VI, p. 1221.

201. TMN, v. VI, pp. 1225-33.

202. Ver Priemel, *Konzerngeschichte*, pp. 661-71; Frei et al., *Flick*, pp. 476-86.

203. Kai Bird, *The Chairman* (Nova York: Simon & Schuster, 1992), pp. 359-75; Priemel, *Betrayal*, pp. 352-68.

204. Telford Taylor, "The Nazis Go Free", *The Nation*, 24 fev. 1951, p. 171.

205. Ogger, *Grosse*, p. 254; Frei et al., *Flick*, pp. 445-6.

206. "Der Eisenmann", *Der Spiegel*, 16 set. 1958.

207. Frei et al., *Flick*, pp. 436-7.

208. Priemel, *Konzerngeschichte*, pp. 671-702; Frei et al., *Flick*, pp. 486-522.

PARTE V: "NOVE ZEROS" [pp. 255-88]

1. Quandt e Quandt, *Günther*, pp. 256-7; Treue, *Herbert*, p. 125.

2. Jungbluth, *Quandts* (2002), p. 238.

3. Citado em Liz Crolley e David Hand, *Football and European Identity* (Londres: Routledge, 2006), p. 70.

4. Werner Abelshauser, *Deutsche Wirtschaftsgeschichte* (Munique: C. H. Beck, 2011), pp. 152-81.

5. Citações em Jungbluth, *Quandts* (2002), pp. 238-9; ver também os discursos completos de Abs e Pavel em "In Memoriam Günther Quandt geb. 28.7.1881, + 30. Dec. 1954".

6. "In Memoriam Günther Quandt geb. 28.7.1881, + 30. Dec. 1954."

7. Quandt e Quandt, *Günther*, pp. 253-6; Treue, *Herbert*, pp. 92-4, 106-9, 131-3 e 141; Scholtyseck, *Aufstieg*, pp. 785-821.

8. Scholtyseck, *Aufstieg*, p. 801.

9. Entrevista com Gerhard Wilcke, 21 abr. 1978, HWA, dept. 2017, pasta 82.

10. Para mais sobre a saga de Eisner, ver Scholtyseck, *Aufstieg*, pp. 401-3 e 953 n245.

11. Kurt Pritzkoleit, *Männer-Mächte-Monopole* (Frankfurt: Karl Rauch, 1953), pp. 70 e 88.

12. Treue, *Herbert*, pp. 103, 114, 120, 123 e 130-3.

13. Espólio do dr. Günther Quandt, HWA, dept. 2017, pasta 44; Scholtyseck, *Aufstieg*, pp. 159-70 e 834-8.

14. Rüdiger Jungbluth, *Die Quandts: Deutschlands erfolgreichste Unternehmerfamilie* (Frankfurt: Campus, 2015), p. 199.

15. Citado em Scholtyseck, *Aufstieg*, p. 160.

16. Citado em Scholtyseck, *Aufstieg*, p. 838.

17. Ogger, *Grosse*, p. 281.

18. Sobre a batalha e o acordo deles pela Daimler, ver Ogger, *Grosse*, pp. 281-96 e 300-3; Treue, *Herbert*, pp. 141-6; Jungbluth, *Quandts* (2002), pp. 243-6; Frei et al., *Flick*, pp. 524-6 e 535-8.

19. Sobre a batalha deles pela BMW, ver Ogger, *Grosse*, pp. 296-300; Treue, *Herbert*, pp. 146-56; Jungbluth, *Quandts* (2002), pp. 246-56; Frei et al., *Flick*, pp. 538-42.

20. Treue, *Herbert*, pp. 156-76; Jungbluth, *Quandts* (2015), pp. 219-24.

21. Jungbluth, *Quandts* (2002), pp. 275-6; Scholtyseck, *Aufstieg*, pp. 769-70.

22. Jungbluth, *Quandts* (2002), p. 275.

23. Jungbluth, *Quandts* (2002), p. 276.

24. Jens Westemeier, *Joachim Peiper: A Biography of Himmler's SS Commander* (Surrey, UK: Schiffler Military History, 2007, trad.), pp. 175-81.

25. Citado em Westemeier, *Peiper*, p. 181.

26. Citado em Westemeier, *Peiper*, p. 180.

27. Finger et al., *Dr. Oetker*, pp. 404 e 423.

28. Jungbluth, *Oetkers*, pp. 212 ss.

29. Finger et al., *Dr. Oetker*, p. 410; Jörg Osterloh e Harald Wixforth (Orgs.), *Unternehmer und NS-Verbrechen* (Frankfurt: Campus, 2014), pp. 269-97.

30. Rudolf von Ribbentrop, *My Father Joachim von Ribbentrop* (Barnsley: Pen & Sword, 2019, trad.), pp. 428-30; citação p. 430.

31. Finger et al., *Dr. Oetker*, p. 410.

32. Jungbluth, *Oetkers*, p. 306.

33. Sobre a batalha pela Allianz, ver "Kampf um Die Allianz", *Der Spiegel*, 14 dez. 1954; Feldman, *Allianz*, pp. 490 e 496; Johannes Bähr e Christopher Köpper, *Munich Re* (Munique: C. H. Beck, 2016, trad.), pp. 295-8.

34. "Kampf", *Der Spiegel*, 14 dez. 1954.

35. Priemel, *Konzerngeschichte*, pp. 724-9; Frei et al., *Flick*, pp. 572-5.

36. Wolf Perdelwitz e Hasko Fischer, *Waffenschmiede Deutschland* (Hamburgo: Gruner + Jahr, 1984), pp. 143-64; Jungbluth, *Quandts* (2002), pp. 263-6 e 272; Scholtyseck, *Aufstieg*, pp. 805-17.

37. Citado em Ogger, *Grosse*, p. 333.

38. Frei et al., *Flick*, 565-71, pp. 647-8.

39. Porsche e Bentley, *We at Porsche*, pp. 230-1 e 245-6.

40. Porsche e Molter, *Ferry*, pp. 203-4.

41. Frei et al., *Flick*, pp. 648 e 664-5; Porsche e Molter, *Ferry*, p. 207.

42. Porsche e Molter, *Ferry*, p. 208.

43. Jungbluth, *Quandts* (2002), p. 266.

44. Jungbluth, *Quandts* (2002), p. 272; Porsche e Molter, *Ferry*, pp. 204-6.

45. Jungbluth, *Quandts* (2002), pp. 267-70.

46. Sobre a morte e o memorial de Harald, ver "In Memoriam Harald Quandt, Geb. 1. Nov. 1921 – Gest. 22. Sept. 1967", HWA, dept. 2017, pasta 85; "Die Stille Gruppe", *Der Spiegel*, 1 out. 1967; Jungbluth, Quandts (2002), pp. 284-5; Jungbluth, *Quandts* (2015), p. 241.

47. "In Memoriam Harald Quandt, Geb. 1. Nov. 1921 – Gest. 22. Sept. 1967", HWA, dept. 2017, pasta 85.

48. Sobre a vida de Harald depois da guerra, ver Jungbluth, *Quandts* (2002), pp. 271-86.

49. Helene Rahms, *Die Clique* (Berna: Scherz, 1999), p. 156.

50. Willi Winkler, *Der Schattenmann* (Berlim: Rowohlt, 2011), p. 102.

51. "Neun Nullen", *Der Spiegel*, 18 maio 1970.

52. Michael Jungblut, *Die Reichen und die Superreichen in Deutschland* (Hamburgo: Rowohlt, 1973), pp. 65-97.

53. "Neun Nullen", *Der Spiegel*, 18 maio 1970.

54. Jungbluth, *Oetkers*, p. 215; Finger et al., *Dr. Oetker*, p. 409.

55. "Trinkgeld für Ober", *Der Spiegel*, 12 fev. 1967.

56. "Neonazis im Vormarsch", *Die Zeit*, 3 maio 1968.

57. Jungbluth, *Oetkers*, pp. 245-8 e 337-45; Osterloh e Wixforth, *Unternehmer*, pp. 331-61.

58. Marc Wortman, "Famed Architect Philip Johnson's Hidden Nazi Past", *Vanity Fair*, 4 abr. 2016, disponível em: <https://www.vanityfair.com/culture/2016/04/philip-johnson-nazi-architect-marc-wortman>.

59. Reuß, "Rosenberger", ARD/SWR, 24 jun. 2019.

60. Porsche e Bentley, *We at Porsche*, pp. 227-9.

61. Pyta et al., *Porsche*, pp. 306-7.

62. Treue, *Herbert*, p. 123.

63. Treue, *Herbert*, pp. 227-32 e 279-80; Jungbluth, *Quandts* (2002), pp. 296-305.

64. Jungbluth, *Quandts* (2002), pp. 310-1.

65. Treue, *Herbert*, pp. 232-4; Jungbluth, *Quandts* (2002), pp. 301-2.

66. Citações em Frei et al., *Flick*, pp. 620-1.

67. "Von Friedrichs Gnaden", *Der Spiegel*, 4 jun. 1963.

68. Frei et al., *Flick*, pp. 632-41.

69. Citado em Priemel, *Konzerngeschichte*, p. 737.

70. Priemel, *Konzerngeschichte*, pp. 727-8.

71. Ferencz, *Less Than Slaves*, pp. 158-69.

72. Para os procedimentos, ver Priemel, *Konzerngeschichte*, pp. 703-15; Bähr et al., *Flick-Konzern*, pp. 678-719; Frei et al., *Flick*, pp. 588-604.

73. Citado em Frei et al., *Flick*, p. 669.

74. Frei et al., *Flick*, pp. 670-7; Ramge, *Flicks*, pp. 188-206.

75. Frei et al., *Flick*, pp. 672-3; Ramge, *Flicks*, pp. 207-12.

76. Frei et al., *Flick*, pp. 678-86; Ramge, *Flicks*, pp. 212-6.

77. Frei et al., *Flick*, pp. 687-8; Ramge, *Flicks*, pp. 218-35.

78. "Die gepflegte Landschaft", *Der Spiegel*, 12 dez. 1999.

79. "Die gekaufte Republik", *Der Spiegel*, 29 nov. 1983.

80. Frei et al., *Flick*, pp. 689-90 e 697; Ramge, *Flicks*, pp. 235-47.

81. Eberhard von Brauchitsch, *Der Preis des Schweigens* (Berlim: Propyläen, 1999).

82. Frei et al., *Flick*, pp. 692-3; Ramge, *Flicks*, pp. 249-51.

83. Priemel, *Konzerngeschichte*, p. 788.

84. James M. Markham, "Company Linked to Nazi Slave Labor Pays $2 Million", *New York Times*, 9 jan. 1986.

85. Meck, *Auto*, pp. 147-55 e 162-3.

86. Jungbluth, *Oetkers*, pp. 262-75.

87. Louis S. Richman, "The Germans Survivors of Tumultuous Times", *Fortune*, 12 out. 1987.

88. Citado em Markus Schär, "Vermögen mit Verfalldatum", *Die Weltwoche*, 8 jan. 2015.

89. Ver Gerhard von Finck, representante de vendas, disponível em: <http://gvfinck.com/about/>.

90. Sobre a disputa pela herança de Von Finck, ver Henryk Hielscher, "Schlammschlacht ums Milliardenerbe", *Wirtschaftswoche*, 27 jul. 2010; Sören Jensen, "Millionäre gegen Milliardäre", *Manager Magazin*, 20 out. 2011; Leo Müller, "Ein Erbstreit sondergleichen", *Bilanz*, 8 dez. 2015; "Urteil im Erbschaftsdrama", *Juve*, 13 set. 2019.

91. Treue, *Herbert*, p. 286; Jungbluth, Quandts (2002), pp. 312-7.

92. "In Memoriam Herbert Quandt 22. Juni 1910-2 Juni 1982", HWA, dept. 2017, pasta 85.

93. Ver Astrid Becker, Johannes Jansen, Martina Padberg e Sonja Pöppel, *Kunst im Harald Quandt Haus* (Bad Homburg: Harald Quandt Holding, 2008); Jungbluth, *Quandts* (2015), pp. 252 e 384.

94. Para os vários relatos de Colleen-Bettina Rosenblat de seu caminho para o judaísmo, ver Jungbluth, *Quandts* (2002), pp. 334-6; Bianca Lang, Andreas Möller e Mariam Schaghaghi, "Heimat sind Rituale", *Der Spiegel*, 29 set. 2017; Yvonne Weiss, "Das Schwere Erbe der Colleen B. Rosenblat-Mo", *Hamburger Abendblatt*, 18 out. 2018.

95. Jungbluth, *Quandts* (2002), p. 335.

96. Dagmar von Taube, "Colleen B. Rosenblat: Klare Ansichten", *Welt am Sonntag*, 20 dez. 1998.

PARTE VI: O AJUSTE DE CONTAS [pp. 289-326]

1. Christoph Neßhöver, "Die Reimanns sind die reichsten Deutschen", *Manager Magazin*, 1 out. 2019.

2. Ver JAB Holding Company, disponível em: <https://www.jabholco.com/>.

3. Adam Luck e Alan Hall, "Nazi Slavery Past of Family Buying Pret A Manger – Which Was Founded by Jewish Businessman – for £1.5 Billion", *Mail on Sunday*, 15 set. 2018.

4. David de Jong e Annette Weisbach, "Billionaires Unmasked as Coty Persists in Pursuit of Avon", *Bloomberg News*, 9 abr. 2012; David de Jong e Matthew Boyle, "The Caffeine Fix", *Bloomberg Markets*, 11 fev. 2015.

5. Maximilian Kiewel, "Die Nazi-Vergangenheit von Deutschlands Zweitreichster Familie: Die SS-Liebe von Else Reimann", *Bild am Sonntag*, 30 mar. 2019.

6. Citações em Maximilian Kiewel, "Sie sind 33 Milliarden Euro Reich: Die Nazi-Vergangenheit der Calgon-Familie", *Bild am Sonntag*, 24 mar. 2019.

7. Maximilian Kiewel, "Reimann-Vertrauter Peter Harf zu den Enthüllungen: Es gibt nichts zu beschönigen", *Bild am Sonntag*, 24 mar. 2019.

8. Chris Isidore, "Krispy Kreme Owners Admit to Family History of Nazi Ties", *CNN Business*, 25 mar. 2019.

9. Devra First, "I Found Out Nazi Money Is Behind My Favorite Coffee. Should I Keep Drinking It?", *Boston Globe*, 4 jun. 2019.

10. Rebecca Saltzman, "This Is Embarrassing, but It Turns Out Our Fake Jewish Bagel Chain Was Funded by Nazis", *McSweeney's*, 27 mar. 2019.

11. Sobre Harf e a JAB, ver de Jong e Boyle, "Caffeine Fix"; Franziska Scheven, "Buying into Success", *Handelsblatt*, 4 ago. 2018; "A Peek Inside JAB Holding", *Economist*, 20 jun. 2020; Sven Clausen, "Clan ohne Klasse", *Manager Magazin*, 23 abr. 2021.

12. Peter Harf ao autor, 30 jun. 2021.

13. Ver Osterloh e Wixforth, *Unternehmer*, pp. 365-79; Susanne-Sophia Spiliotis, *Verantwortung und Rechtsfrieden* (Frankfurt: Fischer, 2003), pp. 25-67; Mary Fulbrook, *Reckonings* (Oxford, UK: Oxford University Press, 2018), pp. 343-4.

14. Dietmar Hawranek, "Porsche and Volkswagen's Nazi Roots", *Der Spiegel*, 21 jul. 2009.

15. Frei et al., *Flick*, pp. 671, 677 e 694.

16. Alan Montefiore e David Vines (Orgs.), *Integrity in the Public and Private Domains* (Londres: Routledge, 1999), pp. 205 ss.; Frei et al., *Flick*, pp. 762-3.

17. Citações em Montefiore e Vines, *Integrity*, pp. 215-6.

18. Jenni Frazer, "Flick: Payment 'Possible' to Survivors", *Jewish Chronicle*, 22 mar. 1996.

19. Osterloh e Wixforth, *Unternehmer*, pp. 379-90; Fulbrook, *Reckonings*, 344-5. Para mais leituras: Spiliotis, *Verantwortung*, pp. 69-179.

20. Fulbrook, *Reckonings*, p. 345.

21. Facts and figures, EVZ, 31 dez. 2020, disponível em: ‹https://www.stiftung-evz.de/eng/the-foundation/facts-and-figures.html›; Spiliotis, *Verantwortung*, pp. 181-91, Osterloh e Wixforth, *Unternehmer*, pp. 384-6; Fulbrook, *Reckonings*, p. 345.

22. Dagmar Ottmann, "Die Ausstellung Verschieben! Ein offener Brief", *Die Zeit*, 5 ago. 2004.

23. Ramge, *Flicks*, pp. 12-3; Frei et al., *Flick*, pp. 768-70.

24. Michael Swersina, "Ingrid Flick im Gespräch mit den Unterkärtner Nachrichten", *Unterkärtner Nachrichten*, 6 mar. 2019.

25. Paul Sahner, "Jetzt redet die schöne Witwe", *Bunte*, 7 jan. 2010.

26. David de Jong, "The World's Youngest Billionaires Are Shadowed by a WWII Weapons Fortune", *Bloomberg News*, 3 maio 2018.

27. Swersina, "Ingrid", *Unterkärtner*, 6 mar. 2019.

28. "Major Gift for Tel Aviv Museum of Art from Ingrid Flick", *Artnet News*, 22 maio 2014.

29. Friedrich Flick Förderungsstiftung Gremien, disponível em: <https://www.flickfoerderungsstiftung.de/gremien/>.

30. Tim Schanetzky, *Regierungsunternehmer* (Göttingen: Wallstein, 2015), pp. 8-9.

31. Friedrich Flick Förderungsstiftung Geschichte und Förderungszweck, disponível em: <https://www.flickfoerderungsstiftung.de/geschichte-und-foerderungszweck/>.

32. Thilo Schmidt, "Der Mann der Kreuztal nicht zur Ruhe kommen lässt", *Deutschlandfunk*, 20 mar. 2017; ver também: <https://www.flick-ist-kein-vorbild.de/>.

33. Declaração fornecida pelo porta-voz da Universidade Goethe, Olaf Kaltenborn, 19 jul. 2021.

34. Patrocinadores do Deutschlandstipendium, Universidade Goethe, 2016, disponível em: <https://www.uni-frankfurt.de/61624067/UnsereF%C3%B6rderer2016>.

35. "Barry Eichengreen Appointed Visiting Professor for Financial History 2019", Universidade Goethe, 4 out. 2018, disponível em: <aktuelles.uni-frankfurt.de/englisch/barry-eichengreen-appointed-visiting-professor-for-financial-history-2019/>.

36. Conselho de curadores da Universidade Goethe, 2 mar. 2021, disponível em: <uni-frankfurt.de/51849455/MitgliederdesStiftungskuratoriumsderGoethe_Universität>.

37. "Zur Geschichte der Messer-Werke im NS", 28 fev. 2018, disponível em: <https://forschungsstelle.files.wordpress.com/2018/03/adolfmesser-kritikgutachten_akten-maerz2018.pdf>.

38. Daniel Majic, "Umstrittene Lounge in Goethe-Uni wird umbenannt", *Frankfurter Rundschau*, 15 fev. 2019.

39. A fundação tem agora o nome do filho de Adolf Messer, Hans Messer, disponível em: <http://dr-hans-messer-stiftung.de/>.

40. Alfried Krupp Stiftung, <https://www.krupp-stiftung.de/alfried-krupp/>; Fritz Thyssen Stiftung, disponível em: <https://www.fritz-thyssen-stiftung.de/en/about-us/general-information/history/>.

41. Sahner, "Jetzt", *Bunte*, 7 jan. 2010.

42. Eric Friedler, "Das Schweigen der Quandts", JARD/NDR, 30 set. 2007, vídeo no YouTube, 59:26, disponível em: <https://www.youtube.com/watch?v=FpQpgd EeWY>.

43. Susanne e Stefan Quandt comentaram na biografia outras coisas: ver Jungbluth, *Quandts* (2002), pp. 350 ss. Duas das filhas de Harald fizeram nela comentários sobre seu pai e sua avó Magda em relação à era nazista: Jungbluth, *Quandts* (2002), pp. 275 e 334-6.

44. Friedler, "Schweigen", ARD/NDR, 30 set. 2007.

45. Citado em Jungbluth, *Quandts* (2002), p. 344.

46. Friedler, "Schweigen", ARD/NDR, 30 set. 2007.

47. Jungbluth, *Quandts* (2002), p. 343.

48. Friedler, "Schweigen", ARD/NDR, 30 set. 2007.

49. Friedler, "Schweigen", ARD/NDR, 30 set. 2007.

50. "Nach Kräften Mies", *Der Spiegel*, 8 dez. 1974.

51. Discurso, Stefan Quandt, Herbert Quandt Medien-Preis, 22 jun. 2008, disponível em: <https://www.johanna-quandt-stiftung.de/medien-preis/2008/rede-stefan-quandt>.

52. Quandt e Quandt, *Günther*, pp. 245-6.

53. Jungbluth, *Quandts* (2015), pp. 331-41.

54. Lorenz Wagner, "Susanne Klatten — Die Unbekannte", *Financial Times Deutschland*, 21 nov. 2008.

55. Scholtyseck, *Aufstieg*, p. 763.

56. Scholtyseck, *Aufstieg*, p. 849.

57. Scholtyseck, *Aufstieg*, p. 843.

58. Scholtyseck, *Aufstieg*, p. 314.

59. Scholtyseck, *Aufstieg*, pp. 406 e 537.

60. Scholtyseck, *Aufstieg*, p. 766.

61. Rüdiger Jungbluth e Giovanni di Lorenzo, "NS-Vergangenheit der Quandts: Man fühlt sich grauenvoll und schämt sich", *Die Zeit*, 22 set. 2011.

62. M. Backhaus e B. Uhlenbroich, "Die Quandt Familien brechen ihr Schweigen", *Bild am Sonntag*, 6 nov. 2011.

63. Jungbluth e Di Lorenzo, "NS-Vergangenheit", *Die Zeit*.

64. Biografia Herbert Quandt, disponível em: <https://www.johanna-quandt-stiftung.de/medien-preis>. (Acessei pela última vez essa versão da biografia em 25 de outubro de 2021. A biografia foi substituída no site entre 26 e 29 de outubro de 2021.)

65. Rüdiger Jungbluth e Anne Kunze, "August Oetker: 'Mein Vater war Nationalsozialist'", *Die Zeit*, 17 out. 2013.

66. Jungbluth, *Oetkers*, pp. 388-91.

67. David de Jong, "Nazi-Forged Fortune Creates Hidden German Billionaires", *Bloomberg News*, 3 fev. 2014.

68. Finger et al., *Dr. Oetker*, p. 17; "Wie geht Oetker kommunikativ mit seiner NS-Vergangenheit um, Herr Schillinger?", *Pressesprecher*, 17 dez. 2013.

69. Finger et al., *Dr. Oetker*, p. 415.

70. Jungbluth e Kunze, "Mein Vater".

71. "Oetker-Witwe kritisiert Historiker der Nazi-Studie", *Neue Westfälische*, 22 out. 2013.

72. Simon Hage e Michael Machatschke, "Schiedsgericht soll Machtkampf bei Oetker entschärfen", *Manager Magazin*, 23 jan. 2014.

73. Maria Marquart, "Pizza, Pudding, Beef", *Der Spiegel*, 16 mar. 2019.

74. Dr. August Oetker KG, "Oetker Group to Be Split", 22 jul. 2021.

75. "Porsche Creates the Ferry Porsche Foundation", Porsche AG, 16 maio 2018, disponível em: <https://newsroom.porsche.com/en/company/porsche-ferry-porsche-foundation-social-responsibility-education-social-issues-youth-development-foundation-funding-15487.html>.

76. "Ferry Porsche Foundation Endows First Professorship for Corporate History in Germany", Universidade de Stuttgart, 8 mar. 2019, disponível em: <https://www.uni-stuttgart.de/en/university/news/all/Ferry-Porsche-Foundation-endows-first-professorship-for-corporate-history-in-Germany/>.

77. Porsche e Molter, *Ferry*, p. 192.

78. Porsche e Molter, *Ferry*, p. 124.

79. Pyta et al., Porsche, pp. 307-8 e 458 n16; Westemeier, *Krieger*, pp. 540-1.

80. Pyta et al., *Porsche*, p. 308.

81. Pyta et al., *Porsche*, p. 15.

82. Gywn Topham, "Volkswagen Swallows Porsche", *The Guardian*, 5 jul. 2012.

83. Relatório anual do Grupo Volkswagen 2020, 16 mar. 2021, disponível em: <https://annual-report2020.volkswagenag.com/>.

84. Christoph Neßhöver, "Knapp 80 Milliarden mehr für die reichsten Zehn", *Manager Magazin*, 30 set. 2021.

85. "Ferry Porsche Foundation Endows", Universidade de Stuttgart, 8 mar. 2019.

86. Reuß, "Rosenberger", ARD/SWR, 24 jun. 2019.

87. Pyta et al., *Porsche*, p. 313.

88. Pyta et al., *Porsche*, p. 131.

89. Bloomberg Billionaires Index, 28 nov. 2021.

90. Anna Jikhareva, Jan Jirat e Kaspar Surber, "Eine schrecklich rechte Familie", *Die Wochenzeitung*, 29 nov. 2018.

91. Roman Deininger, Andreas Glas e Klaus Ott, "Der Frontmann des Herrn Baron", *Süddeutsche Zeitung*, 26 mar. 2021.

92. "Milliardär in Vaters Schatten", *Der Spiegel*, 4 jul. 1993.

93. Berthold Neff, "Der Freie Bürger und sein Edelmann", *Süddeutsche Zeitung*, 10 out. 2002.

94. Kassian Stroh, "Spendables Imperium", *Süddeutsche Zeitung*, 30 jan. 2009.

95. "Große Geschenke erhalten die Freundschaft", *Der Spiegel*, 17 jan. 2010.

96. "Hohn und Spott für die Mövenpick Partei", *Der Spiegel*, 19 jan. 2010.

97. Christian Ricken, "Der geheime Finanzier", *Manager Magazin*, 14 dez. 2005.

98. Ludwig von Mises Institute Deutschland, disponível em: <https://www.misesde.org/impressum/>.

99. Simone Boehringer, "Recycling der edlen Sorte", *Süddeutsche Zeitung*, 11 nov. 2011; disponível em: <https://www.degussa-goldhandel.de/en/frequently-asked-questions-faq/>.

100. Peter Hayes, *From Cooperation to Complicity* (Cambridge, UK: Cambridge University Press, 2004), pp. 175-94 e 272-300.

101. Lista de localização de lojas da Degussa, disponível em: <https://www.degussa-goldhandel.de/en/location/>.

102. Jakob Blume, "Chef von Goldhändler Degussa wettert gegen EZB", *Handelsblatt*, 9 nov. 2019.

103. Nico Lange e Theresa Saetzler, "Die neue Partei "Alternative für Deutschland", Konrad-Adenauer-Stiftung, 16 abr. 2013.

104. Financiamento de partidos políticos acima de 50 mil euros, julho 2002-atualmente, disponível em: <https://www.bundestag.de/parlament/praesidium/parteienfinanzierung/fundstellen50000>; lei de financiamento de partidos políticos da Alemanha, disponível em: <https://www.gesetze-im-internet.de/partg/25.html>.

105. Melanie Amann, Sven Becker e Sven Röbel, "A Billionaire Backer and the Murky Finances of the AfD", *Der Spiegel*, 30 nov. 2018.

106. Sven Becker e Sven Röbel, "Die Swiss-Connection der AfD", *Der Spiegel*, 10 set. 2016.

107. Friederike Haupt, "Internationale Solidarität für die AfD", *Frankfurter Allgemeine Zeitung*, 24 abr. 2017.

108. Guy Chazan, "The Advertising Guru Harnessing Europe's Immigration Fears", *Financial Times*, 30 dez. 2016.

109. Christian Fuchs e Paul Middelhoff, *Das Netzwerk der Neuen Rechten* (Hamburgo: Rowohlt, 2019), pp. 222-3.

110. Citado em Amann, Becker e Röbel, "Billionaire".

111. Fuchs e Middelhoff, *Netzwerk*, pp. 217-21.

112. Sven Röbel, "AfD muss 400.000 Euro Strafe Zahlen", *Der Spiegel*, 16 abr. 2019.

113. Ann-Katrin Müller e Sven Röbel, "Staatsanwaltschaft ermittelt gegen AfD-Schatzmeister", *Der Spiegel*, 19 abr. 2019.

114. Markus Becker, Sven Röbel e Severin Weiland, "Staatsanwaltschaft beantragt Aufhebung der Immunität von AfD-Chef Meuthen", 23 jun. 2021.

115. Lista de multas à AfD confirmadas fornecida por LobbyControl, 21 jul. 2021.

116. "AfD's Gauland Plays Down Nazi Era as a 'Bird Shit' in German History", *Deutsche Welle*, 2 jun. 2016.

117. Frank Jordan e David Rising, "German Officials Say Far-Right Crime Rising as Police Arrest Alleged Neo-Nazi", Associated Press, 4 maio 2021.

118. Susanne Lettenbauer, "Symbolpolitik im Bayerischen Wald", *Deutschlandfunk*, 22 jan. 2020.

119. Deininger, Glas e Ott, "Frontmann".

120. Essa citação e as seguintes de Katrin Bennhold, "Nazis Killed Her Father. Then She Fell in Love with One", *New York Times*, 14 jun. 2019.

121. "The Story of the Alfred Landecker Foundation", disponível em: <https://www.alfredlandecker.org/en/article/the-story-of-the-alfred-landecker-foundation>.

122. Neßhöver, "Reichsten Deutschen".

123. Relatório do Grupo BMW 2020, 17 mar. 2021, p. 181.

124. Dietmar Student e Martin Noe, "Wer würde denn mit uns tauschen wollen?", *Manager Magazin*, 20 jun. 2019.

125. Jungbluth e Di Lorenzo, "NS-Vergangenheit".

126. Stefan Quandt, "Schützt das Privateigentum!", *Frankfurter Allgemeine Zeitung*, 22 jun. 2019; Rede Stefan Quandt, 2019, disponível em: <https://www.johanna-quandt-stiftung.de/medien-preis/2019/rede-stefan-quandt>.

127. "Solide in die Digitale Zukunft", *Frankfurter Allgemeine Zeitung*, 29 jun. 2019.

128. "Financial Assets", disponível em: <https://www.bmw-foundation.org/en/funding/>.

129. "Our Mission", disponível em: <https://www.bmw-foundation.org/en/mission-responsible-leadership/>.

130. Declaração da fundação Herbert Quandt da BMW ao autor, 20 jul. 2021; Fundação, disponível em: <https://www.bmw-foundation.org/en/foundation/>.

131. Julian Raff, "Offenes Geheimnis", *Süddeutsche Zeitung*, 26 mar. 2021.

Créditos das imagens

p. 40: BPK/ Atelier Bieber/ Nather
p. 41: BPK/ Atelier Bieber/ Nather
p. 46: ullstein bild – ullstein bild/ Easypix Brasil
p. 65: BPK
p. 69: ullstein bild – ullstein bild/ Easypix Brasil
p. 72: BPK/ Atelier Bieber/ Nather
p. 78: Courtesy of the Adolf Rosenberger/ Alan Arthur Robert estate
p. 88: Bundesarchiv
p. 108: ullstein bild – Teutopress/ Easypix Brasil
p. 112: Courtesy of Corporate Archives Porsche AG
p. 115: Courtesy of Dr. August Oetker KG, Company Archives
p. 132: SZ Photo/ Süddeutsche Zeitung Photo/ Easypix Brasil
p. 139: Bundesarchiv, Atlantic
p. 162: ullstein bild – Ernst Sandau/ Easypix Brasil
p. 164: Berlin-Brandenburg Business Archive/ Research Archive Flick
p. 166: BPK/ Bayerische Staatsbibliothek/ Archiv Heinrich Hoffmann
p. 169: Courtesy of Dr. August Oetker KG, Company Archives
p. 172: Bundesarchiv, Scherl
p. 183: Courtesy of Corporate Archives Porsche AG
p. 185: Courtesy of Dr. August Oetker KG, Company Archives
p. 246: SZ Photo/ Süddeutsche Zeitung Photo/ Easypix Brasil

p. 274: ullstein bild – Sven Simon/ Easypix Brasil
p. 279: Berlin-Brandenburg Business Archive/ Research Archive Flick
p. 283: ullstein bild – Sven Simon/ Easypix Brasil
p. 287: ullstein bild – Würth GmbH/ Swiridoff/ Easypix Brasil
p. 299: ullstein bild – Viennareport/ Easypix Brasil
p. 315: Andreas Heddergott/ Süddeutsche Zeitung Photo/ Easypix Brasil
p. 325: ullstein bild – Henry Herrmann/ Easypix Brasil

Índice remissivo

Números de páginas em *itálico* referem-se a imagens.

1ª EDIÇÃO [2023] 3 reimpressões

ESTA OBRA FOI COMPOSTA PELA ABREU'S SYSTEM EM INES LIGHT
E IMPRESSA EM OFSETE PELA LIS GRÁFICA SOBRE PAPEL PÓLEN SOFT
DA SUZANO S.A. PARA A EDITORA SCHWARCZ EM FEVEREIRO DE 2024

A marca FSC® é a garantia de que a madeira utilizada na fabricação do papel deste livro provém de florestas que foram gerenciadas de maneira ambientalmente correta, socialmente justa e economicamente viável, além de outras fontes de origem controlada.